撼動全球走向的「家族」，一部交織萬年文明的新世界史

權力的血脈

THE WORLD

A FAMILY HISTORY OF HUMANITY

【I】

SIMON SEBAG MONTEFIORE
賽門・蒙提費歐里｜著　黃中憲｜譯

1300年的世界

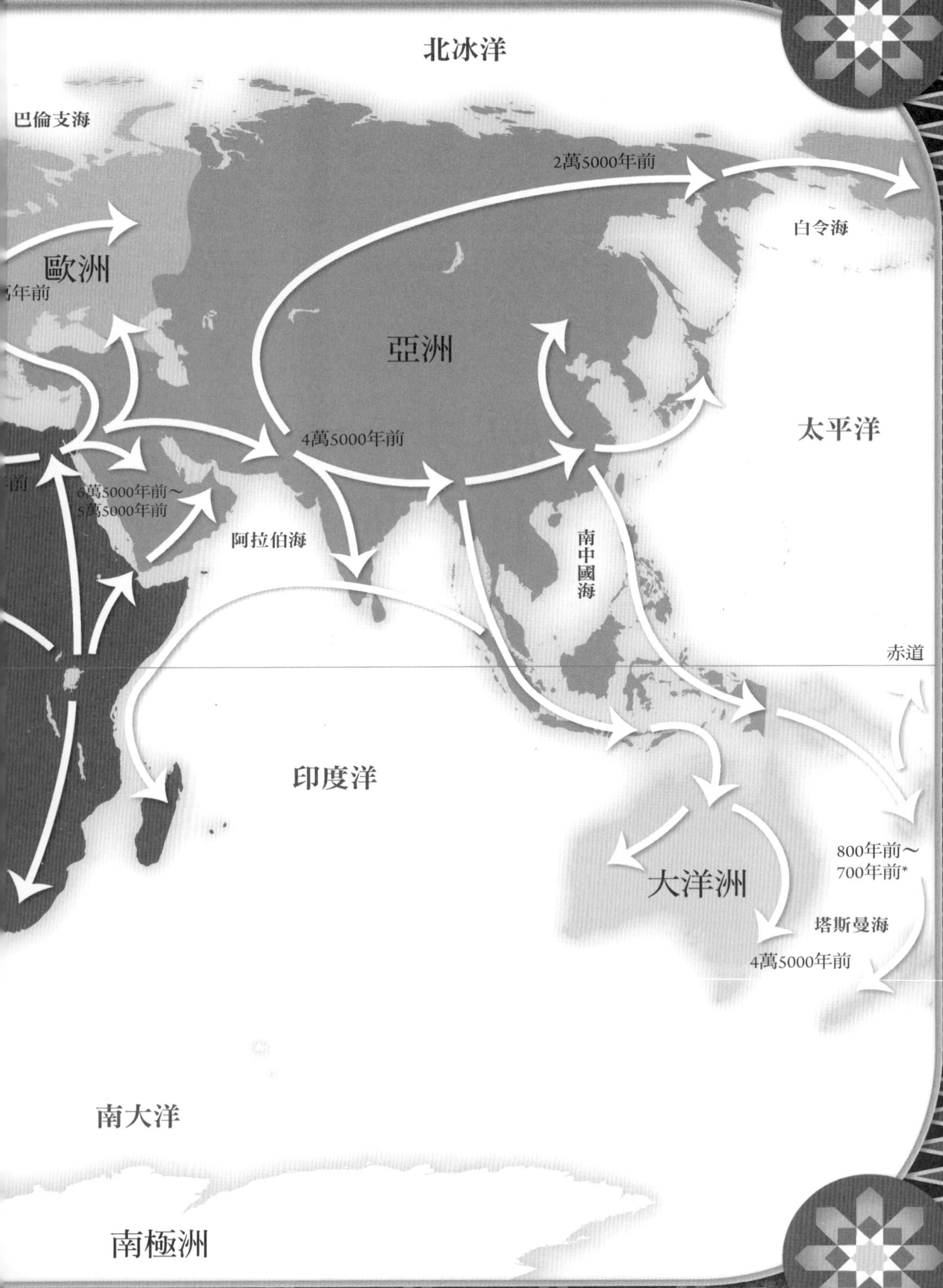

北冰洋
巴倫支海
歐洲
年前
2萬5000年前
白令海
亞洲
太平洋
4萬5000年前
年前
6萬5000年前～
5萬5000年前
阿拉伯海
南中國海
赤道
印度洋
800年前～
700年前*
大洋洲
塔斯曼海
4萬5000年前
南大洋
南極洲

西元前7萬年～

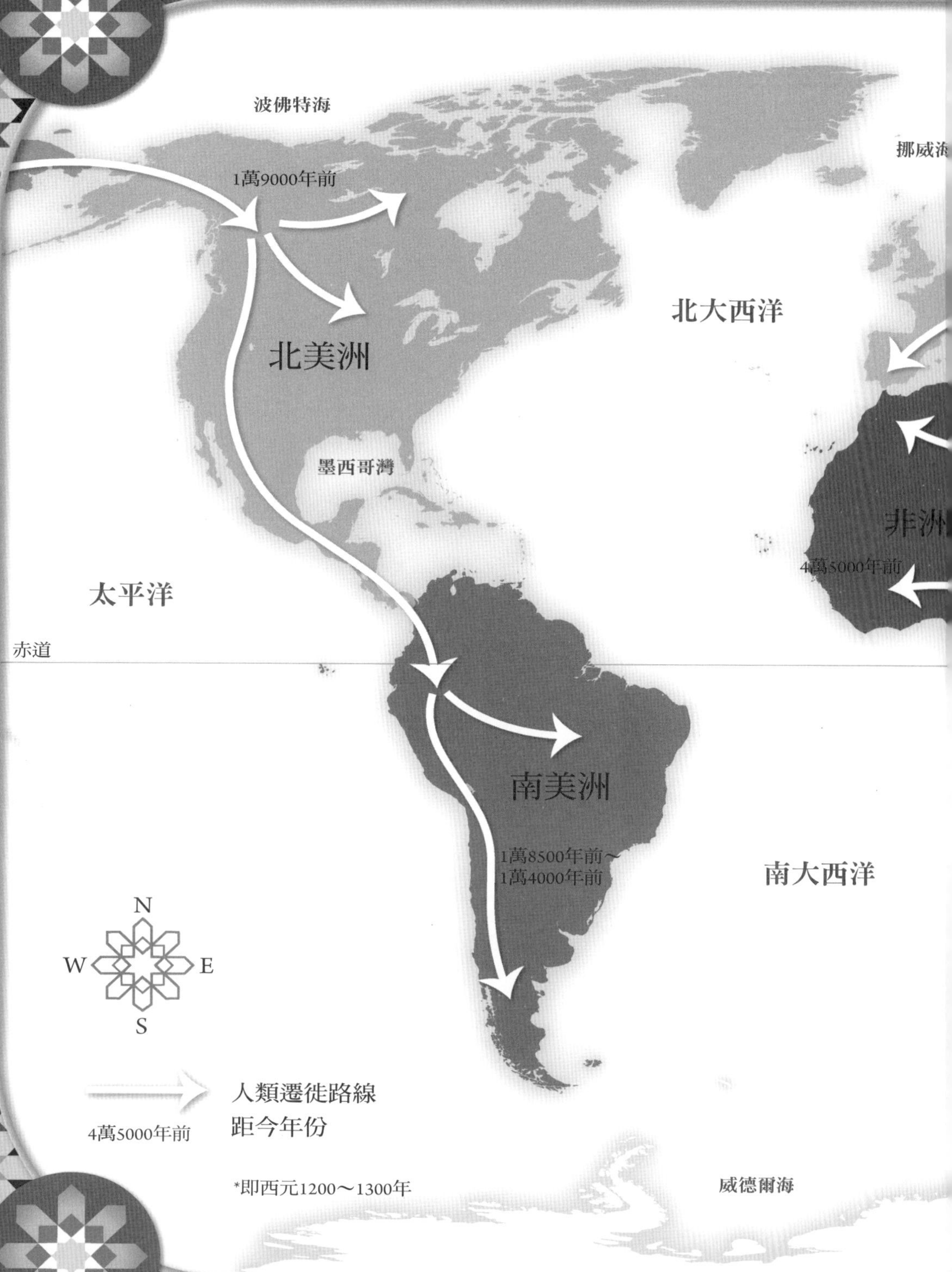
波佛特海
挪威海
1萬9000年前
北大西洋
北美洲
墨西哥灣
非洲
4萬5000年前
太平洋
赤道
南美洲
1萬8500年前～
1萬4000年前
南大西洋
N
W
E
S
人類遷徙路線
4萬5000年前
距今年份
*即西元1200～1300年
威德爾海

目次

第三幕

漢朝和凱撒家族

202

第四幕

第六幕

第八幕

獻給愛子沙夏（Sasha），
紀念我的父母史蒂芬和艾波（Stephen & April）。

如果一王國是個大家族，一家族就是個苦於派系傾軋且易遭革命的小王國。

——塞繆爾．詹森（Samuel Johnson）

世界是座山，充斥著我們的行為和話語；
話語會有回音；說出的話會回到我們身上。

——魯米（Rumi）

在獅子有自己的歷史學家之前，狩獵史將始終歌頌狩獵者。

——奇努瓦・阿契貝（Chinua Achebe）

真理從未死倒在街上；它與人的靈魂極似，不管用什麼方式播下，種子都會在某地落腳，生出百個後代。

——西奧多．帕克（Theodore Parker）

如此多的戰爭，如此多種的罪行……
邪惡的戰神使所有人屈服於他的瘋狂念頭；
世界就像一輛不受控的戰車。

——維吉爾（Virgil）

總疑問：誰控制誰。

——列寧（Lenin）

凡是相信研究孤立的歷史，就能對整個歷史有相當公允之認識的人，都像是看過原本美麗活著之動物遭砍下的手腳後，就以為自己已看過那隻動物活蹦亂跳、討人喜歡之模樣的人……只有真的研究過各種殊相的關聯性、其相似和差異，才得以起碼做出普遍性的考察，從而從歷史兼得到益處和樂趣。

——波利比烏斯（Polybius）

走到人生旅途的中途，我突然身在幽暗的林子裡，因為已找不到直達的路。

——但丁（Dante Alighieri）

序和誌謝

這部世界史寫於新冠肺炎封城和俄羅斯入侵烏克蘭等世局險惡時期。撰寫世界史的方式不勝枚舉；自上古時期起，已有數百名歷史學家照自己的方式為文著書；如今，多數大學都有世界史教授，每年出版的這類書目達數十部，其中不乏出色之作，而且我試過要一一讀畢。不管什麼書都不易寫，而世界史和大部分書籍相較，更是難上加難。伊本・赫勒敦（Ibn Khaldun）*撰寫世界史時寫道，「文思從我腦袋噴湧而出，就像奶油注入攪乳器裡。」而撰寫本書時，便有許多奶油、歷經許多次的攪拌。

我一直想要寫一部類似於此、深入呈現人心的人類史，而且在某些方面採用全新的手法，在某些方面採用傳統手法。這部人類史是一輩子研究、旅行的心血結晶。我有幸走訪了這段歷史中的許多地方，親眼見證受到這段歷史影響而引發的戰爭和政變，並與在世界舞臺上擔綱演出的一些人物交談。

我十一歲時，我那好深思的醫生父親給了我如今已遭嚴厲批評為過時的阿諾德・湯恩比（Arnold Toynbee）的《歷史研究》（*A Study of History*）刪節本。他說，「或許有一天，你會寫出這種書。」而當

* 編注：伊本・赫勒敦（Ibn Khaldun, 1332-1406），阿拉伯歷史學家、經濟學家，人稱「人口統計學之父」。其最著名的作品為《歷史緒論》（*Muqaddimah*）。

時，我花了數小時細讀在我的英語課程中未教的那些地方、時期的歷史。在那所學校裡，主要學習的是都鐸王朝、納粹的歷史。

本書給了我從事寫作以來最大的滿足，也帶來最艱巨的挑戰。但我吃的苦比其他許多歷史學家少了許多。伊本・赫勒敦眼見其雙親死於黑死病。沃爾特・羅利（Walter Raleigh）爵士在等待處決期間，撰寫他的《世界史》（*History of the World*），而他當下的處境肯定有助於催生出寫史所需的眼力。可惜他未能完成便遭砍頭（想來令人不勝唏噓）。歷史具有形塑現在（以及若遭濫用，則是扭曲現在）的一股近乎神奇且特殊的力量：寫史因而是一門必不可少且崇高——但又危險——的行業。中國的史家司馬遷（約西元前一四五年生）遭控誹謗皇帝，而必須在處死和宮刑之間擇一。他選擇後者，只為完成他的史書：「草創未就，會遭此禍，惜其不成，是以就極刑而無慍色。僕誠已著此書，藏諸名山，傳之其人通邑大都，則僕償前辱之責，雖萬被戮，豈有悔哉！」每個歷史學家，每個作家，都有這樣的夢想。我下筆為文時，心裡便想著司馬遷……

就在世的諸多歷史學家來說，已有眾多學界俊彥讀過、討論過、糾正過本書的全部或部分內容：感謝倫敦政經學院國際關係史教授Dominic Lieven；牛津大學全球史教授Peter Frankopan；倫敦大學亞非學院奴隸制遺緒和記憶教授Olivette Otele；麻省理工學院科學書寫教授Thomas Levenson；哥倫比亞大學歷史和藝術史教授Simon Schama爵士；劍橋大學地中海史榮譽退休教授David Abulafia；牛津大學近代歐洲史教授Abigail Green。

一九七三至七七年擔任美國國務卿的亨利・季辛吉（Henry Kissinger）博士，讀了本書中與他的時期相應的部分；我有幸和Tim Berners-Lee爵士和Rosemary Berners-Lee交流網際網路的問世。感謝Ben Okri。

感謝以下諸位為下述主題糾正錯誤：

非洲：Luke Pepera。

美洲：（美國）哈佛法學院美國法制史的Charles Warren講座教授Annette Gordon-Reed；劍橋大學美國史教授Andrew Preston；（中美洲／南美洲）賓州州立大學人文學院殖民地時期拉丁美洲史的Edwin Erle Sparks講座教授Matthew Restall；（巴西）聖保羅大學人類學教授Lilia Schwarcz。

中國：（早期）加州大學伯克萊分校東亞研究教授Michael Nylan；（秦以後）哈佛大學中國史和內亞史的Mark Schwartz講座教授Mark C. Elliott。

遺傳學／DNA：Adam Rutherford博士。

希臘：倫敦國王學院近代希臘與拜占庭史的Koraes講座榮譽退休教授Roderick Beaton；牛津大學古典文學教授Armand D'Angour。

印度／南亞：倫敦政經學院經濟史教授Trithankar Roy；倫敦大學高等研究院大英國協研究所Tripurdaman Singh博士；William Dalrymple；大英博物館南亞收藏品主任Sushma Jansari博士；大英博物館南亞收藏品主任Imma Ramos博士；倫敦國王學院南亞音樂、歷史資深講師Katherine Schofield博士；精於錫克帝國的Davinder Toor。

伊朗：加的夫大學上古史教授Lloyd Llewellyn-Jones。

日本：愛丁堡大學亞洲史資深講師Christopher Harding博士。

烏克蘭：哈佛大學烏克蘭史Mykhailo Hrushevsky講座教授Serhii Plokhy。

感謝以下人士在按時間先後順序提出的主題裡提出糾正：

史前史：自然史博物館人類演化部門研究主任Chris Stringer教授；（蘇美／美索不達米亞）劍橋大學美索不達米亞考古學教授Augusta McMahon；大英博物館中東部John MacGinnis博士。

古埃及：開羅美國大學埃及學教授Salima Ikram；以及Yasmine El Rashidi。

古羅馬：加州大學的古歷史Ronald J. Mellor講座教授Greg Woolf。

絲路：彼德・梵科潘（Peter Frankopan）。

拜占庭：倫敦大學皇家哈洛威學院拜占庭史教授Jonathan Harris。

維京人：烏普薩拉大學考古學教授Neil Price。

基輔羅斯／莫斯科公國：倫敦大學學院副教授Sergei Bogatyrev博士（即將出版一本談基輔羅斯境內家族記憶的書）。

中世歐洲／諾曼人：聖安德魯斯大學榮譽退休教授Robert Bartlett。

蒙古人：北喬治亞大學歐亞中部史教授Timothy May。

印加人和阿茲特克人：賓州州立大學人文學院殖民地時期拉丁美洲史Edwin Erle Sparks講座教授Matthew Restall。

衣索比亞：牛津大學古希臘羅馬世界種族和族群的博士後研究員Mai Musié博士；波鴻魯爾大學Verena Krebs博士；諾丁罕特倫特大學Adam Simmons博士；耶路撒冷希伯來大學Bar Kribus博士。

高棉／柬埔寨：倫敦大學亞非學院東南亞藝術教授Ashley Thompson。

葡萄牙／葡萄牙帝國：倫敦國王學院歷史學Charles Boxer講座教授Malyn Newitt；倫敦大學學院歐洲語言、文化、社會學院近世史教授Zoltán Biedermann。

西班牙／西班牙帝國：布里斯托大學Fernando Cervantes博士。

十七世紀英格蘭：布里斯托大學歷史學教授Ronald Hutton。
巴西：Lilia Schwarcz。
夏威夷：劍橋大學社會人類學教授Nicholas Thomas。
法國：牛津大學伍斯特學院近代史教授Robert Gildea。
聖多明哥／海地：牛津大學貝利奧爾學院Sudhir Hazareesingh博士；德州大學阿靈頓分校歷史學教授John D. Garrigus。
荷蘭／荷蘭帝國：烏特勒支大學歷史學助理教授David Onnekink。
德國：Katja Hoyer。
冷戰：約翰霍普金斯大學高等國際關係研究院傑出教授Sergey Radchenko。

N. Zaki博士翻譯了阿拉伯語文本。Keith Goldsmith讀了美國的部分。Jago Cooper、Kate Jarvis、Olly Boles協助了早期的部分。Jonathan Foreman花了許多小時討論世界史。

優秀的老師和具啟發性的恩師造就人的一生：我要感謝在我第一本書《凱撒琳大帝和波坦金》（*Catherine the Great & Potemkin*）中教導我如何寫史的已故教授Isabel de Madariaga；Jeremy Lemmon、已故的Stuart Parsonson、Howard Shaw、Hugh Thompson。

感謝讓我得以繼續寫下去的團隊：感謝Marcus Harbord博士照顧我的健康；感謝Café Rino咖啡館的Rino Eramo和The Yard的Ted 'Longshot' Longden提供讓我活力滿滿的cortado咖啡；感謝Carl van Heerden、Dominique Felix提供斯巴達式健身課程；感謝Akshaya Wadhwani的高科技。也要感謝好友Samantha Heyworth、Robert Hardman；Aliai Forte；Tamara Magaram；Marie-Claude Bourrely以及Eloise Goldstein、

在象牙海岸主題上的協助。

感謝Hachette出版的David Shelley、Maddy Price、Elizabeth Allen；英勇的Jo Whitford；感謝最傑出的主編Peter James；我的前主編Bea Hemming；在美國，感謝已故的Sonny Mehta，感謝Knopf出版的Reagan Arthur、Edward Kastenmeier；我最優秀的經紀人Georgina Capel、Rachel Conway、Irene Baldoni、Simon Shaps。

我要把此書獻給我已故的父母Stephen、April。我要感謝妻子Santa、女兒Lilochka、兒子Sasha，用笑、愛、寬容，忍受三年與世隔絕的隱居生活：「我為人人，人人為我。」

賽門・席巴格・蒙提費歐里

於倫敦

小記

這是部綜合性著作，一輩子閱讀的心血結晶，書中我盡可能使用第一手資料。而其中每個主題都已催生出浩瀚的歷史著作，因此，為了節省篇幅，我把每一節所用到的主要著作都列在參考書目裡。

名稱不可馬虎：孔子認為，「必也正名乎。」傳統的西方學界作法，係把東方的王朝希臘化，例如以Genghizids一詞稱呼成吉思汗的王朝。除非真是希臘人（例如塞琉西王朝／Seleucids），否則我都盡可能用原有的名稱來稱呼：於是我稱波斯人的Achaemenids（阿契美尼德王朝）為Haxamanishiya；Abbasids（阿拔斯王朝）稱作Abbasiya。我盡量避用新詞——多數時候使用Romaioi而非Byzantines，使用Hattian而非Hittite。西元前一三五年，我使用「猶大」（Jewish），而非「猶太」（Jewish），而我之所以斷定如此，是因為在第三次猶大—羅馬戰爭（the Bar Kochka Revolt）後的那個世紀，猶大逐漸稱為猶太。我盡量避免把所有名稱都英語化：法國國王François而非Francis、西班牙國王Enrique而非Henry。但如果是眾所周知的名字，我就使用人們所熟悉的名字：Cyrus而非Kouresh，Pompey而非Pompeius。在鄂圖曼帝國時期，我大多使用土耳其語名，而非阿拉伯語名：稱埃及統治者為Mehmed Ali，而非Muhammad Ali。我使用Türkiye而非Turkey：若說有個例子可以說明以歐洲為中心的拼法錯在哪裡，這就是個例子。就中國統治者來說，我若非使用他們的姓名（劉徹），就是使用他們的謚號（武帝）；就明清時期來說，我使用年號（康熙皇帝，簡稱康熙）。

就地理背景來說，我使用現代國家名，只是這有時會讓人混淆：達荷美王國位於今日貝南共和國（而非達荷美共和國）境內；貝南王國位在奈及利亞（而非貝南共和國）境內。

世界史的分期很粗疏——石器時代、黑暗時代、軸心時代、大開啟（Great Opening）和文藝復興時期、諸多的革命時期；其中許多時期名稱如今顯得簡化、過時、老套。只不過，分類是歷史學家的職責，其中許多分期之所以流於俗套，在於其大體上符合事實。

書中任何前後不一致之處，其咎在我。

前言

潮退，足跡露出。在今日東英格蘭境內小村黑斯堡（Happisburgh）的海灘上，可見某家族走過留下的腳印。腳印共五組，大概是一男子、四小孩所留下，距今九十五萬至八十五萬年。這些腳印於二〇一三年發現，為歷來所知最古老的家族腳印。但並非是最早的足跡：在人類發源地非洲已發現更古老的了。但黑斯堡腳印是**一家人**所留下的最古老足跡，動筆撰寫這部世界史，正出於它們的啟發。

世上已有多部世界史，而本書採用新手法，利用家族在漫長歲月裡的事蹟，提供一個不同且嶄新的視角。我心儀於這個手法，因為可以把重大事件和個人曲折的際遇連結在一起，時間範圍涵蓋從最早的古人類（hominin）至今，從削尖的石頭至iPhone和無人機時代。世界史是紛亂時代的靈丹妙藥：其優點在於讓人從長遠視角觀照世局；缺點則是時空距離太遙遠。世界史往往有主題，而沒有人的蹤影；傳記有人，沒有主題。

家族始終是人類基本的存在單位——即使在人工智慧和星際大戰時代亦然。我講述每個時期、每個大陸上諸多家族的故事，以此織就歷史，試圖錨定其不斷奔騰向前的腳步。這本書談的是許多人而非一人的生平際遇。即使這些家族的足跡遍及全球，他們的曲折際遇依舊是非常個人的——生、死、婚、愛、恨；他們崛起；垮臺；東山再起；遷徙；回到故土。在每齣家族大戲裡都有許多幕。那就是當塞繆爾．詹森

（Samuel Johnson）說，每個王國都是個家族，每個家族都是個小王國時，他所要表達的意思。

與伴隨我成長的許多歷史書不同的是，這是道道地地的世界歷史書，未因為過度著墨於英國和歐洲而有失公允，反倒給予亞洲、非洲、美洲應有的關注。把重點放在家族上，也使我們得以更加關注女性、孩童的際遇，而在我小時候所讀的書裡，女性、孩童無不受到輕忽。他們的角色——一如家族本身的樣貌——與時俱變。我的目標是讓世人認識歷史的囟門如何閉合。

家族一詞給人溫馨、溫情之感，但在現實生活中，家族當然也可能是鬥爭、酷行充斥之地。我筆下的諸多家族有權有勢，家族中源於撫養和愛的親情和溫情，同時被無情的政治算計所滲透和扭曲。在權勢家族，危險來自關係的親密。誠如韓非子在西元前三世紀的中國向其君主所勸誡的，「禍在所愛」。

以色列歷史學者尤瓦爾·諾亞·哈拉瑞（Yuval Noah Harari）寫道，「當其他每個人都在犁田、提水桶時，很少人會致力於歷史。」我所挑選的那些家族，大多是行使權力的家族，但其他家族包含奴隸、醫生、畫家、小說家、劊子手、將軍、歷史學家、教士、江湖術士、科學家、大亨、犯罪分子——以及戀愛中的人。甚至有一些神。

有些家族將家喻戶曉，但有許多家族不是：在此書中，我們講述了的王朝包括馬利、大明、梅迪奇和穆塔帕（Mutapa）、達荷美、阿曼、阿富汗、柬埔寨、巴西、伊朗、海地、夏威夷、哈布斯堡；講述了成吉思汗、孫賈塔·凱塔（Sundiata Keita）、武后、艾烏瓦雷一世（Ewuare the Great）、恐怖伊凡、金正恩、伊茨科阿特爾（Itzcoatl）、安德魯·傑克遜（Andrew Jackson）、海地國王亨利、甘加·尊巴（Ganga Zumba）、德皇威廉、英迪拉·甘地、索布扎（Sobhuza）、帕恰庫蒂·印加（Pachacuti Inca）、希特勒，以及肯亞塔家族、卡斯楚家族、阿薩德家族、川普家族、克麗奧佩脫拉、戴高勒、何梅尼、戈巴契夫、瑪麗·安托瓦內特、傑佛遜、納迪爾（Nader）、毛澤東、歐巴馬；莫札特、巴爾札克、米開朗基羅；凱撒家族、蒙兀兒王朝、紹德家族、羅斯福家族、羅斯柴爾德家族、洛克斐勒家族、鄂圖曼人。

駭人之事與溫馨親情並存。有許多慈愛的父親、母親，卻也有綽號「胖子」（fatso）的托勒密八世肢解了自己的兒子，再派人把屍塊送去給兒子的母親；納迪爾．沙和皇后艾瑞絲（Iris）弄瞎幾個兒子；王后伊莎貝拉折磨女兒；查理曼大帝可能和女兒不倫；在鄂圖曼帝國掌握大權的女人科塞姆（Kösem）下令絞死兒子，後來被孫子下令絞死；瓦盧瓦王朝統治者凱撒琳．德．梅迪奇（Catherine de' Medici）親手策畫女兒婚禮時的屠殺行動，而且對於女兒遭誘姦或被自己幾個哥哥強暴一事，她似乎予以容忍；尼祿和生母不倫，後來又殺了她。夏卡（Shaka）殺了母親，接著以此為藉口大開殺戒。薩達姆．海珊縱放兒子對付女婿。殘殺兄弟之事屢見不鮮——即使今日亦然：幾年前，金正恩謀殺兄長，而且手法很現代，以電視實境秀整人手法為幌子，運用神經毒劑殺害。

本書也講述了十幾歲女孩的悲慘遭遇。她們奉冷酷的父母之命遠嫁異邦陌生人，然後在異鄉難產而死；有時她們的婚姻有助於強化國與國的關係，但更常見的情況是她們受了苦，卻鮮少達到目的，因為家族關係徹底不敵國家利益。本書也談到奴隸出身但攀上帝國統治者之位的女人——如鄂圖曼帝國的柯塞姆蘇丹（Kösem）；又如莎莉．海明斯（Sally Hemings），她是總統托瑪斯．傑佛遜的亡妻的同父異母妹，本身為奴隸，偷偷懷了這位總統的孩子；德里蘇丹國的統治者拉齊亞（Razia）掌握實權，但因為和一名非洲籍將領的親密關係而失勢；在安達盧斯（al-Andalus），哈里發的女兒瓦拉妲（Wallada）成為女詩人，一個我行我素的人。我們跟隨所選出的家族經歷大流行病、戰爭、水災、經濟榮景，勾畫出女人的生命遭遇，從村子到統治大位，再走向工廠到總理之位；從驚人的母親死亡率、法律上無權自主到有權投票、有權墮胎、有權避孕。同時也描繪孩童際遇的變化，從高得令人不安的孩童死亡率到工業化勞動再到兒童權益至上的現代。

這是本把重點擺在個人、家族、小圈子的歷史書。當然還有多種方法可用以探討這類範疇的歷史。而我是專攻權力的歷史學家；地緣政治又是推動世界史的引擎，而我已把大半職業生涯用於書寫俄羅斯領導人，而這正是我一直喜歡閱讀的那種歷史——其中包含激情和憤怒，充滿想像力和感官之娛，還有在純經濟學、政治學的論文裡見不到的日常生活的真切樣貌。把人與人的關聯性放在中心位置，係講述全球故事的一種方法，而且此法說明了政治、經濟、技術方面之改變所帶來的衝擊，同時揭露家族有何演變。這本書是結構與能動性、非人之力與人之特性間的漫長較量裡的又一回合。但這些未必有其排他性。馬克思寫道，「人創造自身的歷史，但非隨心所欲創造歷史；人不在自己選定的情況下創造歷史，而是在已存在的、特定的、從過去傳承下來的情況下創造歷史。」因此，歷史往往呈現為斷斷續續的一連串事件、革命、典範（paradigm），而且經歷這些事件、革命、典範者是被清楚分類且身分非常明確的人。只是，在真實世界裡的家族生活往往透露出不同於此的景象——在分層的、混雜的、閾限的、紛然雜陳的且使後人無法將其中之人分類、確定身分的世界裡，具有個人特有氣質的、與眾不同之人，在數十年、數百年的歲月裡生活、大笑、愛人。

我在本書所談的家族和人物往往迥異於常人，但他們也揭露了關於他們所處時代和地方的諸多事態。這是審視王國和國家如何演變，人與人的關聯性如何發展，不同的社會如何吸納外人、與之合併的方式之一。我希望，這種同時並陳卻也獨特的敘事手法能立即捕捉到現實生活裡毫無條理可言的不可預測性和偶然性，傳達出同時有許多事在不同地方、不同軌道上發生的感受，如一場令人不知所措、間歇性的、一往無前的衝鋒陷陣般的騷動和混亂，往往既殘酷又荒謬，但始終充斥著令人猝不及防的意外變化、離奇的偶發事件和沒人能預見的奇人異士。為何最成功的領導者是高瞻遠矚者，是卓越的戰略家，卻也是善於臨機應變者、機會主義者、不免失手且受運氣左右之人，原因在此。俾斯麥坦承，「就連世上最精明的人，都像個小孩走進黑暗裡。」歷史是由觀念、制度、地緣政治交織而成。這三者恰如其分的一起發力時，大改變即發生。但即使在這樣的時刻，冒險睹一把的，也是人……

如此分量的書涵蓋諸多主題，其中之一是民族經由遷徙而形成一事。本書既談穩定的家族，也談移動的家族或經由移動形成的家族：創造出每個種族和民族的家族集體大移動——遷徙和征服。

本書同時談核心家族（inner family），以及更廣大的權勢家族，其往往擴展為氏族和部族。從生物學角度而言，核心家族對我們所有人來說是個實體，若從親代撫育的角度來說，對我們之中的多數人亦是，而且不管養育多麼失職皆然；更廣大的王朝則是以信賴和家系為膠合物，藉以把持權力、保護財富、分攤風險的建構物。而我們所有人出於本能地理解這兩種家族：從許多方面來看，我們都是王朝的成員，而王朝這部家族史是我們所有人的編年史。只是，統治家族所展開的手段相對致命，他們若保不住權位，必須付出的代價更是致命。

在歐洲和美國，我們往往把家族看成在個人主義、大眾政治、工業化、高科技的時代已不具政治重要性的小單位，我們不再像過去那樣需要家族。這話不無道理，而在歷史的較後期，家族已呈現不同的面貌，尤以在西方為然。碰到已無顯赫家族的時代，我繼續使用性格和關聯性來拴住複雜的敘事，然事實表明，在當今個人主義當道且據稱理性的世界裡，竟有王朝發展出來，而且並未消失。根本未消失。

美國獨立革命*期間，湯姆·佩恩†堅稱「世襲君主是和世襲醫生一樣荒謬的職位」，然而醫生，一

---

* 編注：美國獨立革命（American revolution）泛指北美脫離大英帝國、創立美利堅合眾國的一連串事件及運動，時間大約在一七六五到九一期間。而所謂的「美國獨立戰爭」（1775-83）亦涵蓋在其中。

† 編注：湯姆·佩恩（Tom Paine, 1737-1809），出生於英國的美國思想家、革命家。三十七歲之後移居英屬北美殖民地，自此參與美國獨立運動。

如其他許多職業，那時往往是子承父業。

在今日的自由民主國家裡，我們自豪於純粹、理性且沒有氏族、親屬介入、不講私人關係的政治。家族的分量的確遠不如從前。只是大部分政治活動依舊既著眼於政治，也同樣程度著眼於人和恩庇。現代國家的錯綜複雜程度，比我們所樂於佯稱的還要高，理性程度則比我們所樂於佯稱的還要低，就連在北美、西歐的自由民主國家亦然：非正式網絡和包括家族在內的私領域（personal court），往往略過正規制度：在民主國家或半民主國家，只消想起甘迺迪家族和布希家族、肯亞塔家族和哈瑪家族（Khamas）、尼赫魯家族、布托家族和沙里夫家族（Sharifs）、新加坡李家和馬可士家。這些是意味著安心和延續性卻必須經由民選才能掌權（而且也可能落選）的民主王朝（demo-dynasty）。在今日美國、印度、日本境內所做的研究顯示，在國會議員家族、州政治家族裡，出現了同樣的全國性王朝。而且在亞洲和非洲，世襲性統治者愈來愈多，這些統治者以共和政體為幌子，實際上形同君王。

「親屬關係和家族依舊是必須認真看待的一股勢力，」王朝歷史學界的翹楚熱羅昂．狄安丹（Jeroen Duindam）寫道，「政界、商界個人化且持續存在的領導形式，往往具有半王朝性的特質，即使在當今之世亦然。」

此等規模的著作將涵蓋諸多主題：其一是以移民形塑國家。我們跟隨穩定家族的腳步，也跟隨移動中的家族或因移動而形成的家族：因家族大遷徙——移民或征服——而來的民族及國家。

而書寫朝代，不可能未提及宗教：統治者及王朝以神聖的君主政體、代理人或具象化的神明意志——一種符合家族世襲的信念，看似順其自然，藉由家系映照出社會組織的自然法則——遂行統治。一七八九年以後，神聖王朝的宗教理論逐步發展以符合全新且廣為接受的民族典範，而在一八四八年以後，則是符合了群眾政治。今日，傳統宗教——重要儀式等——已相形不再重要，然而，人們所謂的世俗社會，其實一如我們的先祖般虔誠，而我們的傳統，也如同古老的宗教那般根深柢固且不合理。於是乎，其中至為關鍵的主題無疑就是人類需求裡的虔誠及救贖，為每個個人、家族、國家提供一宗教使命，賦予意義並形塑存在的理由。尼采所言，「知道為何而活，才足以承受生命之重。」

家族在不同時候呈現不同樣貌，權力的流向則始終變動不居，但有個相反的現象和家族關係密切，而且是本書所大為著墨者：蓄奴。以家奴形式呈現的奴隸制，係家族自始便一直存在的特點，但這不是奴隸的家族，而是奴隸主的家族。奴隸制打碎家族，是個反家族的體制。確實存在的奴隸家族——存在於古羅馬人家裡或伊斯蘭女眷居住的內室裡或在美國蓄奴時代莎莉．海明斯、傑佛遜*之類的家族——其遭遇包含只能逆來順受的脅迫，以及往往肆無忌憚的強暴。這部世界史的主題之一：對許多人來說擁有家族有時是莫大的幸事。

本書寫於寫史這門行業出現令人振奮且長期遭到延誤的一個新變化之際：著眼於亞洲、非洲的民族；政治、語言、文化的相互關聯性；著重女性角色和種族多元性。只是歷史已變得如同打火機一般，其道德威力既能立即點燃照亮知識的火炬，也能燃起失控的無知之火。只消瞧一眼推特、臉書上讓人極度反感的情況，聽聽推特、臉書上令人不適的偏見和陰謀論，就會知道由於數位扭曲，歷史愈來愈容易支離碎裂。歷史兼具科學、文學、神祕主義、倫理學的性質，始終非常重要，因為歷史，不管是光輝燦爛，還是令人動容的苦難，不管其中想像的成分有多高，都具有某種正當性、真實性，乃至神聖性，早已深植於我們之中——而且往往透過家族、民族的故事表達出來。歷史能以無聲的千軍威力打動無數人，能創造民族，能把殺戮和英勇、專制和自由合理化。為何在其最理想的狀況下，其追求真相之舉是不可或缺，原因在此。

＊ 編注：莎莉．海明斯為美國總統傑佛遜的非裔奴隸及情婦，兩人前後生下六名子女。

每個意識形態、宗教、帝國都想要控制神聖不可侵犯的過去，以賦予它們當下的任何作為以正當性。如今，在東西方，出現許多欲把歷史強塞入意識形態的舉動。

古老幼稚的「好人」、「壞人」歷史再度盛行，儘管當今的「好人」、「壞人」不同於以往。但誠如詹姆斯．鮑德溫（James Baldwin）所指出的，「虛構的過去永遠不管用；在生活的壓力下，其裂縫和易碎的質地在旱季時如同泥土。」最明顯的線索是使用亂無章法的術語一事。誠如傅柯所寫的，意識形態術語是脅迫性術語的表徵：「它動輒對其他論述施以某種壓力和類似約束力的東西」，因為術語讓人看不到事實根據的付諸闕如，令異議者噤聲，使勾結者有機會炫耀他們符合道德的傳統作法。講話常常一針見血的傅柯問道，「追求真相時，追求發出這個『真』論述時，人可能失去的東西，如果不是欲求和權力，還會是什麼？」鮑德溫示警道，「沒人比自認內心純潔之人更危險：因為既是純潔，顧名思義，就是無懈可擊。」歷史的意識形態，一碰上現實生活的亂無章法、微妙差異、錯綜複雜，鮮少能夠站得住腳。傅柯指出，「由權力構成的個人，本身同時是權力的工具。」

書寫歷史必然會對歷史的黑暗面——戰爭、罪行、暴力、奴役、壓迫等——多所著墨，因為這些是人所不樂見卻又無法改變的事物，它們是改變的動力。黑格爾寫道，歷史是「以人的幸福為祭品的屠宰臺」。戰爭始終具有加速進程的作用：九世紀伊拉克詩人阿布．坦瑪姆．伊本．奧斯（Abu Tammam ibn Aws）寫道，「劍所道出的真相多於書所道出者，劍刃使智慧和自大判然兩分。」「知識在長矛的閃光裡找到。」托洛茨基寫道，每支軍隊都是「社會的翻版，苦於社會的種種疾病，而且通常情緒更是高張」。帝國——具有中央集權統治、大陸版塊、遼闊版圖、多種民族的政治實體——無所不在，而且以多種形態呈現：數千年來構成定居型社會隱患的馬上游牧民所打造的乾草原帝國，大不同於西元一五〇〇至一九六〇年支配世界的歐洲人跨洋帝國。有些帝國是一個征服者或某種願景的傑作，但大部分帝國的征服和統治，係出於形勢的推動，而非事先計畫的作為，而且行動方式形形色色。如今爭奪天下者是「帝國型國家」（empire nation）——以中國、美國、俄羅斯為各陣營首領——它們既具有國家的聚合力，也擁有遼闊的帝國，令人敬畏的量體，往往是大陸型量體。在莫斯科，帝國主義者得到新的極端民族主義加持，控制世上最大的帝國型國家——而且帶來致命後果。地緣政治較量——教皇尤利烏斯二世所謂的「世界博奕」——無法止息；成功始終只是一時，為此付出的人命代價始終太高。

許多罪行遭到忽略、隱瞞，勢必也遭到完全的掩蓋。在本書中，我的用意是寫下一部透顯微妙差異的歷史，在其中如實呈現人和其政治實體的複雜、缺陷、鼓舞人心之處。治療過去罪行的良藥是投以最明亮的光，使其無所遁形；一旦這些罪行已非法網所能懲治，這一揭露便是最真的挽救，唯一算數的挽救。本書意在投出那道光：按事件發生的順序道出成就和罪行，不管其造作者是誰。我想要盡可能多講述那些遇害的、受奴役的或受壓迫的無辜者的故事：每個人都是重要的，又或者沒有任何人是重要的。

如今我們有幸擁有令人振奮的新科學方法——碳十四定年法、ＤＮＡ、語言年代學——使我們有機會發掘更多過去的真相，說明人透過地球暖化和污染給地球帶來的傷害。但即使有這些新工具，歷史基本上還是在講人。撰寫此書前，我最後一次旅行的地點是埃及：當我看到法尤姆（Fayum）墓室肖像的生動面容，我心裡想著，這些西元一世紀的人長得真像我們。他們及其家人的確和今日的我們有許多共同的特點，但差異同樣鮮明。如今，我們往往幾乎不了解我們熟知的人。而歷史的第一道法便是意識到對於過去的人、他們的想法、他們家族的情況，我們所知甚少。

寫史時要避免流於目的論，勿以為歷史的結果始終為人所知，這些並不容易。歷史學家拙於預測未來，但當他們已知道過去發生的事時，則善於預測未來。不過，與其說歷史學家是按事件發生順序記錄過去者或預見未來者，不如說只是映照其當下所處時刻的鏡子。要了解過去只有一個方法，就是甩開現在：

我們的職責是利用我們所知的一切事物尋找事實，以說明過去數代人的生活——全世界居高位者和居下位者的生活。

馬蘇迪（al-Masudi）於九世紀的巴格達寫道，世界史的史家就像「一個已找到各種樣式、顏色的珍珠，把它們串成一條項鍊，打造成一件得到其主人細心守護的飾物的人」。這正是我想書寫的世界史。

那一家人在黑斯堡海灘留下的腳印不久就被潮水沖掉，卻是在此之後的數十萬年，我們所謂的歷史方才展開。

第一幕

世界人口

西元前七〇〇〇〇年：十五萬
西元前一〇〇〇〇年：四百萬
西元前五〇〇〇年：五百萬
西元前二〇〇〇年：兩千七百萬
西元前一〇〇〇年：五千萬

薩爾貢和雅赫摩斯的王朝：金字形神塔和金字塔

女詩人、公主、受害者、復仇者：恩海杜亞娜

四千年前，一名入侵恩海杜亞娜（Enheduanna, 2286-2251 BC）所屬帝國的襲擊者攻打她的城市，捉住她而且顯然強暴了她，時值她人生最輝煌的時候。她不只歷劫後倖存，而且獲恢復其權位——並藉由寫下她的苦難而又為世人所知。恩海杜亞娜是第一個話語流傳至今的女人、第一個留下署名的作者（不管就女作者、還是男作者來說皆然）、第一個寫下自身遭遇的性侵受害者，她所屬的王朝更是我們得以認識其個別成員的第一個王朝。她於西元前二三〇〇年代攀上權勢的頂峰：同為阿卡德帝國（Akkadian empire，以伊拉克為大本營）的公主、月亮女神的大祭司、我們所知道的史上第一名征服者——薩爾貢（Sargon）——的掌上明珠。不過一如每個帝國，該帝國的存續完全倚賴權力和暴力，而該帝國風雨飄搖之際，係身為女人的她承受以性暴力形態呈現的帝國衰落。

那時她約莫三十多歲，身為長期侍奉月亮女神南娜（Nanna），或稱辛（Sin）的大祭司，她不但具備政治歷練，還是蘇美南部烏爾城（Ur）的統治者，而且年紀還輕，足以生兒育女。她的父親薩爾貢是從地中海至波斯灣的「世界四隅」之王，母親則是得寵的王后塔什魯爾屯（Tashlultum）。她在父親的宮廷裡被撫養長大，對她的守護女神深信不移，卻也享有王族的榮華富貴：在一枚圓盤上，她被刻畫成身穿裙襬褶邊的袍服、頭戴圓帽以及編有結實的髮辮，在她的神廟裡執行儀式。她底下管了一大群人——「恩海杜亞娜的莊園經理阿達」之印和「書吏薩古達」之印就是明證——而時尚和髮型也很重要：有一枚印章上頭

寫著「薩爾貢的孩子恩海杜亞娜的美髮師伊魯姆．帕利利斯」。在她的神廟建築群裡，恩海杜亞娜一邊就她的莊園、神廟牧群、她的詩作，向薩古達（Saguda）親口下達命令，一邊讓伊魯姆．帕利利斯（Ilum Palilis）為她綁髮辮──帕利利斯是史上第一個有名有姓的時尚設計師。她的頌詩讚美月亮女神──「她開口時，天晃動」──當然也頌揚她的父親，「父王」。未想薩爾貢過世一段時日後，他的兒子、孫子費盡心力保住帝國一統時，有個襲擊者，也就是名叫盧嘎爾（Lugal-Ane，意為「王」）的造反者，發動政變，捉住這位公主暨大祭司暨女詩人。藉由挾持公主，為他掙來「偉人薩爾貢」（Sargon the Great）的威名；如果能讓她為他生下一名子嗣，他或許能創建得到薩爾貢血脈加持的王朝。恩海杜亞娜深知自己的處境：「噢！月神辛，這個盧嘎爾是我注定要遇到的人？」她如此寫道。「告訴上天，讓我擺脫這命運！」這話聽來像是她已被這個突然發跡的得勢者強暴。「那個男人褻瀆了神聖之天所規定的儀式……他自以為是平起平坐之人強行闖進來，色欲熏心，大膽靠向我。」她一如所有女人，深刻記得那場遭遇：「一隻潮濕骯髒的手摀住我如蜜的嘴，」他將她趕出她心愛的神廟：「盧嘎爾高高在上站著，把我逐出神廟，像隻燕子飛出窗子。」

而她運氣好：帝國有所反擊。她的兄弟或姪子大敗盧嘎爾，收復阿卡德帝國，從而解救了恩海杜亞娜，恢復她大祭司地位。她又是如何哀嘆自己所受的苦，慶祝自己捱過這一劫？她做了作家會做的事：她寫了下來。而且她以自傲的口吻寫道：「我是恩海杜亞娜，讓我來說給你聽！我的祈禱者，我的淚水如美酒流下。我走向陰涼處。它像打旋的塵土罩住我。」

這件事的確切發生日期和細節不詳，但我們都知道有她這個人，也知道她講過的話：身為女性倖存者，她不以作者和統治者的身分講述她的遭遇，而是以統治者、作者、受害者的身分體現了古往今來女性的經歷。她以女神身分，以令人無法忘懷的手法，親自頌揚自身的歷劫歸來：「身穿后袍……騎著拴著的獅子」，把「她的敵人碎屍萬段」──這樣的意象及口吻，既展現出驚人的現代感，又極符合西元前二十三世紀的作風。

恩海杜亞娜生活在距今甚久遠的年代，但當時，人類家族已存世甚久。家族大概始於非洲。人究竟如何演化出來，我們不清楚確切的過程，也或許永遠也無法得知。我們只知道，所有人都是非洲人的後代，養育小孩需要我們稱之為家族的團隊，從一開始至西元二十一世紀的人類故事，便是一齣令人無比振奮且複雜曲折的大戲。史學界老早就在辯論歷史始於何時這個問題。[1]提出足跡、鑿削而成的工具、布滿塵土的牆、骨頭碎片來支持一論點並不難，但就本書的宗旨來說，歷史始於戰爭、食物、文字共同發力，使最高統治者——通常是薩爾貢之類的男性，但有時是恩海杜亞娜之類的女性——有機會運用權力和提拔自己的孩子以續保權位之時。

七百萬至一千萬年前，已存在四十至五十億年的地球受到退退進進的冰河期掌控，有個屬於現今不詳之某屬的古人類和黑猩猩在演化的路上分道揚鑣。而約兩百萬年前，在非洲東部，演化出一種靠雙腳直立行走的動物。這就是直立人（*Homo erectus*）。直立人存活於接下來兩百萬年的大半歲月，為人類存世的最長時期，並以採集、狩獵為生。不久，其中某些直立人遷出非洲進入歐洲和亞洲，當地不同的氣候使他們發展成不同的分支，科學家根據其遺骨的發現地，為他們取了*antecessor*（前人）、*neanderthalensis*（尼安德塔人）、*heidelbergensis*（海德堡人）之類的拉丁語名。ＤＮＡ顯示，他們大多是黑眼睛、黑皮膚。他們已使用石斧。五十萬年前時，從南非至中國諸地，他們會獵殺大型動物，或許用火烹煮食物，而且證據顯示從一開始就有照顧、暴力之事：有些失能的個人活到頗大年紀，意味著存在社會性照護，另一方面，在西班牙北部某洞穴裡找到的幾個顱骨，頭部有四十三萬年前所受的傷——最早獲證實的謀殺。約三十萬年前，他們開始在烹煮場所之外生火，首度改變地貌，並用木矛和陷阱獵捕大型動物。

古人類的腦容量擴大為原來的幾乎三倍，而這有賴於愈來愈豐富的日常食物才得以形成。胎兒的頭變大，女人分娩較不易：女性骨盆的緊密度——為兼顧直立行走所需的身形和分娩所需的身形而演化出來——使生產對母親和胎兒來說都具危險性，而這一脆弱性是影響家族在歷史上發展的因素之一。我們推測，這意味著她們需要一群有親緣關係的人幫忙養育她們的嬰兒——以及，如果推測無誤的話，這些有血緣關係的小群體成為人類歷史不可或缺的單位，亦即儘管我們主宰地球、支配其他所有物種、創造出不凡的新技術，我們如今仍然需要的家族。人類學家樂於推斷當時的家族的規模，推斷男女各司其職，而這些都是猜測。

很可能的情況是，過去曾有多種長相各異的古人類並存於世，有時他們各成一體不相往來，有時混血繁衍，有時武力相向。到了大約十二萬年前，地球處於氣溫上升期時（氣溫高到泰晤士河裡有河馬在泡澡），現代人——*Homo sapiens*，即智人——這才出現在非洲。六萬年後，其中部分智人遷徙至亞洲（更晚才遷徙到歐洲）。在亞洲，他們於東遷途中遇上其他種古人類。他們為何遷徙，原因不得而知，但很可能是尋找食物和土地、氣候和環境改變、疾病突然爆發、宗教儀式、愛冒險心態所共同促成。他們乘船越過寬達一百哩的海域，在六萬五千年前至三萬五千年前來到印尼、澳洲、菲律賓，然後以逐島前進的方式冒險進入太平洋。

智人和其他古人類家族並存於世：前後十萬年間，他們和某些尼安德塔人打鬥，殺死了後者，並和其他尼安德塔人共組家族。如今，歐洲人、中國人、美洲原住民的DNA組成中，有百分之二屬尼安德塔人，有些澳洲、美拉尼西亞、菲律賓的原住民，其DNA則有另外的百分之六承襲自一個謎樣的古亞洲族群，學界最初根據從西伯利亞丹尼索瓦（Denisova Cave）找到的化石殘片和DNA辨認出該族群。這

1 考古學家在這方面則已有一致看法：認為歷史始於文字問世之時。

種遷徙、定居、征服的模式——既有家族的集體移動和藉由競爭（有時不惜殺人的競爭）、養育、混血產生新家族——是不停上演的人類創造和破壞戲碼：它早早就開始出現，在整個歷史期間一再上演，持續至今。新出現的人類幾乎長得一模一樣——修長的臉、球形的頭顱、小鼻子，就生物學角度來說簡直沒有兩樣。但再怎麼細微的差異都成為千百年來將衝突、壓迫、種族歧視合理化的理由。

四萬年前，智人已打敗、殺掉或併吞其他古人類，消滅許多大型動物。在這之前許久，他們已發展出使他們得以說話的聲帶，發展出激發說故事的念頭和能力的腦子。追求舒適的念頭、安全的需要、養兒育女的本能，以及或許甚至有人作伴所帶來的快樂，鼓勵人以數個家族群集一地的方式定居。他們靠狩獵、採集為生，膜拜萬物的靈魂，透過洞穴裡的畫表達其信仰——最早的洞穴壁畫位於印尼、澳洲，距今超過四萬年——雕製曲線迷人的女人像和獅首男人像，照固定儀式將人和首飾、珠子葬在墓穴裡。他們製造出最早的亞麻布，以之取代獸皮作為衣物；弓箭提高了打獵效率；狗被訓練來打獵，繼而被馴化。這些狩獵採集者身材高大健壯，牙齒強固，未被穀物或糖蛀蝕。不過，整個歷史期間，個人的際遇好壞取決於地理和時機：有的人豐衣足食，有的人在冰封的凍原上勉強餬口度日。

一萬六千年前，氣候逐漸變暖，冰原後退，在某些地區，禾本科植物和豆科植物，以及鹿群、牛群等，變得愈來愈多。其中某些狩獵採集族群越過亞洲、阿拉斯加之間的冰封陸橋*，進入美洲。在一萬三千年前的美洲，有個女人在新墨西哥州留下腳印，讓後人得以一窺當時生存條件的險惡。這些腳印顯示，她當時抱著一個小孩，有時將小孩放下，有時又把小孩舉起，同時有不只一隻劍齒虎悄悄跟蹤她。回程時只剩她的腳印。劍齒虎或許吃了那個小孩。

人類開始建造木造結構物，繼而建造石造結構物：在烏克蘭和俄羅斯，接近冰河邊緣之處，他們立起木圍欄，有時飾以猛獁象牙和骨頭，可能是為了慶祝狩獵成果。他們在精心打造的墓穴裡埋了一些人，其中許多人身體畸形，而畸形或許被視為神聖。亞馬遜流域的人用赭石畫出他們所處的世界，一個有乳齒象、巨樹懶、馬的世界；澳洲的人則畫下兔耳袋狸和儒艮。在日本，人們製造陶器；在中國，人們燒製陶器，以便放在火上烹煮食物。此時，這些人都是已完全成形的人，而非類人猿。他們的家族，一如今日我們的家族，大概共有神聖儀式和有用知識，同時對他們的近親和遠方的對手心生仇恨。我們會想一廂情願的認為那時的女人很有權勢，可惜我們對她們其實幾乎一無所知。

一萬一千七百年前冰融加快，這代表世界就此開始走入至今仍未停止的暖化時期，水位上升使美國、澳洲和亞洲分開，使英國和歐陸分開。這時地球上或許有四百萬人。大部分的冰都融化後，西元前九〇〇〇年左右，有一些幸運兒發現自己生活在可栽種植物、培育動物的地區。但西元前八〇〇〇年時，人類的狩獵和對森林的管理已逐漸使大型哺乳動物——美國境內的猛獁象、乳齒象、原生馬——走上滅絕之路。數千年以來，許多人仍過著季節性的生活方式，某季節打獵，另一季節採集禾草和果實。但即使在農業尚未完全組織化時，世界各地——從日本至芬蘭至美洲——的人已在建造兼具神聖性、社會性的宏大結構物。具有曆算功能的神廟與天體連結，人們可能只是聚集於該處慶祝豐收，然後回去繼續過他們的狩獵採集生活。在土耳其東南部的哥貝克力山丘（Göbekli Tepe）有座形似神廟的結構物，其中的石柱頂端可見狐雕、蛇雕、蠍子雕，係尚未從事農耕但已有共同的宗教儀式的狩獵採集者所建。而在附近的卡拉漢山丘（Karahan Tepe），他們建造了另一座宏偉神廟，並飾以人形雕刻——包括一間以十一個陰莖（phalloi）雕像為特點的小房間。從西元前九五〇〇年左右起，這些比英國巨石陣早了四千五百年建成的神廟，已為人使用了超過一千五百年。

---

* 編注：又稱白令陸橋（Beringia）。

在農業成為主要的營養來源之前，人們就開始定居村落——最早的村落之一位於迦南（巴勒斯坦）耶律哥——他們仍以採集、狩獵為生。與傳統的「徹底改變」看法截然相反，當時並未有突然改變的情況：許多群體忽而務農，忽而打獵、捕魚、採集，未單採一種營生方式。儘管只花三十至兩百年就把一種作物馴化，卻花了三千年（今日與埃及法老相隔的時間），才從開始栽種穀類作物走到完全農業，又再過了三千年，才真有國家出現——但在世上大部分地方，始終未發展出國家。

最初，這意味著大多數人的日常食物變差，而非變好：這些在土地上栽種的人身材較短小、虛弱、更容易貧血，牙齒較差。女人和男人一起務農，由於從事栽種和磨穀物的工作，上臂變得粗壯——而且膝蓋變形、腳趾彎曲。務農之前，日子可能過得較好，不過務農更見成效，對人類這個物種來說，是較有效率的營生方式。競爭很激烈：以狩獵為生的群體，垂涎務農村落貯藏的糧食，在生存競爭中為後者徹底擊垮。出於不明原因，哥貝克力山丘、卡拉漢山丘的神廟被填平、埋掉。在耶律哥，千名居民首建圍牆以保護自己。他們在自己房子底下埋葬死者，有時，刮除死者的肌肉後，用灰泥重新塑出死者的臉，把石頭放進眼窩裡——盛行於從以色列至伊拉克諸地的頭顱畫，更進一步證實人能在腦子裡想像超自然的、神祕的事物，能看出肉體、精神間的差異。

從西元前七五〇〇年左右起，位於今土耳其中部的恰塔爾許于克（Çatalhöyük）住著五千多名村民，他們靠種植穀類作物和養綿羊為生，同時開始敲打銅，並製成有用的工具。在敘利亞拉卡（Raqqa）附近的泰勒薩比阿比亞德（Tell Sabi Abyad），村民建穀倉以貯存糧食，使用陶籌（clay token）記錄擁有的數量。現存最古老且完好無損的布，在土耳其的恰約努（Çayönü）被發現，時間可追溯至西元前七〇〇〇年。女人住在有圍牆環繞的村子裡，安全無虞，得以撫育較多已斷奶、餵以粥食的小孩，但其中五成小孩仍早夭，因為住得離人、牲畜太近，使他們易染病：當時，一如現在，大流行病的出現，正表明這個物種的成功，而非失敗。只是人類需要更多聚居地，以便種出更多糧食：西元前一萬年至前五千年，世界人口只從四百萬增為五百萬。歷史——接下來的八千五百年——的大半時期，平均壽命為三十歲左右。

在伊拉克、埃及、中國境內和接著在巴基斯坦／印度境內，一一發展出小鎮。肥沃、濕潤的沖積土，加上最管用的馴化動物品種，有助於這四個地區形成複雜的社會，從而稱雄於歐洲暨非洲數千年。

在世界各地，人們開始立起巨石結構物，往往呈環狀：西元前七〇〇〇年左右，努比亞人（Nubians）——非埃及人，而是撒哈拉沙漠以南的非洲人——從遠處拉來巨石，立在納巴塔沙漠盆地（Nabta Playa），並排列成與觀測星象有關的環狀。人們首度開始貿易或交換商品、奢侈品：從伊朗到西伯利亞，有人開採銅、金、銀，將其製成工藝品；有人將天青石用於墓葬；在長江流域，中國人開始製造絲綢。

在馬爾他、德國、芬蘭和後來的英格蘭，人們從遠處運來巨石，建造可能是用來追蹤太陽動向、預測降雨、獻祭活人、慶祝豐產的神廟結構物。信仰與權力、家族密不可分：男人、女人都打獵、務農，但大概由女人負責養育小孩並紡織：在約旦河谷已發現最古老的棉花。在非洲，家族成員把酒椰葉纖維和樹皮織成布，而掌理這些氏族者可能是透過女性家系承繼權力的女人。[2] 在歐亞大陸，人們計算起女人所具本事的價值：父親向養得起數個女人、有能力保護自己小孩的未來女婿收取聘禮。最初，家族對男性家系、女性家系同表尊重，但為了避免為土地或穀物所起的衝突，儘管所有後代在基因上一模一樣，家族在某個時候起，日漸偏重男性家系——走到今天的智慧型手機的時代，此一傳統仍存在於許多地方。不過，即使在伊拉克，女人還是可能掌權。

2 在安地斯山脈，出土了一具與自己的長矛合葬的少女戰士，該少女生活於西元前七〇〇〇年；在南美洲所發現來自該時期的二十七個墓葬獵人中，十一人是女性。女人可能在養育、哺育小孩的同時，也擔任首領、負責打仗，或者這些葬禮可能只是一種儀式。

庫巴巴：第一位女王

西元前五四〇〇年左右，在波斯灣幼發拉底河口附近，伊拉克境內某潟湖邊的埃利都（Eridu），漁民和牧民建造了一處村落，並在該村蓋起一座祀奉恩基（Enki）神的廟宇。這裡環境富饒，因而在附近另興建起其他城市，城市與城市之間近到幾乎可以見到對方的程度。人類發明紡輪——球狀物，中央穿孔——用以製作布料，而這可能是史上第一個精巧裝置，問世時間和陶器、農業一樣早，其影響則遠不止其當下的用處。由於製作不易，布料不可或缺，卻也昂貴：社會圍繞著糧食、戰爭、布料而組織起來。埃利都是蘇美境內最早的城鎮之一，接著則出現烏爾和烏魯克（Uruk）。在烏魯克，人們為天神阿努（Anu）蓋了一座逐級而上的高台，並在高台頂端興建一座神廟——即金字形神塔（ziggurat）。

他們的領導者身兼族長、祭司之職。他們的神起先可以說是幽默詼諧的沿街叫賣小販，但後來演變為較嚴厲的判官，自此，這些神可能讓違反規則者吃到苦頭，繼而掌管起更崇高的要務：死後世界。隨著統治者和共居的群體愈來愈大，與他人的競爭變得更是激烈，神的地位也隨之更高。[3]

這時有兩萬多居民的烏魯克是如何組織起來，目前我們不得而知——當時沒有宮殿，卻提及「人民」——且有身兼祭司的王，而神廟控制財富：財產觀或許隨著人們提到這些神廟裡留給神聖之人的那些特殊財寶和手工藝品而逐漸出現。

在北邊的歐亞大陸乾草原上，馬正被馴化——馴化後，直至十九世紀為止，馬將會是人類支配陸地的助手。西元前三五〇〇年左右，人替馬裝上馬轡，以便騎著馬走。不久，在烏克蘭／俄羅斯，有人發明輪子，在該地，最早有語言提到輪子。輪子可能比馬更早傳到伊拉克：最早的車子並非由馬拖行，而是由另一種馬科動物「昆嘎」（kunga）拉著走。昆嘎這種粗壯的動物由雌驢和敘利亞驢雜交而成，係人類將動物雜交產生混種的最早例子，可見於描繪昆嘎拖曳早期四輪馬車的藝術作品裡。晚近，在敘利亞曾發現一隻昆嘎的遺骸。這項新技術後來傳到印度，昆嘎於是絕跡。拜馬之賜，牧羊人得以成為驃悍的游牧騎兵，家族得以遷徙到遙遠異地定居。戰爭已驅動技術變革：馬車化為武器，成為馬拉雙輪戰車，而且雙輪戰車甚受看重，戰團首領把戰車隊投入戰場。戰車御者死後，與馬和戰車合葬。乾草原民族也找到銅礦藏：在鹹海以北的辛塔夏（Sintasha），有人把來自大夏（今阿富汗）的銅、錫混合，鍊造出青銅，用於製作武器和裝飾品。

不久，就有揮劍軍閥成為這些騎馬人的統領，而且這些軍閥建了有挑高接見室的據點，或許這便是最早的宮殿——其中一座位在土耳其東部的阿斯蘭丘（Arslantepe）——並把英勇戰死的男性戰士葬在豪華墳墓裡，以食物、劍、首飾為陪葬。

西元前三一〇〇年左右，烏魯克（Uruk）——意為「地方」——的人民可能已發明文字，最初是象形文字，但後來開始用蘆葦桿的楔形端在泥板上刻記，即我們稱之為楔形（cuneiform）的一種手法。最早留名於歷史的人是一名會計、一名奴隸主、兩個奴隸。有塊收據出土，上頭可見最早留名於歷史的人——對方是個會計——的第一個簽名，從而獲確認為史上最早的收據。收據陶片上寫道：「二萬九千零八十六個計量單位的大麥。三十七個月。庫希姆。」

另一片收據陶片記錄了恩帕普X（En-pap X）和蘇卡爾季爾（Sukkalgir）這兩個最早留名於歷史的奴隸歸誰所有。當時為蓄奴社會。蓄奴何時開始，不得而知，但大概和有組織的打鬥同時開始。多數奴隸是

3 競爭是殘酷的：在西元前五五〇〇年左右的歐洲，早期農民所組建的村子毀於入侵或戰爭，未知的敵人在此留下萬人塚，其中埋著遭折磨、剝皮、人吃人殘留下的屍體。

戰俘或債務人。稅收用於養軍人，軍人擄獲奴隸，奴隸這時負責建造城市或在家族裡做粗活：家族史也是蓄奴史。

接近西元前二九〇〇年時，出現統治所有伊拉克城市的國家——最初被稱作「大人」，即蘇美語所謂的Lugalene。這時，這些城市歷經慘烈的戰爭：「基什（Kish）落敗，王權歸烏魯克。然後，烏魯克落敗，王權歸烏爾。」王權「源自天」，不久便走上世襲制。王位不由長子繼承，國王有大小老婆生下的許多小孩，國王從中選出最能幹者——或者較凶狠的兒子殺掉自己兄弟。他們變得更有能力，卻保不住穩定，因為諸王子為爭權而互鬥，往往毀掉他們所垂涎的王國。當英國境內的人在巨石陣舉行儀式時[4]，史上最早的家族型統治者之一（西元前二五〇〇年左右）是基什的庫巴巴（Kubaba）。她是我們所知世上第一個女性統治者，開了酒館，釀製啤酒，由其兒子、孫子承繼其大位。對於她和他們，我們只知道這些，但對於這三人的世界，我們知道的可不少。

這時，這些國王在富麗的神廟旁興建宮殿，借助有等級之分的一批廷臣、將領、收稅員統治其疆域。文字是遂行統治的工具，記錄財產的所有權歸屬、穀物交易、法律的頒行。蘇美人把自己入畫，畫中有男有女，畫中人的活動不只祈禱，還有飲酒——以及戀愛。他們記下烹飪法，男女都歌頌性愛的歡愉；他們用禾稈喝啤酒，也吸鴉片。後來他們學數學和天文學。

數千份楔形文字文本存世，揭露了當時的世界：繳稅、戰爭、死亡是必然之事，而祭司禱告以確保陽光照耀大地、雨水降落，確保作物生長，確保綿羊繁衍滋長，確保棕櫚樹在黎明時美麗示人，確保運河裡滿是魚兒一事亦然。

烏魯克和諸多蘇美人城市既非獨一無二，也非不與外界往來。城市成為市場、資訊交換所、婚姻介紹所、濫交之地、要塞、各種實驗的場所、宮廷、志同道合者交誼的場所，但有得也有失；城市居民必須遵守規章，無法靠己力填飽肚子，已喪失野地生活技能，感受不到乾草原生活的驚險刺激。一旦歉收，他們就得挨餓；碰到大流行病，即成群死去。蘇美已和其他世界有接觸。青金石（Lapis lazuli），史上第一種國際奢侈商品，就道出這點：青金石開採於阿富汗，經由印度／巴基斯坦的城市賣到蘇美——《吉爾伽美什史詩》（*The Epic of Gilgamesh*）曾提及此事。[5]——接著賣到敘利亞的馬里（Mari），再輾轉賣到埃及，出現在阿卜杜（Abdju）神廟城市裡。在埃及，有人用青金石製成物件。

西元前三五〇〇年左右，埃及的諸多村子漸漸合併為較大的政治實體，而此合併過程長達數百年之久。約莫西元前三一五〇年，南部地方切尼（Tjeni）的國王那爾邁（Narmer，「鯰魚」）一統埃及。他以宗教節日慶祝勝利，在慶祝活動中人們狂飲神聖啤酒。他也以各式物件緬懷其功績：有塊用來研磨、調製男女化妝顏料的調色板，刻畫他高舉權杖殺掉敵人，而一母牛女神在旁觀看，在調色板的另一面，那爾邁被刻畫成一頭威猛的神聖公牛，把叛亂者踩在蹄下。在附近，那爾邁威風凜凜走向那已倒下的敵人。這些

---

4 西元前三〇〇〇年左右，在威爾斯的沃恩曼（Waun Mawn），居民用藍砂岩建造環狀列石，後來其中某些藍砂岩被拖到相隔遙遠的巨石陣，以建造更新且更大的環狀列石。

5 吉爾伽美什是烏魯克國王名錄所記載的該城邦統治者之一，其神話般的故事——寫於西元前二〇〇〇年左右且為多數蘇美人所知曉的《吉爾伽美什史詩》——記述了一個家族的興起和諸城市的發展。吉爾伽美什半神半人，與其野人友人恩奇杜（Enkidu）一起遠遊，尋找永生。這類遠遊反映了使燧石、黑曜岩有機會從安納托利亞流向蘇美的早期貿易活動。渾身自然野性的恩奇杜，受到聖妓（divine harlot）夏姆哈特（Shamhat）誘惑，但兩人對性愛的追求耗掉了他的原始野力，於是，他便在烏魯克這個令人眼花撩亂的城市定居。在《吉爾伽美什史詩》中，一場洪水使全人類有滅頂之虞，揭露了世界史的一個主題：始終存在的世界末日恐懼，一如今日，強烈存在於人心。只有烏特納比西丁／朱蘇德拉（Utnapishtim/Ziusudra）——類似諾亞的人物——的一家人逃過此劫——菁英家族有別於一般家族之處。這個故事為許多聖書提供了靈感，以諸神教導吉爾伽美什認識人類優越性的極限作結，而那是如今智人仍在努力學習的一門課：「你的王權來自授予，你的命運亦然；你注定無緣永生。」

敵人已被砍頭、割下陰莖。而我們得以首度實際一窺埃及的精緻及殘酷，那是一個以化妝為用途的手工藝品——和一堆陰莖。

古夫和母親：金字塔建造者

埃及是我們所知的第一個非洲王國：埃及的君主統治，反映了當時事事取決於尼羅河和太陽的生活。埃及的村鎮分布於把自己的豐饒賜予土壤的尼羅河沿岸。每日橫越天空的太陽被視為神，所有活動都在太陽每日的運行中展開。國王乘坐氣派的大船上溯、下行尼羅河——以及前往陰間。

那爾邁及其家族住在泥磚造的宮殿裡，死後埋在阿卜杜一地沙漠中的泥磚陵墓中。墓園裡的大型泥磚造陵墓裡，有船隻供他們乘坐，並飛越天空前去和太陽會合。

埃及國王用盡心思思考生死，並相信自己所扮演的神聖角色，那是得到眾多神廟和祭司確認的角色。最初，不同城鎮崇拜不同的神，後來，這些神漸漸凝聚成一個故事，象徵上、下埃及兩王國的統一——和君王生前、死後的生活。一如許許多多神聖敘事，那是講述家族之愛、恨、性的故事。[6]

國王駕崩時，並非真的消亡，而是成為奧西里斯，國王的王位繼承人則成為荷魯斯。國王的權力不容質疑，而且當時以活人獻祭彰顯王權的絕對性。那爾邁王朝的第三個國王傑爾（Djer），其墓園周圍便活埋了三百一十八個用以獻祭的廷臣。

約莫西元前二六五〇年，又名內切里凱特（Netjerikhet）的國王喬塞爾（Djoser），為墓地平添巧思：他不把陵墓和墓園分開，而是將兩者上下疊建在一塊，創造出上下六級的梯級式金字塔——至今該陵墓仍在。他的宰相（tjati）伊姆荷太普（Imhotep）了解主子的想法。喬塞爾對他極為信任，因而把兩人的名字一同呈現在入口的雕像基座上。這名宰相很可能也是御醫，因為後來伊姆荷太普被當成醫神崇拜。

西元前二六一三年繼位的新王斯涅費魯（Sneferu）以其荷魯斯名涅卜馬阿特（neb Maat）傳達出他不可一世的威風。涅卜馬阿特意為真理、正義、宇宙神聖秩序之主——而那只是他彰揚威風的名字之一。他的另一個名字——涅切爾涅費爾（netjer nefer）——意為「完美的神」。後來，某莎草紙文獻記載了一則故事，暗示斯涅費魯追求享樂——他曾要二十名只穿漁網的女孩划船，將他送到宮廷湖——同時也展現其侵略性。根據這個故事，他曾派一艘一百七十呎長的船「頌揚兩地號」（Praise-of-the-Two-Lands）襲擊努比亞，隨後將俘虜納為奴隸，並搶了二十萬頭牛。

斯涅費魯下令建造梅杜姆金字塔（Meidum Pyramid），一如所有金字塔，採東西軸線，藉此把國王和太陽的每日運行聯繫在一起。他打算在代赫舒爾（Dahshur）建造更大的金字塔時，要求塔身斜度要達六十度，結果成了一場災難：地基不夠穩固，不久便出現裂縫，建物自行往內塌陷。接著，這位「完美的神」下令建造一座完美的金字塔，塔的建造速度甚快，建造於彎曲金字塔（Bent Pyramid）完成之際（四千年後彎曲金字塔仍屹立於世）。這座紅金字塔（Red Pyramid）是斯涅費魯的第三座金字塔，在創紀錄的短時間之內建成。斯涅費魯肯定就埋葬在這座金字塔裡：近代曾有人找到一具遺體，可惜後來遺失。

他的遺孀黑太普黑雷絲（Hetepheres），具有國王女兒、國王妻子的身分，這時更是國王的母親。她

6　奧西里斯（Osiris）神話有諸多不同版本，而且人們所偏愛的版本各個時期都不同。奧西里斯統治大地，但他的兄弟塞特（Seth）奪權，並殺了他。奧西里斯的姊妹暨妻子伊西絲（Isis）找到他的屍體，使他復活——或許是木乃伊製法的濫觴。他的死亡和復活被認為和賦予萬物生機的尼羅河一年一次氾濫有關。他讓伊西絲懷孕，自身卻只能勉強活著，最終落入陰間「杜阿特」（Duat），成為陰間統治者。他們的兒子荷魯斯（Horus）接手掌管世間。荷魯斯是日、月、星之神，生命和力量的化身。埃及的諸神廟有神數千萬，唯有國王受荷魯斯保護；就某些方面來說，國王正是荷魯斯本人。一如奧西里斯，國王可以娶自己的姊妹為妻。

為兒子古夫（Khufu）的繼位鋪平道路，古夫在位時於吉薩建造了「大金字塔」（Great Pyramid），意在比父親的工程成就更勝一籌。她具有「雙王之母」、「荷魯斯的追隨者」、「統治者的指導者」等榮銜，暗示著如果有哪個人得到古夫尊敬，那個人就是她。

古夫想必日思夜想著要完成他的金字塔。如今它或許仍是世界史上最偉大的建築：用了兩百三十萬塊石頭。金字塔高達四百八十一呎，是艾菲爾鐵塔問世前世上最高的建築。他的工人分成數組，每一組都取了「國王的醉鬼」之類顯得笑鬧的名稱。工人總數或許只有一萬，住在施工地點旁特別設立的工人村，村裡提供食物和醫療。他也為女性親人興建小金字塔。[7]

古夫的母親下葬時，有來自境外的珍寶合葬，這些珍寶，有的是實物，有的則是透過刻畫呈現。來自西奈半島的綠松石、來自黎巴嫩的雪松木、來自阿富汗的青金石、來自努比亞的烏木和紅玉髓，以及來自蓬特（Punt，今厄利垂尼／衣索比亞／索馬利亞，或許葉門）的沒藥、乳香。沒藥和乳香則很可能是從蘇美用船運來蓬特。有個征服者在蘇美創建了史上第一個帝國：此人即薩爾貢。

我的父親，我一無所知：薩爾貢王——擊碎者

薩爾貢小時候被棄置在一個簍子裡，獲救之後，被撫養長大。在一則詩一般的銘文中，他嚴正表示：「我的母親是女祭司，我的父親，我一無所知。」他說不定真說過這樣的話，畢竟他們這家人既是統治者，也是詩人。薩爾貢生於北方乾草原，所謂「阿朱皮拉努（Azupiranu）的高地」，講閃語，而非來自南方的蘇美語。他說的閃語類似腓尼基語、希伯來語、阿拉伯語這三種語言的前身。「母親偷偷懷了我，躲起來產下我。」他自力更生。「她把我放進一個燈心草簍子裡，用焦油密封住蓋子，把我丟進河裡，但河

水沒漫過我。」他的出生、不為人知的父親、令人費解的藏身經歷、有如神祐的崛起，再再像是被施了魔法般——重現於諸多改變世界者如摩西、居魯士、耶穌等的神話裡——說明了整個歷史裡，不世出的領袖從沒沒無聞到大權在握的神祕過程。

「有個運水人阿基救了他」，把他當親生兒子撫養，指派他做「他的園丁」：在灌溉和降雨決定榮枯的社會裡，河、運水人、菜園都代表著純淨和神聖。透過阿基的關係，年輕的薩爾貢找到為基什國王烏爾—札巴巴（Ur-Zababa）——女王庫巴巴的後代——效力的工作，並且攀上嘗酒侍臣之位。權力始終講究個人關係，側身於掌權者之旁，就代表具有影響力；權力愈是講究個人關係，愈是絕對不容質疑，愈接近掌權者愈好：嘗酒侍臣、醫生、貼身侍衛、國王夜壺的掌管者，都因跟著主子而地位看漲。伊南娜（Inanna，後來人稱伊什塔爾／Ishtar），職掌愛、性、戰爭的女神，出現在薩爾貢的噩夢中，夢中的他一身是血。他把此事告訴國王烏爾—札巴巴，國王意識到那血來自他身上，於是命人暗殺薩爾貢，所幸伊南娜事先向薩爾貢示警。薩爾貢再度現身，好似什麼事都沒發生，「堅實如山」。烏爾—札巴巴很害怕」，不確定薩爾貢是否知道他暗地裡要不利於他。但接著傳來令人驚恐的消息。

7　古夫寵幸的侏儒兼弄臣佩爾尼安古（Perniankhu），雙腿短且扭曲，與他一起住在「大宮殿」，被取了個「每天逗樂主子，國王的小矮人」的綽號。他的墳墓位在「大金字塔」近旁，彰顯他有多得寵，而且他可能積累了龐大財富——還是一侏儒王朝的成員。另一個宮廷侏儒塞涅卜（Seneb），服侍古夫的兒子——國王傑德夫雷（Djedefre）——死後葬在吉薩，離佩爾尼安古的長眠之地很近：塞涅卜有可能是佩爾尼安古的兒子。塞涅卜是朝廷高官，擁有諸多頭銜、數千頭牛，娶了一個家世甚好、本身並非侏儒的女祭司，生下數個小孩。有尊美麗的雕像呈現這對夫妻的模樣。在大金字塔旁邊，古夫埋了一艘船，船身長一百四十呎，以黎巴嫩雪松木製成，供他航向陰間。西元前二五二五年，古夫駕崩，他的兩個兒子傑德夫雷、卡夫拉（Khafra）接連繼位。兩人都無意在金字塔上超越父王，但卡夫拉建造了一座喪葬金字塔，格局較小，坐落在高處。金字塔內有二十五尊端坐在王座上的卡夫拉雕像，並有白石材質的隼神荷魯斯像位在他的頭部後方。不過，他的代表作則是人面獅身像（Sphinx），以卡夫拉的臉為其人面。

伊拉克境內最好戰的國王——烏瑪的盧嘎爾札蓋西（Lugalzaggesi of Umma）——正率兵直奔基什：烏爾—札巴巴派薩爾貢前去與他談判。未想他在信中竟要求盧嘎爾札蓋西殺了薩爾貢。盧嘎爾札蓋西輕蔑地把此事告訴薩爾貢，同時釋放了薩爾貢。薩爾貢拿下烏魯克城，但接著他大敗盧嘎爾札蓋西，西元前二三三四年左右，在其自己立下的銘文中名留青史，取王名夏魯姆金（Sharrumkin），意為「實至名歸之王」。[8]他押著落敗的盧嘎爾札蓋西於恩利爾神廟（Temple of Enlil）遊行示眾，最後在神廟以矛打碎他的頭。

薩爾貢策馬南馳，「為了在海（波斯灣）裡清洗他的武器」，然後他向東行。他刻寫板上的銘文寫著，「基什之王薩爾貢，打贏三十四場仗」，入侵伊朗境內的埃蘭（Elam）王國，然後，在往北挺進後，擊敗以游牧為生的亞摩利人（Amorites），拿下亞述（Ashur）、尼尼微兩城，接著轉西進入敘利亞、土耳其。這時他自稱「世界四隅之王」，後來一則傳說以令人難忘的隱喻讚頌他的爭戰本領：

> 蜿蜒的軍隊來回移動，
> 兩個分娩中的女人，沐浴在自己的血泊中！

薩爾貢任命了我們所知史上第一個掌權家族中的特定人士：此即他的女兒，也是史上第一位女詩人恩海杜亞娜。而她當然也深諳父系權力三昧：「我的王，一種此前從未被人創造出來的事物，在此被創造出來。」她口中所言的，正是帝國。

恩海杜亞娜的報復

薩爾貢任命其女兒恩海杜亞娜為烏魯克月神大祭司，絕對有其深意。神廟可是位在阿卡德帝國諸城中心、雄厚財力的所在。薩爾貢可能是史上第一位維持一支常備軍的統治者——在阿卡德每天有五千四百名士兵靠他供養。他施行了兼具理性和巫術的法律：遇到難判的訴訟，則交由神明裁判*。在她的神廟中，恩海杜亞娜掌管數千名雇員和地產。神廟和王族的關係非常密切：薩爾貢深信伊南娜（伊什塔爾）和其具神性的丈夫達干（Dagan）是他的特別守護神。

薩爾貢死後，由恩海杜亞娜掌管神廟，只是新王——她的兄弟里穆什（Rimush）——旋即面臨叛亂和外敵入侵。他平定叛亂和入侵，殘殺兩萬三千人，拷打、奴役、流放其他人，接著發兵入侵埃蘭（伊朗），帶著金、銅以及更多的奴隸返國。里穆什的死不尋常，他遭身為書吏的殺手暗殺，凶器若非是用於書寫的蘆葦桿，就是用來把圓筒印章佩戴在身上的銅別針——史上第一個命喪行政官員手中的人！薩爾貢家族靠征服維繫其命脈：薩爾貢的孫子，即恩海杜亞娜的姪子納拉姆辛（Naram-Sin），可能面臨了盧嘎爾叛亂——以及俘擄並強暴他姑姑的人。納拉姆辛擊潰篡位者，讓恩海杜亞娜大祭司重新掌管神廟。她何時去世不得而知，但納拉姆辛在位三十七年，打進伊朗，消滅盧盧比族（Lullubi）襲掠者，誇稱殺掉九萬人，聲稱其疆域遠至黎巴嫩。在「勝利石碑」（Victory Stele）中，納拉姆辛被刻畫成肌肉發達、胸膛赤裸的戰士，頭戴神聖的牛角狀頭盔，身穿緊身短裙，手持矛和弓，擊垮伊朗的敵人，沒有任何人事物橫亙在

8 猶太籍的聖經作者誤譯為「Sargon」（薩爾貢），儘管他們所指的薩爾貢是晚了許多的國王薩爾貢二世，即西元前約七二〇至七〇五年的新亞述國王。

* 譯注：神明裁判（ordeal），裁決方式是將被告捆綁後丟入水中，再看他是否安然無恙，依此來判定清白。

「強而有力者」納拉姆辛和太陽、星星之間：史上第一個被描繪成和女神平起平坐的凡間之人。

在薩爾貢王族治理下，都城阿卡德繁榮興旺。該城所在位置不詳，不過絕對位在底格里斯河河畔某處，並成為新一類城市。《吉爾伽美什史詩》說道，「其居民吃最好的食物，喝最好的酒，在庭院裡作樂，聚集於節慶場合，」文中所指的地方大概是阿卡德。[9]「熟識者一起用餐。猴子、大象……狗、獅、北山羊、綿羊，在公共場所推擠著前進……」店鋪裡塞滿「金銀、銅、錫和青金石塊。」權貴一身華麗，男女都化妝，費心整理頭髮。當時時尚變動之快一如今日——薩爾貢穿著毛茸茸的大衣；納拉姆辛菁英人士則偏愛肩處以別針繫上的袍服。阿卡德人遇事難決時，會尋求占卜者的意見——占卜者以察看牲畜內臟的方式來占卜（extispicy）。當時有熱愛烹飪的風氣：刻寫板記載了可用食材的多樣性，從綿羊、豬至鹿、兔、田鼠、跳鼠、刺蝟。啤酒是最受喜愛的飲料，男女皆愛，以發酵的大麥製成，人們在獨立自主的女人所經營的酒館裡用禾草稈飲用。上層人家的女孩上學，能寫蘇美語、阿卡德語。根據當時所刻畫的家庭生活情況，女人以坐姿生產；小孩玩撥浪鼓、四輪玩具綿羊以及迷你馬車。愛情符咒很盛行：女人在大腿處套上能招來桃花的符咒。

外地人在阿卡德街頭上閒逛，欣賞周遭令人驚歎的事物。《吉爾伽美什史詩》提道，「提吉（tigi）鼓、笛、札姆札姆（zamzam）等樂器發出聲響；阿卡德港，船舶停泊之處，充滿歡樂，」與整個印度洋地區貿易：「碼頭邊……停泊著來自梅魯哈（Meluhha，今印度／巴基斯坦）、馬干（Magan，今葉門／阿曼）、狄爾蒙（Dilmun，今巴林）的船。」亞摩利人、梅魯哈人、埃蘭人，「像馱著貨物的驢」，把貨物運到那裡，商人用大麥或銀買進他們想要的貨物；梅魯哈人很多，因而聚居在自己的村子裡。

梅魯哈——象牙之鄉——以兩座城市為中心，即位於印度河畔的哈拉帕（Harappa）和摩亨佐達羅（Mohenjo-daro）（位於巴基斯坦，但也涵蓋印度、阿富汗部分地方）。這兩座城市規畫完善，以標準化的磚為建材，棋盤狀街區，甚至擁有公共垃圾桶，以及倫敦直到十九世紀才擁有、至今在南亞還不普及的公共廁所和污水道。兩城有自己的字母表（至今尚未破譯），城中手作坊製作象牙、黃金、紅玉髓材質的首飾，以及紡織品、陶器。摩亨佐達羅可能有多達八萬五千名居民，是當時世上最大的城市，但其最大建築是公共澡堂——沒有宮殿，沒有金字形神塔。

這兩座印度城市都非由單一一個國王統治；反倒較可能是由議會治理——巴基斯坦／印度說不定發明了民主制度——只是澡堂坐落在非任何人都能進入的護城城堡裡，或許意味著只有身為祭司的上層人士才能使用。在數個大陸上，正同時試驗著大同小異的城市生活。在中國，有黃河沿岸的城鎮和位於北部陝西石峁的城鎮。在烏克蘭，有一萬人口的塔利揚基（Taljanky），比位於烏魯克的最早城市大，說不定還更早。在美洲，與亞洲分離之前許久，位於墨西哥、瓜地馬拉的人就在建造居民多達一萬的城鎮和反映其神聖曆法的金字塔狀土墩，使用某種文字，將剩餘的玉米貯存於倉庫，並雕製巨大頭像。這些頭像大概是為了呈現其統治者而建造，頭上似乎戴著該地人玩球類運動時所戴的頭盔[10]。在密西西比河畔，人們蓋起巨大土方，以某種方式連結星星和日曆：其中最大的土方，今人稱之為波弗蒂角（Poverty Point）*，居民不是農民，而是不知為何群聚於此，一起建造龐大結構物的獵人。

9 有些學者主張這段文字是在描述阿卡德；另有學者堅稱是在描述巴比倫，即書寫較晚期版本的《吉爾伽美什史詩》時，世上最大的城市。

10 他們的統治者住在塗了灰泥且有粗大玄武岩圓柱的宮殿裡，一般人則住在位於厚實台基上、用枝條編築的房子裡。他們用棘刺穿過身體；可能施行儀式性放血和獻祭；儀式性競技賽的球，則是以橡膠製成。我們不知該城市的名稱——今人稱之為聖洛倫索（San Lorenzo）——也不知道居住於此的人是否有名稱。許久以後，墨西卡人稱他們奧爾梅克人（Olmecs）——即「橡膠人」。

* 編注：Poverty Point 直譯是「貧窮角」，一般採音譯「波弗蒂角」。

在西亞，薩爾貢家族讓世人看到帝國的弔詭之處。帝國愈大，要防禦的疆界也愈大；帝國愈富裕，愈可能引來定居程度較低的鄰族攻擊——而且愈可能引發家族間的長期爭鬥，從而削弱帝國本身。乾旱導致饑荒，游牧民族猛然撲向城市。西元前二一九三年，薩爾貢家族失去掌控力。「誰是王？」蘇美王名錄上問道。「誰不是王？」截至西元前一八〇〇年，西亞已動蕩不安——就連埃及都不再是手段最羞辱人、最駭人的狠角色。這一切始於一場關於河馬的爭吵。

勇者塞克南雷遭擊碎的頭顱

這位國王毫無活命機會。他的雙手被反綁在背，有可能是跪著的。「勇者」塞克南雷（Seqenenre Taa）——南埃及的統治者——打仗時被俘，這時，北埃及的亞裔統治者阿波斐斯（Apophis）正帶領一班殺人隊過來，成員至少五人。亞洲戰斧的第一擊砸中塞克南雷高貴的臉，削掉他的左臉頰，大概已經劈開了他整張臉。第二擊打碎他的後腦勺，然後一支矛從緊鄰眼睛上方處穿過他的額頭。

底比斯的神聖河馬，提供了興兵藉口。阿波斐斯告訴塞克南雷，河馬在遙遠底比斯持續發出的低沉噪音，吵得他在阿瓦里斯（Avaris，胡特瓦雷特／Hutwaret）睡不著覺：他下令殺掉牠們，等同是宣戰。塞克南雷索性應戰，從邊界親自率兵北征。可惜戰事不利。塞克南雷被俘，阿波斐斯想出公開徹底擊潰他的手段。最後的第五擊，則用劍直削進他的腦袋。當時看向國王殘破身軀的人——今人仍能親眼目睹——想必以為他的家族和埃及本身都完了。但其實這個最不幸的時刻，卻是東山再起的開端。

西元前一五五八年，時值勇者塞克南雷——即塞納克騰雷．阿赫摩斯（Senakhtenre Alhmose）——和其平民王后泰提雪麗（Tetisheri）的兒子在底比斯承繼父王之位，埃及已分崩離析。一民族的遷移迫使另一民族竄逃式的往前遷徙則加劇這混亂局面。受迫於氣候改變、後方其他部落的壓力，加上想要開疆拓土的意念，來自黑海乾草原，白膚、黑眼、鷹鉤鼻的部落從牧草地遷徙了過來。他們說著印歐語，養牛為生，而且騎術精湛。這三門技術使他們成為致命的對手：銅製馬轡使他們得以控制馬匹；奔馳如風及葉片式輪幅的二輪戰車，使他們衝鋒時殺傷力更大；他們能在策馬急馳時從馬上用複合弓射箭。

這些騎馬人向西急馳進入巴爾幹半島，向東奔往印度，不只破壞已屹立許久的王國，還就此安家落戶。在伊朗，這群人——後來學者稱之為雅利安人——帶來自身的阿維斯陀語（Avestan language）和聖書《阿維斯陀》（*Avesta*）；在印度，雅利安人可能征服了印度河流域城市，然後定居，把印度河流域文化和他們自身的儀式、語言熔為一爐，以後來稱之為梵語的語言撰寫《吠陀》（*Vedas*），有系統的表述故事、祈禱文、詩。他們的戰士和祭司強制社會施行種姓制度。[11] 許久以後此文化形成「永恆之法」（Sanatana Dharma），後來歐洲人稱之為印度教。有些部落騎馬往南，穿過高加索地區，進入土耳其東部，共創建哈提（Hatti）王國——聖經中的西臺人——其他部落則來到迦南，使原居該地的部族——希克索斯人（Hyksos）——竄逃，進而入侵埃及。

西元前一五六〇年左右，所屬部落已入侵埃及的亞裔軍閥阿波斐斯，以位於尼羅河三角洲的胡特瓦雷

11　雅利安文化興起於西元前一五〇〇至五〇〇年之間，然雅利安文化和印度河流域文化之間的連續性可能比先前所認為的更為緊密。三千年後，在歐洲，納粹的理論家把雅利安一詞強行套用在他們的種族主義意識形態上。與此同時，後文會提到的禮薩・沙（Reza Shah）把波斯國名改為伊朗（Iran，即 Aryan）。在今日印度，印度教民族主義者不接受印度的信仰或種族，尤其不接受印度教教徒的信仰或種族，可能有著歐洲淵源一說。但在長年來被稱作雅利亞瓦塔（Aryavarta）——「雅利安人的住所」——的亞洲中部，這無關乎種族，而是關乎語言和文化：古波斯語（阿維斯陀語）和梵語依舊關係密切：波斯語《阿維斯陀》的故事、儀式，類似印度《梨俱吠陀》等吠陀故事，類似講到理想國君和家族之故事的《羅摩衍那》（*Ramayana*）。印度境內最新的ＤＮＡ研究顯示，大多數印度人是原初南印度人、哈拉帕人以及伊朗人有親緣關係的乾草原民族三者混血的後代。

特為都城，統治北埃及，塞克南雷則據有南部的底比斯。這時，塞克南雷在位才四年，不但意氣風發，身材高大健壯，有著一頭濃密鬈曲的黑髮（如今仍可見於他木乃伊的頭顱上）。他不只得應付位於北部的亞洲人，新興的南方庫什（Kush）王國業已征服諸努比亞人城邦。庫什國王以科爾瑪（Kerma，位於今蘇丹）為都城，除了拉攏埃及裔國王，還吸收古老的埃及神祇，甚至拜奧西里斯、荷魯斯。

庫什王國留下宏偉建築，國王靠金礦、鴕鳥羽毛、獵豹毛皮、香料致富，建造了巨大的王陵，且有數百名廷臣、親人一起殉葬。庫什王國的要塞令人驚歎，王國的主要祠廟位於科爾瑪，是比庫什王國還早存在的巨大神廟，以泥磚為建材，至今仍在。

埃及人拿回殘破的塞克南雷遺體，取回方式不詳，卻沒有餘裕按照一般的標準製成木乃伊。他的兄弟「強者」卡摩斯（Kamose the Strong）哀悼說：「在……我受困於一亞洲人和一努比亞人之間，而他們各據一部分埃及之際，我何以思量自己的實力？」只是卡摩斯有個使命：「不管是誰，受到這個亞洲人橫徵暴斂，都冷靜不下來。我要和他搏鬥，我要撕開他的肚子！我的願望是拯救埃及，殺掉這個亞洲人！」卡摩斯從兩個方向攻擊敵人。

他的王位繼承人是年輕的姪子阿赫摩斯（Ahmose），才十歲大的他相當敬愛祖母，甚至在他立於阿卜杜的石碑上曾嚴正表示，「他愛她甚於一切」。然而，他的母親阿赫荷太普（Ahhotep）才是更有權力的人——她是「國王之女」、「正宮王后」、「國王之母」，是指揮官和國際仲裁者。她的稱號「在每個外邦都受到崇敬的赫—涅布特海岸（Shores of Hau-nebut）的女霸主」，意味著她和愛琴海人民建立了關係。

埃及國王已發兵遠征，為了「把亞洲砍成碎片」，於是襲擊「伊瓦」（Iwa，土耳其）和「伊阿西」（Iasy，賽普勒斯），然而赫—涅布特屬於克里特島，而這個埃及家族與該島關係特殊。克里特的首府克諾索斯（Knossos）和島上其他城市，以擁有未築防禦工事且飾以濕壁畫的宏偉建築群而自豪。這些濕壁畫呈現狂喜、笑鬧的氛圍，刻畫跳過聖牛的裸體男運動員和身穿花樣裙子的裸胸女子。[12]克諾索斯城裡的一處迷宮，肯定就是要雅典獻上小孩作活祭的牛頭人身怪物米諾陶洛斯（Minotaur）傳說的依據，但這個迷宮不只是傳說，島上確實找到小孩遺骨和烹煮鍋，意味著這些故事以現實為本；這座迷宮的名稱Labyrinthos，可能就是城市名。從西元前一七〇〇至一四五〇年，兩百五十年左右的時間，這些克里特人在地中海地區全境進行買賣。他們帶回埃及的手工藝品和用來裝飾胡特瓦雷特一地宮殿的克里特獅身鷹首獸像、跳牛濕壁畫。阿赫摩斯可能娶了一名克里特公主。

西元前一五〇〇年左右，錫拉島（Thera）——即今日希臘的桑多里尼（Santorini）島——火山爆發，係世界史上爆發威力最大的災變，威力更甚於氫彈，爆炸聲響數千哩外都聽得見，有毒的二氧化硫煙霧噴入大氣層，引發遍及整個地中海的海嘯，導致數萬人溺斃。此事件改變了氣候，使作物枯萎，摧毀了數個王國。克里特島受創於錫拉島火山爆發，但重振生機，不久後落入來自希臘本土的軍閥之手。埃及則恢復元氣。

西元前一五二九年，阿赫摩斯一成年，便迎娶自己的姊妹阿赫摩斯—涅斐爾塔莉（Ahmose-Nefertari）為妻，發兵攻打胡特瓦雷特，擊潰那些亞洲人，接著繼續追趕他們，越過西奈半島。在他遭遇叛亂時，他的母親阿赫荷太普出手平定。「讚揚本國的女主人，」阿赫摩斯於伊佩特蘇特（Ipetsut）的阿蒙（Amum）神廟立了石碑，在此石碑上如此寫道：「她平靖了上埃及。」阿赫荷太普墓中的物品包括一件金蒼蠅項鍊——用以表彰其作戰英勇。阿赫摩斯三十幾歲去世，她的姊妹暨妻子阿赫摩斯—涅斐爾塔莉為兩人的兒子阿蒙霍特普（Amenhotep）掌理國政，阿蒙霍特普也迎娶自己的姊妹為妻：這些亂倫婚姻強化了此家族的

12 十九世紀歷史學家根據神話中的國王米諾斯（Minos）之名，將該城命名為克諾索斯，但沒有證據顯示曾存在一君主國，而且，城中的「晉見室」（throne room）可能是會議室或儀式用的神廟。克里特人可能膜拜濕壁畫上所描繪的那些女神。有些人認為，這些女神是女性統治者，但同樣沒有證據支持此說。他們的語言至今仍未破譯。

神聖地位，同時也是仿效諸神的作法。只是近親通婚最終禍及自身，毀了他們想要強化的家族。[13]阿赫摩斯家族面臨香火斷絕危機，於是以收養化解：他們選定將領圖特摩斯（Thutmose）為王位繼承人。

在此之前，圖特摩斯已擊潰努比亞人，揮兵入侵敘利亞，本身是個鬚髮已白、吃苦耐勞的平民。他娶了阿赫莫斯的女兒為妻，但未拋棄他非王族出身的妻子阿赫梅斯（Ahmes），他的掌上明珠哈特謝普蘇特（Hotshepsut），便是阿赫梅斯所生。

圖特摩斯「憤怒如豹」，決心「消滅蔓延外邦全境的騷亂，制伏沙漠地區的造反者」，入侵庫什。這不是旨在傷害對方的驟然出擊，而是存心要消滅一王國和文化：這位國王御駕親征，而且妻子和女兒哈特謝普蘇特伴行。之前的國王止步於尼羅河的急流之前，但圖特摩斯建造了一支艦隊，要人把船拉上岸，繞過急流段，包括他的御船「隼號」。他在戰場上打敗庫什王國，燒掉氣派的都城科爾瑪——並在碑文中頌揚此次勝利，得意稱之為「把邊界擴及」庫什王國的聖岩。

真正的收穫是金礦。養軍隊、造神廟、為王陵打造豪奢的隨葬華服供死者在死後世界穿，其經費都來自努比亞黃金——而且由努比亞囚犯開採金礦。圖特摩斯擴建伊佩特—伊蘇特（Ipet-isut，即卡納克／Carnak）的神廟，在國王谷（Valley of Kings）備好建造王陵的新地點。返國之前，他逮捕庫什王國的統治者，用弓箭親手殺掉他，然後將他倒吊在「隼號」的船頭，任其曝曬腐爛，射死他的那支箭仍插在他胸膛上。

圖特摩斯愛他那非王族出身的妻子阿赫梅斯甚於其他人——她是他的正室，兩人的女兒哈特謝普蘇特無疑是在母親最得戰士國王寵愛、自己也最得母親寵愛的溫馨親情沐浴下長大。然而，也絕對不能忽視圖特摩斯娶了有「國王女兒」身分的穆特涅斐雷特（Mutneferet），從而成為王族一員一事。這樁婚姻使他有了嗣子小圖特摩斯，於是圖特摩斯將掌上明珠哈特謝普蘇特許配給小圖特摩斯。

這位老戰士死於西元前一四八一年，不久，圖特摩斯二世也撒手人寰，隨之由他的同父異母的姊姊暨妻子哈特謝普蘇特照料年幼的繼子。哈特謝普蘇特——「最高貴女性」——出任攝政，各方面的表現都獨樹一格。

哈特謝普蘇特：最高貴的女人——第一法老

她深信自己生來要統治萬民。「神的妻子哈特謝普蘇特掌理此國度事務，『兩地』（上下埃及）由她作主。」她於攝政時期立下的某碑文寫道，「她受到眾人侍奉；埃及向她低頭。」七年後，她自封為當之無愧的王。但她的自我認知在男性王權傳統裡顯得格格不入，為解決這難題，她展現出多變得令人困惑但二十一世紀人應會覺得可以理解的性別認同轉變：她先是言行舉止如同男性——她是國王馬阿特卡雷（Maatkare）——甚至以男性的樣貌現身，儘管有時帶著女性別號，有時又是一臉理性的美麗女人，卻有著男人的身軀；另有些時候，她要人把她刻畫成身穿傳統男裙卻有女人胸部。宮殿（peraa）一詞被用來

13　埃及人或許不懂亂倫通婚的危險，但他們的確提出醫學指南和婦科指南。這些書寫在莎草紙上的指南，連同其他文獻，揭露了他們知識的淵博——和淺薄。他們認為，疾病是惡魔和惡靈所造成，若要痊癒，必須巫術、治療雙管齊下。醫生，往往身兼祭司，各有專攻的分科，從「眼醫」到「肛門保護者」都有；西元前二七〇〇年，國王喬塞爾有個「牙醫暨醫師之長」，名叫海西拉（Hesy-Ra）；西元前二四〇〇年，有個首席女醫佩塞雪特（Peseshet）。女人分娩時採跪姿，有接生婆在一旁照料。埃及醫生認為，有通道從心臟通到身體其他部位。疼痛以鴉片治療，燒傷則以蘆薈，癲癇用樟腦，創傷用繃帶包紮。驗孕時把女性的尿液澆在大麥籽、二粒小麥籽上，一旦種籽發芽成長，就代表女人懷孕，若發芽的是大麥，腹中就是男嬰；是二粒小麥的話，就是女嬰。要知道女人能不能生育，就把一顆洋蔥塞入陰道裡；如果早上女人有口臭，就是能生育。其他評估方法比較合理：如果會陰「因為生產而脹得很大，就該為她配製用來讓陰道吸收的油。」女人避孕法包括使用含有酸奶、蜂蜜、泡鹼或阿拉伯樹膠等成分的陰道栓劑，而阿拉伯樹膠已知有殺精的效果。鱷魚糞會有間接避孕效果。萬一遭強暴：「針對陰道疼痛、手腳遭毆打的女人……該為她配製油供食用，直到康復為止。」

描述埃及的君主：哈特謝普蘇特成為第一位「法老」（pharaoh）。

她敬愛父親，既努力塑造「國王長女」的形象，同時也致力營造阿蒙神之女的身分。阿蒙神原是空氣之神，後來漸漸成為高階神，而阿蒙神也是圖特摩斯。她的父王在世時宣布，哈特謝普蘇特當國王，表現會好過軟弱的兒子。「那時陛下告訴他們：『我這個女兒哈特謝普蘇特——願她長命百歲！——我已指定為我的繼承人』，」她在自己的陵廟裡如此說道。「『她將管理人民……服從她。』」

她並非孤家寡人。她的親信顧問是她父王的廷臣之一塞嫩穆特（Senenmut），雖出身寒微，卻也攀上「國王女兒的管家」之位——哈特謝普蘇特之女涅斐魯雷（Neferure）的家庭教師，憑此職位，他得以有機會見到這位女王。她升上國王之位時，塞嫩穆特成為「阿蒙神的大管家」和「國王工廠的總管」，在陵廟的銘文裡提到自己。[14]傳言他是她的愛人——此說部分反映了精明女人背後必有一個更精明男人的男性沙文主義觀念。大臣常吹噓自己「得寵於國王」，但他更有過之：「我進入『兩地女王』的神祕處。」在他們最雄偉的紀念性建築上，放肆的底比斯工人塗鴉，描繪了有個人從後面進入一苗條女人的身體，有人認為那便是在描繪塞嫩穆特和哈特謝普蘇特交歡。

在塞嫩穆特輔佐下，哈特謝普蘇特在帝國全境建造紀念性建築，地域廣及努比亞至西奈半島。西元前一四六三年，她派了一隊人前往「神之地」（Land of God）——埃及人對蓬特（Punt）一地的稱呼——以取得她大興土木和節慶所需的材料，包括焚香、烏木、化妝品、寵物猴。她的掌璽官——努比亞人涅赫西（Nehsi）——統領五艘船，每艘有船員兩百一十人，包括海軍陸戰隊員和三十名槳手。在此時來到三千萬左右人口的世界裡，已有條定期航路下紅海至非洲東部，也許還有另一條航路抵達非洲西部。接下來幾百年，在非洲西部，諾克人（Nok）會造出精美的紅陶雕塑，後來又以火爐造鐵。還有一條航路穿過波斯灣至印度。涅赫西見了蓬特的統治者，國王帕拉胡（Parahu）和他那身形巨大的妻子阿緹（Ati），並帶回乳香和三十一株沒藥樹，哈特謝普蘇特將這些樹種在她諸多的神廟中。

在她父王已擴建的卡納克，[15]她建造了一座全國性的神廟，用以奉祀阿蒙—拉（Amun-Ra）神——與她的父王有關的神，增建一座泥磚宮殿，並指定為「王宮——我離他不遠。」[16]

隨著圖特摩斯三世長大，哈特謝普蘇特覺得該把權力移交給她的繼子暨姪子暨女婿。她年過五十後苦於關節炎，後來又患糖尿病、癌症（根據晚近鑑定出是她的木乃伊而得知）。這時，風光掌權二十年後，看著圖特摩斯三世成為活力十足的法老且廷臣日益靠向這個升起的太陽，她想必心有不甘卻又無可奈何。哈特謝普蘇特去世時，圖特摩斯三世毀損她的紀念性建築，但她已為他日後的豐功偉業奠下基礎。

14　這些職稱透露出宮廷組成的複雜性——「掌璽官」、「寢室侍從」、「兩地之主的執扇者」——而無論如何，安全至關重要：「機密長」是「國王的眼」。國王侍衛除了努比亞人，還有來自愛琴海地區的邁錫尼人。守衛往往是努比亞人。

15　自斯涅費魯時代以來，死後生活的定義已有所改變。此時，只有國王夠格擁有死後生活；而高官也在各自的墳墓上刻上神聖經文，以獲得神性並復活。這個新王族提倡膜拜奧西里斯，即地面之神、陰間之主，掌管死後重生之事，有天上的兩個神——拉和荷魯斯——為其助手。埃及人抱持多種死者靈魂觀：「巴」（ba）與個人並存，但在人死後，巴白天跟著太陽一起運行，夜裡則回到木乃伊化的軀體旁，和奧西里斯會合。「卡」（ka）是需要進食維生的不死靈，使死者得以前去地府供奧西里斯審判。前往地府之行是很恐怖的，據所謂的「棺木文」（Coffin Texts），此行會把死者帶到「奉獻之地」（Field of Offering）。在那裡，他們要在永生和被罰墮入地獄間做出可怕抉擇，若墮入地獄，他們得吃糞喝尿。但如果雀屏中選，他們將進入樂天福地。這一切取決於木乃伊在墓中能否長存：為防萬一，這時埃及人以名叫夏卜提（shabti）的小人俑陪葬，充當木乃伊被毀時的替代品，以便巴能每晚回來。

16　塞嫩穆特在亞斯文（Aswan）選中三對方尖碑，並從該地運了回來，在其中一對方尖碑的基部，哈特謝普蘇特銘刻了她登基的理由：「我這麼做時，是懷著對我父親阿蒙的愛……我要以後的人記得，這是我為我父親建造的紀念性建築……他（阿蒙）會說，『忠於她的父親，真像她的一貫作風！』因為我是他的女兒。」古往今來沒有哪個女兒愛父親愛得如此大氣磅礡。而她的傑作則是「至聖殿」（Dkjeser Djeseru），即用來祭祀她的陵廟，係開鑿岩壁而成的平臺式建築群。

他每年在迦南、敘利亞征戰，共打了十八場戰役，打敗敘利亞王國米坦尼（Mitanni）和該王國在米吉多（Megido）的迦南盟友，帶回戰利品兩千匹馬和戰車、一千七百九十六名男奴和無數女人，其中三個敘利亞女孩後來和他關係特別。在米吉多，他曾向其士兵說道，「要堅定！要堅定！要警戒！要警戒！」阿赫摩斯家族向來浮誇、嗜窮兵黷武，也被認為該表現出、活出這個樣子：圖特摩斯三世的兒子阿蒙霍特普二世便是這好武帝國健壯王子的典型：他騎馬快過任何人，划船的力道強過兩百名槳手的總和，能把箭射穿手掌厚的銅靶。

飆車手、射手、馴馬高手、獵牛者：阿蒙霍特普

阿蒙霍特普以及其他王室孩童，在主宮殿旁的「家庭宮」（Family Palace）裡成長，主宮殿則是法老和其諸多妻子的住所。在埃及，婚姻是神聖的結合，以出於現實考量的安排為基礎，但還是可以離婚，離婚女人也可再嫁。多數埃及人不行一夫多妻制，不過法老會有多個妻子和數千個妾，並由「正宮王后」負責掌管眾妻子。對外征戰有成，使國王妻子變多，國王後宮由「家庭宮總管」主理，家庭宮與「王家托兒所」（Royal Nursery）相鄰，平民小孩和王子、公主在此托兒所一起受養育；而王室嬰孩的主要照護者可說是「最優秀的保母，她所撫養的，可是天上的神」，她的孩子理所當然也會和王室成員一起長大。這些「托兒所小孩」成人後可能成為朝中大臣。

公主要學習紡織、唱歌、閱讀。她們從未被送到國外嫁給外邦君主，因為她們更優於外邦人。王子則由「王室孩童書吏」教導，先學埃及文，以蘸了墨水的筆在莎草紙上寫字，然後學習巴比倫楔形文字——外交用語。他們的家庭教師和保母——一如古往今來的童年導師——以其職務之便，因而有機會成為

受信任的顧問。王子獵殺公牛、獅、象，而且著迷於由希克索斯人引進埃及的馬。王子阿蒙霍特普「很愛馬……打定主意要把牠們馴服；對養馬的熱愛無人能及。」在城外的吉薩金字塔群附近，他練箭術，然後前去打獵，「陛下再度坐著戰車現身。他拿下的野牛數量為四十。」打獵始終是戰技訓練活動，他的先遣部隊是多達五十隊的戰車，每輛戰車配有三人，分別是配備複合弓的軍官、馭者、帶盾衛士。

擔任法老期間，愛馬成痴的射擊高手阿蒙霍特普二世往東向伊拉克擴張版圖，在地中海，埃及則與阿爾札瓦（Arzawa，今希臘境內）、阿拉西雅（Alashiya，今賽浦勒斯境內）的邁錫尼人進行貿易。他在卡迭石（Kadesh，今敘利亞境內）打敗當地國王，然後在西元前一四二四年，親手殺掉其中七個國王，倒掛他們的屍體。士兵行賞的依據，是以敵人的陰莖和手堆放在法老腳邊或如烤肉串般叉在矛上的數量為主。阿蒙霍特普某次遠征敘利亞歸來時，帶著重達四分之三噸的黃金、五十四噸的銀、兩百一十匹馬、三百輛戰車、九萬名戰俘。唯有最好的品味才符合阿蒙霍特普這在位二十六年、目空一切且苛嚴的法老身分[17]，他曾說：「即便缺嵌了青銅的金質戰斧，又何必將就著用木棒？」

並非每個人都能這麼充滿男子氣概：他的孫子阿蒙霍特普三世較執著於一種使埃及改頭換面的宗教觀，那是他與某個不凡的女人共同抱持的觀點。單純把兩人關係稱作建立在兩情相悅上的愛情，是無法充分表達真相的。

17　能聽到真正出自法老之口的話語，是非常難得的。阿蒙霍特普二世曾以讓人難堪的口吻嘲笑他努比亞籍總督身邊那些靠不住的隨從：「身在遙遠努比亞的你，從每個外邦帶回戰利品的戰車英雄，如今竟養了個來自巴比倫的妻子、來自拜布洛斯（Byblos，今黎巴嫩境內）的女僕、來自阿拉拉赫（Alalakh）的年輕女孩、來自阿拉普哈（Arapkha）的醜老太婆。這些敘利亞人一無是處，她們有什麼用呢？」眼看這名總督太信任他的努比亞籍子民時，他便告訴這名總督：「別信任努比亞人，當心他們的人和巫術，提防你已提拔的那個僕人……。」

埃及的女主人：黃金、妻子、外交

阿蒙霍特普三世還是個少年時，娶了十三歲的緹耶（Tiye），後來緹耶成為埃及歷史上最顯赫的妻子。她不是他的姊妹，而是某騎兵軍官的女兒。正宮王后緹耶個頭嬌小，只有四呎九吋高，一頭長髮在她的木乃伊被人發現時仍泛著光澤，畫像顯示她是個美人。兩人結婚三十五年，共育有九個孩子。

阿蒙霍特普以列隊行進的帆船、雕像和愈來愈追求巨大的神廟來提倡國教，而在這些神廟裡，他的銘文描述了阿蒙—拉神自身是如何悄悄溜進正宮王后的寢室：「她因為神的香氣而醒來，因歡愉而不住叫喊。」此神宣布，「阿蒙霍特普是我放進你子宮裡的那個小孩的名字。」阿蒙霍特普三世本身是神，緹耶是他具神性的伴侶，兩尊超巨大的阿蒙霍特普坐姿雕像——古人稱之為門農巨像（Colossi of Memnon）——的腿部側邊，都刻有她的形象。緹耶被描寫成和丈夫平起平坐，從阿爾札瓦的希臘人至巴比倫國王的諸多外邦君主，都和她有往來。米坦尼國王圖什拉塔（Tushrata）曾寫信告訴阿蒙霍特普和緹耶的兒子，「緹耶很清楚我和你父親阿蒙霍特普講了哪些話，」建議他「向緹耶仔細詢問」。他甚至直接寫信給這位「埃及的女主人」。[18]

身為女性的緹耶坐擁高位，而下一位王后娜芙蒂蒂（Nefertiti）的權勢將更大，她的丈夫阿蒙霍特普四世則與眾不同：如果這對夫妻的畫像如實呈現本人的一言一行，那他們可謂非常特別的一對，而他們的特立獨行幾乎毀掉整個帝國。

---

18 位於阿凱特阿頓（Akhetaten）城的「法老書信局」（the House of the Pharaonic Correspondence）裡發現了約三百八十封信，信件以巴比倫語楔形文字書寫，其中可見和西亞列強通信的有趣內容。當時的諸位「大王」自豪於自己身為世界仲裁者集團——很像今日的G7——的一員，這些成員以「兄弟」相稱。一如今日，個個都非常在意自己的身分地位。埃及、哈提（Hatti）是其中的龍頭老大。

哈圖沙和拉美西斯的王朝

太陽崇拜：娜芙蒂蒂和哈提國王

新法老阿蒙霍特普四世有著少見的細長眼睛、稜角分明的臉、頭形細尖、軀幹纖細、女化的胸部、肥大的肚子、短腿——或者至少他被刻畫成這副模樣。娜芙蒂蒂可能是他的表姊妹、緹耶的姪女。隨處可見她和阿蒙霍特普四世平起平坐的形象——甚至在某篇銘文中提到，她在王船上殺掉外國俘虜。娜芙蒂蒂的美令人驚艷，但其中也有個詭異之處：她的雕像顯得頭顱細長。王室雕像在這方面的新時尚，是否為了表達阿蒙霍特普的神性，或者他要表現其異於常人的長相，以茲證明其具有神性？

這位頭形細尖的法老著迷於宗教事物，時值埃及於敘利亞的勢力正受到一國力蒸蒸日上的帝國挑戰。這個帝國的統治者是哈提國王蘇皮魯利烏瑪（Suppiluliuma），一個咄咄逼人且天生能征善戰之人，他的子民是技術高超的戰車馭者，即雅利安裔入侵者的後裔，這時統治從愛琴海至幼發拉底河的地域。蘇皮魯利烏瑪出身居於統治之位將近五百年的當代最偉大王朝，已擊垮西邊諸多希臘王國；如今，又拿下位於敘利亞北部的卡迭石（Kodesh），以試探埃及的實力。

阿蒙霍特普四世未能收回卡迭石，但這些戰役已使數群原本受到束縛的哈比魯人（Habiru）——土匪——得以大展身手[19]。他們攻擊迦南境內的埃及盟友。「我處於戰爭狀態……派來弓箭手！」一被圍困的

19 這些哈比魯人可能是最早見諸記載的「希伯來人」（Hebrews），後來希伯來人將以猶太人身分出現在歷史舞臺上。

小要塞國王阿卜迪—海巴（Abdi-Heba）不住懇求道，「若沒有弓箭手，本王將土地盡失。」這個要塞即耶路撒冷，是為此地第一次出現在歷史中。

正當哈提人進入迦南、哈比魯人四處遊蕩伺機偷搶或殺人之際，阿蒙霍特普四世發動宗教革命。他獨尊太陽神阿頓（Aten），把自己名字改為阿肯阿頓（Akhenaten，意為「對阿頓有用之人」）；娜芙蒂蒂成為涅斐爾涅斐魯阿頓—娜芙蒂蒂（Neferneferuaten-Nefertiti）——意為「令阿頓喜悅之事物便是美」（其他人也一一把名字從阿蒙改為阿頓）。然後，他在底比斯和古都孟斐斯之間建立新都阿凱特阿頓（Akhetaten，意為「阿頓的地平線」）。[20]這套新神學被惡意稱作「教義」，為了獨尊一神，不只貶低阿蒙神，還貶低甚受上層人士和人民喜愛的其他所有神——《聖經》作者和後來的諸多宗教可能受了這個想法影響。就連「諸神」一詞都改為單數形的「神」。阿肯阿頓和娜芙蒂蒂的神性伴侶關係，有著溫馨親情的一面：在雕刻作品裡，他們和坐在兩人大腿上的三個小孩一起現身，兩人在神聖太陽的光芒照耀下合而為一。以核心家庭的形象呈現，表達出政治—宗教的論述，可說是史上首見。

西元前一三四二年，這個王室家庭以主角身分出現在一場盛大的週年慶祝大典，「坐在天然金銀合金材質的大肩輿上，收下敘利亞和庫什、西方和東方的貢品……連海上島嶼（希臘人）都來進貢。」這些外邦人覺得這個太陽崇拜信仰沒什麼特別：亞述王阿修魯巴利特（Ashuruballit）寫道，「為何要我的信使一直待在外頭，死在太陽下？」這個太陽即將失去炫目光輝，它的黯然失色將把史上最著名的法老送上大位。

過渡：男娜芙蒂蒂、圖坦卡門的妻子、哈提王子

有個新上任的男性共治法老名叫涅斐爾涅斐魯阿頓—娜芙蒂蒂，此人很可能是逐漸過渡成男性國王的

王后娜芙蒂蒂。只是太陽崇拜有賴於一人的護持，而西元前一三三六年阿肯阿頓去世，由名叫斯梅涅克卡拉（Smenekhkara）的神祕法老繼位。這位法老很可能是女扮男裝的娜芙蒂蒂，與她的女兒梅莉特阿頓（Meritaten）共治，並以她為「正宮王后」。但廷臣對太陽崇拜極度反感，於是有人想不利於她：娜芙蒂蒂離世——或遇害。繼位者是阿肯阿頓和他的一個妾室圖坦克阿頓（Tutankhaten，「阿頓的活化身」）所生的九歲兒子。不久，他經安排娶了阿肯阿頓和娜芙蒂蒂的另一個女兒安凱森帕阿頓（Ankhesenpaaten）。

娜芙蒂蒂的消失，代表一場打垮阿頓教派、迎回阿蒙—拉神的反革命就此展開。都城遷回孟斐斯，新都遭棄置；圖坦克阿頓改名圖坦克阿蒙（Tutankhamun），他的妻子則改名安凱森阿蒙（Ankhesenamum）。

這位法老，身高五呎六吋，並非強壯之人——可能在一次戰車事故中摔斷一隻腿；他也患過瘧疾，似乎容易動怒。這時他「向阿蒙」請教意見。「阿蒙」一詞意指他的兩名很有權勢的顧問，即他的舅公阿伊（Ay）和最高將領霍倫海布（Horemheb）。霍倫海布誇稱圖坦克阿蒙把他提拔為「此地之主」。這位年幼法老宣布，「男女神的神廟已淪為斷垣殘壁……」而他親自「撥亂反正」。這對國王、王后是同父異母的手足，王后才剛進入青春期，兩個女兒都死產（她們的小木乃伊與圖坦克阿蒙合葬，ＤＮＡ證實圖坦克阿蒙是她們的父親）。這個法老得解決哈提國王蘇皮魯利烏瑪不斷進逼的侵擾。圖坦克阿蒙認可道，「如果往東發兵，毫無勝算。」於是他往北發兵，遭蘇皮魯利烏瑪的戰車隊擊潰。

西元前一三二二年，時年十九歲的圖坦克阿蒙離世——不確定死因為瘧疾，或其他感染或謀殺——但他

20　這個都城最搶眼的地標是位於「法老宮」（Pharaoh's House）和國務機關「法老書信局」旁的阿頓神廟（House of Aten），有阿肯阿頓、娜芙蒂蒂的巨像守衛。王室家庭每天從宮殿搭上禮儀用戰車前往神廟，有祭司隨行，並有揮舞短棍的侍衛一路護送。御用藝術家，「國王寵臣暨工藝長、雕塑家圖特摩斯」，成立一間工作室，主事娜芙蒂蒂像，那尊美得出名的少女王后像和裸身的成年女性、母親像，都出自他之手。在少女王后像上，她頭戴藍色王冠，眼睛以塗黑的石英製成，並用蜂臘將其固著於眼眶內。

的陵墓還沒蓋好，以致他的陪葬品，相較於為那些死在可預見的老年的國王所準備的寶物，顯得寒酸許多。

阿赫摩斯家族成員只剩一人：年紀也是十九歲的王后安凱森阿蒙，隻身處於被舅公阿伊把持的險惡宮廷裡，後者想方設法要娶她，讓自己成為法老。軍隊統領霍倫海布聲稱他已被指定為繼承人，無奈當時他正在敘利亞征戰。娜芙蒂蒂的女兒無計可施，只好求助於另一個大王朝。

大王蘇皮魯利烏瑪當時正在打仗，圍攻卡爾切米什（Carchemish，今土耳其境內）。自哈圖沙的廢墟中出土的《蘇皮魯利烏瑪事功》（*The Deeds of Suppiluliuma*）是他的王位繼承人所寫。在該文獻所收的某封信中，少女王后安凱森阿蒙寫道：「我丈夫已死，而我又無子。有人說你有許多兒子，請你送一個兒子過來當我的丈夫。我不想要我的某個子民（她指的是阿伊）當我的丈夫……我很害怕。」

於是，蘇皮魯利烏瑪送來兒子，即王子贊南札（Zannanza）。他經迦南前往埃及，可惜抵達時已太遲。這趟路走了很久；老臣阿伊已被擁立為法老，娶了年輕王后。而贊南札依舊在路上。究竟什麼情況，後人不得而知，但霍倫海布肯定攔截到他，並殺了他。法老阿伊未忘記這份恩情。沒人知道安凱森阿蒙又活了多久，但阿伊不久便去世，並將王位交給霍倫海布。

蘇皮魯利烏瑪被激怒了──「神啊，埃及人民這樣對我」──遂派戰車大肆破壞埃及的迦南。未想士兵和戰俘帶回瘟疫──瘟疫是世界有所聯繫的的表徵之一。不久，蘇皮魯利烏瑪去世，王儲也跟著死於瘟疫，這個苦於叛亂的帝國隨之交由蘇皮魯利烏瑪那個專橫的巴比倫籍王后塔瓦南娜（Tawananna）統治。西元前一三二一年，蘇皮魯利烏瑪的兒子穆爾西利二世（Mursili II）哀嘆道：「神啊，你做了什麼？你讓瘟疫進來哈提，人人都面臨死亡。」這個大流行病使都城哈圖沙的居民幾乎死光。於是，從埃及、哈提的亂局中，冒出兩個接下來會在上古世界最大戰役中交手的統治者。

而那一天，始於一件令人意想不到的事。

戰車御者的交手：拉美西斯和穆瓦塔利

西元前一二七四年五月，卡迭石以北，二十五歲、五呎七吋高、白皮膚、一頭薑黃色鬈髮的拉美西斯二世（Rameses II），一新王朝的君主，一身盛裝地乘坐金色戰車離開他的兵營，後方跟著他分成四部、兩萬多兵力的軍隊。他的使命是奪回卡迭石這座被水環繞且築有城牆的城市。而他的兵力調度比較像是不慌不忙的閱兵，而非帶著警戒的挺進。

拉美西斯陣營逮捕了兩名貝都因人，一番訊問後確認國王穆瓦塔利（Muwatalli）轄下的哈提人軍隊位在一百二十哩外的阿勒頗附近。這個哈提大王的所在位置較靠近自己的大本營，動用的兵力更高上許多，達四萬七千五百人，包括三千五百輛戰車——不過這些戰車離部隊還很遠。

埃及人涉水渡過奧龍特斯河（Orontes），駐紮一處新的前沿營地以展開圍攻。登基才五年的拉美西斯，身材修長結實，鷹鉤鼻，一如其父充滿幹勁且自信。這時統治埃及者是新的王朝：圖坦克阿蒙的將領霍倫海布沒有子女：他任命平民出身的將領帕拉美蘇（Paramessu）為「國王副手」，後來將他晉升為「國王兒子」。帕拉美蘇取攝政名「拉美西斯」，但以魄力重振帝國聲威的人，是他另一個兒子塞提（Seti），一個不怕苦、體格健壯的將領——成為木乃伊後其體格依然令人驚歎。即便在他父親還在世時，塞提便沿著迦南海岸往北攻，迫使黎巴嫩的統治者為其海軍伐木，接著更拿下卡迭石。而此時的哈提人在穆瓦塔利及其兄弟哈圖西利（Hattusili，蘇皮魯利烏瑪的孫子）這組令人敬畏的搭檔統領下，則奪回卡迭石。

拉美西斯二世繼承父親的王位時——取登基名烏塞爾馬阿特拉（Usermaatra，希臘語名奧齊曼迪亞斯／Ozymandias）——奪回卡迭石是他的第一要務。拉美西斯好大喜功又自戀，被他刻上名字的紀念性建築多於其他任何人。他已開始建造都城佩爾—拉美西斯（Per-Rameses，「拉美西斯之屋」）。為他建造陵墓的人住在位於戴爾・梅迪納（Deir el-Medina）的工人村，對於自身專業深感自豪——有一人寫道，「我是個工匠，是專精技藝的人，掌握最重要的知識。」拉美西斯會在他的作品裡界定何謂法老的一貫作風。

拉美西斯精於射箭和戰車駕馭之術，先是打敗襲擾東地中海的謝爾登人（Sherden）的艦隊，然後轉而攻打卡迭石。

拉美西斯一紮營，穆瓦塔利的間諜便看在眼裡，但他們遭識破、被逮，禁不住拷問，透露了驚人消息：哈提人已經非常接近，而且做好進攻的準備了。拉美西斯震怒於麾下將領的無能。他索性自掌兵權，命諸王子離開戰區，派他的宰相去把普塔赫（Ptah）部調來前線。一切尚未就緒，哈提人就出兵伏擊，他們的戰車猛地衝進拉美西斯所率的阿蒙部，拉美西斯當即發出號令：「國王孤身一人」。然後，哈提人趁拉（Ra）部渡河時出兵攻擊。數千輛戰車撞在一塊。在穆瓦塔利統領下，哈提人的戰車隊擊潰不耐衝撞的埃及軍隊；埃及人敗逃。這是場孤注一擲的戰鬥，法老駕戰車、射箭，險些喪命，最終靠他戴著帶角頭盔的希臘籍衛士揮劍猛劈亂砍擊退敵人，這才活命。拉美西斯宣稱，這是靠他本人的性格，局勢才轉危為安，倒也不能說毫無道理。他運氣好：「哈提的孩子們」開始洗劫法老的營地。而增援的戰車在緊要關頭到來，拉美西斯立刻自戰車上發號施令，重整部隊以迎接穆瓦塔利的進攻。拉美西斯的反攻擊潰哈提人部隊。

埃及人的最後一支部隊抵達戰場增強戰力時，夜色已然降臨。拂曉之際，兩王命令已上緊發條的軍隊正面對決，戰況慘烈，但最終陷入僵持狀態。拉美西斯撤回兵力；穆瓦塔利表示願意談判。不過，穆瓦塔利還是贏了：卡迭石仍在哈提人手中。拉美西斯一返國，即把遭哈提人伏擊而陣腳大亂的危急經歷，轉變為一場英勇的傳說，在多達五座的宏偉紀念建築裡，他把卡迭石之役改寫為勝利之役。[21]

拉美西斯與一人共享此榮耀，此人正是正宮王后涅斐爾塔莉（Nefertari）。她在相互為敵的兩者之間，扮演起居中調解的特殊角色，[22]而就在中國境內，此時正有一王后統領戰車隊於戰場廝殺。

戰爭女王：商朝婦好、哈圖沙的普杜海帕、埃及的涅斐爾塔莉

就在拉美西斯、穆瓦塔利的戰車御者於敘利亞交手之際，新式武器傳到中國西北部。在該地，武丁已承繼一個由其家族——商——經數百年逐漸建立、以黃河流域為中心的國度。傳說中國更早的君主禹「治水」黃河，但信史始於商朝。

武丁，商朝第二十三代國君，是個戰士君主，西元前一二五〇年左右，他靠著征戰和婚姻，擴大了商朝勢力範圍：他有六十四個妻子，其中大多是戰敗國的公主。而受到他寵幸的妻子婦好，在王室裡獲器重，成為軍事統領和大祭司。武丁把勢力範圍擴及中國東北部，不只攻打其他方國，也攻打北方民族「鬼方」，並從鬼方習得十字弓和戰車的運用之道。商人所統轄的農業社會亦生產青銅器、武器、絲綢。商人以殷為都城（位於河南省安陽附近），有書吏輔佐統治。他們使用中國最早的文字——今日漢字的起源。商人膜拜最高的神祇「帝」和眾多較次要的神，而「帝」可能是商人最崇高的祖先。商人尊敬祖先，把祖先當成人界與神界的中介，而且每天向宮廷貞人（占卜官）問事。貞人以甲骨占卜，藉由觀察火燒牛骨或龜甲後產生的裂紋，回答人生種種基本問題——從天災的即將到來，乃至健康、收成、家族等。

貞人火燒甲骨，解讀其上裂紋所代表的意義，並刻在甲骨上（卜辭），數千片這類寫了卜辭甲骨保存

---

21 如今，在這五座紀念建築裡，尤其在他蔚為奇觀的代表性作品「拉美西斯和底比斯合為一神廟」（Temple of Rameses United with Thebes）裡，仍可看到他咄咄逼人、誇張自負、一味追求巨大的作風。這座神廟占地十一英畝，廟頂有一尊拉美西斯巨像。這些作品不只表達了他權勢之盛，還表達了他作為活神之典範的地位。

22 就在此時，宮廷書吏阿尼（Any）曾就人該如何過日子寫下其意見，並告訴兒子，從中可一窺埃及保守的家庭價值觀：「真理是上帝所發出」，「遠離叛亂分子」，「鄙視名聲不好的女人，別想和她睡」，以及「母親給你多豐盛的麵包，你就回報以同樣的豐盛：供養她，一如她過去供養你。」埃及人始終想著靈魂和永生：「別迷失於外在世界，以致忽略了你永遠安息之處。」

至今。甲骨占卜助人應付詭譎難測的危險世界，但卜辭的意思含糊如天書。

商人發動戰爭，部分原因是為了擄人供活祭，以確保死後生活安寧：商人——與埃及的拉美西斯同時代[23]——死後葬於開鑿黃土高原而成的家族墓地，並以青銅手工藝品和武器陪葬。有則銘文寫道，祭「大丁、大甲、祖乙百鬯、百羌，卯三百。」（白話：百杯酒、百名羌俘、三百頭牛）。商朝統治者去世時，殺數百人一起殉葬。

婦好，其名出現在一百七十片甲骨上，最初可能是宮廷貞人，後來成為商王的妻子。商王將兵權委以婦好時，曾就此事請教貞人，並得到認可。婦女接連打贏四場戰役，對手大多是蠻夷，但她三十三歲去世時，有十六名奴隸和她心愛的寵物——六隻狗——一起殉葬。[24]國王非常懷念婦好，常透過巫覡向她請教意見。

西元前一〇四五年，據悉商人已毀於自身離譜的腐敗：紂王和王后妲己乘船遊賞於酒池上，與眾妃子飲酒作樂，設計出酷刑對付敵人，其中最令人髮指的，是炮烙之刑，即把人綁在燒紅的銅柱上，讓人肌膚焦灼而死。不過，這些離譜行徑可能是周人刻意塑造出來的。周人是來自西部的新興王朝，後滅掉商朝。在牧野之戰，周武王打敗商人。紂王和妲己自盡於陷入火海的宮殿廢墟後，武王追討商人，包括王室和士兵，割下為數十七萬七千七百七十九個耳朵，然後在唱誦、鐘笛齊鳴的儀式中，將商人的王室成員、大臣、四十個家族的族長斬首獻祭，剝掉他們的頭皮。周室自此統治數百年，發展出最早的官僚體系。武王兒子成王在位時遭遇貴族叛亂，但一個不世出的奇才助他解除危機。這人是周公旦——成王的善良叔叔。

成王一成年，周公即交出權力，後來周公更定義了何為負責任的統治和天命論：王朝統治得好，就得到天命加持，天下就會大治；一旦濫用權力，就會失去天命，遭改朝換代。

而回到在敘利亞，無德的叔伯哈圖西利（Hattusili）從姪子手中奪取王位。占領迪馬斯古（Dimasqu，今大馬士革）後，他停下腳步，前去奉祀伊絲塔爾（Ishtar）女神的廟祈禱，他在這裡遇見祭司的女兒普杜海帕（Puduhepa），並娶她為妻——歷史上其中一名留下話語的擁權女性。與埃及之間的戰爭持續，直到國王哈圖西利、王后帕杜海帕和拉美塞斯談定和約，並敲定雙方子女聯姻之後，這才平息。這是有文獻存世的最早條約，而且一如此後直至今日的諸多瓜分條約，該條約把迦南—敘利亞一分為二。談判工作大多由王后普杜海帕負責，這段期間，她的丈夫則策馬西馳，嚴懲附庸國——邁錫尼人的阿希雅瓦（Ahhiyawa）王國。兩國已為了哈圖西利的小盟邦維魯薩（Wilusa）——又稱伊利奧斯（Ilios）或特洛伊——失和。

西元前一二五〇年，哈圖西利與阿希雅瓦的國王塔瓦嘎拉瓦（Tawagalawa，即艾特奧克里斯／Eteocles）談判，在一封僅局部存世的信中寫道：「如今我們已為導致我們兵戎相向的維魯薩達成協議……」在這場戰爭中，特洛伊人在哈提人盟友的支持下，與可能是雅利安裔入侵者後代的邁錫尼人交戰。而就這場戰爭來說，這個協議的敲定，原則上來得正是時候。邁錫尼人以伯羅奔尼撒半島上的邁錫尼（Mycenae）為根基，為國王和揮劍、駕戰車、在吹著穿堂風的要塞大廳裡舉行酒宴的戰士貴族所統治。這時他們崇拜的神祇有男、有女，遺體上仍見作戰傷疤且戴著金面具，與青銅劍合葬。而他們也是歐亞大陸商人。[25]

---

23 今人對歐洲所知少了許多，但當時的歐洲暴力橫行：凱爾特人從東方遷來，定居於中歐。在這時期前後，一千四百人遇害於托倫瑟河谷（Tollense Valley，今德國、波蘭交界），包括婦孺。這場慘劇似乎肇因於有人伏擊商隊，伏擊者以砸碎腦袋的方式要人命。

24 狗骸骨，連同大量青銅器、五百六十只髮夾、七百塊雕刻成龍、鳳、象的玉、蛋白石、象牙，擺在她的漆棺周邊，有些青銅器刻有她的名字。陪葬的一百三十件武器中，有她最愛的戰斧。武丁麾下的女統兵官不只她，在中國，至少直到西元七世紀的唐朝為止，都有女人統兵。

25 邁錫尼人買賣來自阿富汗的錫、來自波羅的海的琥珀，他們從希臘駕船出海，往來義大利、西班牙。史上最早的船難之一發生於西元前一三〇〇年左右，船上有遠自巴比倫、義大利的物品，說明當時已存在一歐亞大陸貿易網——此船難已得到不妨稱之為海難學（naufragiology）的歷史學研究。

這場戰爭以特洛伊遭焚作結，考古挖掘成果證實確有此事。哈提的支持說明了小小的特洛伊為何反抗得了希臘人同盟。但這些哈提語信間接表明，在《伊里亞德》（*Iliad*）中受到讚揚的「特洛伊戰爭」，若真有其事，也只是哈提為控制希臘人所展開的漫長抵抗的插曲。

卡迭石之役過了十五年，拉美西斯二世和哈圖西利三世簽訂「永久和平條約」，誓言「永遠維持他們之間的偉大和平和偉大兄弟關係」，王后普杜海帕也在條約上簽名。她不只致力於調解諸妃子為國王生下的眾多子女間的爭執，主持宗教慶典，以法官身分裁定是非對錯，而且向來精明、刻薄、高傲的她，也談成女兒與拉美西斯的婚事。涅斐爾塔莉於是送給她的「姊妹」一件十二股的金項鍊和一件奢華的染色服飾。即便如此，普杜海帕與拉美西斯仍以在商言商的態度談判。

「我的姊妹，妳答應把妳的女兒嫁給我，」拉美西斯寫道。「妳在信上是這麼寫的。而妳卻扣留了她，對我生氣。為何？」

「我的確扣留了我女兒，」普杜海帕回道。「而你聽了我的理由後，肯定會贊同。哈提的寶庫（被叛亂分子）燒了。」普杜海帕禁不住取笑拉美西斯：「我的兄弟你一無所有了嗎？……我的兄弟，你想要以我的損失慘重，讓自己富有。這麼做可是有損你的名聲或地位。」除了她，世上沒有哪個人會這麼跟拉美西斯二世講話。接著，她吹噓起自己女兒的迷人：「對於要送給我的兄弟的這個絕世女兒，我要拿她和誰比？」又「我要她比世上諸位大王的其他所有女兒優秀」。

西元前一二四六年，拉美西斯和普杜海帕做好準備。「真好，眼前的情勢大好，」拉美西斯興奮說道。「太陽神和風暴神，埃及和哈提的神，已把和平永遠賜予我們兩國！」普杜海帕帶著她的女兒動身，隨行也帶上一批寶貴的「金、銀、大量青銅、奴隸、多不勝數的馬、牛、山羊、無數的公羊！」普杜海帕在邊界和女兒告別，此後，拉美西斯「愛她甚於任何事物」，但兩人遲遲生不出孩子時，她的父親則把問題歸咎於拉美西斯。「你和我女兒未生下兒子，」哈圖西利寫道。「怎會這樣？」由於拉美西斯已生了一百多個小孩，這說法等於莫須有的誹謗。在各自帝國的鼎盛時期，這兩個超級君王討論來場高峰會。普杜海帕寫信告訴拉美西斯，「我們兩位大王是兄弟，彼此卻從未見過面。」於是兩人決定在迦南會面。但這場高峰會最後未能實現，哈圖西利得解決來自愛琴海至幼發拉底河區域的種種挑戰，拉美西斯則在位已久（六十七年），如今苦於關節炎和牙疼（他的木乃伊透露了這些問題），他以九十歲高齡去世時，他的老兒子得應付整個邊疆所遭受的攻擊，[26]尤其是地中海沿岸所受到的攻擊。地中海地區的所有強權，眼下都得應付一場大災難。沒人知道那是什麼所造成，很可能是氣候、天災、大流行病、貪婪、系統性內部崩潰等諸因素同時發生，引發遙遠乾草原上的人員移動，進而促成一場竄逃式遷徙，而在這場遷徙中，海上劫掠者蹂躪了地中海、西亞的富裕城市。這些劫掠者似乎是希臘人，埃及人稱他們為「海上民族」，但他們也走陸路過來，身披此前未見的鐵胸鎧和護脛，揮舞用來刺擊的劍和盾，而且這些裝備全是靠把鐵礦砂和隕石鐵熔化以造出更強固金屬的方式製成。鐵為人所知已有很長時間，熔化手法有可能在許多地方慢慢發展出來，先是在印度，然後透過手藝精湛的哈提鐵匠傳播到歐洲和非洲。[27]

埃及和哈提相繼反擊。哈圖西利的兒子圖達利亞四世（Tudaliya IV）攻擊阿利希亞（Alishiya，賽普

26　這個兒子，梅爾涅普塔赫（Merneptah），曾對付利比亞、努比亞、迦納境內的叛亂，而他的銘文列出數個擊敗的迦納人部落，其中提到「以色列」，是為史上首度明確提到猶太人。

27　一八二五年，出於丹麥籍歷史學家克里斯蒂安·于爾根森·托姆森（Christian Jürgensen Thomsen）的構想，早期歷史可劃分為石器、青銅器、鐵器時代。撒哈拉沙漠以南的非洲未走過史前青銅器時代：工具以石頭製成。然後以鐵製造工具。對某些人來說，製鐵技術突然湧入，支持了技術從非洲之外傳入該大陸的論點。但更晚近，有人主張製鐵技術在未受外力影響下，在某個或更多個中心——可能是諾克（Nok，奈及利亞境內）或庫什（蘇丹境內）——自行發展出來。

勒斯境內）的襲掠者，不久他便為了止住如馬般奔馳的這場大動亂而焦頭爛額。圖達利亞以淒苦口吻寫道，「如果沒人負責制住馬，你就必須表現得更有勇氣。如果馭者跳離戰車，貼身男僕逃離寢室，連狗都沒留下，你就必須更加支持你的國王。」在埃及，拉美西斯三世聲稱已在尼羅河三角洲打敗這些襲掠者，並以其一味追求巨大的神廟暨宮殿——國王拉美西斯的百萬年宅第（Mansion of a Million Years of King Rameses）——頌揚此次勝利，命人在其中描繪了敵人陰莖成堆擺放在他腳邊的情景。無奈他的造陵者——與自家人住在位於戴爾．梅迪納特別建造的村子裡——已領不到工資；他們拒絕勞動，在諸神廟靜坐罷工——此為史上第一樁罷工事件。

拉美西斯三世寫道，「蠻人在島上陰謀做壞事，不管哪個地方，都擋不住他們的武器。」拉美西斯家族解體；埃及落入諸利比亞籍酋長之手；哈提垮臺；在歐洲，凱爾特人進入西部；在地中海，希臘語族人定居於愛琴海沿岸。在西亞，閃語族人創建新王國，其中許多人講阿拉姆語（Aramaic）；在迦南，他們於沿海地區建造了欣欣向榮的貿易城；在內陸，他們打造出一個以大馬士革為中心的王國，更南邊，有個閃語族部落，講早期的希伯來語，並定居下來，統合成自稱「以色列」的民族。他們可能已信奉某個獨特的觀念——一神論——此神不住在某個神廟，而是被供奉在流動祠廟裡，跟著他們四處走動。[28]但這些都是不成氣候的小群體。這場大動亂也使伊拉克北部某城市有機會建造第一個支配整個西亞的帝國：這個城市是亞述（Ashur），而亞述帝國令人怵目驚心的殘酷將使已知的世界膽寒。

28　據《聖經》，古代以色列人在更早數百年時便從埃及移入迦南，擺脫在埃及受奴役的生活。但與《聖經》中遭征服之說截然相反的，是他們可能征服了當地某些群體，與其他群體通婚。

努比亞籍法老和亞述城大王：阿拉拉王朝vs.提格拉特—帕拉沙爾王朝

三女王：耶洗別、塞米拉米絲、阿塔莉雅

西元前八五三年，在敘利亞北部的卡爾卡爾（Qarqar），以色列和其他十個王國的王準備攻打當時最有權勢的君王，即正揮軍進逼，欲消滅這些王國的亞述王撒縵以色三世（Shalmaneser III）。

亞述城（Ashur）是創建於西元前二六〇〇年左右的古城，為亞述神的家。亞述人建造金字形神塔和神廟崇拜祂，國王亦在亞述神廟加冕。有很長時間，亞述（Assyria）只是個小城邦，位在由阿卡德、巴比倫主宰的地區裡，但西元前一三〇〇年左右，亞述的王、半神話人物阿達西（Adasi）的後代，開始征服伊拉克北部。亞述的擴張受到哈提、巴比倫制止後，亞述——亞述語（阿卡德語的方言）稱作Assurayu——趁著「海上民族」四處劫掠時削弱這兩個強權：撒縵以色大敗哈提的王，後者的王國遭卡賽特族（Kassite）游牧民攻擊，元氣大傷，自此一蹶不振；哈圖沙城遭棄。這個亞述王擄獲巴比倫王，「把我的雙腳踩在他高貴的脖子上，像踩在擱腳凳上」，接著發兵攻打埃蘭（伊朗）的王國，入侵阿拉伯半島，拿下位於迪爾蒙（Dilmun，巴林境內）、梅路哈（Meluhha，印度境內）的貨物集散地，自稱「上方之海、下方之海的王」、「萬王之王」。西元前一一一四年奪取大位之後，提格拉特—帕拉沙爾一世（Tiglath-Pileser I）垂涎迦南的富裕，劫掠大馬士革和太爾（Tyre）、西頓（Sidon）和貝魯特諸王國，說他在地中海用魚叉叉到一隻「海馬」——肯定是條鯨魚——為此大為高興。他的諸多王位繼承人互鬥，以致亞述元氣大傷，就在這時，位於迦南南部的一個小民族乘機擴大其王國。

西元前一〇〇〇年左右，在選中的國王掃羅（Saul）、大衛（David）帶領下，古以色列人結束各部各自為政的局面。身為軍閥的大衛攻打沿海地區的非利士人（Philistine）部落，藉此揚名立萬。他是名為「大衛王朝」（House of David）之王國的創建者，且在但丘（Tel Dan，今敘利亞邊境）找到的一座石碑，證明歷史上確有此事。他以迦南人的一個小據點暨神祠為其都城：耶路撒冷。在摩利亞山（Mount Moriah）上，大衛的兒子所羅門興建一座神廟，供奉古以色列人獨尊的一神，巴爾神（Baal）和迦南人的眾多神祇則受到古以色列人鄙棄。除了《聖經》，沒有證據證明曾有所羅門此人，[29]卻有許多證據證明不久後存在於耶路撒冷的猶太聖殿（Jewish Temple）並非虛構。統一的古以色列人王國很快瓦解：大衛王朝統治迦南南部，即猶大王國（Judah）——猶太人（Jew）一詞的源頭——該王國以得到信徒豐厚捐贈且曾遭某個利比亞籍埃及法老掠劫——在其銘文裡曾提及此事——的耶路撒冷聖殿為核心發展。迦南的北半部由以色列這個較大且較難對付的王國統治，將軍暗利（Omri）奪取王位後，強化國力，創建新都城撒馬利亞（Sarmaria）——後人已在該地找到他氣派王宮的象牙手工藝品——把該王國打造為地區性強權，建造自己的神廟，征服約旦河對岸的摩押王國（Moab），安排他的兒子亞哈（Ahab）娶西頓公主耶洗別（Jezebel）。

以色列王國和迦南人（Canani）[30]及其沿海富裕城邦，諸如太爾、拜布洛斯、阿卡（Acre，黎巴嫩／以色列境內）等地的商人關係密切，他們買賣紫色染料、雪松木、象牙雕、烏木（從非洲進口）和玻璃手工藝品，此時在西頓的祭司暨國王伊托巴爾（Ithobaal）——耶洗別父親——統治下團結為一。迦南人——又稱腓尼基人——崇拜巴爾、阿斯塔爾特（Astarte）等神，駕船航行於海上，船隻靠成排的操槳奴隸推動。迦南人已開始在西西里、撒丁尼亞、西班牙（加的斯）建立殖民地，從事鐵、錫、銀的買賣並尋找這些金屬的新來源，甚至進入大西洋，在摩洛哥創建摩加多爾（Mogador）。在這過程中，他們的文字，即由二十二個子母構成的字母表，同時傳播了出去，也正是太爾人創建「新城」（Qart Hadasht）——即迦太基（突尼西亞境內）之時。亞述王以迦南人的象牙裝飾其宮殿；暗利在撒馬利亞的宮殿，擺了許多迦南的象牙雕刻和財寶。

亞哈和耶洗別聯姻，把暗利的家族和這個複雜的歐亞大陸貿易網連在一塊，而此貿易網和遙遠耶路撒冷的那些恪守戒律的祭司，關係非常疏遠。《聖經》中所稱所羅門完成的諸多成就，真正描寫的，可能都是暗利的作為。後者在紅海邊埃拉特（Elath）和亞喀巴（Aqaba）之間的泰勒海萊法（Tel Kheleifah）建造了港口暨要塞，經由示巴（Sheba）王國（葉門／厄利垂亞境內），與非洲、阿拉伯半島、印度進行香料、象牙的買賣。未想西元前八七三年暗利去世時，亞哈和耶洗別便面臨了一個即將降臨的威脅：亞述東山再起。

在撒縵以色三世的石碑上，這位國王被刻畫成手執國王權杖、頭戴王冠、身穿袍服、如亞述王般長鬍綁成辮子，並受到他的神祇亞述神的賜福。他收回伊拉克，攻進波斯——誇稱他收到帕魯瓦什（Paruwash，波斯人首次見諸記載）的貢品——然後西征，要古以色列和迦南人獻貢。

以色列的亞哈和阿拉姆—大馬士革的哈達內澤（Hadanezer）不從，反倒集結起軍隊，並得到阿拉伯國王金迪布（Kindibu）的一千名駱駝騎兵助陣。這是阿拉伯人首度現身歷史，也是把駱駝用於戰爭的首

29 《聖經》是諸多不同聖典的集結，這些聖典由許久以後不知名姓的猶大籍作者寫下，寫於猶太人遭流放至巴比倫期間，並根據猶大王國純宗教性的一神論觀點寫出，立場上對較不受地域、民族、宗教畛域束縛的以色列王國本就心存反感。一如所有聖典，《聖經》充斥著晦澀難解之處，但它也有時可以是史料，也可以是神話。

30 這些人自稱「迦南人」，但希臘人稱他們「腓尼基人」（Phoenicians），因為他們的最暢銷商品，是以骨螺這種軟體動物製成的紫色染料——phoenix——因而得名。

次見諸記載。[31]

撒縵以色南征。猶大人和阿拉伯人、阿拉姆人（Aramaeans）和腓尼基人於是拔劍抵抗。

提格拉特—帕拉沙爾及其王朝：征服世界的亞述人

撒縵以色那天出動十萬兵力，打敗了古以色列人—阿拉姆人—阿拉伯人聯盟，殺了其中一萬四千人，可惜國內發生叛亂，他不得不班師回國。他一走，結盟的這三個民族便起內訌：亞哈回頭與在耶路撒冷的同族人結盟，把女兒阿塔莉雅（Athaliah）嫁給猶大王國的王位繼承人。他卻遭哈達內澤殺害。在耶洗別主導下，她的家人在耶路撒冷、撒馬利亞接掌了王位，但西元前八二五年，暗利家族的耶戶（Jehu）——亞述人如此稱呼他——暗殺了猶大、以色列兩國國王，然後將太后耶洗別困在她的撒馬利亞宮殿裡。在那裡，她穿著她的王服，配戴她的國王首飾，大無畏直視造反者，以氣勢使他們不敢造次，但三名太監在造反者教唆下，竟將她拋出窗子。耶戶駕馬踩踏耶洗別的身軀，任由她被狗分屍——然後向撒縵以色獻貢。

經此屠殺，這個家族只有一人倖免於難，即猶大王國的太后阿塔莉雅。她奪取耶路撒冷大權，憑自己的本事治國，並成為女王——極其罕見的事蹟。只是阿塔莉雅——一如她的母親耶洗別——狂妄自大，嗜殺成性，為了保住權位，殺掉王族。只有一個大衛家族的王子躲過她的殺手，保住了性命。他尚在人間一事為外界所知後，廷臣立即暗殺阿塔莉雅。以色列是亞述人的附庸國，但小小的猶大卻在亞述本身國力衰退時保住國祚。[32]

西元前七五四年，烏拉爾圖王國（Urartu）重創亞述人。這是位於山區的王國，以作戰凶猛和青銅工藝著稱，位於伊朗西北部、亞塞拜然（Azerbaijan）、亞美尼亞（Armenia）三國交界的山區。一時之間，亞述末日似已無可挽回，但有個人的出現，促使局面完全改觀：此人的真名是普魯（Pulu），係治理亞述都城卡赫魯（Kahlu，尼姆魯德／Nimrud）的王子。西元前七四五年，他取名提格拉特—帕拉沙爾（Tiglath-Pileser），創建新亞述，貶抑勢力過大的貴族，招兵成立職業軍隊和專業援軍，建軍費用全靠其具效率的稅收來支應，並透過由七名成員組成的內閣掌管稅收工作；他發出的命令，由特派信使經御道傳達出去，命令公文上印有國王御璽，御璽上刻畫著此國王殺掉一頭獅子的景象。提格拉特—帕拉沙爾貪求無厭且不知疲累為何物，一刻閒不下來，他發兵蹂躪埃蘭，和士兵們一起爬上山打敗烏拉爾圖，[33]並大敗一阿拉伯籍女王。大馬士革和以色列圍攻耶路撒冷時，猶大國王亞哈斯（Ahaz）輕率求助於提格特拉—帕拉沙爾：「『我是你的僕人……請前來救我』，亞述王應約前來。」

---

31 駱駝，包括位於大夏的雙峰駱駝和位於阿拉伯半島的單峰駱駝，西元前第四個千年至第三個千年期間被馴化並產乳，然後當馱畜和坐騎使用。牠們充當貨幣、交通工具、食物，已是阿拉伯人生活中不可或缺：有個阿拉伯籍酋長去世時，他心愛的駱駝被抓去陪葬，或被捆住雙腿，棄置在他的墓旁，任其死去。阿拉伯酋長已和亞述人在戰場上廝殺過，而他們的士兵也是炙手可熱的傭兵。阿拉伯籍戰士向來是騎駱駝至戰場，接著換座騎，策馬疾馳，前去與敵廝殺。

32 撒繆以色三世死於他幾個兒子造反之際，其中一人脫穎而出，成為國王夏姆西—阿達德（Shamsi-Adad）。他的王后是巴比倫籍公主夏姆拉馬特（Shammuramat），希臘人口中的塞米拉米絲（Semiramis）。夏姆西—阿達德死於西元前八一一年時，他們的兒子阿達德—尼拉里三世（Adad-Nirari III）年紀還小，於是由塞米拉米絲掌權。她自稱「宇宙之王」、「亞述之王」、「撒繆以色的兒媳」、「世界四地區之王」，並且贏得好戰的亞述人的尊敬。她領兵打入伊朗，死在戰場，表現了亞述王的一貫風範。但拜這位女王之賜，亞述保住其強權地位。

33 亞拉臘山（Mount Ararat）之名，係地理上間接表明曾有烏拉爾圖存在的罕見事例，但在土耳其、亞美尼亞，已有多處挖掘出烏拉爾圖的城市。埃蘭也是個強大國度，其人民所說的語言不同於此地區其他任何語言；其都城蘇薩（Susa）是著名城廓城市，該城的主廟是一百七十四呎高的金字形神塔，位在喬嘎占比爾（Choga Zanbil）。古代史學者勞埃德·盧埃林—瓊斯（Lloyd Llewellyn-Jones）寫道，它是「現存保存最良好的金字形神塔，彰顯埃蘭人之巧思和強大的絕佳範例。」

提格特拉－帕拉沙爾把猶大納為附庸國，把以色列打到四分五裂，西元前七二七年，以色列國王急欲逃離亞述統治：求助於埃及，但埃及法老已是無足輕重的人物。不可思議的事即將發生：庫什要拿下埃及了。

庫什的阿拉拉：第一個非洲帝國

西元前七二七年，庫什國王皮耶（Piye）往北疾馳進入埃及。庫什和埃及毗鄰而居已數千年，係與埃及甚為類似且關係密切的濱河文明。大約西元前八〇〇年，當地統治者阿拉拉（Alara）建立一統的國度，以納巴塔（Napata）為都城，後來稱王。納巴塔是圖特摩斯三世所建造的城市，靠近神聖的眼鏡蛇山——傑貝勒巴卡勒（Jebel Barkal）平頂山。該城由識字的廷臣治理，設有檔案長和財務長。庫什擁有頂尖的弓箭手和難對付的騎兵，養兵費用全靠地中海、非洲內陸和（取道紅海）印度之間的貿易支應。

在阿拉拉的主導下，一個兼具埃及、庫什特色的融合宗教誕生。庫什人最初把死者埋在都城科爾瑪附近庫爾魯（el-Kurru）一地的圓形墓塚下，並有眾多親人或僕人一起殉葬。然後，他們的國王開始建造金字塔為其葬身之地：如今仍有兩百座金字塔矗立在蘇丹，比埃及現存的金字塔多了將近一倍。一如埃及法老，阿拉拉自稱「阿蒙神之子」，娶自己姊妹為妻。阿拉拉的兄弟卡什塔（Kashta）繼位時，埃及情勢不穩，尤其國王和阿蒙神祭司在底比斯起衝突，迫使後者逃到庫什人的新都城納巴塔尋求庇護。在那裡，這些祭司慫恿卡什塔以阿蒙神——和埃及——的正當守護者自居。

西元前七六〇年，卡什塔襲擊底比斯，在該地迫使埃及同意讓自己的女兒成為「阿蒙神的妻子」，並自封為「兩地之王」。卡什塔和繼承人自稱是古老神祇的保護人，但這個王朝從未替自己營造出埃及人的形象：在卡納克（Karnac），有卡什塔女兒阿梅妮爾迪絲（Amenirdis）的「阿蒙神妻子」雕像，雕像上的她穿著類似埃及人，面容則無疑是庫什人。

十五年後，卡什塔的兒子、國王皮耶，應埃及某派系之邀插手埃及政局，他揮軍入埃，而且表現得比埃及人更埃及，畢恭畢敬地尊崇阿蒙神。諸國王在底比斯向他行禮，視他為法老——一如他在傑貝勒巴卡勒所誇耀的。皮耶娶了一個堂表姊妹，也娶了自己姊妹，甘於讓他的埃及封臣代他行使統治權，直到遭孟斐斯的統治者挑戰才停止。西元前七二九年，他親自領兵強攻孟斐斯。尼羅河三角洲的所有統治者全歸順他，承諾「打開我們的寶庫，把我們上好的種馬和最好的馬帶給你。」他嗜愛馬匹甚於珠寶首飾或女人：「這個國王的妻子、女兒前去向他致敬，但這位陛下未理會她們，反倒走向馬廄，並注意到馬餓了。」在飄著屍臭的城市裡，他幾乎無法忍受任何虐待動物的行為。他在位於納巴塔的金字塔上寫道，「比起你們的每個惡行，我的馬挨餓，更讓我難受。」他死後，與他那些心愛的馬合葬於位於納巴塔的金字塔裡。

他的兄弟夏巴卡（Shabaka）未待在納巴塔，而是率兵北征，活活燒死一個反對者，扶植自己的兒子為大祭司、自己的堂表姊妹為「阿蒙神妻子」，藉此強硬直接統治，達成宗教信仰的純淨。這時，阿拉拉家族統治今日埃及、蘇丹全境，涵蓋尼羅河至少兩千一百哩的河段——世界史上最大的非洲帝國之一。根據位在尼尼微的王家檔案館的文獻，夏巴卡和亞述交好，但這兩大巨頭免不了要起衝突。新亞述王不可能讓夏巴卡深感威脅，因為據說這個亞述王是軟弱之人。只是，第一印象有時會騙人。

他叫辛那赫里布（Sennacherib）。辛那赫里布當王的消息一傳出，整個亞述帝國頓時叛亂四起——猶大國王希西家（Hezekiah）也向夏巴卡求助。

西元前七〇一年，這位法老的軍隊向北進發，越過西奈半島，時值辛那赫里布往西南挺進，一路攻向耶路撒冷。法老的軍隊由庫什人、埃及人組成，統帥是王子塔哈爾廓（Taharqo），即皮耶的小兒子。兩個最尊貴的家族，一為亞洲人，一為非洲人，即將為了爭奪世界而兵戎相向。

非洲vs.亞洲：夏巴卡vs.辛那赫里布

辛那赫里布的命運多舛：父親是薩爾貢二世，一名志得意滿的軍閥，先是征服了賽普勒斯、腓尼基、以色列殘部，並清洗以色列殘部，將兩萬九千名該地上層人士放逐至亞述，接著轉而攻打烏拉爾圖王國。薩爾貢戰功彪炳，率軍進入山區消滅該王國，然後返回心臟地帶，建立自己的新都杜爾舍魯金（Dur Sharrukin，「薩爾貢堡」），並自封「世界之王」。而掠食者絕不會讓自己閒著。西元前七〇五年，上了年紀的他，依舊禁不住征戰欲，在塔巴勒（Tabal，土耳其境內）打了最後戰役，結果在敵人襲擊營地時遇害，聖體下落不明。[34]

辛那赫里布想必極度厭惡這個老怪物：他從未稱讚或提及父親。但他完全繼承了父親、祖父那種好大喜功的殘暴，猛擊巴比倫這個以馬爾杜克神（Marduk）為主神、自力更生且追求自主的城邦，儘管馬爾杜克的庇佑是亞述人絕不可能不放在眼裡的。然後辛那赫里布殺向南方，毀滅腓尼基和猶大，毀掉一座又一座城市。

「世界之王」逼近耶路撒冷時，大衛王朝祈求上帝出手拯救，祈求援軍從埃及過來解救。二十歲的庫什王國王子塔哈爾廓連忙奔向耶路撒冷。

庫什王子和亞述王於阿什杜德（Ashdod）附近的埃爾特凱（Eltekeh）交手，庫什落敗，被一路追擊回埃及。辛那赫里布圍攻耶路撒冷，但後來大衛王朝以神殿的黃金賄賂，辛那赫里布撤軍，帶著戰利品返國，並用這些戰利品美化都城，即供奉伊絲塔爾（職司愛與戰爭的女神）的尼尼微。辛那赫里布建造了有十八座城門的高大厚實城牆和一座新宮殿，以驅邪的帶翼公牛裝飾城門，就一個滿手血腥的征服者來說，他出人意料竟是個綠手指：他對城裡的花園極為自豪，興建了五十五哩長的高架輸水道和運河，從山區引水灌溉；他在自己宮中的花園種了珍稀植物，他還承諾給每個尼尼微人一小塊種植園。在受到惡靈威脅的世界裡，超自然力的保護始終不可或缺。他的宮殿，一如此城城門，受到一對對重達三十噸、半人半獸的帶翼公牛拉瑪蘇（lamassus）的法力保護——辛那赫里布稱之為「令人讚歎的奇觀」。辛那赫里布的城市，有住民十二萬人，今日的摩蘇爾只涵蓋該城一部分，由此可見城區之大。

他有幸至少生下七個孩子，他封長子為巴比倫王，有個巴比倫派系卻逮住這男孩，把他賣給痛恨亞述人的埃蘭國王，並將他處決。這下，那就是關乎自身的私人恩怨：「我披上我的鎧甲……頭盔，」辛那赫里布記載道。「我急忙坐上我那輛了不起的戰車」並「止住他們前進，用弓箭將他們幾乎全殺光。劃開他們的喉嚨，奪走他們的寶貴生命，就像割斷一條細繩。」西元前六八九年，他毀掉巴比倫。他寫道，「我像暴風雨的水，使他們食道、腸子裡的東西在土地上滑動，」字裡行間透露著亞述人令人毛骨聳然的得意。「我那些騰躍的戰馬衝進他們的血泊裡……我的戰車車輪上……血濺得到處都是……我割下他們的睪丸；剁下他們的生殖器，就像除掉夏季小黃瓜的籽。」

辛那赫里布卓絕不凡，然而即便主宰世界者大權在握，也得為處理自己孩子的問題傷透腦筋，著實是一大諷刺。

---

34 他的祖父（有可能）是征服者提格拉特—帕拉沙爾，但有些學者主張，薩爾貢是篡位者。亞述王的使命是擴張亞述神的統治範圍，立法並公正治國，使祖國富裕，服侍他們所有的神祇。他們的宮殿浮雕和編年史描述了戰役和殺戮，但此段敘述為了撼動人心而有所誇大。他們放逐人民之舉，係為了使叛亂無以為繼，充實亞述核心地區的人口。

世界王的抑鬱：阿薩爾哈東和塔哈爾卡

辛那赫里布最初中意的，是他其中一個倖存的兒子阿達穆利西（Adamullisi），後來又改變心意，指定阿達穆利西的弟弟阿薩爾哈東（Esarhaddon）為王儲：「未來就由這個兒子繼承。」但阿薩爾哈東記載道，「我的兄弟克制不了嫉妒心，圖謀作惡。」

阿達穆利西決意暗殺父親和弟弟。在一無所知的狀況下，辛那赫里布在尼尼微某神廟跪禱時，遭他的長子砍死。阿薩爾哈東布則是斬草除根，殺了他的諸多兄弟和他們所有家人，即便依提格拉特—帕拉沙爾王朝的標準來看，他不過是個懦夫：精神壓力擊垮了他。他發燒、沒胃口、長水疱，而且多疑——即今人所謂的憂鬱症。「我王無精打采，毫無進食，已經一天，還不夠？」他的醫生寫道。「更遑論這已是第三天！」

在尼尼微，他培養他的么子——不凡的亞述巴尼拔（Ashurbanipal）。亞述巴尼拔自此住進王儲御所。「我騎純種馬慢跑，騎滿是衝勁的牡馬，」亞述巴尼拔憶道。「我握著弓……擲出令人顫抖的矛；握住戰車的韁繩，驅動戰車前進。」而他也用心學習。就連最殘暴的王朝也逐漸有了文化素養。「我學習……『抄寫』這門技藝中所有不為人知的奧祕知識。我認得出天、地的預兆，並和一群學者討論。」亞述巴尼拔也受祖母娜奇亞（Naqia）調教，懂得要有防人之心和憂患意識。阿薩爾哈東帶兵前去攻打埃及時，他則負責鎮守，使父親無後顧之憂。法老塔哈爾廓——皮耶的兒子——正準備把猶大拿回埃及手裡。

就在這個努比亞人統治著文明的搖籃時，促使這塊大陸改頭換面的遷徙正在展開。非洲大半地方長年以來是說科伊桑語（Khoesan）的掠食者的地盤，但在西部——今奈及利亞、尼日、卡麥隆——以班圖語為主的民族種植豆類、高粱、小米，畜養牛和綿羊，用鐵礦砂製造武器，並與北方的人貿易。這時，出於我們或許永遠無法知曉的原因，班圖人慢慢南遷，在最適合的土地上定居，殺害、征服科伊桑人，透過聯姻打入科伊桑族群，科伊桑人受到逼迫，漸漸遷至較邊緣的地區。班圖人可能征服了數個王國，只是未留下足以和庫什媲美的金字塔或銘文，今人唯有根據班圖語遷移的軌跡，才得以掌握他們的行蹤。

在他們的北方，塔哈爾廓以亞述的方式訓練軍隊：在一次六十哩長的夜跑，「這位國王在入夜後的第九個小時，孟斐斯後方的沙漠中，與他的軍隊一起操練，他本人騎馬，觀看他的軍隊奔跑。日出時，他們已抵達『大湖』。」接著，他帶領他們進入猶大和腓尼基，與耶路撒冷、太爾議定條約，後者都想擺脫亞述的掌控。

西元前六七四年，阿薩爾哈東入侵埃及，遭塔哈爾廓擊敗，未想三年後阿薩爾哈東在滅掉太爾後，緊接著揮軍跨過西奈半島，圍攻孟斐斯。塔哈爾廓退到庫什，丟下他的財寶和女人。然而，他回到孟斐斯。如果他認為阿薩爾哈東的死救了他，那他就錯了。西元前六六七年，年輕學者暨國王亞述巴尼拔終於喚醒庫什帝國：「是我讓埃及和努比亞嘗到我武器的厲害。」[35]

亞述巴尼拔和祖母：權力伙伴關係

亞述巴尼拔的安全事務首長和最高顧問是他的祖母娜奇亞。正是她支持他繼位，精心安排了施行於帝國全境的效忠誓詞。本書談到多名女性統治者，但只有少數比得上娜奇亞。她下令「不管陰謀作惡者是留

35　阿拉拉王朝依舊使用法老頭銜，國王亦安葬在金字塔裡，並統治庫什數百年，最後遷都至蘇丹更深處的麥羅埃（Meroe），以減輕遭埃及入侵之患。

鬍子男人，還是半男人（太監），還是王子，一律格殺勿論，再帶到札庫圖（Zakutu，即娜奇亞）和亞述國王亞述巴尼拔面前。」

亞述巴尼拔是個學者，對於隨身佩劍、也帶筆一事相當自豪，而亞述帝國的科層體制更是令人刮目相看：書吏時時隨侍在側，以書寫板記下稅收、戰利品、國王命令等。現存楔形文字泥板約三萬兩千塊。亞述巴尼拔也是第一位文學作品收藏家，他創立了一所圖書館，收藏學者文本、神諭的指示、記載，而且從巴比倫——高尚文化的發祥地——買進其他館藏。他瞧不起他那些完全不諳書籍的粗野先人。可惜不論他是如何的一絲不苟，打仗都是身為世界主宰者無可迴避的事。獅子會被獵殺[36]——人民亦然。

亞述巴尼拔轉東攻打埃蘭，埃蘭國王泰烏曼（Teumman）背後中箭，並遭斬首，首級被帶到尼尼微。俘虜脖子掛著砍下的首級遊街時，亞述巴尼拔從勝利紀念物中倒出酒祭奠。彼時在王室遊樂園裡，這位國王曾和大王后莉巴麗夏拉特（Libbali-sharrat）面對面坐在寶座上，輕鬆享受宴會、下棋，期間有僕人拿扇子替他們搧風，端上石榴和葡萄，太監主持宴會，有人彈里拉琴和豎琴，溫順的獅子四處走動。這個銘文呈現了祥和絢麗的場景，亞述風格卻也躍然紙上：國王泰烏曼的頭倒掛在此野餐處旁的樹上，像一顆令人毛骨聳然的果實。

亞述巴尼拔在戰場上的勝利並未減輕自家內的緊張關係。他是個控制狂，干涉兄弟掌管的附屬王國：「我那不可靠的兄弟夏馬什舒穆金（Shamashshumukin），我待他甚好，讓他當巴比倫王，卻忘恩負義，正盤算著陰謀算計，」拉巴比倫人、埃蘭人、阿拉伯人、阿拉姆人結為同盟。經過四年戰爭，他的兄弟自投於宮內熊熊大火中。亞述巴尼拔下令將造反者的舌頭割成分叉狀或割掉舌頭，將俘虜剝皮，在神廟裡，「在當初他們殺掉我祖父辛那赫里布的巨像之間，我殺掉他們，以祭奠他的亡靈。我把他們殘缺不全的屍體拿去餵狗、豬、深海裡的魚……」埃蘭遭洗劫，但這場兄弟相殘的戰爭削弱了亞述，而在伊朗境內不斷用兵，並未消滅乾草原上那些把亞述巴尼拔的帝國當成獵物的驃悍民族的氣焰。

就在這些勝利之後不久，亞述巴尼拔遭受一嚴重打擊：一批穿著綿羊皮的騎馬游牧民，即米底人（Medes）和波斯人，在米底可汗迪亞—奧庫（Dia-oku）的帶領下闖進亞述，直抵尼尼微城牆邊。這些帕沙人（Parsa，即波斯人）和馬達人（Mada，米底人），係伊朗高原上最一帆風順的雅利安人，他們騎著吃苦耐勞的矮小尼賽恩馬（Nisean horse），住在可帶著走的帳篷（ger）裡，飼養馬匹——十六萬匹——喜歡襲掠、盡情吃喝、賭博、說故事、賽馬。[37]

為打敗這些蠻人，他雇用其他蠻人，即斯基泰人（Scythian）。斯基泰人是雅利安騎馬民族，縱橫於中亞乾草原。米茲族可汗的兒子遭殺害。居魯士（Kurosh）——一波斯族可汗，同時自稱安善王（king

---

36 殺獅是亞述君主國的大事。伊拉克獅的體型較非洲獅小，但成群拍打樹叢以驚起獵物的人把獅子圍住，然後牽著大型獵犬的太監把獅子趕向國王，全程有大批民眾圍觀。殺獅同時具備宗教意涵和消遣性質，也是磨練戰技的活動。獵獅後，國王龍心大悅，說道：「我，亞述巴尼拔，宇宙之王，亞述國度之王，得到亞述和寧利爾（Nilil）授以最高力量的人，以戰鬥女神伊絲塔爾的駭人之弓殺掉獅子的人：我要把酒灑在牠們身上祭神。」

37 米底人和波斯人以一群擔任祭司的占卜師（magus，複數magi，英語magic的由來）為精神導師，世間在他們眼裡，是光明、黑暗之間和真理、謊言之間永無止盡的對決，認為世界受到阿胡拉—馬茲達（Ahura-Mazda）神的統治。此神把火賜予人類，職司光明、智慧、真理。他們受到雅利安籍先知瑣羅亞斯德（Zoroaster）啟發，他可能於西元前第二個千年期間生活在大夏——或生活在更晚許多的居魯士或大流士當政時期。他的生平只有片斷保留下來：他出生時大笑而非啼哭；三十歲時目睹異象，並在其中看到代表光明的存在物向他透露阿胡拉—馬茲達（「智慧主」）的真理，同時與黑暗的安格拉・馬因尤（Angra Mainyu，「破壞靈」）戰鬥。阿胡拉—馬茲達代表asha——秩序和真理——安格拉—馬因尤則代表druj——混亂和謊言。祆教的許多教義可見於波斯語聖典《阿維斯陀》中，並與印度教有關聯，一如印度教提到密特拉（Mithra）之類的印度神祇，從而說明兩者係出同一個印度—伊朗本源。不同於耶穌基督，但與穆罕默德相似的是，瑣羅亞斯德娶妻生子；而和耶穌一樣的是，他死於暴力，七十七歲時遭刺客以匕首刺死。

of Anshan）——的兒子，將自己的兒子送去亞述巴尼拔的宮廷當人質。另一名波斯族可汗是哈卡馬尼斯（Haxamanis，即阿契美尼斯／Achaemenes）。這些粗野的騎馬民族狼狽策馬逃回去豢養他們的馬時，又有誰會相信這兩個可汗，可是居魯士（Cyrus）、大流士（Darius）這兩位征服世界的偉大波斯人的祖先？

亞述巴尼拔精疲力盡。「請國王抹上這塗劑，高燒或許會退，」他的醫生建議道。「我會叫人送去藥膏。」但過了四十二年征戰又高雅的人生後，亞述巴尼拔去世，享年六十。那時，亞述看似將永遠統治其帝國。

豈料十五年後，尼尼微即將遭攻陷，而且會有個統治橫跨三大洲的帝國王室，從食人肉、焚燒城市、從王族女人陰道長出藤蔓植物的故事裡誕生。

第二幕

世界人口

一億人

哈克馬尼斯和阿爾克邁翁：波斯、雅典王朝

尼布甲尼撒、其王后和巴比倫之妓

西元前六一二年，亞述的敵軍包圍尼尼微，把亞述巴尼拔的兒子辛夏里什昆（Sinsharishkun）困在這個注定覆滅的城市裡。七．五哩長的城牆已強化，寬大的城門收窄，但正是這個世界級首府的城區太過遼闊，以致幾乎不可能守得住。新的掠奪者受誘於這個已然跛腳的巨人的肥肉，來到他的身邊要大啖其肉。巴比倫籍統治者納博波拉薩爾（Nabopolassar）已於西元前六二六年奪下巴比倫王位。辛夏里什昆決意收回巴比倫，於是找來埃及助陣，但在西元前六一六年，納博波拉薩爾打敗原本所向披靡的亞述。

然而，是米底人騎兵出手，才擊潰了亞述人。米底籍國王烏瓦弗斯特拉（Uvaxštra，希臘語基亞克薩雷斯／Cyaxares）——遭亞述巴尼拔殺害的弗拉瓦爾提斯（Fravartis）之子——以位在山區的都城埃克巴塔納（Ecbatana）為根據地，該城有七道環形城牆，並以塗上鮮亮色彩的稜堡強化城牆防禦。在他成長期間，斯基泰人已拿下伊朗大部分地區。烏瓦弗斯特拉準備好大展身手時，邀請斯基泰族諸酋長前來接受款待，並趁他們喝醉時把他們全殺光。然後，他一統伊朗西部諸多米底籍部落，與巴比倫的納博波拉薩爾結盟以瓜分亞述。西元前六一二年，「巴比倫王動員自家軍隊，米底人國王與他聯手。他們沿著底格里斯河往尼尼微進發。」圍城長達三個月，期間，斯基泰人甚至前來淌混水。八月，進攻者砸毀河堤，河水氾濫使他們得以攻破城牆。戰事非常殘酷——在哈爾齊門（Halzi Gate），中箭的男人、女人、甚至嬰兒的遺骸，交錯橫屍在當初他們倒下的地方達數百年。《猶太先知那鴻》（*the Jewish prophet Nahum*）記述道，

「人民遭大屠殺，騎士衝鋒，亮出劍以及刺眼的矛，成群遭殺害，一堆堆屍體，無止盡的殺戮，他們被屍體絆倒。」在宮中，辛夏里什昆——提格拉特—帕拉沙爾王朝的最後一人——死於烈火中。

納博波拉薩爾強占亞述王國，納入巴比倫帝國；兩年前還只是個養馬酋長的烏瓦弗斯特拉統治了東起伊朗北部、西至土耳其境內的地區。烏瓦弗斯特拉把女兒阿瑪蒂絲（Amartis）許配給納博波拉薩爾兒子——王儲尼布甲尼撒（Nebuchadnezzar）。只是還沒解決掉被亞述人邀來的埃及人。

法老涅科（Necho）沿黎凡特地區（Levantine）海岸北上，打敗巴比倫人。涅科北上途中，猶大王約西亞（Josiah）向他挑戰，約西亞察覺到讓國家光榮獨立的機會，那是在《聖經》裡得到貼切說明的激動時刻。但涅科於米吉多大敗猶大人——《聖經》中哈米吉多頓（Armageddon，世界末日善惡決戰場）的由來——然後攻下敘利亞。

西元前六〇五年，尼布甲尼撒在卡赫美士（Carchemish）止住埃及人，「讓他們遭逢無人能返的敗仗」。緊接著，在得知父親即將不久於人世後，他策馬返國——疾馳六百二十哩——二十二天後，加冕為王。

尼布甲尼撒在位甚久，且大半時間都花在平息叛亂，腓尼基沿海地區尤為平順，迦南則沒那麼順利。西元前五八六年，猶大王西底加（Zedekiah）違抗他的命令：尼布甲尼撒猛攻耶路撒冷，毀了該城，把多數猶大人放逐到他的都城；巴比倫成為大工地，因為他建造了十一哩長的城牆，城牆內有王城，並以巨大的伊絲塔爾城門（Ishtar Gate）為入口，城門貼上深藍色琉璃瓦，飾有伊絲塔爾神的獅、阿達德（Adad）神的公牛、馬爾杜克神的龍。過此城門，即來到被稱作「願傲慢者不如意」（May the Arrogant Not Flourish）的「列隊行進道」（Processional Way），接著來到埃薩吉拉神廟（Esagila）和一座金字形神塔。該神塔稱為「天地交界屋」（The House That Is the Border between Heaven and Earth），地處巴比倫城正中心。巴比倫城是二十五萬居民的住所——巴比倫人、斯基泰人、希臘人、米底人、猶大人——以狂歡作樂而惡名昭彰。猶大人斥責這個國王為「毀滅列國者」，以鮮明的一神論口吻書寫聖書。猶大人不願像其他落敗的民族那樣消失，一心想著返回他們的聖城錫安，即位在被太陽曬得乾枯的猶大荒野裡的耶路撒冷。那是使他們有別於其他民族的渴望：宗教和民族憑藉著以苦難、活下來、又再次活下來的共同經驗為代代相傳的故事所形塑而成。他們高唱，「在巴比倫的河邊，他們坐下，追憶錫安。」

人人喜愛這個大都市，只除了稱之為「巴比倫之妓」的少數猶大裔衛道之士例外。[1]在宮中，米底籍王后想家。於是，據說尼布甲尼撒蓋了巴比倫空中花園來安撫她。

她的父親烏瓦弗斯特拉揮軍進入小亞細亞，直到遭遇一地區性統治者阿呂亞泰斯（Alyattes）才止步。後者以薩迪斯（Sardis）為根據地，並統治呂底亞（Lydia）——一處版圖及於愛琴海的富裕國度，在巴比倫、希臘之間進行貿易。阿呂亞泰斯是最早鑄幣的國王，幣面泛著天然金銀合金的微光。呂底亞人於印度、中國境內出現錢幣時，也同時創造出錢幣。

烏瓦弗斯特拉的軍隊由米底人、波斯人、斯基泰人組成；其中，斯基泰人訓練烏瓦弗斯特拉的年輕男子，讓他們具備在馬上奔馳時彎弓射箭的卓越能力。而且這項能力先後因為馬轡和腳部支撐裝置的問世而更加精進。腳部支撐裝置則由原本的一段繩子漸漸改良為木質馬鐙，最終改良為鐵馬鐙。這些創新使他們得以在射箭的同時，也控制座騎。但這些斯基泰人不甘受辱於烏瓦弗斯特拉，索性殺了這些年輕男子，放進鍋裡燉煮，餵這位國王吃，然後向阿呂亞泰斯尋求庇護。阿呂亞泰斯接納他們，不願交出這些人肉品嘗家。西元前五八五年五月，雙方軍隊於哈利斯河（River Halys）畔交鋒，突然「白天變成黑夜」——日蝕——雙方大為驚恐，當下停止戰鬥，握手言和：烏瓦弗斯特拉讓兒子里什提外伽（Rishtivaiga，意為「擲矛者」，即阿斯提亞蓋斯／Astyages）娶阿呂亞泰斯之女阿呂耶妮絲（Aryenis）。

兩國國王相繼去世，里什提外伽同時為巴比倫的尼布甲尼撒以及呂底亞的新國王克羅伊索斯（Croesus）的姻親兄弟，赫然成為一大家族的核心。而克羅伊索斯誇稱自己是世上最有錢的國王。為使自己的部落聯盟不致分崩離析，里什提外伽把女兒曼達娜（Mandana）嫁給波斯人可汗——安善王岡比塞斯（Cambyses，古波斯語卡布吉亞／Kabūjiya）。[2]兩人生下有著米底人、波斯人血統的兒子居魯士——科雷什（Koresh）——並照歷來所有波斯可汗的教養方式養育到六歲，再交給母親曼達娜。這時，曼達娜仍做著攪乳、烘烤麵包、織布等家務。接著，曼達娜把孩子交給身為父親的岡比塞斯，讓他接受馬術、箭術訓練，穿起長褲和皮套褲。[3]岡比塞斯去世時，居魯士穿著安善王的牛皮外衣「高納卡」（gaunaka），著手計畫消滅他的祖父里什提外伽——因施行繁文縟節的宮廷禮儀和控制官員的措施，從而和其底下的諸多可汗失和。其中一名可汗——阿爾巴庫（Arbaku）——把求助信函縫在野兔體內，派人送給居魯士：「米底人

1　他們的著作在整理後成為《聖經》——《聖經》之所以特殊，係因為記載了猶太人獨有的倖存故事以及他們在面對政治毀滅、殺身之禍時，仍不失信念的精神。不過，《聖經》成為具普世意義的著作，在於基督教的創教者耶穌是個尊崇、實現《聖經》預言且奉行《聖經》教義的猶太人。而伊斯蘭教創教者穆罕默德研讀且尊崇《舊約》、《新約》，並常在其聖典《古蘭經》裡引用新舊約經文，從而使新舊約對伊斯蘭來說也具有神聖地位。聖經中的巴別塔故事可能受到巴比倫金字形神塔影響一說，證據甚為薄弱，而被放逐至巴比倫的猶大人痛恨此神塔或給了該神塔各種名稱，就是不稱之為「馬爾杜克的神廟」一說，則是毫無根據。巴比倫可能影響了《啟示錄》，但「妓女」一詞或許是更晚許久以後用來指稱羅馬帝國的暗喻。

2　根據一個世紀後寫史的希臘歷史學家希羅多德（Herodotos）的說法，阿斯提亞蓋斯（里什提外伽）曾做過一個關於曼達娜的噩夢，夢中她撒尿淹沒他的帝國。只不過，曼達娜懷孕時，阿斯提亞蓋斯則夢到一株藤蔓植物從她的陰道長出，最終纏繞整個亞洲：她的小孩將一統米底人和波斯人。

3　勞埃德·盧埃林—瓊斯曾寫道，波斯人和米底人「把穿長褲的習慣帶給世人」。在埃及、希臘、伊拉克，人們主要穿薄布材質的袍服。二〇〇八年，在伊朗某鹽礦發現一具西元前五〇〇年的男孩木乃伊，男孩身穿長及膝蓋的束腰外衣和腳管寬鬆長褲。希羅多德對於長褲的粗俗很是反感：「雅典人是最先受得了波斯衣物出現在眼前的希臘人。」然而，長褲卻風行開來。

貴族會站在你那一邊。」居魯士娶了某可汗的女兒卡珊達涅（Cassandane），藉此擴張勢力。卡珊達涅出身望族哈卡馬尼希亞（Haxamanishiya，即阿契美尼德／Achaemenid），為他生了兩個兒子。但他也和巴比倫國王納布尼德（Nabunid，即納波尼德斯／Nabonidus）協商對付共同的米底族敵人。

里什提外伽和一個妃子打情罵俏時，妃子以歌唱方式講述一頭「制伏住一隻野豬，卻又讓牠逃回其巢穴的獅子」。

「誰是這隻野豬？」里什提外伽問道。

「居魯士」，她答道。但里什提外伽還沒來得及消滅居魯士，這個波斯人就把底下的諸多可汗叫到位於希哈（Shiraz）附近的都城帕斯拉嘎爾達（Pathragarda，即帕薩爾嘎戴／Pasargadae）：「我是要讓你們得到解放的人；你們比得上米底人。甩掉里什提外伽的枷鎖吧！」居魯士發兵攻打他的祖父：西元前五五○年，在帕薩爾嘎戴，波斯人頂不住米底人的衝鋒而潰散，未想他們的女人掀開袍子，向他們亮出外陰，喊道，「你們這些懦夫要去哪裡？想要爬回你們來自的地方？」波斯人轉身迎敵，居魯士擒住里什提外伽，拿下他的都城埃克巴塔納，把他的女兒納入後宮。

接著，居魯士開始對付世上最有錢的人——克羅伊索斯。

居魯士和女王托米莉絲：從征服者變成酒杯

克羅伊索斯聲稱自己是希臘神赫拉克勒斯（Herakles，即海克力士／Hercules）的後裔，常到德爾斐（Delphi）的古老希臘神示所請示——但他並非希臘人。不過，他擅於歐亞貿易，其貨幣流通甚廣，本身既熟悉幼發拉底河地區（他畢竟是尼布甲尼撒的姻親，尼布甲尼撒則是居魯士的表兄弟），也熟悉愛琴海地區。不過，眼下必須止住居魯士的擴張，於是克羅伊索斯找上希臘人，把斯巴達、雅典這兩個希臘城邦拉入巴比倫、埃及陣營。

替克羅伊索斯搞定希臘事務的人，是雅典貴族阿爾克邁翁（Alcmaeon），他是半神國王內斯特（Nestor）的後代，雅典城最富裕人家的一員。阿爾克邁翁表現非常出色，為表獎勵，克羅伊索斯提議，只要是他能從呂底亞的財庫搬走的東西，不管多少，都是他的。據說阿爾克邁翁便穿上縫了許多口袋的寬鬆衣物和寬大靴子現身，往其中塞滿克羅伊索斯的錢幣，他家因此更加富有，由此可見他的家族有多貪得無厭。阿爾克邁翁的故事，說的不只是雅典人的特性，而且是希臘人的特性。

西元前一二〇〇年，邁錫尼文明的諸王國遭推翻，地區局勢大亂，經此衝擊，希臘人聚居於村子，數村聯合成小城（poleis）——所謂的「政治結盟」（synoecism）的過程——在城裡，他們發展出集體自治的觀念。他們的希臘人特性主要表現在語言上，該語言發展自他們在地中海各地遇到的腓尼基語：腓尼基語只用到子音；希臘人添加了母音，藉此發展出第一個使用字母表的書寫體系。接著，他們的故事便問世。西元前八五〇年左右，書寫、閱讀逐漸傳播。[4]史詩吟誦者（rhapsode，「歌曲縫製者」）在節慶時誦詩。從宗教節日發展出來的戲劇盛行了起來。與其說希臘人把人性放在他們世界的中心，不如說世上所有人都這麼做。他們的創新之處，在於意識到這個聚焦於自我的現象。[5]他們的雕塑家發展出以大理石為材質逼

4　希臘人已開始在酒杯上書寫文字。有個最早的例子之一，出現於西元前七五〇年左右，地點是那不勒斯灣畔伊斯基亞（Ischia）一地的希臘人拓居地。一個叫內斯特（Nestor）的希臘人在杯子上刻寫了三行字，內容結合了詩、故事、神學、性以及飲酒：「我是內斯特的盡情飲酒杯。凡用此杯飲酒者，不久都會被戴著美麗花冠的阿芙蘿黛蒂（Aphrodite）撩撥得欲火焚身。」

5　他們把世界視為可被智慧愛好者（philosophoi）研究的體系。西元前五〇〇年左右，想法悖於流俗的哲學家以弗所的赫拉克利特（Heraklitos of Ephesus）首度使用 cosmos——秩序——一詞來指稱宇宙。他說，「萬物都靠相對立之物的衝突而誕生」、「萬物流

真呈現人之樣貌的本事。他們的宗教是一套儀式，而非一套信念體系，關注現世，而非死後生活。他們膜拜以宙斯為首、性格有缺陷且貪婪的眾神，珍視半神之超人（例格海克力士）的故事和受神加持之旅人（例如奧德修斯／Odysseus）的故事，後者遊走世界的豐功偉績反映了希臘水手縱橫海上的旅行。[6]《奧德賽》（*The Odyssey*）中某人物問道，「你是為了公務而來到這裡，還是以一個不顧後果的劫掠者之軀而遨遊四海？」希臘人，一如對手腓尼基人，係航海者、貿易商、海盜，搭乘以成排船槳驅動的船隻，在他們稱之為「大海」（Great Sea）的地中海上四處拓殖。

然而，希臘城市並非全以海為生：斯巴達便是個以陸地為根據地的君主國，更確切的說，是個雙王統治政權（diarchy）。雙王皆為海克力士之後，來自兩個相抗衡的家族，本身經由選舉產生，與由二十八名成員組成的元老院一同治國，戰時掌兵權。這個位於伯羅奔尼撒的城市，以人數不多的斯巴達族公民為核心組成，他們不從事貿易，而是當軍人，以震懾被征服、身為農奴的子民——即黑洛特人（helots），黑洛斯（Helos）這個地方愚昧無知的居民。斯巴達人生活在兵營裡，藉此接受軍事訓練，不與家人同住；他們與軍中同袍一同用餐，每年把數隊斯巴達族少年送到鄉村，要他們殺掉特定數量的農奴，藉此維持勇武凶狠的精神，無望翻身的最底層人民則繼續服從；而偷乳酪之類的軍事演習和與二十餘名男子有老少配的愛戀關係，[7]也對他們產生激勵作用。他們二十多歲時結婚，三十歲才與家人同住，六十歲方才解除兵役。畸形兒遭棄置野外，任風吹雨打自生自滅。他們自豪於舉止和克制精神，說話非常簡潔，因此，laconic（「簡潔的」）一詞源自斯巴達人的世居地拉科尼亞（Laconia）。反觀斯巴達族女人，則以體態健美、金髮碧眼、德行高潔著稱，受訓時身著衣料甚少的上衣，假道學的雅典人因此替她們取了綽號「露大腿者」。

希臘社會為尚武的貴族所主宰，陽剛、好交際，而且競爭意識強：男人裸身在運動場鍛練身體；在交際酒會（symposium）上，他們共用一個碗暢飲兌水的酒，參加交際酒會者講故事，與演奏管樂器的交際花（hetairai）或侍酒男孩做愛。他們的小農充當步兵、重甲步兵，披戴上半身鎧甲、護脛、插羽頭盔，編成方陣一同作戰，方陣有相連的盾護衛；貴族騎馬作戰——在傭兵市場上，他們可是奇貨可居。在遙遠的巴比倫，尼布甲尼撒雇用希臘籍雇傭兵。

希臘人自豪於親身參與城邦治理——以善治（eunomia）和自由（eleutheria）為基礎的政治。可惜他們的城邦被貴族把持，往往由僭主統治，有時則由仁慈的獨裁者統治，這些獨裁者對付狂妄的貴族時，得到中、下階層民眾支持。

阿爾克邁翁及其雅典家族是這類貴族的典型代表。雅典人以獨裁政體的形態發展起來，當家作主的是由民選的九名執政官組成的議會，他們向男性公民大會提出意見。有個存在於神話中的阿爾克邁翁家族成員，據說是西元前八世紀時的第一位執政官，西元前六三〇年代，這個氏族的族長梅伽克勒斯（Megacles）和兒子阿爾克邁翁以執政官身分統治雅典。西元前六二一年，貴族德拉孔（Drakon）兀自草

動」於不斷的演變之中：「沒有人曾在同一道河水裡踩上兩次。」他的神與國王絕對正確觀始終具有重大意義：「永恆是個在棋局中移動棋子的孩子；而國王的權力就像小孩的棋戲。」最終，他成為首位定義戰爭是推動人類發展動力之一的人：「戰爭是一切之父、一切之王；戰爭使某些人展現神的特質，使其他人展現人的特質，使某些人淪為奴隸，而其他人自由。」

6　西元前七五〇至六五〇年間，一群作家——後來掛上「荷馬」之名——完成了兩部史詩《伊里亞德》、《奧德賽》，傳頌古老的邁錫尼故事。荷馬稱希臘人為「阿戈斯人」（Argives）或「亞加亞人」（Achaeans），但在《女人名錄》（*Catalogue of Women*）這部史詩中，作者創造了名叫海倫（Hellen）的一個共祖，給希臘人自己一個名字：Hellenes。許久以後，稱他們為Graeci者係羅馬人，羅馬人根據他們所遇到的第一個說希臘語的部落之名而作此命名。

7　在古希臘的各個社會裡，這種現象很平常：當時沒有什麼性別意識的觀念。較年長男子（erastes）和年輕人——通常是十五至十九歲（eromenos）——之間有親密關係，係男人一生中的正常階段；多數男子既與其他男子有超友誼的親密關係，也娶妻生子。但陽剛的男子在性關係上占上位。

擬了最早的法律，但他這部嚴酷（draconian）的法典幾乎鎮不住貴族的派系交鋒，而且這些交鋒往往導致大屠殺：在某集體墓穴中找到八十具被綁住手腕的骸骨。約莫西元前五九三年，執政官梭隆（Solon）訂定了使窮人從此成為正式公民的根本大法，可惜這套體制依舊偏袒阿爾克邁翁等大家族。另一個梅伽克勒斯謀殺對手時，整個阿爾克邁翁家族遭逐出雅典，甚至連他們祖先的遺骨都不得留在雅典。然而，他們還是東山再起了。

雅典與斯巴達的對抗早早便時有所聞：西元前五一〇年，雅典受一僭主統治時，以克萊斯泰內斯（Cleisthenes）為首的阿爾克邁翁家族求助斯巴達，後者看出可乘機把雅典納為附屬城邦，於是動手趕走這名獨裁者。結果，克萊斯泰內斯反而甩掉斯巴達，接著承諾給予支持他的人民新的權力。雅典依賴自身海軍；所屬三列槳戰船需要槳手；那意味著得徵詢人民的意見。克萊斯泰內斯設計出以市民大會（ecclesia）治理的政治體制——民主——大會由所有男性公民組成（女人、奴隸不在此列）。[8]當時認為，真正的民主是以抽籤方式選出治理者：肩負統治之責的五百人議會由成員以抽籤方式選出。只有十名將軍（*strategoi*）每年以舉手方式或用卵石投票的方式選出。人民權力由雅典境內野心最大的家族的一名成員設計出，由此觀之，遠不如表面上看起來那麼民主——既有阿爾克邁翁家族涉入，就談不上民主。[9]

西元前五四七年，克羅伊索斯談成反居魯士同盟時，居魯士三次透過雅典籍盟友阿爾克邁翁，針對和波斯的戰爭一事，向德爾斐神諭（the Delphic Oracle）的大祭司皮媞亞（Pythia）徵詢意見。她的神諭答覆可說是模稜兩可的傑作：如果他攻打波斯，將滅掉一個大帝國。居魯士立即出征。西元前五四六年，兩王交手之際，居魯士把載運補給品的單峰駱駝安置在前線，從而把克羅伊索斯的騎兵嚇得驚慌失措。克羅伊索斯遭處決，居魯士派阿爾巴庫（Arbaku）前去掃蕩愛琴海沿岸愛奧尼亞（Ionia）地區諸多希臘城邦的殘餘敵對勢力。

只有巴比倫挺住，無奈巴比倫帝國也陷入危機。西元前五三九年，居魯士大敗巴比倫。這時已是「世界之王」的居魯士騎著白色牡馬浩浩蕩蕩進入巴比倫城，其子岡比塞斯隨行。居魯士召集這個全新大帝國的幾名親王議事，前君主納博尼杜斯當下遭處決。接著他表現出對巴比倫上層人士——包括銀行界龍頭家族埃吉比（Egibi）[10]——的敬重，在供奉馬爾杜克的埃薩吉拉（Esagila）神廟中展現他對神的敬畏，並在神廟中埋下陶土製圓筒，圓筒上可見他將征服、殺戮的志業改寫成解放巴比倫和順服於他的所有民族的偉業。[11]

然而，他的帝國將不同於提格拉特—帕拉沙爾、尼布甲尼撒。所有遭放逐者皆能返鄉。人人都能崇拜自己的神，管理本地的事——前提是絕對服從「世界之王」並繳交他所規定的稅。西元前五三七年，四萬猶大人返回耶路撒冷重建他們的神殿：無怪乎有些人認為居魯士是受膏者彌賽亞。

自此他終於可以在他位於帕斯拉嘎爾達（即帕薩爾嘎戴）都城裡的新宮殿和花園（*pairidaeza*）——

8　在雅典最盛期，境內三分之一人口是奴隸。

9　還有另一種希臘城邦。在蠻荒多山的北部，較接近巴爾幹半島、歐亞大陸乾草原民族之處，馬其頓和伊庇魯斯（Epirus）這兩個希臘城邦是建立在共同文化傳統上、呈半部落形態且已演變成軍事君主制。

10　埃吉比家族是史上已知最早的經商世家：他們從事房產、土地、奴隸的買賣，還有貿易和放款，經歷多次改朝換代和外族征服，依然有辦法存續下來。一份含有一千七百塊泥板的檔案，透露出從西元前約六〇〇年至前四八〇年期間，該家族五代人從事的生意，提及本票和土地分割。他們安排兒子迎娶其他富豪家族的女兒。嫁妝包括土地、白銀、奴隸、整個商號。他們於尼布甲尼撒二世在位時以土地管理人的身分起家，納博尼杜斯在位時攀上法官之位，這時轉而為居魯士效力，且在繼任者大流士在位期間，將更飛黃騰達。他們從借錢給統治者晉身為「偉大的王」的官員。

11　這個圓筒想必是上古時期最成功的公關宣傳文件，其「史上第一份人權宣言」的名聲簡直可笑：居魯士和他那個時代根本沒有人權觀念。

阿維斯陀語，即天堂（paradise）一詞的由來[12]——悠閒過日子。他的帝國是至當時為止世上最大的帝國，只是他能否維持其一統性？居魯士的版圖野心沒有上限。埃及是下一個目標，但在東邊，以土庫曼和哈薩克之間的乾草原為根基的斯基泰人女王正襲擾他的土地。必須除掉她。居魯士召喚他幾個兒子，並指定巴比倫王岡比塞斯為王位繼承人，次子巴爾迪斯（Bardis）統治大夏，然後他才出征。

這個女王名叫托米莉絲（Tomyris，又稱塔赫米莉／Tahmirih），字面意思為「勇敢的」。在北邊斯基泰人的游牧部落裡[13]和南邊的阿拉伯人社會裡，女人當家作主的現象更常見於定居民族的社會裡，因為他們的女人和男人並肩作戰，在戰場上地位平等：在墓中找到的斯基泰戰士，其中有三成七是女性，她們的體格顯然受過訓練且能騎馬射箭，身穿盔甲和金色頭飾、躺在配戴了金色馬飾的馬旁——和墓中的男人沒有兩樣。希臘神話中的單乳女戰士亞馬遜人，便是以斯基泰人為本發展出來。

這些人正是居魯士眼下要追捕的人，但不知為何，這個七十來歲的世界征服者竟然遇害。托米莉絲以斯基泰儀式將他釘在十字架上，斬首後將他的首級塞進裝滿血的酒囊裡，說道，「我警告過你，要打消你的嗜血欲，我說到就要做到。」[14]

她用他的頭骨製作一只杯子。

每當一國王去世，聖火便會熄滅。西元前五二九年，波斯人帶回居魯士殘留的遺體，只是在載著塗蠟遺體的金色戰車上，舉辦王室葬禮是不可能的了。[15]

大流士和佛陀：法輪

居魯士已「駕崩」的消息撼動帝國。居魯士的兒子岡比塞斯二世依禮在帕薩爾嘎戴的阿娜希塔

（Anahita，相當於伊絲塔爾的波斯神）女神廟舉行了封王儀式，儀式中既有神的加持，也彰顯部落的榮光。「偉大的王」變身，把自己的衣物丟到一旁，選了一個王名，穿上居魯士的袍服，喝下具有神奇法力（且會使人醉）的靈藥——由占卜師調煮而成，含有神聖的松香和蒸餾過的奶——接下權杖，然後戴上王冠，王冠上有國王專屬的冕狀頭飾（kidaris），最後群臣跪下，以示順服。

岡比塞斯打算完成父親未竟的志業，並拿下埃及。他得盡快表現自己的能耐。首先，他娶了自己的兩個姊姊阿托莎（Atossa）和羅克莎涅（Roxane），以免她們另嫁他人，並任命他魁梧的兄弟巴爾迪亞（Bardiya）為大夏總督。巴爾迪亞肌肉發達，箭術絕倫，人稱「身強體壯者」。岡比塞斯二世募集了一支軍隊，在「身強體壯者」和人脈甚好的年輕廷臣大流士（Darius）伴隨下，征服了埃及，殺掉法老，但也尊敬埃及的傳統。這支軍隊反映了此帝國民族組成多元的驚人程度，有戴尖帽的斯基泰人、米底人、波斯人，還有腓尼基人的海軍。他打算進攻迦太基，但他的腓尼基籍水手不願攻打自己同胞，並否決此議，他

12 《聖經》的猶太籍作者以波斯人的*pairidaeza*為本，創作出他們的伊甸園觀。

13 基斯泰人善於騎馬，也精於工藝。一如與他們同屬雅利安人的波斯人，他們尊奉火為他們七神裡較高階的神，七神和人的關係則由跨性別的薩滿居中調解（跨性別者，指的是自認的性別和出生時的性別不同的人）。希羅多德寫道，「他們所鍾愛的致麻醉物是摻了發酵馬奶的大麻麻醉劑。」斯基泰人珍視工藝精美的金、銀材質手工藝品，而他們所創造的文明則把侵略行為儀式化。他們把敵人釘在十字架上處死、砍頭，剝敵人的頭皮（剝頭皮之刑在新、舊世界同時出現），剝掉他們身上的皮，用人皮蓋住他們的箭囊，把他們的血當飲料，把他們的頭從眉下劃出一道口子後拿來當杯子。百分之一的戰俘用來獻祭。至於己方的死者，斯基泰人取出他們的腦子和內臟，而後食用，再把遺體葬在墓室裡，並以諸多金質工藝品、獻祭的奴隸、親人、馬合葬，墓室上方全覆以墓塚。

14 希羅多德的著作是現存這則斯基泰故事的唯一來源，其中對居魯士之死的描述，反映了希臘人把波斯王視為貪婪、嬌弱暴君的看法。

15 波斯人把內臟葬在一金色石棺裡，該石棺位在居魯士所建的素樸呂底亞式神廟裡，如今該廟仍矗立在他帕薩爾嘎戴花園附近。

於是轉而發兵沿著尼羅河南下，攻進努比亞和衣索比亞。他的成就曠古絕今，卻未能喚起下屬的效忠之心。[16]岡比塞斯嫉妒巴爾迪亞，把他遣回波斯，然後，不堪他叛國的傳言之擾，對他下了誅殺令。西元前五二二年，巴爾迪亞稱王，而在岡比塞斯的隨從裡，有個陰謀集團密謀不利於他。這個集團中有七名受敬重的可汗，全都和該王朝有親緣關係，其中年紀最輕者是大流士（古波斯語達拉亞瓦烏斯／Dārayavauš，即「持善者」），時年二十二歲，為哈卡馬尼什家族可汗的孫子，原在居魯士麾下擔任背箭囊者，此時則是岡比塞斯的持矛者。他地位不高，但身材高大，具領袖魅力，體格健壯，極有自信，他最終脫穎而出，注定要登上大位。

正當岡比塞斯緊急返國，卻遇上一樁不幸的意外：他不甚落馬，被自己的匕首割傷，死於壞疽。後來大流士寫道，岡比塞斯「自斃」——意思為何，不得而知。後人不得不懷疑是否七可汗暗地裡殺了他。隨後他們快馬返國。在國內巴爾迪亞已娶了他倖存的姊姊阿托莎，卻同時破壞了自己和貴族之間的關係。七可汗來到身強體壯者巴爾迪亞位於聖山畢西屯（Bisitun）附近的要塞，那時他正和一名妃子在尋歡作樂。有個太監任殺手隊入國王寢室，半裸的巴爾迪亞以一把凳子猛力反擊，七可汗全部出手才將他制伏。大流士的弟弟阿爾塔法納（Artafarna）給了他致命的一刀。拂曉時七可汗騎著馬碰頭，以商定由誰當王。誰的馬先嘶鳴，就由那人當王。大流士要他的馬夫先把手指頭插進一母馬的陰部，然後，就在太陽升起時，在他的牡馬鼻子下揮舞手指，誘惑牠，他的馬隨之發出嘶聲。另外六人跪在這位國君前，他隨之取了王名「大流士」。而較可能的情況是他從一開始便是儲君。[17]七可汗商定，其他六人可隨時見大流士，即使他正和女孩上床亦然。

這個帝國殘破不堪；九人出來爭奪大位。但憑藉著本身始終充沛的精力和無往不利的運氣，自稱「真理」戰士和阿胡拉—馬茲達化身的大流士，在六個老友輔助下，不到兩年便打敗群雄，即他口中那些「謊言代理人」、祆教教義中惡的代表。在畢西屯山附近埃克巴塔納城牆上，他們遭剝皮製成標本，被釘在十字架上，被施以用棍子經直腸插入身體的串刺之刑。在那座山，一面被血染紅的峭壁壁面上，有浮雕呈現大流士一腳踩碎一名覬覦王位者——「我割掉他的鼻子、耳朵、舌頭，挖出一隻眼睛」——其他覬覦王位者則受縛，痛苦扭動身體，等著受串刺之刑。大流士揮舞他的弓，戴著國王專屬的冕狀頭飾，穿著綴飾珠寶的袍服，留著裁剪成方形且結成辮子、還抹了芳香油的鬍子，他的上方則盤旋著一隻有翼的阿胡拉—馬茲達，職司真理的主神。以三種語言呈現的銘文，則是不折不扣的假新聞，掩蓋了殺害岡比塞斯、巴爾迪亞和篡奪王位之事，並把自己的祖先和居魯士的祖先併在一塊：「我是大流士，萬王之王……哈卡馬尼西家族一員。凡是助我家族者，我都特別優遇；凡是與我作對者，我都剪除。」

大流士大帝是史上最不凡的人物，自信灑脫且精力十足的軍閥，既有遠見，而且精於貿易，他的子民因而替他取了綽號「商賈之人」。他發行帝國貨幣大里克（daric），但他也精於安全事務：他的間諜——「國王的耳朵」——向他的祕密警察頭子「國王的眼睛」——回報任何叛國行為。他不斷以盛大的威儀四處巡行，擅於完成宏大的工程計畫，包容其他宗教（助猶太人重建耶路撒冷神殿），在帕爾薩（波斯波利斯／Persepolis）建立新都，新都裡有高大的謁見廳和一道旨在供人（很可能是大流士）騎馬登上的禮儀用

16　據希羅多德著作和其他希臘語史料，懷疑他其實「半瘋」，傳言說他宰了埃及的聖牛阿皮斯（Apis），拿人當靶練箭，殺掉妻子，把十二名貴族頭下腳上埋進土裡，為懲戒一名貪腐的法官，將該法官剝皮，製成皮革，再用皮革製成一張椅子，然後拿給接替法官職位的人，也就是這個法官的兒子，他說，「切記你坐在什麼上面。」

17　希羅多德和御醫暨史家克泰西亞斯（Ctesias）都講了這個故事，暗示大流士以某種方法騙取到王位——希臘人眼中非常典型的波斯人作風。大流士利用母馬陰部智取大位的故事，反映了馬在波斯人—米底人文化裡的重要性。為紀念居魯士，波斯人常以馬獻祭。馬嘶定大位的故事，則是以波斯人觀察馬的行為來占卜的作法（hippomancy）為本。

階梯，而且謁見廳和此階梯全以「薩迪斯和大夏的黃金、粟特（Sogdiana）的青金石和紅玉髓、來自印度的白銀和烏木、來自愛奧尼亞的橫飾帶、來自衣索比亞和印度的象牙」建成。他年輕時娶了七可汗中某個可汗的女兒，兩人生了三個兒子，而此時他又娶了居魯士、岡比塞斯、巴爾迪亞等人的所有妻子和女兒，與她們各生下孩子。居魯士的女兒阿托莎這時嫁給她的第三個「偉大的王」。在充滿血腥和背叛的尚武歷史裡，她的兩個兄弟暨丈夫可能都命喪於她的新丈夫大流士之手。此舉足以打垮一個女人的意志，不過，就她來說，卻足以強化的她的意志，因為她成為三個兒子——包括薛西斯（Xerxes）——和一股政治勢力之母。[18]

大流士的女人和孩子們住在受保護的居所裡：在描述宮廷生活的銘文裡看不到女性的身影；由於宮廷遷徙頻繁，女性遷徙時乘坐帶有簾幕的特製大車，紮營時這些大車停在一處，順勢圍出王室大院。但國王的女人是有權勢之人，掌理自己的莊園。內廷受到可靠的太監保護，並由大流士的母親伊爾達巴瑪（Irdabama）掌理，大流士出門在外時，便由她操持政務。這些太監則是年幼時被抓來或買來、然後去勢的非洲籍、科爾基斯籍（Colchian，喬治亞）男孩。

大流士一刻閒不下來：他遠行時，廷臣和他們的妻子、家人——一萬五千人——隨行。有人高舉聖火走在他的前面，他則坐著八匹白馬拉的車子，然後是占卜師、阿胡拉—馬茲達的空車、國王的精銳親衛隊「不死之士」（Immortals）和由千人長（Master of Thousand）引領的朝中大臣、「國王的同伴」，最後是王后一家人。不管在何處停駐，都會在由帳篷搭起的氣派都城的中央，立起一座宏偉的王帳。

這個帝國可說是家族事業，大流士的弟弟「刺殺國王者」阿爾塔法納為希臘愛爾尼亞的總督，而多數指揮官是七可汗的親人或後代。但不可避免的，七可汗中至少會有一人極反感於他們那位同餐伙伴的神聖王權。有天，維達法爾納（Vidafarna，因塔弗雷內斯／Intraphrenes）欲入國王寢宮遭拒，憤而割掉衛士耳朵。七可汗其他成員一律識時務的和他劃清界限，大流士隨之處決維達法爾納和他的家人。大流士想起居魯士死於戰場一事，並思及王位繼承問題：他把他的諸兒子培養成戰士王子，要他們在後宮長大，天亮一聽到喇叭聲就要醒來，受希臘籍太監和占卜師調教，以冰水洗澡鍛練身體，練習騎馬擲矛射箭之術，以跟著父王一同獵獅、打仗。就連公主都要學習射箭、騎馬、歷史。他的諸多兒子中，薛西斯（古波斯語克夏亞爾夏Khshayarsha，「統領諸英雄者」）最為俊俏，作戰、打獵方面的表現英勇。男人好看是得到阿胡拉—馬茲達眷顧的表徵：奴隸受訓成為美容師；波斯男人化妝，畫眼線；假鬍鬚和假髮值錢到會被政府課稅；鬍子鬈曲並塗上灑過香水的油。早晨著裝是特殊儀式。

一如居魯士，大流士雄心無上限。大位一坐穩，這個「商賈之人」便下令開鑿一道運河連通尼羅河和紅海，開闢地中海與阿拉伯半島、印度的貿易。西元前五一六年他入侵阿富汗和印度。

大流士攻占將會由繼位者統治數百年的諸省時——涵蓋今阿富汗的七個總督轄區——他入侵的消息有可能已傳到住在摩揭陀（Magada）王國的一個王子耳中。摩揭陀是印度東北部十六個大國（mahajanapadas）之一，這些大國由高階種姓——婆羅門祭司和剎帝利國王、貴族——根據印度教前身的吠陀儀式掌管。[19]但其中諸多城市是由人民大會（sangha）統治的共和國。這個王子的學說既質疑又吻合

18 上了年紀之後，阿托莎發現胸部長了腫瘤。大流士的御醫大多是埃及人，但他俘虜了希臘籍醫生德摩西迪斯（Democedes），並靠醫生矯正了他骨折的腳踝。身為御醫的德摩西迪斯生活無虞，但很想返鄉。這時他動手術成功割除阿托莎的腫瘤，是為第一件見諸記載的乳房切除術。他獲准陪同波斯使團前去希臘，然後逃脫返鄉。

19 印度教由諸多不同的信念、習俗、經文構成，許多傳統源自神示的《吠陀》（Vedas，意即「知識」，編成於西元前一五〇〇至前五〇〇年），後來的吠陀聖典，包括《往世書》（Puranas，意即「古老的」或「古代的」，始編於西元三〇〇年左右）。《吠陀》包括禮拜用的頌歌和供婆羅門（祭司）遵循的指引。只有婆羅門有權在儀式中使用《吠陀》。

既有的宗教，藉此創立了世上第一個世界性宗教。

悉達多．喬達摩（Siddartha Gautama）的父親是剎帝利籍的小邦統治者、釋迦族的長老，母親則是鄰邦拘利族（Koliya，尼泊爾境內）的公主。悉達多過著尊貴的宮中生活，十六歲迎娶表姊耶輸陀羅（Yasodhara），並生下兒子羅睺羅（Rahula）。「我過著被寵壞、極度被寵壞的日子。」但他已開始思考生死，對自己追逐享樂的生活感到不安，決定藉由苦行求悟。羅睺羅出生後，他拋下妻小，與兩個友人一同出家修行。

在冥想修習而昏倒後，村中少女蘇嘉塔（Sujata）給予他食物，才得以恢復體力，從此他拒斥極端苦行，轉而擁抱中道。他在鹿野苑（Sarnath）一鹿園裡的菩提樹下趺坐冥想，了悟人生是苦，受野心和欲求折磨，但可藉由「四聖諦」和理解「法」（dharma）離苦得樂。「法」是應循之道，在他眼中指的是遵循他的「八正道」，經過一生的沉思冥想和受苦後，帶人通往涅槃（解脫生死輪迴）的宇宙真理。喬達摩說，「一切諸法，唯心所現，唯識所變」，又說「一切法從心想生」。

接著他成立了第一個僧伽（sangha），即僧團，僧團成員相信自己正目睹一不世出之人轉輪啟示：戰車車輪這個意象已是印度文化的一部分，用以改變人的意識、力量，常見於印度河早期城市裡。僧團成員把喬達摩的輪稱作法輪——dharmachakra——將他譽為佛陀，意為「覺悟者」——但他從未如此自稱，反而偏愛謙遜的多陀阿伽陀（Taghagata），即「如來」。他的學說傳達吠陀倫理和禪定，然而，他卻也威脅到婆羅門的支配地位。

佛陀定居憍薩羅（Kosala）期間，身邊已有眾多追隨者，他兒子羅睺羅也前來投入門下，成為僧人。未想佛陀遭遇家族的背叛：他的堂弟提婆達多（Devadatta）欲掌控僧團，計謀殺害他。未能如願後，提婆達多索性自立門戶。

佛陀年老時曾勸僧伽，「集會要和諧，勿受制於俗欲」，要「保住個人的正念」，他不願指定接班人：「我教了法，不分內外……如有人認為『我會掌管這個教團』……如來（本人）並不如是想。如來為何該為教團作好安排？我如今老了，累了。」

在拘尸那揭羅（Kushinagar），佛陀於肉身死亡之際達到「般涅槃」（parinirvana）的崇高境內，然後他的弟子將他火化，把他的遺骨和遺物分給諸追隨者，諸追隨者開始建圓頂塔，遺骨和遺物則放在塔中保存、供奉。佛陀未留下文字著作，但他的兒子羅睺羅和僧伽保存了他的教誨，後來有了一次僧伽結集，逐漸將他的教團組織化。佛陀未自稱為神，只稱賢者，而且無意創立結構性的宗教，反倒留下一個形而上的世界觀。他的大受歡迎透露人有更高追求的需要，減輕生之恐怖無常和死之不可逃的需要，但也透露了將價值觀和儀式傳遍世界各地、各民族的需要：佛陀的學說風靡人心，在於其為所有人提供了解脫之道。[20]

佛陀在涅槃後，追隨者將他的思想和儀式整理後形式化，佛陀本人不久便被視為具有神性，指甲甚至也受到崇奉。但要推動佛陀的思想，使之成為世界性宗教，則有賴法輪的政治領袖。這需要時間——但已逐漸往那個方向走。

20　與此同時，處於戰國時代的中國，有個哲學家創立自己的道德門派——建立在從倫理角度出發的中國觀上，把中國設想為一個由諸多家庭組成的國度，設想為一個階級體系。該體系始於統治者，往下擴及到父親對自身家庭的統治。孔丘，後人所謂的孔夫子（十七世紀耶穌會士將其拉丁化為Confucius），是個實用主義者，同時也熱中於實踐自創學說，而非只是冷漠的苦行者——他曾問其弟子：你們為何不說我有多積極？——而且他喜歡騎馬、打獵。但面對無窮無盡的戰爭和權力傾軋，他宣揚一倫理之道——「道」：「天下有道」則治，無道則亂。但他也提倡仁，有弟子問：「有一言而可以終身行之者乎？」子曰：「其恕乎！己所不欲，勿施於人。」進一步闡釋其學說並使之條理化的人，是他的第四代弟子孟子。孔子的《論語》寫於西元前二〇〇年之前，提議建立秩序井然的國度，而統治者行事以高尚道德為依歸，並向和他一般的學者採納建言：「禮」會讓人贏得宇宙中的神聖和諧，進而促成人間的道德和諧。

大流士從未進攻到佛陀所在的印度東北部，卻征服了印度西部的犍陀羅（Gandhara）和坎博雅（Kamboya），並招募了印度籍士兵，後來這些士兵服役於攻打希臘的波斯軍隊。他好奇心強烈，於是指派希臘籍船長卡里揚達的斯基拉斯（Scylas of Caryanda），從紅海出航探索印度沿海地區。接著，遭斯基泰人一次襲擊後，他命令希臘籍盟友，這些精於航海之人，將多艘船繫在一塊，打造一座浮橋，橫跨博斯普魯斯（Bosporus）海峽——並入侵俄羅斯和烏克蘭。

亞歷山大家族和哈克馬尼斯王朝：歐亞對決

王后阿梅斯特莉絲和殘害阿爾塔茵特的身體

大流士追擊斯基泰人，消失在俄羅斯、烏克蘭的遼闊大地。一如後來的入侵者，他茫然於俄羅斯大草原的遼闊，苦於刺骨的寒冬，受挫行蹤飄忽不定的敵人——避免和他之間的激戰而佯裝撤退，把他引入四面受敵的地方。不管他在這裡吃盡多少苦頭，他終究保住性命，並於西元前五一一年回到波斯，僥倖未成為敵人的酒杯。他把八萬兵力交給他的堂表親巴嘎瓦茲達（Bagavazdā）掌管，巴嘎瓦茲達竟突然揮兵南向，攻進馬其頓；馬其頓國王阿敏塔斯（Amyntas）降服。未想波斯使者竟侵犯馬其頓的女人；阿敏塔斯的兒子亞歷山大於是殺害冒犯者，因而和波斯人結下梁子，阿敏塔斯把女兒嫁給巴嘎瓦茲達的兒子，這才化解紛爭。

這兩個家族的世仇從此時開始，並將決定接下來三百年的歷史進程。阿敏塔斯所屬的阿爾蓋阿斯王朝（Argeads）自稱馬其頓（Macedon）之後，馬其頓則是海倫的姪子或外甥、希臘的締造者、海克力士之後。自西元前約六五〇年起，這個王朝便統治其國度。馬其頓人是吃苦耐勞、蓄鬍的山地人，生活在布滿森林的高地上，受半野蠻的君主國統治，始終處於失和爭鬥狀態，不被雅典人和斯巴達人視為正統希臘人。後來，阿敏塔斯的兒子亞歷山大欲參加只有正統希臘人能參加的奧林匹克競賽會時，他的資格遭到質疑；他不得不舉出存在於神話中的自家系譜，才得以參賽，進而獲勝。

大流士已征服愛奧尼亞一地較富裕的希臘人；只有斯巴達和由雅典領導的幾個零星城市仍保有獨立之

身。愛奧尼亞希臘人為波斯艦隊提供了許多船隻，卻苦於大流士的課稅，此時起而造反，燒掉薩迪斯。造反遭敉平，但在這過程中西部希臘人曾出手幫他們。

西元前四九一年，年屆六十多歲的大流士派女婿穆爾杜尼亞（Mrduniya，希臘語馬爾多尼奧斯／Mardonius）前去征服希臘，他的父親是「七可汗」中的佼佼者。[21]穆爾杜尼亞率領六百艘船和一支軍隊渡過赫勒斯滂（Hellespoot／Dardanelles，今達達尼爾海峽），並得到馬其頓國王亞歷山大一世助陣。雅典和斯巴達，或許首度感受到同為希臘人的同胞之情，於是聯手抗敵，波斯人對此深受打擊。穆爾杜尼亞在色雷斯受傷時，大流士晉升他的另一個姪子阿爾塔法納*。波斯人在馬拉松平原下船登岸，只遭遇雅典的重甲步兵——斯巴達人遲到——卻仍遭希臘人擊潰。馬拉松之役後，雅典人想出一個新辦法來控制戰士的支配地位：投票者可把政治人物的名字暗地裡寫在一陶片（ostrakon）上，並將該人判處放逐（ostracism）十年，前提是至少六千人投票。

馬拉松之役對大流士來說不過小挫敗，六十四歲的他決定率兵第二次入侵——同時擢升薛西斯為王位繼承人。薛西斯誇稱，「我父親大流士把我造就成僅次於他的最偉大人物。」西元前四八六年十月，薛西斯順利接掌父親的王位，然後在馬其頓的亞歷山大等人勸說下，率領八百艘船和十五萬兵力（包括印度人、衣索比亞人、眾多希臘人），經浮橋渡過赫勒斯滂。雅典人放棄雅典城，並在斯巴達王萊奧提基達斯（Leotychidas）的帶領下南撤，以守住科林斯地峽（Corinth Isthmus），卻留下由另一個斯巴達王萊奧尼達斯（Leonidas）統領的部隊殿後。萊奧尼達斯的盟友說服他以三百名斯巴達人——和（遭大部分記述漏掉的）數千名佛基斯人（Phocians）和黑洛特人——在溫泉關（Thermopylae）的狹窄山口遲滯波斯人的攻勢。薛西斯眼見他的「不死之士」在狹窄隘路上遭屠，後來某個變節的希臘人向他透露一條繞過希臘後方的小徑，這才脫困。波斯於拂曉時奇襲萊奧尼達斯。一派輕鬆的萊奧尼達斯說，「好好吃頓早餐，因為今晚我們要在地府用餐」——然後他們力戰至死[22]。薛西斯前進至遭棄守的雅典，雅典人民已由艦隊疏散至薩拉米斯（Salamis）島。薛西斯的艦隊於是包圍停泊在薩拉米斯和大陸之間的希臘船隻。他的希臘籍封臣哈利卡納索斯的女王阿爾特米西亞（Artemisia of Halicarnassus）統領自己的艦隊協助薛西斯，力陳不可在一受限的區域裡與雅典水兵交手，建議只封鎖、不攻打。可惜薛西斯深信敵人海軍會鳥獸散，並深信自己勝券在握，於是下令出擊，他的艦隊迅即被誘入海峽。他坐在銀質寶座上，以佩服的神情看著愛奧尼亞希臘人擊垮斯巴達船，勇猛的阿爾特米西亞與敵激戰——他興奮說道，「我的女人才是真男人，而我的男人是女人。」——但接著，雅典人在出身阿爾克邁翁家族的科桑提波斯（Xanthippos）統領下突然現身，擊毀兩百艘船。薛西斯親眼目睹他的兄弟之一喪命，被丟入海中，他卻是無計可施。他大為光火，處決他的佛基斯人海軍將領。但薩拉米斯之役未決定戰局成敗。他的陸軍未遭擊敗，仍有六百艘船隨時可投入戰場。穆爾杜尼亞勸薛西斯「回薩迪斯，統領軍隊大部。讓我來完成將希臘人納為奴隸的任務。」燒掉雅典後，穆爾杜尼亞攻向盟軍部隊，以騎兵反覆襲擊他們。

希臘人在斯巴達人的掩護下撤退時，穆爾杜尼亞騎著他的白馬，率領千名「不死之士」衝鋒。斯巴達人憑藉其所受訓練和盔甲帶來的優勢，擊垮輕武裝的波斯人。一名斯巴達人以投石殺掉穆爾杜尼亞，波斯人敗逃。未遭擊敗的波斯第二軍企圖經由色雷斯退回亞洲，然而馬其頓的亞歷山大變節，殺掉許多波斯士

21　穆爾杜尼亞既是這位大帝的女婿——妻子阿爾托佐絲特拉（Artozostra）是大流士的女兒——也是大帝的姪子（或外甥）的兒子。在國王檔案室裡找到的少許家族刻寫板上，有大流士在其中一塊上面命人寫道：「國王大流士命令『將我莊園裡的一百隻綿羊賜予我女兒阿爾托佐絲特拉。五〇六年四月。』」刻在泥板上的字，未使用他的波斯語銘文，而是埃蘭語，由此可說明，這是他口頭下達命令，然後由他的廷臣刻寫在泥板上，再發送出去。

*　譯注：與大流士的弟弟同名。

22　悲壯的銘文寫道，「路過的人啊，去告訴斯巴達人，我們遵守他們的法律，就躺在這裡。」

兵。這場征戰就此告終[23]——只是薛西斯已燒掉雅典，希臘還會活在波斯的陰影裡一百五十年。

希臘海軍在愛奧尼亞的米卡雷（Mycale）擊敗薛西斯之弟馬西斯塔（Masišta）所統領的波斯人時，薛西斯的風流生活也正摧毀他的宮廷。他先是愛上馬西斯塔的妻子，為了能有更多時間親近她，他安排兒子——王儲大流士——娶馬西斯塔的女兒阿爾塔茵特（Artaynte），但甩掉這個母親後，他瘋狂愛上這個少女。緊接著，王后揭發馬西斯塔及其家人陰謀發動政變。在新年（Nowruz）宴會上，國王要王后挑選禮物時，她索要馬西斯塔家族的命。薛西斯完全暴露出他的愚蠢可笑，竟離開宴會現場。王后於是下令對馬西斯塔的妻子施以叛徒的死刑，割下她的鼻、耳、舌、乳餵狗。

毫無意外的是，薛西斯已失去他的神祕性；西元前四六五年，廷臣在他的寢居裡殺了他。在接下來的陰謀中，大流士鬥不過他的弟弟阿爾塔薛西斯（Artaxerxes，波斯語Artaxšaça）——成為「偉大的王」後，再次面對希臘這件麻煩事，並表示願資助任何願挑戰雅典帝國的希臘人勢力。這時，在最具手段的阿爾克邁翁家族成員的帶領下，雅典邁向了巔峰。

伯里克里斯、阿絲帕西亞和雅典大瘟疫

西元前四三一年，伯里克里斯（Pericles），「雅典民主政體裡最重要的人物」，在市民大會中站起身，建議對該城的對手斯巴達開戰。伯里克里斯生於西元前四九五年，成長於波斯戰爭期間——他的父親曾在米卡雷擊敗波斯人。母親阿嘎麗斯特（Agariste）出身阿爾克邁翁家族，是民主之父克萊斯泰內斯的姪女，因此伯里克里斯在家族宅邸裡被用心培養為民主健將，他研習哲學、文學、音樂——雅典的高尚文化和雅典引以為傲的一切。他因突出的額頭而被取了「海蔥頭」（Squillhead）的綽號；他在市民大會中培

養出自制、可愛信賴的氛圍。西元前四六〇年代初期，三十五歲左右，伯里克里斯支持完全民主。雅典政治的成就，既有賴於演講話術，也有賴於軍事才華，因為此時最具威望的機關是十將軍（ten *strategoi*）。伯里克里斯兼擅此二者，每年經選舉連任將軍之職，將軍頭盔一戴三十年。

伯里克里斯年輕時娶了親戚，並生下兩個小孩，但他們也撫養了淪為孤兒的阿爾克邁翁家族成員阿爾基畢亞德斯（Alcibiades）。他長成英姿煥發且聰明過人的青年，日後也將主宰雅典。伯里克里斯會在家中舉行沙龍，[24]年輕哲學家蘇格拉底還是座上賓，還有他的友人雕刻家菲迪亞斯（Phidias）——他在奧林匹亞所創作的宙斯雕像曾是世界奇蹟之一。未想在西元前四四〇年代，他正值政治生涯巔峰時期，卻愛上一個與眾不同、聰明又有自信的女孩阿絲帕西亞（Aspasia）——來自希臘繁榮之城米利都（Miletos）的菁英家庭，受過高等教育且容貌美麗——同時也是阿爾克馬埃翁家族的表親。可能是在二十歲時，她在姪孫阿爾基畢亞德斯的陪同下來到他的家中。年長她二十歲的伯里克里斯已於十年前和妻子分手，深深著迷於眼前這才貌兼具、談吐不俗的女子，她不但教導蘇格拉底修辭學，甚至對伯里克里斯的演講提出建言。

23　薩拉米斯之役後不久，有個出身良好的希臘人誕生於波斯領土上愛奧尼亞的哈利卡納索斯（博德魯姆／Bodrum），後來，他搬到雅典，那之後遊歷歐亞大陸，走訪了埃及（可能和雅典艦隊同行）、太爾、巴比倫，然後定居於雅典在義大利卡拉布里亞（Calabria）的殖民地。三十五歲時，他著手撰寫他所謂「展現其探究成果」的著作，「以免人類活動的痕跡被時間抹除，重大且值得大書特書的成就不致遭遺忘。」他就是希羅多德；在希臘語裡，「探究」一詞為historie，他把該書稱作Historiai。他不只創造了歷史散文的體裁，創造了歷史這門講究證據的學科——他筆下的某些故事甚為光怪陸離，但有許多故事已被證實為真——以及文化武器。儘管為波斯人打仗的希臘人和與波斯人在戰場為敵的希臘人一樣多，他的歷史著作有助於打造西方——希臘——優於野蠻波斯獨裁政體的說法。希羅多德筆下的故事具有希臘版波斯人史的一應特點，該版波斯人史影響西方所有史學著作直到十八、十九世紀，歐洲人自認為在文化上的優越地位高於亞洲和其他一事，可追溯自古希臘時期。

24　他推出埃斯庫羅斯（Aeschylus）的劇作《波斯人》（*The Persians*），是為第一部提倡希臘優於波斯專制政體之說的文學作品。

這段關係裡，伯里克里斯自始至終深愛著她，每天至少要親吻兩次——早上和傍晚——從來沒有一天忘記過。身為外國僑民，她不能成為他合法的妻子，而這可是伯里克里斯自行通過的公民法，不過，她卻也成了他非正式的伴侶，令其身邊的核心圈子為之傾例，紛紛前來聆聽她的話語，卻也激怒了政敵及批判者，這些人誹謗她不過是個交際花（hetaira），即便她的出身和學識都優於城裡的妓女（pornai）。或許，這樣的中傷激起了伯里克里斯滿是悲哀的評論，而可悲的是，在這段歷史裡，我們經常可見這類評論：「一個女人所能擁有的至高榮譽，便是在男人的圈子裡，盡量少被提及。」他的長子也指摘阿絲帕西亞——想必，這是因為伯里克里斯和阿絲帕西亞也生了個兒子的關係。

伯里克里斯讚許雅典民主體制，但該體制與一種新式帝國並存。自薩拉米斯之役以來，位於伯羅奔尼撒半島的斯巴達和位於海琴海邊的雅典，各自為稱霸希臘，雙方對抗日益凶殘，並尋求一些城市組建同盟。伯里克里斯擴建擊敗了波斯偉大的王的大艦隊，打造出由納貢城市組成的提洛聯盟（Delian League），利用來自獻貢的收入建造稱之為帕德嫩（Parthenon）的雅典娜神廟以美化雅典衛城，其中可見由古希臘偉大的雕刻家菲迪亞斯以黃金和象牙雕塑而成的巨大雅典娜雕像及大理石雕刻作品（好久以後，約莫西元一八一二年，這些作品都被移至英國）。伯里克里斯向來以鋪張浪費而飽受批評；菲迪亞斯因盜用公款遭逮。即便如此，這名政治家仍定義了雅典為全能的希臘學派。而他更為實際的是，擴建了城牆以圍住比雷埃夫斯港（Piraeus）：只要有穀物從斯基泰經黑海送過來，雅典就幾乎是堅不可破（烏克蘭已是東地中海的穀倉）。西元前四五〇年代，雅典的自信——其他希臘人會稱之為不知天高地厚的傲慢——已高到使其自認為憑藉自身民主、帝國、文化，雅典已是文明世界理所當然的領袖。但雅典也催生出奴隸制。雅典人鄙視農活和海軍裡的苦力。奴隸負責農活、採銀礦、三列槳戰船划槳、家務，因此戰爭時需要增添人數：有些奴隸來自斯基泰，其他的，想必是希臘人。[25]雅典的海上霸主地位使這座宗主城市

（metropolis）與陸上強權斯巴達總有一天會起衝突。雅典熱中於支配地位——而且深怕失去——於是欺凌不從於雅典的較小城市。雅典愈是強大，斯巴達愈是害怕、厭惡它。

西元前四五一年，雅典人於賽普勒斯再度擊敗波斯。國王阿爾塔薛西斯終於和希臘談定停戰——可惜的是，沒了這個世仇，希臘人反倒不如以前團結，從而導致雅典、斯巴達兵戎相向。

斯巴達入侵阿提卡（Attica）之後，伯里克里斯向斯巴達人行賄，使其撤軍，並與斯巴達談定條約。但附屬於兩大龍頭的較小盟軍起衝突，加劇雙方對立。西元前四三一年，斯巴達發出最後通牒：驅逐伯里克里斯和阿爾克邁翁家族，雅典停止旨在控制經濟的嚴厲措施——不然就開戰！伯里克里斯主戰，因為戰爭不可避免，而且雅典軍力較強，勢必贏得了。斯巴達人返回阿提卡，未想伯里克里斯把阿提卡農民帶進雅典城裡。他勸道，「不要出聲，提防艦隊，勿使城市陷入險境。」同時帶人襲擊伯羅奔尼撒半島。雙方第一年的較量後，他以引人共鳴卻又狂妄的口吻向捐軀的雅典人致敬。未想不到一年，雅典海上武力的龐大，竟反噬雅典城自身：有種疾病經由水手傳到這座宗主城。病源不明，卻是非洲—歐亞洲貿易網的表徵之一。平均壽命本來就很低：男人死亡年齡的平均數是四十四歲，女人是三十六歲；此時，這種疾病——大概是出血熱，症狀從發燒、腹瀉至嘔吐、喉嚨流血等，所在多有——傳染力超強，照顧病患者的死亡機率最高。有些人，包括三十歲的貴族暨將軍修昔底德（Thucydides），在染病後復原，意識自己已免疫（但不知道免疫的道理），於是著手照顧起患者；後來，修昔底德把他親眼所見一一寫下。雅典城三分之一人口盡皆喪命，大約十萬人。不久，屍體多到必須堆起柴堆集體火葬，市民只能把心愛之人的屍體往火

25　奴隸大多會被解放——後來色諾芬（Xenophon）寫道，「奴隸比自由人更需要希望。」——主人和女奴生下的孩子生來自由（與大西洋奴隸制不同）。

中丟去。伯里克里斯命人挖了大型墓穴集體埋葬：在發現的其中一個墓穴中，可見埋了兩百四十具屍體，包括十個小孩。

這場瘟疫重創了雅典人的信心。修昔底德寫道，「這場浩劫打得人無力招架，人們不知接下來自己將有何遭遇，對任何宗教規則或法律顯得漠不關心。」而且面對這場瘟疫，最初政府完全招架不住，不但削弱了政府餵飽全市市民的能力，打擊了旨在使天災不致上身的宗教體系。斯巴達人撤退，反而拯救了他們自己：這場瘟疫未襲擊拉科尼亞人的世居地。這場疾病未對上層人士特別寬待。伯里克里斯受到指責，遭革去將軍之職，並遭罰款。阿絲帕西亞亦受到譴責，伯里克里斯公開落淚。但他失勢不久。才幾個月，人民又請他回來，只是此時，他的兩個婚生子都死於瘟疫，他便請求人民大會給予阿絲帕西亞為他生下的私生子公民身分。

然後，最終的打擊降臨。

阿爾基畢亞德斯和蘇格拉底

伯里克里斯本人亦染上瘟疫。

在垂死之際，他發表了生前最後一次的演說，並在其中嚴正表示，政治家的職責是「知道什麼事非做不可而且能解釋為何該做；愛國，且不致腐化。」他在失望中死去，卻又聲稱「我從未使哪個雅典人披上喪服。」（此時阿絲帕西亞年近三十，可能又活了很長一段時間，和某個將軍安頓了下來，兩人並育有一子。）疫情減輕，但西元前四二六年第二波瘟疫又一次來襲，就在伯里克里斯死了三年之後。雅典向伯羅奔尼撒半島出兵，引發奴隸造反，斯巴達則拿下雅典財力來源之一的銀礦。西元前四二一年，雙方同意停戰，那時，又一傑出領袖已從阿爾克邁翁家族嶄露頭角。

在伯里克里斯家中長大成人的男孩阿爾基畢亞德斯，這時已三十歲，他長得過分俊美，「受到許多貴族人家的女人追求」，「也受到男人追求」。在戰場上，他無所畏懼：早期某次攻打科林斯時，他幾乎丟掉性命，幸得他一度的愛人蘇格拉底相救。阿爾基畢亞德斯受蘇格拉底調教，口才辨給——連口齒不清都很迷人——而且天生擅於表演，財力足以請來合唱隊為人們演出。他也是民主健將。蘇格拉底告訴他，「美德才是唯一要緊的」。然事實表明，阿爾基畢亞德斯根本是有辱門風的弟子。

阿爾基畢亞德斯在成長過程中，無論先天或出身，都可說是被過分溺愛，此時又被著迷於他的人民選為將軍，不但奢靡淫逸、任性固執，而且自戀。他自認能力過人，據此認定眾人理該支持他的雄心壯志：他向人民解釋道，「自認非常優秀之人和其他每個人不得一視同仁，這是再合理不過的事。」如果有人嫉妒「我生活的豪奢」，那麼要聲明的是，這種生活方式其實只是保住雅典榮光的方法之一。為宣告他投身公共生活，「我把七輛戰車投入（奧林匹克）戰車比賽（比此前任何私人所投入的還要多）。」

西元前四一六年，阿爾基畢亞德斯將軍主張再度攻打斯巴達，而且要予以痛擊：「我們不宰制別人，別人會宰制我們。」西西里島上某城市求助於雅典，促使他要求派兵前去救援。「我們就是這樣贏得我們的帝國，」他說。「我們已走到必須擬定新征服計畫才能守成的階段」——和每個帝國合理化其擴張行徑的說詞如出一轍。「我們要更強大！」雅典人同意了。

就在他啟程前往西西里之前不久，雅典人一覺醒來赫然發現，城裡的赫耳墨斯像（Hermes）的陰莖遭砸碎——此褻瀆行為被視為是阿爾基畢亞德斯所犯下。他被喚去聽審。一意識到自己將被判有罪，他叛逃至斯巴達。少了他的軍事天才，西西里遠征以大敗收場，而阿爾基畢亞德斯則誓言向雅典報仇。他低聲說道，「我會讓他們知道我還活著。」民主是「顯而易見的荒謬之物」。他為斯巴達人擬定一個讓雅典元氣大傷的戰略：斯巴達在雅典附近興建一處要塞，以致阿提卡農民無法為雅典城提供食物；雅典所需食物全仰賴進口。只是人在斯巴達的阿爾基畢亞德斯，竟勾引國王阿吉斯（Agis）的妻子，事件一曝光，他便承諾會和波斯談定讓波斯為攻打雅典出資的條約。波斯成了勝負關鍵。

阿爾基畢亞德斯率領一支斯巴達艦隊前往愛奧尼亞，求助於波斯國王大流士二世。經過家族內一番自相殘殺，大流士二世坐上大位，並由其姊妹暨妻子帕麗薩蒂絲（Parysatis）輔佐。當斯巴達下令殺掉阿爾基畢亞德斯，他變節投奔大流士，還勸他按兵不動，等斯巴達、雅典分出勝負再動手。他盤算著返回雅典，雅典的民主政體已因貴族政變而遭暫時推翻。

以薩摩斯島（Samos）為根據地且較忠於民主政體的雅典海軍在雅典掌權，然後海軍選舉阿爾基畢亞德斯為統帥。西元前四一〇年，在庫吉科斯（Cyzicus），他大敗斯巴達人。阿爾基畢亞德斯拿下一連串勝利，包括拿下濱臨博斯普魯斯海峽的拜占提翁（Byzantion，確保穀物供應無虞的要地），隨後光榮返回雅典。他獲赦免，並被選舉為最高司令官（*strategos autokrator*）。

西元前四〇八年，眼看雅典得勝，大流士二世支持斯巴達，資助斯巴達打造新艦隊，換取在小亞細亞自主行事權。

趁阿爾基畢亞德斯正走訪附近一島嶼，斯巴達擊潰雅典艦隊。雅典人歸咎於這個怠忽職守的紈絝子弟，他隨之逃到他位於赫勒斯滂邊的城堡。這個東山再起的民主國家此時情勢危急。斯巴達已取得波斯金援和馬其頓的木材，雅典則無緣取得這兩者。斯巴達人從此能打造一支新艦隊。斯巴達擊沉雅典的最後一支艦隊，切斷其穀物供應來源，雅典不得不投降。

還有一事當待了結：阿爾基畢亞德斯和情婦住在赫勒斯滂邊的城堡裡。斯巴達派殺手隊過去，他死於戰鬥——阿爾克邁翁家族的最後一人就此結束生命。

波斯的下毒比賽和馬其頓的文人口臭釀禍

斯巴達得勢不久。雅典恢復其民主政體，著手調查和斯巴達的戰爭為何軍事大敗、民心潰散。在這個旨在一舉解決長久紛爭的激烈爭辯中，雅典人逮捕曾是阿爾基畢亞德斯恩師的蘇格拉底。蘇格拉底相信，所有人都追求「德性的卓越」（*arete*）——反之，「未經審視的人生」，則「不值得一過」。而那些堅持要把真相告訴每個人的人往往令他人無法忍受。或許雅典的統治者不想讓自己的愚蠢之處受到這個多話且壞脾氣的傢伙過度仔細的檢視，蘇格拉底因此受審，被判死刑。[26]雅典城迅即復原。在這期間，斯巴達大膽插手波斯政局，適逢波斯的掌權者為來自哈卡馬尼斯家族所養成最精明的統治者之一。

王后帕麗薩蒂斯支配朝政數十年。西元前四二三年，她協助丈夫暨兄弟大流士二世贏得王位，消滅了另一個想要爭奪大位的兄弟，用波斯獨有的方式殺害對方：在特地建造的塔中堆滿冷掉的灰燼，然後將人關進塔中，慢慢窒息而死。她和大流士提升了波斯對希臘的支配程度，但她也偏心：膝下十三個孩子，她特別鍾愛兒子居魯士，已任命他為西部總督；在那裡，他愛上希臘籍金髮女奴阿絲帕西亞，被她的純潔和美麗迷得神魂顛倒。相對於帕麗薩蒂斯偏愛居魯士，大流士則培養另一個兒子阿爾塔薛西斯接班——而這個兒子也墜入愛河。只是他中意的人對帕麗薩蒂絲來說，無疑是個危險人物：絲塔泰拉（Stateira）是豪族之女。她的父親和兄弟惹火國王和帕麗薩蒂絲，遭國王、王后下令滿門活埋。但阿爾塔薛西斯乞求放過

26　蘇格拉底利用此次受審宣揚自身理念，最終被下令服毒自盡。他的學生柏拉圖延續了這位大師的言論，在其《理想國》中提議建立一理想的國度。希臘人長年以來的探究重點在於人，而這對師徒對美德的追求，係這個不斷在演變之探究的一部分：與蘇格拉底同時期的畢達哥拉斯主張，「人是萬物的尺度」；而在科斯島（Kos）上，醫師希波克拉底（Hippocrates）——他的父親和幾個孩子也都是醫生——開始將大自然而非神所引發的疾病分門別類並一一診斷出來：據說他指出手指頭腫是心臟病表徵。這些醫生鑑定出多種疾病，其中之一稱為karkinos（「蟹」），即後來所謂的癌症。

他的妻子絲塔泰拉一命獲准。她自然忘不了被滿門抄斬的血海深仇。於是，這兩個女人彼此提防長達二十年。

西元前四〇四年，大流士去世，個性溫和的阿爾塔薛西斯——即絲塔泰拉的丈夫——繼任王位，王太后則培養她的愛子居魯士——時年二十二歲的他看來是個具有領袖魅力的反社會者——做好奪位的準備。兩年後，居魯士雇用一萬兩千名希臘籍傭兵，由雅典籍貴族冒險家色諾芬統領，進向波斯，未想兩兄弟在戰場上交手時，年輕的挑戰者被打下馬並斬首。[27] 帕麗薩蒂絲親眼目睹殺手把她兒子的頭、手呈給阿爾塔薛西斯。

帕麗薩蒂絲對於居魯士的死始終無法釋懷，伺機為他報仇：她在擲骰子遊戲中贏了殺掉居魯士的那些人：其中一人遭剝皮，另一人被迫喝下熔鉛，第三人被以船刑（scaphism）處死：將受刑人綁在上下相扣的兩艘船裡，並強迫餵食蜂蜜和奶，直到蛆、鼠、蒼蠅寄生在受刑人的活體糞繭中，活活啃食受刑人。阿爾塔薛西斯接收了他的兄弟那美麗絕倫的希臘籍愛人阿絲帕西亞。她被塞著嘴、綁著雙手帶到他跟前。他要人替她鬆綁，並給予獎賞：他多年來等待，只為了等待她不再為居魯士哀傷。

他的母親帕麗薩蒂斯和妻子絲塔泰拉彼此鉤心鬥角，而妻子身為三個兒子的母親，威信日增。乘著馬車時，絲塔泰拉總是拉起窗簾，由此建立起群眾間的聲望，從而使她贏得人心。她也曾表明，相當鄙視那老王太后的許多殘酷行徑。阿爾塔薛西斯和諸多妃子生了一百一十五個孩子，而他真心所愛的，是一個俊美的太監。這個年輕太監因病過世時，他甚至請阿絲帕西亞穿上他的袍服；他的哀痛之情感動了她。她說，「國王，我來撫慰你的哀痛。」兩人終於成為愛人。

在國王眼皮子底下，王太后和王后相敬如賓：雙方都非常提防對方下毒。所有獨裁政權——從古波斯的宮廷至二十一世紀獨裁者的政權——的運行，無非都是建立在個人權力上和個人面見獨裁者的機會上，從而使最高層集團裡的競爭形同近身肉搏而且凶殘。在人與人如此緊密接觸的圈子裡，下毒是最好的手段，不顯眼而且難以確認凶手——家族親情蕩然無存。波斯宮廷特別提防遭人下毒，嘗酒侍臣和嘗食侍臣是宮廷中的要職，而對下毒者的懲罰，則是用兩顆石頭把人的臉和頭夾住，不斷擠壓，直到頭部成糊狀為止。為防特殊時候之需，這位國王保有一種罕見的印度毒藥——及其解藥。

絲塔泰拉權勢日盛，可能是促使帕麗薩蒂絲動手的原因。王太后肯定自認所作所為是在打消一嚴重威脅，以保護國王和王朝：這兩位前後任王后一同用餐時，往往更是充滿戒心。

眼下，在帕麗薩蒂絲位於蘇薩（Susa）的宮殿裡，帕麗薩蒂絲送來一隻烤禽給絲塔泰拉，並要她的女奴把印度毒藥抹在切刀一側，如此一來，她切開烤肉後，她便能吃到無毒的那一半。絲塔泰拉不疑有他，便吃下送來的餐點，接著痛苦死去。雖然絲塔泰拉死前來得及向憤怒的國王陳述此事，可惜國王的解藥或許無濟於事。阿爾塔薛西斯拷問僕人，把女奴的頭擠成糊狀，然後將他九旬高齡的母親流放。

接著，阿爾塔薛西斯把注意力轉向希臘，操弄斯巴達、雅典互鬥，從中得利，直到西元前三八七年，他將「國王和約」（King's Peace）強加於希臘為止。該和約承認希臘的自主地位，但載明他是希臘世界的最高仲裁者。阿爾塔薛西斯達到薛西斯、大流士未能成就的事，以鐵一般的意志統治從埃及、印度至希臘世界的廣闊地域——而在希臘世界，權力格局受波斯影響最深的地方是馬其頓。

馬其頓的阿爾蓋阿斯王朝於波斯、雅典、斯巴達三方互動之際茁壯了起來：國王阿爾凱勞斯

---

27 波斯人、希臘人的世界彼此交織，密不可分。希臘籍作家宣揚希臘的優越性，但其實有半數的希臘人住在波斯帝國裡。就連薩拉米斯之役的勝方——雅典將軍泰米斯托克雷斯（Themistocles）——最終也效力於薛西斯；阿爾基畢亞德斯和波斯總督相處，就和其與斯巴達國王相處一樣自在。居魯士的年輕指揮官色諾芬，這時得一路打回希臘，後來他在所著《遠征記》（*Anabasis*）——第一部軍人回憶錄——中記述了這次功績，而我們對波斯宮廷的了解，則依賴波斯王的希臘籍御醫克泰西亞斯的著作。

（Archelaos）利用這三者對造船木材的需求發揮自身影響力，把他多山、遍地山羊的封地首度打造為地區性勢力，他的金礦、銀礦也在這過程中助一臂之力。沒料到，西元前三九九年，阿爾凱勞斯出外打獵時遭三名廷臣刺殺身亡。

在文明開化的希臘人眼中，野蠻的馬其頓人做出這般殘忍行徑不足為奇。馬其頓人的方言，他們幾乎聽不懂。馬其頓人自己下田耕種，而非如同多數希臘人靠奴隸耕種；馬其頓王娶多個妻子，無疑是沒有教養的表現，往往導致王后和子嗣為了王位而相互殘殺；他們喝不兌水的葡萄酒，導致愚蠢的國王醉酒打架。馬其頓通常為三股勢力分割成三個部分，分別是位於南部的定居城鎮、難以治理的北部部落、從波斯來到雅典且劫掠成性的外來者。憑藉這些外來者的庇蔭，阿爾凱勞斯得以將王朝改頭換面，把都城從埃蓋（Aegae）遷至築有柱廊的新都佩拉（Pella）。這個粗野的追捕山羊者便在佩拉扮演起偉大的王，不過，埃蓋仍是國王婚喪禮儀的舉行地點。

阿爾凱勞斯得意地邀來文壇名人歐里庇得斯（Euripides）常駐，當他的一個男性愛人嘲笑詩人有口臭時，他大為震怒，命人將他毒打一頓。這個懷恨在心的男孩與阿爾凱勞斯的另外兩個滿懷怨恨的愛人密謀不利於國王。肇因於文人口臭的陰謀，導致阿爾凱勞斯死於暗殺。西元前三九三年，他的姪子阿敏塔斯三世撥亂反正。阿敏塔斯三世有三子：三人後來都當上國王。其中的老么將是他在世時最偉大的希臘人。

獨眼腓力和王后奧林匹亞絲

一如所有希臘人，這三位王子都是讀荷馬的著作長大，但在馬其頓，他們也打仗、打獵，在交際酒會裡猛喝酒，隔天白天在宿醉中度過。阿敏塔斯安享天年，在自己的床上離世，就馬其頓王來說，實屬罕見。他死後由長子亞歷山大二世繼位，他遭當時希臘世界的第一強權底比斯城擊敗，被迫交出五十個人質投降。

其中一名人質是亞歷山大二世的么弟，時年十三歲的腓力（Philip）。腓力在底比斯待了三年，學習吃素、獨身、反戰的生活作風（後來這三件事全被他拋到腦後），但他居住之處是底比斯將軍宅邸，這名將軍不但是他的導師，也可能是他的愛人。他同時研習「聖隊」（Sacred Band）的戰術，那可是底比斯的精銳部隊，成員三百人（且據說是一百五十對愛侶），他們在戰場上連連勝利，底比斯因此得以稱霸。

而在國內，他的兩個哥哥都未得善終，僅留下一幼子，是為國王阿敏塔斯四世。但在西元前三五九年，眼見侵略成性的鄰族伊利里亞人（Illyrians）即將入侵，馬其頓人於是擁立腓立二世為王。腓力立即把他所能找到仍在世的兄弟一一除掉，接著分化敵人，將他們玩弄於股掌之上——藉由行賄、用計、聯姻（他自己娶了一名伊利里亞公主）。他受前來作客的波斯人影響，仿效波斯偉大的王，創立由「王室友伴」（Royal Companions）組成的內廷。接著，他鍥而不捨地操練新軍，使友伴所統領的騎兵和經過改編的步兵協同作戰。這些步兵配備用來突刺的西佛斯劍（xiphos）和十四呎長的薩里沙長矛（sarissa），使他們得以組成不致被騎兵攻破的楔形隊形。

西元前三五八年，腓力首度擊敗伊利里亞和北部的馬其頓，將王國版圖擴增一倍，將帕爾梅尼恩（Parmenion）納入麾下，成為他所屬最能征善戰的將領，然後與帖薩利（Thessaly）、伊庇魯斯聯姻，先是娶公主斐琳娜（Philinna），不久兩人生下兒子阿里戴奧斯（Arrhidaios），然後娶了他的第四個妻子，即莫拉西亞王（Molassia）——伊庇魯斯的一部分——的女兒波莉克塞娜（Polyxena）。西元前三五六年，波莉克塞娜生下一子，取名亞歷山大，後來生下一女，取名克麗奧佩脫拉（Cleopatra）。腓力得知其參賽隊伍在奧林匹克運動會獲勝時，波莉克塞娜改名奧林匹亞絲（Olympias）以茲慶祝。只是兩人始終不親，不久奧林匹亞絲覺得自己一定不喜歡他。奧林匹亞絲熟諳酒神戴奧尼索斯的神祕儀式，出於本身的政治本能，她戒心極強且行事野蠻，還養了一群聖蛇，和牠們同睡一床，嚇壞她身邊的男人——肯定包括幾乎什麼都不怕、就只怕蛇的腓力。此外，腓力很少在家。

經過二十年艱苦征戰和圓滑的外交操作，腓力打敗所有對他構成威脅的鄰邦，然後插手希臘本土事務，以捍衛神聖德爾斐的中立地位，摧毀東山再起的民主勢力雅典。而在雅典，演說家德摩斯泰內斯（Demosthenes）團結人民抵抗這位馬其頓「暴君」，嘲笑馬其頓是個「連值得買的奴隸都出不了的地方」。腓力不顧危險，身先士卒，帶兵出擊。不料右眼中箭，所幸有醫生治療，這才保住性命；又一次他腿部遭刺。後人已在他位於埃蓋的墓裡找到他的頭顱和身軀並予以重建，使我們得以一窺這個結實、好戰且令人膽寒的督軍的模樣：身上有疤、跛腳、獨眼——但始終未掉以輕心。

他的第一個孩子阿里戴奧斯患有癲癇或自閉症，擔不起統治之責。他的弟弟亞歷山大，西元前三四三年時十三歲，潛心閱讀荷馬、歐里庇得斯的著作，接受戰技訓練——但也用心認識波斯。造反的波斯籍總督阿爾塔巴祖斯（Artabazus）帶著女兒巴爾西涅（Barsine）投奔馬其頓，得到腓力的收留；巴爾西涅與亞歷山大成為朋友，後者經常盤問來訪的波斯人。兩人日後會再相見。

亞歷山大和父親的關係疏遠，但和母親奧林匹亞絲則很親近。奧林匹亞絲是少數敢頂撞腓力，並保護兒子的人之一。西元前三四二年，腓力請來三十七歲的雅典籍哲學亞里斯多德教導亞歷山大。即將與雅典開戰之際，腓力任命亞歷山大為攝政。亞歷山大始終把亞里斯多德所抄寫的《伊里亞德》和一把匕首放在枕頭底下，這兩件物品象徵他性格裡相牴觸的兩面：有文化教養的希臘人和凶狠的馬其頓人。

父王在外期間，亞歷山大打敗造反部落，讓世人見識到他的本事。雅典糾集諸希臘國家一起阻擋腓力進逼的同時，也指派特使前去見波斯的阿爾塔薛西斯。

輪盤賭：大流士三世和亞歷山大三世

這時找上波斯偉大的王，時機再好不過。威震天下的阿爾塔薛西斯三世急於插手希臘事務。在兩名傑出的追隨者輔助下，他已打敗西頓、埃及、愛奧尼亞。這兩人分別是希臘籍海盜孟托爾（Mentor）和波斯籍太監博戈阿斯（Bagoas），後者雖失去睪丸，戰場上手段之殘暴卻是毫不遜色。阿爾塔薛西斯征戰十五年後回到都城，提拔博戈阿斯為「千人長」（Commander of the Thousand），即宰相。但阿爾塔薛西斯驚恐於腓力的崛起，於是資助雅典，並派兵去騷擾色雷斯的馬其頓人。此一決定將使世局改頭換面。

腓力召來十八歲的兒子亞歷山大準備進行希臘之役。西元前三三八年夏，在海羅尼亞（Chaeronea），腓力布署三萬步兵、兩千騎兵，對付雅典所領導的同盟，他命亞歷山大統領左翼的精銳騎兵，同盟出動的騎兵比馬其頓方多了一倍。然而，腓力的統兵作戰能力無人可及，他的軍隊的作戰經驗亦然：他統領右翼，刻意敗退，在這同時，左翼的亞歷山大領兵衝入敵陣，全數殲滅底比斯的「聖隊」。腓力眼見戰死的聖隊隊員，回想起自己在底比斯的年輕往事，禁不住哭了出來，並立起「海羅尼亞之獅」像（the Lion of the Chaeronea），後人在該像底下發現兩百五十四人的遺骨（馬其頓人死後火化；希臘人死後埋葬）。這時，希臘的統治者——「希臘會議」（Council of the Greeks）的霸主——收到來自波斯的重要消息：在一波相互下毒的浪潮中，波斯王族幾乎都遭到殺害。

六十歲的阿爾塔薛西斯原打算將太監博戈阿斯革職，卻反遭博戈阿斯毒死，接著博戈阿斯逐一剪除他的兒子，最後找來英勇將領暨國王親人阿爾塔夏伊亞塔（Artashaiyata），並扶立為王，是為大流士三世。此前，這位將領靠著打贏一連串戰爭已聲名大噪，而他當王後必然很想擺脫這個太監的掌控。

兩人都想除掉對方，一場要命的下毒輪盤賭遊戲隨之展開。博戈阿斯倒了一杯毒酒給國王，而國王難得的警覺，堅持要這個太監自己喝。下毒者反遭毒害。儘管最高層總身處遭人暗算的陰謀中，但由阿爾塔薛西斯三世恢復國力且這時由自信且具才幹的軍人暨國王大流士三世領導的帝國，可說是無人能匹敵——而且可能在接下來幾百年持續保此地位。

一頭花白的獨眼腓力、希臘的霸主，竟在四十八歲這一年愛上並不漂亮的少女。西元前三三七年，腓力宣布希臘人共同征討波斯，官方說法是為了向燒掉雅典城的薛西斯報仇，實際上是為了拿愛奧尼亞的財寶填補府庫，並教訓波斯，因為他們支持位在色雷斯的敵人馬其頓——之後，亞歷山大寫信給波斯偉大的王，「你派兵進入我們所控制的色雷斯」。就在腓力集合其先鋒部隊時，也宣布他要再度娶妻。此前，他與外邦人締結了六樁外交聯姻，對象包括伊庇魯斯的奧林匹亞絲，從而得到奧林匹亞絲所擁有的莫拉西亞，這時他則宣布要娶馬其頓籍少女克麗奧佩脫拉，即貴族阿塔洛斯（Attalos）的姪女。而他的這般迷戀，導致他本已擁擠的後宮頓時亂了起來：奧林匹亞絲禁不住怒火中燒了起來。亞歷山大身邊圍繞著由親人托勒密領導的一批年輕支持者——托勒密可能是國王腓力的私生子——為父王的新婚事深感不安。

在婚宴上，馬其頓人狂飲，很快就吵了起來。國王剛結為姻親的叔伯輩阿塔洛斯嘲笑只有一半馬其頓人血統的亞歷山大：「這下我們肯定會有純種國王——而非雜種！」亞歷山大當下把酒杯砸向阿塔洛斯，阿塔洛斯也拿起酒杯砸了回去。腓力要亞歷山大道歉，亞歷山大拒絕，喝醉的腓力於是抽出劍撲向他，未想竟絆了一跤，昏了過去。

亞歷山大輕蔑笑道，「準備好要從歐洲渡海到亞洲的人，卻無法從一桌走到另一桌。」晚餐後奧林匹亞絲和亞歷山大趁夜逃走。腓力要求亞歷山大回來，但當有個波斯籍總督表示願把女兒嫁給這位王子時，國王卻又拒絕，並把亞歷山大的左右手托勒密放逐。不久，馬其頓先鋒部隊動身前往亞洲。

西元前三三六年七月，亞歷山大的妹妹克麗奧佩脫拉嫁給舅舅伊庇魯斯的亞歷山大（這個氏族有很多人都叫克麗奧佩脫拉、亞歷山大），並在埃蓋舉行婚禮，腓力一家因此再度聚首。腓力更是意氣風發：他的新婚妻子剛產下一女。而婚禮隔天，他主持競技活動，然後在兩個叫亞歷山大的人的陪同下進劇場觀看表演，向歡呼的群眾致意。突然，他的護衛之一的保薩尼亞斯（Pausanias）衝了過來，一刀刺進他心臟。衛兵追捕保薩尼亞斯時，腓力在亞歷山大的照料下死去。保薩尼亞斯為何痛下殺機他不得而知。他原是腓力的愛人，當國王移情別戀，愛上其他年輕人時，保薩尼亞斯嘲笑這新男孩「不男不女」。國王的新寵向友人阿塔洛斯抱怨此事，阿塔洛斯竟設陷並強暴保薩尼亞斯，然後把他交給他的奴隸，任奴隸輪暴他。阿爾蓋阿斯王朝宮廷裡容不下怯懦的人。奧林匹亞絲的能耐可不只教唆人暗殺。腓力已決定讓亞歷山大繼續留在國內攝政，致使他無緣參與亞洲征戰事業——此舉使亞歷山大終於忍無可忍。護衛隊逮到保薩尼亞斯，並在他出聲求救前，便將他釘死在十字架上。

腓力的將軍安提帕特（Antipater）帶亞歷山大離開事發現場，然後亞歷山大稱王，隨之下令殺掉和他對立的諸王子和阿塔洛斯。接著，奧林匹亞絲殺掉尚在襁褓中的腓力女兒，她的少女母親克麗奧佩脫拉自盡。腓力遭火化，遺骨用葡萄酒洗過，放進位在埃蓋的家族墓地的小金棺裡。大流士三世在蘇薩或帕薩爾嘎戴得知此事，心裡想必認為腓力統治希臘才五年，馬其頓就在鮮血四濺的亂局裡瓦解。

亞歷山大三世身材矮壯、膚白，或許和他父親一樣一頭紅髮，是個行動派，為平定底比斯叛亂，索性夷平該城，殺掉六千底比斯人，將三萬人貶為奴隸。由於本身不凡的偉業，他總是被美化，但他的所作所為，就馬其頓人國王來說既罕見，又表現出馬其頓國王的一應特點。他是天生殺手，生活在凶狠、時時保持警戒、隨時會拔劍殺人的國家裡：殺人既是必要之舉，也是性格傾向，更是職業，係保命和出人頭地所不可或缺。他統領著一群彼此有親緣關係且不拘禮節、充滿男子氣概的貴族，心知這些人是因為他才有所連結。他們稱亞歷山大的父親「阿敏塔斯之子腓力」，認為「腓力之子亞歷山大」是他們這群人裡的第一把交椅——此觀點之後將成禍患。亞歷山大的友人充當他的護衛隊，由他的知己暨愛人赫菲斯提恩（Hephaistion）領導，他不但是國王護衛，也曾與亞歷山大、他的左右手托勒密一同師從於亞里斯多德。

身為希臘人，亞歷山大置身於已被亞里斯多德的哲學照亮，但也為諸神、諸靈、神的後代支配的世界裡。一如他當時所有人，他相信諸神決定一切，而且諸神偽裝成人，往往近在身邊。身為國王，他主持祭祀，常要他的占卜師針對遭宰殺的動物的肝判讀吉凶。他也從荷馬式英雄、神話英雄的角度看待自己。他小時候，某個奴隸替他取了阿基里斯（Achilles）的綽號——他信以為真。

西元前三三四年春，他率領四萬八千步兵和六千一百騎兵渡海至亞洲，追隨諸神的腳步冒險。他跳下船，把他的長槍插入沙裡，然後向宙斯、雅典娜、他的祖先海克力士獻祭，接著前去特洛伊的阿基里斯廟。亞歷山大認定自己如阿基里斯，藉此讓人注意到他作戰時近乎神的過人本事、他身為一隊友伴之老大的地位、他與赫菲斯提恩的友誼（赫菲斯提恩之於亞歷山大，如同帕特羅克洛斯〔Patroclus〕之於阿基里斯），或許還有他認為他的英雄生涯會是短暫燦爛的心理。一旦得到眾神加持，他將所向披靡。

他的士兵進入小亞細亞時，先是遭遇大流士的總督所統領的軍隊，他是希臘籍傭兵羅得島的門農（Memnon of Rhodes）。門農兄弟孟托爾曾為阿爾塔薛西斯立下彪炳戰功並娶了漂亮的波斯少女巴爾西涅（Barsine）。而門農在年輕時，便結識了亞歷山大。在特洛伊附近的格拉尼庫斯河畔（River Granicus），兩名波斯籍總督衝向騎著自己愛駒布凱帕拉斯（Bucephalas）、位在己方騎兵隊前頭的亞歷山大，打中他的頭盔，千鈞一髮之際，亞歷山大的老奶媽之子克萊托斯（Cleitus）救了他。他打贏這一仗，繼續踏上征途。

大流士太過自信：他確實理應盡快趕去滅掉亞歷山大。於是，他把王后、女兒留在大馬士革，然後率領超過十萬兵力的大軍前往今日土耳其東南部的伊蘇斯（Issus）。就在這裡，這位萬王之王，在他的金色戰車上，身邊圍繞著一萬個不死之士，直接面對亞歷山大的四萬大軍。亞歷山大打算一舉殲滅敵人的士氣，扭轉兵力劣勢的己方奮勇殺敵，於是直直衝向大流士，往不死之士人群裡一路砍殺過去，不顧大腿遭捅了一刀，一心只想親自擊倒波斯國王。波斯人不覺慌張了起來。波斯士兵後退時，大流士騎著他的灰馬跑走，留下兩萬具屍體，回到巴比倫。他看重的是帝國，而非莽夫之勇。

後來，在大流士的帳篷裡，亞歷山大若有所思地說，「我們這就在大流士的浴室裡洗淨自身。」「不，這是亞歷山大的浴室。」他的侍從官回道。他的戰士帕爾梅尼恩策馬南馳，好將大流士的家眷抓到手裡。當矮小的亞歷山大和魁梧的赫菲斯提恩一同進入波斯王的御帳時，諸王后——大流士的母親西緒甘碧絲（Sisygambis）、他的姊妹暨妻子絲塔泰拉和幾個女兒——在身材較高的男子面前跪下。赫菲斯提恩頓時一陣尷尬。亞歷山大則是體貼的糾正她們，說道：「他也是亞歷山大。」隨後扶起她們，欣然把她們當成王后。與此同時，他也遇到一名老相識——半波斯、半希臘血統的巴爾西涅，即她的兩個舅舅孟托爾、門農的遺孀。亞歷山大因她而失去童貞——就馬其頓人來說，顯然是晚了。

為了救回家人，大流士表示願支付國王才出得起的贖金——敘利亞、愛奧尼亞、小亞細亞——而且願意將女兒嫁給亞歷山大。帕爾梅尼恩建議接受。

亞歷山大回道，「如果我是帕爾梅尼恩，我也會接受，可惜，我是亞歷山大。」接著，他致函大流士：「你和你的總督已是我的手下敗將，如今，既然眾神把一切給了我，你和你的國家就歸我控制。不要再以平起平坐的身分寫信給我……你所擁有的一切，都要當成是我的。」

亞歷山大、羅克莎涅、旃陀羅笈多：世界王、阿富汗女王、印度王

亞歷山大揮師南下，赫菲斯提恩統領其艦隊一路跟隨，從海岸為亞歷山大補給食物。他攻向他神往的

埃及，途中拿下西頓，但太爾在其姊妹城迦太基的助力下不願歸服於他。攻下太爾時，亞歷山大任由士兵恣意殺戮，殺掉八千太爾人，將兩千人釘死在十字架上。他盤算著報復迦太基。入埃及途中，他屠殺加薩境內所有人。

在孟斐斯，他自封為法老，阿蒙—拉神之子，乘王船南下尼羅河，走訪阿蒙的住所「盧克索神廟」（Temple of Luxor），並且他命人以浮雕呈現他為「兩地之主」，如今仍可見到。回到尼羅河三角洲後，他便創建亞歷山卓城（Alexandira）。

而如今，亞歷山大幾乎和神沒什麼不同，他的隨從問道，大流士正在巴比倫重整旗鼓，他為什麼還在木乃伊的國度四處遊蕩。然既是神又是國王的他，實在很想去利比亞沙漠裡的綠洲錫瓦（Siwah），親自走訪該地著名的神示所，以證明他的神格身分。在托勒密、赫菲斯提恩的陪同下，他穿越撒哈拉沙漠，完成一趟振奮的朝拜之旅，而後，神諭告訴他，他的確是阿蒙神之子荷魯斯。或許為了洗脫母親或自己的嫌疑，他進一步詢問，是否已為腓力遇害復仇，而他始終未透露神給的答案。不過，帕爾梅尼恩的兒子菲洛塔斯（Philotas）竟嘲笑亞歷山大的父親是宙斯—阿蒙一說：腓力才是他的父親。

大流士朝尼尼微（摩蘇爾）前進，在高加米拉（Gaugamela）的平原上等待。亞歷山大一進入伊拉克，得知大流士的妻子絲塔泰拉已死於分娩：那個嬰兒幾可確定是亞歷山大的孩子。擁有她的身體，即是擁有波斯。她遭亞歷山大誘惑而上了床？還是遭強暴？

西元前三三一年十月一日拂曉，帕爾梅尼恩發現亞歷山大睡過頭，由此可見他過人的冷靜和自信。大流士統領他的中軍。亞歷山大位在騎兵隊前頭，猛地斜衝過原野，衝進波斯軍左翼，劃開他們的防線。大流士隨之率領戰車隊衝鋒，命令弓箭手射向亞歷山大，亞歷山大身著金色胸鎧和紫色披風，在戰場上很搶眼，大流士同時派出一隊騎兵，要他們救回他的母親和妻子。沒料到，亞歷山大繞到後方，朝大流士奔去，大流士策馬馳離戰場，越過札格羅斯山脈，前去埃克巴塔納（位於伊朗）。

亞歷山大自此有了「亞洲之王」這個新頭銜，只是他的王室友伴依舊沒有把握：菲洛塔斯以嘲笑口吻說道，他為波斯人感到難過，因為他們交手的對象是個半神半人。有個軍官表示，願為菲洛塔斯暗殺亞歷山大，菲洛塔斯要他打消這個念頭，但未向亞歷山大回報此事。亞歷山大接著拿下巴比倫，在那裡敬拜了馬爾杜克神，即他眼中另一個宙斯。他追捕大流士，先是拿下蘇薩，並在此欣賞了古代漢摩拉比法典銘文，接著拿下帕沙（Parsa，即波斯波利斯），以此報復波斯人燒掉雅典神廟。傳說在一場喝得酩酊大醉的聚會上，交際花塔伊絲（Thaïs）慫恿亞歷山大劫掠這座王城，因此，一般來講，大多把這場浩劫歸咎於一個女人。當時的確狂喝濫飲，但他根本不需旁人鼓譟。帕爾梅尼恩曾勸他勿破壞此城，無奈亞歷山大已答應讓他的軍隊蹂躪「亞洲最可惡的城市」。於是，馬其頓人洗劫宮殿，強姦、殺人、虐待，將人納為奴隸，砸碎六百多件石膏作品、青金石、大理石雕刻作品，甚至砍掉一尊希臘人雕像的頭——而亞歷山大則徹底燒掉宮殿。

在亞歷山大的追擊下，大流士逃往拉蓋（Rhagae，位於今德黑蘭），西元前三三〇年七月，大流士的堂兄弟——大夏總督貝索斯（Bessus）——謀殺了他，並自封為王。亞歷山大一到，大流士仍屍骨未寒。亞歷山大禁不住哀嘆，當即命人將居魯士家族的最後一個國王入葬家族墓地。[28]

王室友伴或許希望追擊就此結束，但為了追討貝索斯，亞歷山大重新組織扈從，踏上長達一年、一千哩的追捕之路，他先是進入阿富汗的赫曼德（Helmand），自此穿上波斯人的束腰上衣，戴上波斯王的頭

28 大流士那實事求是的母親並未哀悼他，她始終忘不了他把她遺棄在伊蘇斯。她總說，「我有個兒子，他是波斯國王。」而她指的是亞歷山大。

飾。閒暇時，他與一個年輕俊美、歌聲如天使的波斯籍太監打情罵俏。有個侍從將有人密謀暗殺亞歷山大的消息告訴菲洛塔斯，他又一次地未上報此事，於是，該侍從轉而當面告知亞歷山大。菲洛塔斯雖非陰謀集團一員，亞歷山大卻著手整肅，以一連串裝模作樣的公審指控菲洛塔斯和其父帕爾梅尼恩叛國。士兵用石頭將菲洛塔斯砸死，亞歷山大同時派殺手去刺殺帕爾梅尼恩。亞歷山大的軍隊繼續踏上征程，進入阿富汗時，並在阿富汗的巴格拉姆（Bagram）附近創建第二座亞歷山卓城，以及後來成為坎達哈（Kandahar，伊斯坎德拉／Iskandera）的另一座。與此同時，他任命赫菲斯提恩和克萊托斯為副手，並以「千夫長」（chiliarch）為新頭銜[29]。

到了融雪期間，他們往上攀登，一如海克力士穿越興都庫什山（Hind Kush，意為「印度人殺手」），把貝索斯追進大夏和粟特（今塔吉克／阿富汗境內），然後，在粟特，貝索斯被托勒密擒獲，並公開處決。處決方式是將他身子兩端分別綁在一棵拉彎的樹上，藉此撕裂他。阿富汗人群起抵抗；亞歷山大殘殺數千人，燒掉城鎮，毀掉神廟，褻瀆《阿維斯陀》，亞歷山大因此得名「受詛咒者」。他在幾次小衝突中再度負傷，但憑著過人的體質，很快就傷癒。緊接著，他在馬爾坎達（Markanda，撒馬爾罕／Samarkand）紮營渡過嚴冬，而他的王室友伴則要求返回馬其頓。

在一場爛醉的交際酒會上，曾救過他的將領「黑人」克萊托斯嘲笑他的神權專制以及他遜於父親腓力的才幹，最後提醒他，「就是這隻手救了你一命。」亞歷山大把酒杯扔到一旁，朝克萊托斯丟去一顆蘋果，然後猛地從長榻上起身，抓來護衛隊手上的矛，往他奔去，卻被托勒密和名叫佩爾迪卡斯（Perdiccas）的將領攔住。兩人懇請亞歷山大原諒幾乎情同家人的克萊托斯。亞歷山大徑直衝了出去，從侍衛手中搶來另一支矛，在外伺機而動。只見克萊托斯搖搖晃晃地走了出去，亞歷山大當下用矛刺死他。他懊悔數日，接著再度踏上征途。

亞歷山大挺進粟特，有個當地豪強胡克夏塔斯（Huxshiartas）倚恃自己堅不可破的要塞「岩石」（the Rock），不願歸服於他。亞歷山大於是派他的馬其頓士兵爬上位於高處的要塞。要塞陷落後，胡克夏塔斯獻上女兒羅克莎涅（Roxane）——勞克夏娜／Rauxshana，意指「明星」——亞歷山大依波斯婚禮娶了她，由此，和他的馬其頓籍軍官平添嫌隙。他要他們以對待波斯人國王之禮拜倒在他面前。這和馬其頓王室友伴不拘禮節的相處方式相去甚遠。憤慨的軍官，乃至宮廷史家卡利斯泰內斯（Callisthenes）——亞里斯多德的姪甥——不願俯臥在地，一群侍從密謀趁亞歷山大熟睡之際除掉他，扶立他的哥哥阿里戴奧斯為王。未想亞歷山大整夜在外縱情飲酒，密謀者遭捕，然後遭以石頭砸死。

時間來到西元前三二七年，大夏、粟特已到手，亞歷山大仿效海克力士經開伯爾山口（Khyber Pass）入侵「印度」，衝入旁遮普，拉攏印度籍小諸侯為盟友，收容了來自當地王國的異議人士，其中可能包括名叫旃陀羅笈多（Chandragupta）*的年輕流亡印度人。

他在印度征戰兩年，只打入今日巴基斯坦境內，未見任何印度史料提到他，因為他從未威脅到印度北部、東部的難陀王國（Nanda）或甘嘎里戴王國（Gangaridai），卻也遭遇到類似希臘城邦的國度。亞歷山大打敗坡羅婆（Pauravas）羅闍普魯（Puru）的軍隊，普魯身高七呎，騎戰象打仗。亞歷山大可能派旃陀羅笈多去和普魯洽談結盟之事；亞歷山大肯定很想征服更多地方。只是靠近阿姆利則（Amritsar）時，軍心已不滿到快要譁變。在某會議上，年紀較長的將領提議返回地中海，承諾會和亞歷山大一起對付迦太基；就連他的友人赫菲斯提恩和托勒密都悶不吭聲。生了一番悶氣後，亞歷山大同意離開印度，只是他不

---

29 「千夫長」（chiliarch）是波斯人官階 *hazahrapatish* 的希臘語說法，而 *hazahrapatish* 意指波斯王的陸軍元帥和宰相。

* 編注：旃陀羅笈多（Chandragupta），印度孔雀王朝開國者。

改那一貫愛冒險的作風，他順印度河而下及至阿拉伯灣，再至巴比倫，從而解開了「南洋」（South Ocean）之謎。途中，他仍惱火於麾下士兵不願強攻一座與其作對的城市，於是自己先爬上梯子，然後跳下，幾乎單槍匹馬投入混戰。敵人一箭射中他身側，刺穿他的肺，他倒在地上，他發狂的士兵猛殺守軍為他報仇，並把他救了出來。亞歷山大傷口汩汩流著血，但終舊是復原了。[30]

剛捱過沙漠穿越之行，亞歷山大回到蘇薩，波斯籍王族女子正等著他。在蘇薩，始終講究實際的他，決定以一場跨文化集體婚禮，將他的新帝國的上層人士——馬其頓人、波斯人——合為一體。然而，馬其頓人痛惡這種強行融合的作法。征服者和被征服者之間的這種關係，是創立可長可久之帝國的方法，透過跨文化聯姻生子產生的親緣關係，讓人民在不同文化並存的國度裡有共同的利害。在三天的喜慶裡，上百對新人在長榻上成親，每對新人皆領取到結婚禮物、銀袍和紫袍、銀質餐具和首飾、一頂波斯洞房帳。最重要的是王室婚姻：亞歷山大娶了大流士之女——年輕的絲塔泰拉——和阿爾塔薛西斯三世之女帕麗薩蒂絲。國王不信任自己的原生家庭，他要打造自己的家庭：赫菲斯提恩娶了大流士另一個女兒德呂佩蒂絲（Drypetis）。亞歷山大要打造由阿爾蓋阿斯家族和哈卡馬尼斯家族共組的世界性王朝。

巴比倫之死：殺戮開始

亞歷山大未坐鎮都城巴比倫治理帝國，而是止不住遠征欲再度出征，他乘船順著底格里斯河而下，前往波斯灣，再溯河而上至奧皮斯（Opis）——他的軍隊叛變，亞歷山大命令「銀盾」（Silvershield）護衛隊隊長塞琉古（Selukos）[31]處決造反者，然後，在向士兵講述他父親和他本人的豐功偉業後，他和軍隊重修舊好。處於日益深感處境危險又狂妄自大的氛圍中，亞歷山大對諸多總督的忠誠生起疑心，於是著手整肅身邊人，他先殺害四個總督，又將四個總督革職（另有四人死亡或遭處決），並且想起他長年的馬其頓籍總督安提帕特。

突然間，他失去他最信任的人：赫菲斯提恩於一次狂飲後死亡。亞歷山大震驚之餘，也不知所措了起來。他殺了赫菲斯提恩的醫生，割掉他的馬的鬃毛，熄滅波斯的聖火（國王死亡的表徵），下令雕刻一尊獅像——如今該像仍立於伊朗的哈馬丹（Hamadan）。

回到巴比倫後，他與妻妾、太監、托勒密和塞琉古這兩名王友伴一同住在尼布甲尼撒的宮殿裡，成天縱情狂飲、賭局、乘船旅行，有時戴上角，打扮成阿蒙—拉神，其間的空檔則接待外使，揚言出兵討平迦太基人，計畫對阿拉伯半島發動新遠征，提議建造比吉薩金字塔還大的埃及金字塔。他對浪漫情愛無感，但需要一個繼承人，而這時他與王后羅克莎涅生下一個孩子。

就在他按計畫要入侵阿拉伯半島的四天前，他發燒病倒。眾廷臣驚慌失措、各懷鬼胎之際，醫生替他放血、通便，而他的士兵魚貫走過他床邊。他要求死後依神的規格、法老的規格埋葬——長眠於利比亞沙漠的錫瓦——然後把他的戒指賜給長年為他賣命的護衛佩爾迪卡斯——自赫菲斯提恩死後，即由他擔任千夫長一職——以便他得以在他臥病在床期間掌理政務。他以虛弱卻也一貫實事求是的口吻開玩笑道，他將把一切留「給最強者」或「最優秀者」。他的繼任者得經過競爭勝出，如同在為紀念剛亡故者而舉辦的競

30　以神自居的亞歷山大一路廝殺到印度時，他在雅典的老師亞里斯多德（柏拉圖弟子）正在將他的自然生物實驗心得和他的哲學——人應該「竭力按照我們內在最美好的事物（理性）過活」——傳授給雅典學院學生。而這些以具體的實驗建立起的科學探索，將成為日後科學的基礎。

31　塞琉古最一開始擔任國王腓力的青年侍從，是亞歷山大身邊少數對於迎娶波斯女感到滿意的戰士之一：他娶了大夏督軍斯皮塔馬納（Spitamana）的女兒阿帕瑪（Apama）——婚後幸福美滿，並由此建立起上古世界的偉大王朝之一——塞琉古王朝。

技活動中勝出。隨後，他陷入昏迷，死於三十二歲，死因或許是飲酒過度、中毒、傷寒或舊傷復發，我們不得而知。

他一死，腥風血雨隨之襲來。家族競爭和冷酷政治鬥爭交織在一起：懷孕的羅克莎涅相信自己懷了男嬰，聽聞年輕的絲塔泰拉也懷孕，而她生下的任何孩子都肯定會繼承王位。她想在亂局中確立王族秩序，於是把諸位波斯籍王后邀來巴比倫，並毒死絲塔泰拉和帕麗薩蒂絲（分別是大流士三世之女和阿爾塔薛西斯三世之女），西緒甘碧絲則活活餓死——從而結束了這個波斯王朝。

身為千人長的佩爾迪卡斯聲稱自己理當出任攝政，甚至殺害了一名對此有異議的軍官。幾名政壇巨頭議事的氣氛緊繃。佩爾迪卡斯指派職務和封地：塞琉古成為千人長；托勒密如願拿到埃及。埃及的木乃伊製作師為法老亞歷山大的遺體進行防腐作業時，昔日亞歷山大身邊的諸武將爭辯該由誰繼承王位，其中考慮由他的波斯籍愛人巴爾西涅為他所生的五歲兒子海克力士接位，然而，亞歷山大的兄弟阿里戴奧斯仍在世。他擔不起治國重任，但他們選他為腓力三世——讓他和羅克莎涅腹中的胎兒共坐大位。幾星期後，她意氣風發地生下共治國王亞歷山大四世。在遙遠的希臘，亞歷山大的母親奧林匹亞絲表示，願將亞歷山大的妹妹克麗奧佩脫拉嫁給佩爾迪卡斯。此時的佩爾迪卡斯，手中握有一死去的國王、兩位在世的國王和軍隊主力，又得到他具才略的千人長塞琉古支持，他已準備好統治此帝國，直到幼王亞歷山大四世長大成人為止。一如亞歷山大臨死時所預料，這些打下天下、趾高氣昂的武將——史家普魯塔克（Plutarch）所謂，「貪念不為大海、高山或沙漠所局限且欲望連歐、亞邊界都不放在眼裡之人」——不可能安於據有小小一省，他們盡皆染上亞歷山大的爭霸天下之欲，急忙攫取他們所能入手的任何一切。

其中最精明者，莫過於自幼即和亞歷山大交好的托勒密，亞歷山大的護衛和王室友伴，此時已啟程，前去拿下埃及。

西元前三二一年，就在佩爾迪卡斯企圖掌控小亞細亞之際，腓力三世、幼王亞歷山大四世、王后羅克莎湼正護送著壯觀且豪華的亞歷山大靈車——表面飾有金質浮雕，散發著沒藥香氣，雕有愛奧尼亞式圓柱，四個角落都有勝利女神小塑像，還飾有阿蒙神之神聖帶角野山羊半身像、獅和象的飾帶，車裡安放著亞歷山大的埃及人形棺和經防腐處理的木乃伊，由六十四頭飾以珠寶的騾拉著走，有大象和衛士組成的儀仗隊伴行，眾人以緩慢、榮耀的步伐前進埃蓋。靈車映入眼簾時，其盛大的場面想必引人關注，而托勒密更是歡迎它的到來。

在敘利亞境內某處，托勒密劫走石棺——史上最早的劫屍者——並護送回孟斐斯展示。兩王安然抵達希臘，佩爾迪卡斯卻是怒不可遏，率兵前去埃及，想搶回世界征服者的木乃伊，卻反而遭托勒密擊敗，緊接著，塞琉古暗殺了攝政佩爾迪卡斯。帝國隨之遭瓜分，托勒密據有埃及，塞琉古得到巴比倫，長年戎長生涯的將領獨眼安提哥那（Antigonus）則掌控小亞細亞中部。在接下來的戰爭中，塞琉古失去伊拉克，回去為埃及的托勒密效力，安提哥那令眾人意外的成為贏家。

諸武將間的爭戰錯綜複雜、凶狠且戰局瞬息萬變。每有一人占上風，其他人便聯手遏制。五十五歲的奧林匹亞絲嗜殺不遜於這些男人。西元前三一七年，這個王后搶下馬其頓，以支持幼王亞歷山大四世和其母親羅克莎湼，但遭她的繼子腓力三世反抗。奧林匹亞絲勝出，立即殺了腓力，只是不過幾個月，另一名將領就擒住她，將她送上法庭。士兵不願殺掉亞歷山大的血親，轉而用石頭將她砸死。國王亞歷山大四世和羅克莎湼淪為階下囚；在此期間，海克力士和母親巴爾西湼在小亞細亞平靜過日子。不過沒人忘記他們。為了除掉所有對手，各方競相使出殘酷無情的手段，亞歷山大家族就在這過程中漸漸凋零。

孔雀王朝和秦朝

塞琉古在印度：旃陀羅笈多的興起

拜麾下將領塞琉古之賜，托勒密不只拿下利比亞，還取得賽普勒斯、猶大、科伊萊—敘利亞（Coele-Syria）、愛琴海大部分地區。為酬謝他，西元前三一二年，托勒密借給塞琉古共八百步兵、兩百騎兵的小支兵力。憑藉這支兵力，塞琉古不只收復巴比倫（他曾是甚得民心的巴比倫總督），而且，展現幾乎和亞歷山大不相上下的驚人戰力，收回敘利亞其他地方、伊拉克、伊朗、阿富汗以及巴基斯坦。

塞琉古狡猾、臉型瘦削、天不怕地不怕，天生具有一種說服力，總能使不同民族的人願意和他的馬其頓人一同共事。亞歷山大生前最後一年，他已是國王核心集團的一員，亞歷山大死前最後幾次狂飲聚會，他也都在場，而且與亞歷山大身邊更資深的得力幹將不同的是，他最初未要求總督之位。在眾多王室友伴中，只有他守著他的大夏籍妻子阿塔瑪（Atama），而這一決定將在他收復東方時得到回報。不過，亞歷山大接班人的最大威脅是他自己的血脈：西元前三一〇年，亞歷山大四世和羅克莎涅遇害，不久海克力士也遭此下場。托勒密最終決定娶亞歷山大的妹妹克麗奧佩脫拉，而她也在婚禮前遇害。經過三百年的家族統治，亞歷山大家族完全消逝。

西元前三〇六年，托勒密和塞琉古稱王，創立了兩個亞歷山大系的王朝，並將統治數百年，直到他們的最後一位偉大統治者克麗奧佩脫拉為止，其中每個統治者都為人的腐化墮落設定了新下限。埃及是托勒密的心臟地帶；他在此創建了以希臘語為主的行政體系，並以馬其頓軍隊為靠山，同時支持埃及籍祭司，美化他們的神廟。他們則擁護他為法老，以為回報。[32]在位晚期，他把自己和亞歷山大木乃伊安頓於經過擴張的亞歷山卓城。[33]

西元前二八七年，由於聰慧、有想法，年屆八十多歲的托勒密選擇時年二十二歲的年輕兒子為繼承人，而非三十二歲、較年長的兒子「霹靂」（Thunderbolt）。這個決定很明智：霹靂是只會搞砸事情的精神變態者。西元前二八三年，托勒密去世──亞歷山大的諸多後繼者裡唯一得到善終者──托勒密二世順利繼位，「霹靂」則逃到外地，尋求建功立業。

在沿地中海某處地闖下殺人之事後，霹靂逃奔塞琉古，並誘使他奪取原帝國的西部領土。如今，塞琉古已七十五歲，是諸多後繼者裡唯一在世者，竟樂於接下這挑戰。隨他出征的長子安條克斯（Antiochos）本身具有一半波斯人血統，在父子倆建立從敘利亞綿延至巴基斯坦的希臘帝國期間，這一身分有助於此大業的完成，塞琉古也因此有了「勝利者」（Nicator）的稱號。一如亞歷山大，勝利者熱中於創建新城，他建造的兩座城分別是位於東部的塞琉西亞（Seleucia，今巴格達附近）和位於西部的安條克（Antioch，今土耳其安塔基亞／Antakya）。當他按照同盟協議娶了新的年輕妻子絲特拉托妮凱（Stratonice）時，兒子安條克斯卻生病了。老國王詢問御醫，發現兒子其實愛上他的新妻。塞琉克於是把王位和這個女孩都送給

32　托勒密的埃及籍顧問祭司馬涅托（Manetho）本身是優秀的歷史學家，他將埃及歷任法老劃歸諸多王朝，至今我們仍使用此劃分體系。

33　以索馬（Soma）──亞歷山大陵墓──為中心規畫自己的國王轄區者是托勒密。他為亞歷山卓城增建了高達四百呎的法羅斯島（Pharos）燈塔、穆塞翁學院（Museion，意為「供奉繆斯之所」，英語museum的由來）。該燈塔為上古世界奇觀之一；該學堂則以研究亞里斯多德學為宗旨，設有一座圖書館，並打算將世上所有著作譯成希臘語，並入館藏。他歡迎整個希臘世界的知識分子前來亞歷山卓。

兒子，藉此確認了繼任者並治好兒子的病。他宣布兩人的婚事，為他們加冕為亞洲的國王、王后，是為塞琉古王朝的開基者。

回西部之前，塞琉古率兵進入旁遮普，並於此意識到自己擴張的極限。西元前三〇五年，他與一新王朝起衝突，該王朝的統治者是可能見過亞歷山大的印度籍國王。

在此之前的二十年，華氏城（Pataliputra，今巴特那／Patna）的難陀王朝（Nanda）國王不得人心，旃陀羅笈多・孔雀（Chandragupta Maurya）——也許曾為亞歷山大提供印度事務方面的意見——率領眾人起義，推翻了該王朝。旃陀羅笈多可能是難陀王族成員的非婚生親戚，被母親藏了起來，在遠離宮廷之處撫養長大。據說有個叫恰納基亞（Chanakya）的廷臣[34]邀這個男孩就讀他位於塔克夏希拉（Takshashila，今塔克西拉／Taxila）的哲學學校。關於旃陀羅笈多，今人所知甚少，但他可能曾效力國王達納・難陀（Dhana Nanda），後來國王眼紅這名年輕將領的才幹，便命人殺了他，他這才離開。旃陀羅笈多最終拿下華氏城，當馬其頓在旁遮普的統治垮臺時，他也把版圖擴及該處。

西元前三〇五年，塞琉古來此，企圖奪回這些印度省分，可惜未能打敗旃陀羅笈多，隨後在印度河畔會見這位印度籍君王，割讓領土，同意聯姻，互換使節。希臘使節梅迦斯泰內斯（Megasthenes）完成《印度誌》（*Indica*）一書（多數內容佚失），他在書中描述了這個受到嚴密守衛的君王、他井然有序的帝國、他的都城華氏城（當時世上最大的城市之一）。旃陀羅笈多派人送給塞琉古一個對老督軍來說極為合用的禮物：印度春藥。而更是切合實際的，則是他送給塞琉古形同二十世紀裝甲師的大禮：五百頭戰象。之後，他將用這些戰象征服西部。

阿育王——轉法輪之王

七十五歲的塞琉古在二十二歲的兒子安條克斯和他的印度象部隊、斯基泰人戰車隊伴隨下，從巴基斯坦一路攻打到愛琴海，打敗所有對手。西元前二八一年，他們渡過赫勒斯滂，但就在塞琉古——亞歷山大唯一在世的友伴、和托勒密同為最有才幹的友伴——駐足欣賞一座古祠時，邀他進入希臘的精神變態霹靂竟刺殺這個老邁的勝利者。然後，他控制軍隊，率兵進入馬其頓，奪取王位。情勢轉變令人措手不及，卻也維持不久。霹靂命喪戰場，亞歷山大的諸後繼者間的攻伐至此告終。塞琉古家族據有敘利亞、伊拉克、伊朗；托勒密家族統治埃及、以色列、黎巴嫩。

老托勒密的女兒阿爾西諾埃（Arsinoe）在希臘處境艱難而且無力改善：兩度嫁給征戰國王，兩度喪夫，她想要擁有她應有的權力，於是前往亞歷山卓投奔她的弟弟托勒密二世。阿爾西諾埃誣陷他的妻子計畫殺害法老，要人殺了她，然後自己嫁給托勒密二世。這一亂倫之舉，埃及人樂見，希臘人卻是極度反感。有個名叫索塔戴德（Sotades）的諷刺文章作家寫道，「你把你的雞巴插入一個邪惡的洞裡」。托勒密二世便命人把索塔戴德封入鉛棺，丟進尼羅河。托勒密二世稱自己和妻子為「手足愛人」（Philadelphoi）——具神性的法老夫妻。

34　旃陀羅笈多以半神話人物恰納基亞為師。曾有很長時間，人們相信《政事論》（*Arthashastra*）一書至少有部分內容出自恰納基亞之手。該書旨在指引當權者如何保住權位：「有時輸掉戰爭會和打贏戰爭一樣容易。戰爭無法預料。務必要避戰。」恰納基亞懂得政治的精髓，說「治理得當的根本，繫於成功的自我克制」，而且他用印度自古即有的輪子意象來描述諸王國組成的圈子（rajamandala），即環繞於強大帝國周邊的諸朝貢國。《政事論》確認出自考底利耶（Kautilya）之手；而過去人們認為，這是恰納基亞的另一個名字，但如今咸認為，恰納基亞並非該書作者。

這對手足愛人凡事都追求氣派奢華——即希臘人所謂的*tryphe*[35]——把他父親的圖書館打造為世上收藏最豐的圖書館，廣邀各個民族前來定居亞歷山卓，不久該城居民就達百萬，包括希臘人、埃及人、猶大人。他委請說希臘語的猶大人將《摩西五經》翻譯成希臘語時，促使非猶大人也能取得《聖經》一讀，此舉日後將帶來改變世界的結果。

西元前二七五年，為慶祝他們如日中天的權勢，阿爾西諾埃和手足愛人托勒密舉辦了一場神聖的慶祝活動，其中包括閱兵、商品交易會：八萬士兵以整齊步伐走過亞歷山大城區，還有花車和宙斯、亞歷山大、兩個手足愛人的雕像、大象、花豹、長頸鹿、犀牛、身著本族服裝的努比亞人、印度人代表遊街。努比亞人宣傳托勒密與庫什統治者（qore）阿爾卡馬尼（Arkamani）貿易之事。阿爾卡馬尼以其位在麥羅埃（Meroe）的都城為基地從事貿易，在那裡建造了許多至今仍屹立的金字塔，他把戰象賣給托勒密二世。至於印度人，這場慶祝活動的主題便是狄奧尼西奧斯（Dionysios）從印度返回——而托勒密二世已在埃及、阿拉伯半島的紅海岸建立了新口岸，用以和印度皇帝阿育王貿易。由此，阿育王誇稱他和希臘人的關係，並在銘文裡提到手足愛人托勒密。

阿育王約出生於他的祖父旃陀羅笈多把戰象送給塞琉古時，而且也只是承繼這個日益擴大的帝國的可能人選之一。西元前二九七年左右，旃陀羅笈多遜位以全心投入耆那教苦行，便把王位傳給他的兒子賓頭娑羅（Bindusara）。賓頭娑羅維持父親和塞琉古王朝的友好關係，請安條克斯送來無花果、葡萄酒以及一名希臘哲學家。賓頭娑羅任命阿育王為西北部省長，坐鎮塔克西拉和鄔闍衍那（Ujjain），在鄔闍衍那，阿育王愛上商人之女提毗（Devi）——全名毗底沙—摩訶提毗（Vidisha-Mahadevi）——後來佛教徒聲稱，她和佛陀有親緣關係。

西元前二七二年，賓頭娑羅垂死於床榻之際，阿育王和其他兄弟彼此廝殺，並一一除掉他們。據某傳說，當時他不討人喜歡，而且苦於某種暈眩的痼疾（可能是癲癇）。他自稱「神所鍾愛者」（Devanampiya）和「仁慈者」（Piyadasi），沿著東海岸往南擴張，孔雀王朝非把東海岸納入掌控不可：「仁慈之王征服羯陵伽（Kalinga），十五萬人遭流放，十萬人遭殺害，死亡的人數更是好幾倍之多」，「羯陵伽遭吞併」。他率領七百頭象、一千名騎兵、八萬步兵的大軍，在包含女弓箭手的侍衛隊保護下，可能征服了從阿富汗至孟加拉且南抵德干高原的廣大土地——或許是英國入主之前，印度土地上版圖最大的國度。天下太平且大可高枕無憂之際，他在他篤信佛教的愛人提毗鼓勵下，做了他認為該做的事。他在帝國各地豎立起三十三座引人注意的石刻文書，其中一則刻文寫道，「吞併羯陵伽後，神所鍾愛者感到懊悔。」[36]這場殺戮「令神所鍾愛者極為悲痛，深深難以釋懷」，他甚至提到奴隸所受之苦。

他更改名號為「轉輪王」（chakravartin）和「法王」（dharmaraja），「勤行佛法，希求佛法，教導佛法」，佛法是遍行天下的正法，佛陀的根本教義之一。他提倡寬容和和平——「讓所有教派得到根本的提升……教派與教派應互相尊重。」根據佛教史料，他打開安放了佛舍利的最初八個塔的其中七個，建造了八萬四千座寶塔——顯然是誇大之詞——以便將舍利更廣為散發後有安奉之處。他也促成第三次佛教結集（the Third Buddhist Council），派僧伽四處弘法，並由他的兒子摩哂陀（Mahendra）、女兒僧伽蜜多（Sanghamitra）帶領僧伽團。不只往南至斯里蘭卡弘法，還往西向五名希臘籍國王弘法——就在希臘籍總

---

35 托勒密二世據說有九個情婦，其中最令人頭痛的，是戰車競速的佼佼者希臘籍美女貝莉絲提凱（Belistiche）。儘管依規定，女性不得參加奧林匹克大賽，但不知用什麼辦法，她竟在比賽中奪冠，並以托勒密二世愛人的身分搬到亞歷山卓：兩人生了一個兒子。這個魯莽大膽、喜歡玩樂的女運動員名氣甚高，因而她死時，托勒密二世把她神格化，葬在薩拉皮斯（Sarapis）神廟裡。

36 除了靠他所留下的刻文，今人對阿育王所知甚少。這些刻文，顯然受到波斯偉大的王的銘文啟發，本段陳述都以這些刻文為本。其內容所述或許有所誇大。這段陳述也利用了來自斯里蘭卡觀點和印度佛教、婆羅門教資料中，那些晦澀不明、彼此矛盾的神話。

督狄奧多托斯（Diodotos）奪取阿富汗、塔吉克兩地的局部地區，自建希臘—大夏王國之時。

阿育王得靠名為正法官（dhamra-mahamattas）的特殊官員來貫徹其佛法：「刻下此法敕，以使其長存……直至我的兒子、孫子去世之時……」根據佛教史料，他的信仰受到家族內的婆羅門抵制。與此同時，在東方，有個征服者正準備首度一統中國。

虎狼之心：秦人進場

西元前二四七年，窮兵黷武的秦國不幸地由十三歲的男孩嬴政繼承王位。嬴政受到母親支配，處境極為不堪，而且他的母親據說著迷於有著巨根的面首。這個嗜殺成性、聰穎、半瘋狂且饒有遠見的國君，便是從如此時運不濟的環境下展開大業，最終一統中國。

嬴氏一族於西元前八六〇年代擔任周王的養馬官，自此發跡。此後數百年，這個家族治理位於文明世界邊緣的西北偏遠小封地，被周人視為夷。在後來被稱作「儒家思想」的道德觀念只得到少許擁護的時代，秦人將封地打造成殘酷又有效率的勢力，在戰國時期——七個王國不斷相互攻伐以爭奪一統中原的數百年間——日益壯大。秦統一前的一百多年，秦孝公任命商鞅為左庶長，商鞅執行「連坐法」，即將氏族擺在個人之上的體制，把人民編入由數個家戶組成的什伍組織，施行鄰里連坐制：「不告奸者腰斬，告奸者與斬敵首同賞。」商鞅後來遭處決，但生前就開始執行秦國的侵略性擴張。

經過一連數位無能的國君，秦國迎來嬴政當家。他的父親異人原未想過自己會成國君，但在趙國當人質時，他遇見商人呂不韋，呂不韋有美妾名趙姬。異人愛上趙姬，呂不韋把她獻給異人。後來異人成為國君（秦莊襄王），任命呂不韋為丞相，趙姬則生下男孩嬴政。後來，與嬴政為敵者自然聲稱他的生父是呂不韋，而非莊襄王。

西元前二四六年，莊襄王去世，十三歲的嬴政只能等待時機一展抱負，因為有呂不韋和母親在背後輔政。這時，呂不韋和趙姬私通，後來呂不韋深感不安，於是把「大陰人嫪毐」*送給她，好讓王太后疏遠他。為讓趙姬得知他天賦異稟，呂不韋要嫪毐就著淫樂起舞，然後據說命嫪毐「以其陰關桐輪而行†，令太后聞之，以啗太后。」這一奇技展示奏效。王太后上鉤。後來，嫪毐與趙姬偷偷生下兩個兒子，並獲封長信侯，他自信能智勝年輕國君，把其中一子送上王位。在東亞的王國裡，女人往往積極參政——而以淫亂無度為由譴責女性統治者則是古往今來貶抑女人統治的方法之一。另一方面，在人治的君主國裡，私生活和政治生活密不可分；要贏得存有戒心的國君信任，先決條件是近在國君身旁且了解國君的喜怒哀樂；比起男人，女人受性或友誼影響的可能性，既不會較高，也不會較低。不管他的陰莖有多大，面對這個年輕國君的「虎狼心」，嫪毐不是對手。嬴政令人生畏，據秦國軍官尉繚的說法，其為人「蜂準，長目，摯鳥膺，豺聲，少恩而虎狼心」，但他有時又極有魅力，厚賞「衣服食飲」給來訪賓客。

西元前二三九年，二十歲的秦王聽從客卿李斯的建議，挑釁嫪毐謀反。嬴政打敗嫪毐，誅殺全族，嫪毐遭處以五馬分屍之刑，然後流放王太后。嬴政極善於操縱人，有時親切和善，有時掠奪成性。尉繚說他「居約易出人下，得志亦輕食人……誠使秦王得志於天下，天下皆為虜矣。」

嬴政以其和李斯合擬的速戰速決戰役，滅掉與之爭雄的六國中的三國。西元前二二七年，燕王派來兩名刺客，要他們趁向嬴政獻上地圖和一叛徒首級時刺殺嬴政。嬴政於其都城咸陽（今西安附近）的宮殿

---

* 譯注：「大陰人」為巨根之人。

† 譯注：將陰莖插入輪子中心，使桐木車輪轉動。

（晚近考古學家已發現該處）接見這兩人，而嬴政的威勢著實讓這兩名刺客不寒而慄，只能一味地俯首。其中一名刺客抽出匕首，刺向嬴政，嬴政抽出劍，邊打邊退，最終砍斷兩名刺客的腳。不久，嬴政滅掉燕國和其他國家，西元前二二一年滅掉最後一國齊國，中國首度一統——其代價是百萬條左右的人命：「寡人以眇眇之身，興兵誅暴亂，賴宗廟之靈，六王咸服其辜，天下大定。」

三十八歲的秦王政自封始皇帝——第一位皇帝，一個神聖且具宇宙論意涵的頭銜——誇稱自己是成就天下太平的第一人。秦始皇創造了具政治實體身分的中國，透過四十個郡統治，收繳所有兵器，熔鑄為十二個巨大銅人，放在宮裡，增建上述位於咸陽的宮殿和遼闊的「上林苑」，苑中有更多宮殿。他建造了五百哩長的馳道和彼此相連通的多條運河，而那條馳道只是總長四千兩百哩的多條道路之一。在北方，戰事未平，以蒙古為基地的游牧民族聯盟「匈奴」襲擾帝國：嬴政於是開始修建長城，以把領土擴及至對匈奴的季節性遷徙極為重要的草原。他所興建的道路和長城，部分段落如今仍存。

他永世為皇帝的唯一阻礙，是他和所有人都逃不過的死亡：他一心想要長生不老，於是請教方士，方士建議透過赴聖山朝拜或入海找仙人居住之島以得到永生，便派船隊出海尋找。

秦始皇行蹤向來保密，在又經歷兩次暗殺未遂事件後這麼做很合理。意識到丞相對他的行蹤始終一清二楚後，他下令將隨從一律誅殺。他的方士開始說他「剛戾自用」、「貪於權勢」後，他展開暴政，處決了四百六十名術士。秦始皇有數十個小孩，偏愛長子扶蘇，未想扶蘇同樣批評他，便遭遣去守邊。

秦始皇巡遊、視察工程時，想必有許多人親眼見過他：有天，來自河南、農民出身的小吏劉邦，押解一些犯人前去驪山勞動，有幸親眼見到他。這個年輕地方小吏日後將登上九五之位，但在那一刻，大概沒人會相信此事。

嬴政逼七十萬奴工在咸陽東邊三十哩處的驪山建造巨大陵墓，該墓為四邊的錐體，位在高四百呎的人造山體裡，墓中展現秦始皇的磅礴恢宏——這位皇帝在天地間扮演獨一無二且神聖的角色。他的陵墓超越其他地方的任何人造物，只有埃及古夫金字塔能與之媲美。它是世界史上最令人驚歎的建築工程之一。[37]

秦朝中國和北印度的確有接觸。首度使用秦一詞，不只指稱一王朝，而且指稱中國那個廣闊國度者，大概是阿育王和其廷臣。中國人則自稱「位處中央的國家」（The Central Country，即「中國」）。但就在秦國一統中國時，阿育王就要失去印度了。

阿育王衰微之事，只能在不盡可信的傳說裡找到，其中有佛教傳說，有印度教傳說，但他可能愛上妻子的女僕帝舍羅叉（Tishyaraksha）——歌女暨舞女——她不但敵視佛教，還勾引他最寵愛的兒子鳩那羅（Kunala）。接下來雙方攤牌，帝舍羅叉和鳩那羅都被弄瞎。年輕妻子和年邁國王處不好。另一個兒子三缽羅底（Samprati）大權在握時，年老體衰的阿育王無力改變。[38]印度貨物，或許還有中國貨，日漸來到托勒密王朝的紅海口岸，托勒密王朝再轉賣到地中海地區。西元前二三六年，「施惠者」托勒密三世（Ptolemy III Euergetes）在托勒密家族獨有的謀殺—亂倫糾葛中成親。

37　秦皇始的想法是在死後世界重現他的帝國。在描繪天和星辰的穹頂下方，流著象徵長江、黃河的水銀河流，河道內壁以青銅鋪就，還有七千五百名陶兵俑守衛墳墓入口，有機弩強化防盜。這些兵馬俑不同於此前中國人所製作的任何雕塑像，體形、面容寫實。有些兵馬俑留著小鬍子，有些頭髮挽成圓髻，有些挺著大肚子；多數兵馬俑眼睛各具特色；所有兵馬俑全副武裝，身披盔甲，手持兵器。大部分兵馬俑以數量有限的模組化零件拼成，但將軍俑大概是根據真人雕塑而成。這些兵馬俑或許受到發現於戰國墓中的較小人像啟發，但也有可能受到被塞琉古和其希臘籍同胞帶到東邊的希臘雕塑工藝影響。後人所知嬴政瘋狂、殘忍的離譜事蹟，來自西元前一世紀的史家司馬遷的記述，但這些記述其實可能在影射他的主子漢武帝。

38　阿育王之死引發凶殘的王位爭奪戰，不只諸王子爭位，婆羅門、佛教徒、耆那教徒、生活派（Ajivikas）也為王位繼承相鬥，西元前二三二年，阿育王的孫子、鳩那羅的兒子達沙拉塔（Dasaratha Maurya）勝出，好景不常的是，最後由阿育王的兒子三缽羅底奪取王位。三缽羅底是耆那教徒，非佛教徒。帝國於是逐漸裂解。

巴爾卡家族和西庇阿家族：迦太基和羅馬的權貴家族

托勒密家族成員間的愛恨情仇

托勒密二世打算將昔蘭尼（Cyrene，今利比亞）——五十年來，都是托勒密一世的繼子馬嘎斯王（Magas）和妻子阿帕瑪（Apama）統治——納歸埃及統治。在他的安排下，談定他們的女兒貝蕾妮凱（Berenice）和他的兒子「施惠者」的婚事。但身為塞琉古王朝公主的阿帕瑪想保住昔蘭尼作為塞琉古王朝的根基，馬嘎斯死於暴飲暴食後，她阻擋原計畫，反而請求馬其頓國王的兒子「美男子」德梅特里奧斯（Demetrios the Pretty）娶她女兒。一心想嫁給她位在埃及的堂兄弟的貝蕾妮凱，終究還是不情不願的嫁給只在乎自己美貌的德梅特里奧斯——後來受到她母親的勾引，兩人通姦。

貝蕾妮凱以家族一貫作風解決此問題。她帶著一隊殺手衝進母親臥房，丈夫和母親當下被抓姦在床。貝蕾妮凱立刻殺了丈夫，卻饒了母親，接著便得意洋洋前往亞歷山卓，和施惠者結婚。

埃及取得昔蘭尼；施惠者和貝蕾妮凱婚後七年間生了六個孩子，在這個凶殺頻傳的家族裡造就了難得幸福美滿的婚姻。托勒密王朝矢志稱霸地中海，而就東地中海來說，這意味著要和他們的表兄弟和對手——即仍統治從敘利亞至伊朗之地的塞琉古家族——競逐。精力充沛且具有領袖魅力的施惠者一當上國王，就看到了機會：他的妹妹嫁給國王安條克斯二世，未想安條克斯竟突然去世，使這對兄妹都可能受到安條克斯那些貪婪兄弟的傷害。施惠者乘船北上至塞琉古王朝都城安條克，猛地衝進宮裡，可惜為時已晚。他的妹妹和妹妹的小孩剛慘遭殺害，但他仍奮力掌握了從色雷斯至利比亞的沿地中海地區。在個人權勢最盛時，施惠者收到一城邦的求助：位在非洲的鄰邦迦太基向他借錢，以便攻打某一義大利城邦。

這兩個城邦看來勢均力敵，但迦太基作為地中海貿易帝國的首府，勢必打贏這一仗。迦太基的軍隊統帥是年輕將領哈米爾卡爾・巴爾卡（Hamilcar Barca），其家族將在接下來五十年主宰迦太基。哈米爾卡爾已育有三個女兒，但他離開迦太基奔赴前線之前，長子漢尼拔才出生不久。

非洲閃電和人祭：迦太基的巴爾卡

巴爾卡家族發跡於母城太爾（位於今黎巴嫩境內）：哈米爾卡爾的家族自稱「太爾的古巴爾卡家族」，不過，巴爾卡一詞也有閃電之意。根據迦太基城的創始神話，該城於西元前八一四年由迪多（Dido）——被自己兄弟皮格馬利翁（Pygmalion）趕出太爾的腓尼基籍公主——建立。迦太基——布匿語 Qart-Hadasht，意為「新城」——有兩座港口、城內有多座神廟、宮殿，神廟和宮殿皆築有高牆據守，人口七十萬，而位於突尼西亞的腹地境內則有數百萬子民。

這些腓尼基籍移民——自稱迦南人（Canani）——最初向努米迪亞（Numidia）的統治者納貢。後者為柏柏人（Berbers）的王國，柏柏人一詞源希臘語「蠻族」，他們則自稱馬濟格恩人（Mazigh-en）。柏柏人和腓尼基人最初通婚，最終迦太基人卻逼柏柏人納貢，並雇用騎術精湛的柏柏人——騎馬不用馬轡、馬鞍或馬鐙——把不願順服的柏柏人納為奴隸。

迦太基城已壯大為一個貿易帝國的宗主城：謝克爾（shekel）也已是地中海地區盛行的流通貨幣。迦太基的造船業者和希臘籍對手發展出稱雄於地中海的三列槳船和更大的五排槳木船。迦太基水手技術高明，可以從地中海航進大西洋，往南航行至非洲西部，並在此抓到三名非洲女人，剝下她們的皮，她們的皮囊後來在塔妮特神廟（Temple of Tanit）展示了很長一段時間。在非洲，迦太基人遇到巨猿，稱牠們為gorilla，因此西語的gorilla（大猩猩）一詞源自迦太基語。

迦太基人在神廟裡崇拜巴阿爾．哈蒙（Baal Hammon）及其妻子塔妮特，而且一如他們在太爾的遠親，以動物或人（危急時刻）在名叫托斐特（tophet）的特殊祭壇獻祭，後人已在托斐特發現人骨，而且通常是小孩的骸骨。他們不但和希臘人競爭，並與之貿易，也試圖融合他們的神梅爾卡特（Melqart，傳說中太爾的首任國王）和海克力士（宙斯和凡人母親所生下的兒子），連結起神和人。他們說腓尼基語（與希伯來語、阿拉伯語有許多共同之處的語言），和希臘人、努米迪亞人共處，不吃豬肉，幼時行割禮，穿袍服、戴耳環。迦太基是半民主的共和國，由彼此制衡的貴族家庭和人民大會管理，人民大會則由所有男性公民組成。[39]迦太基人藉由以奴隸為勞力且具生產力的農場、礦場，藉由貿易，取得資金，他們更是有效運用非洲象、努米迪亞籍騎兵、西班牙籍、凱爾特籍、希臘籍、義大利籍步兵和五排槳木船艦隊，將勢力擴及西班牙、馬爾他、薩丁尼亞、西西里，而且這些步兵部隊和艦隊的軍官都是貴族。

亞歷山大大帝臨死前，本計畫消滅迦太基，後來，迦太基與正逐步吞併義大利半島的城邦羅馬結盟，以對付亞歷山大眾多後繼者。結盟時間不長。羅馬把勢力擴及迦太人認為歸他們所有的西西里。西元前二六四年，本是小型代理人戰爭的衝突，升級為義大利共和國、非洲共和國之間的戰爭。

羅馬兵力充沛，可是沒有艦隊；迦太基倚賴傭兵，卻擁有地中海最強的艦隊。但不管何時，技術壟斷絕非長久之計。羅馬擄獲一艘迦太基船，並加以仿製，從而打造出第一支艦隊。戰場從西西里轉到非洲，再轉回西西里，雙方在陸上和海上互有勝敗。戰場重回西西里後，哈米爾卡爾騷擾羅馬在該島上的陣地，並襲擾義大利，自信勝券在握。然後，一支羅馬艦隊在海上打敗迦太基人。迦太基大感震驚。從未吞下敗仗的哈米爾卡爾奉命談和，被迫同意令人啞口無言的協議：放棄西西里、賠款。哈米爾卡爾卸下兵權，搭船返鄉，指控一對手派系暗中傷人。他底下那些未領到薪水的凱爾特籍傭兵叛變，揚言摧毀迦太基城：於是，他統領一支小型軍隊，並有非洲籍騎兵隊——由他的女婿、努米底亞王國王子所統率——為其靠山。經過三年苦戰（戰爭期間，遭圍的叛變士兵被迫以奴隸為食），哈米爾卡爾拯救了迦太基。只是沒想到，哈米爾卡爾這位風光的戰爭英雄、貴族冒險家、深得民心的人竟陷入險境。

貴族批評他，他反而求助於此時意欲申明自己想法的迦太基人民。他們為生存而戰時，羅馬人已違反條約，把薩丁尼亞也據為己有。哈米爾卡爾在人民大會以煽情手法爭取人民支持，提出一解決辦法——派小型遠征軍劫掠、征服西班牙，以籌措資金。迦太基在西班牙的加的斯（Cadiz）有個殖民地：該地的銀礦日後將為打羅馬人的戰爭提供資金。哈米爾卡爾的盟友「美男子」哈斯德魯巴爾（Handsome Hasdrubal）贏得上層人士支持，哈米爾卡爾則贏得廣大民心。

西元前二三七年，哈米爾卡爾以母牛頭獻祭其神祇梅爾卡特—海克力士，內臟占卜得吉時，他轉而問九歲的兒子漢尼拔想不想一起去闖闖。男孩熱切地同意，那時，他父親要他承諾「絕不可對羅馬人心慈手軟」。然後，他便率領一小支軍隊，其中包括他的努米迪亞籍女婿和騎兵、非洲象，繞過非洲，前往直布羅陀海峽，這時也是他的女婿的美男子則率領艦隊沿著海岸過去，把巴爾卡家族一行人送到海峽對岸的加的斯。

哈米爾卡爾攻克西班牙大部地方，拿下銀礦，把錢送回迦太基。漢尼拔師從一斯巴達哲學家學習歷史

39 人民大會每年選出兩名蘇菲特（Suffet，承平時期的統治者）和一名最高統帥或將軍委員會，以及擁有一〇四名成員、負責評斷並懲誡他們的評議會。將軍獲授予政治自主權，不過一旦怠忽職守，會被釘死在十字架上。蘇菲特是「權貴會議」（Adirim）的成員，該會議具有特殊影響力，由三百名權貴組成。蘇菲特、將軍、乃至權貴會議無法做出決定時，便向人民大會徵詢意見。

和希臘語，在戰場上，則跟隨其父親學習打仗。非洲境內努米迪亞人部落造反，哈米爾卡爾派美男子哈斯德魯巴爾回去平亂。未料西元前二二八年，在托雷多（Toledo）附近，由兒子漢尼拔、女婿哈斯德魯巴爾陪同征戰之際，哈米爾卡爾遭一結盟部落出賣。他的兒子、女婿策馬離開時，他們四十七歲的父親卻溺死在河裡。

軍隊推選巴爾卡的女婿美男子為統帥，以十八歲的漢尼拔為騎兵將軍。美男子創立新迦太基（卡塔赫納／Cartagena），而且是他想到要直搗黃龍，攻打義大利半島上的羅馬。可惜他們還來不及動身，他便遭暗殺，漢尼拔續掌兵權。不久，漢尼拔拿下西班牙一座與羅馬結盟的城市；羅馬拿下馬爾他，鞏固薩丁尼亞，計畫襲擊非洲，同時派兵要拿下西班牙。在權貴會議上，漢尼拔遭到對手攻擊，對手認為，迦太基不用再啟戰端也會繁榮興盛，漢尼拔則主張，羅馬絕不會尊重迦太基。人民支持巴爾卡家族。戰爭於是開打。

漢尼拔派一支西班牙籍部隊返國守衛迦太基，隨後輸入一萬兩千六百名柏柏人和三十七頭大象。他在加的斯附近島上的梅爾卡特—海克力士神廟獻祭，然後率十二萬人渡過隆河（Rhône）前往阿爾卑斯山，此際，羅馬執政官普布利烏斯．科爾內利烏斯．西庇阿（Publius Cornelius Scipio，老西庇阿）正從比薩出海要去西班牙攻打漢尼拔。

在與巴爾卡家族的軍事較量中，沒有任何家族的耀眼表現堪比西庇阿家族，而在諸多方面足以和迦太基相比擬的羅馬共和國，也沒有哪個家族比西庇阿家族更能代表該共和國的尚武貴族。

西元前七五三年，羅馬城建立，比迦太基晚了六十一年——但考古證據表明，該區早已有人類聚居。[40]羅馬最初由國王統治，接著先後由戰隊首領、上校（大概是貴族寡頭統治集團），然後，一如迦太基，西元前四二〇年左右發展成受貴族氏族支配的民主共和國，西庇阿家族則是這些貴族氏族的典型。[41]西庇阿家族是古老的有錢地主，渾身散發羅馬的尚武精神，羅馬歷來的執政官將有十六人出自該家族，其中有些人出任不只一次。羅馬最初是義大利諸多城邦之一，被薩賓人（Sabines）和伊特拉斯坎人（Etruscans）這兩個敵手包圍（羅馬早期的王有一些是薩賓人和伊特拉斯坎人出身），後來羅馬征服義大利半島上的所有鄰邦。然而，羅馬的崛起既非順利，也非勢所必然：它數次面臨高盧人入侵威脅，西元前三八七年，高盧人果真劫掠了該城——伊庇魯斯國王皮羅斯（Pyrrhus）、亞歷山大大帝的表兄弟，志欲打造帝國，西元前二八〇年入侵義大利，拿下一連串代價高昂的勝利（Pyrrhic victory／得不償失的勝利一詞典出於此）。

西庇阿家族完全體現出羅馬的男子氣概、侵略和守紀律性格，看重虔敬（pietas）、威信（dignitas），以及最重要的，美德。美德（*virtus*）的觀念源於*vir*（男人），具男子氣概且畏神的得體行為是男人本

40 羅馬開創神話以襁褓時遭棄、後來被母狼養大的兩兄弟為主角鋪陳，母狼象徵養育和凶猛，羅馬即以母狼為該城象徵。其中一人羅穆勒斯（Romulus）為該城邊界問題和兄弟雷穆斯（Remus）起爭端，並殺了他，成為以他命名之城市的首任國王——無疑是對家族權鬥悲劇的永恆訓誡。

41 羅馬所有重要公職，執政官（consul）、司法官（praetor）、護民官（tribune）都是民選：擔任公職者由幾種公民大會——百人團（Centuriate）或部族（Tribal）大會或平民（Plebian）大會——選出，會議地點往往是古羅馬廣場（Forum）的戶外集會場（Comitium）。義大利大半地方遭羅馬征服時，選民人數已多達九十萬，但真正投票者少了許多——三萬至五萬人；賄賂盛行；派系暴力猖獗。這些公民——全是男性，無女性，非奴隸——每年選出兩名執政官擔任政治、軍事領袖。歷來的執政官幾乎全是貴族，而由六百名貴族組成的羅馬元老院（類似迦太基的權貴會議），向執政官下達指示，一有危急時刻，任命獨裁官短期統治。這些貴族身穿民族服裝「托加袍」（toga），即擔任公職者的官袍，一種帶有紫色滾邊的白袍（而candidate一詞，便是源自candidatus，意為身穿選戰白托加袍的人）。貴族寡頭統治集團和平民之間的關係日益緊繃，後者所選出的護民官得以干預、否決法律。

42 色：男人主宰一家人（*familia*）。貴族家女兒由父親安排嫁給其他權貴；男人休妻容易，而且很常休妻。女人位居手下（*sub manu*）：父親、丈夫可依法處死女兒、妻子，身為女人就該表現出*pudicitia*——貞潔和忠誠——以確保孩子的血統純正，同時操持家務，不過問政治——但當然私底下仍發揮影響力。完成養兒育女的工作後，她們顯然樂於和其他貴族共享魚水之歡，甚至和奴隸上床——只要她們不張揚自己追逐性愛即可。一家人包含家裡的奴隸，奴隸就該忠於主子（*dominus*）及其家庭更甚於忠於國家。家奴，包括男奴、女奴，始終受到主子——和女主人——的性剝削。主子殺掉奴隸完全合法。在多達四成人口是奴隸的蓄奴社會，家庭和奴隸密不可分。不過，奴隸往往受過教育，有時得到主子尊重和愛。奴隸也常獲解放，而且得到自由之身後便能成為公民，後來甚至成為統治者。

羅馬的人民相信，羅馬之所以發達成功要歸功於主神，即最優秀、最偉大的神邱比特（Jupiter Optimus Maximus）。羅馬的宗教不講究教義、改善或救贖，而是講究儀式、生活方式，以向眾神獻祭來得到順遂、富裕人生為基礎。後來，羅馬人相信邱比特給了他們「無邊的帝國」。羅馬的壯大主要體現在元老院建築、後來的圓形露天競技場、劇場，以及宏偉的紀念性建築上，紀念性建築的首例則是位於卡匹托爾山（Capitoline Hill）上宏偉的邱比特神廟。浴場後來才出現：向來簡樸的西庇阿家族在別墅裡有座小浴場，但後來哲學家塞涅卡（Seneca）說：「它們散發出兵營、農場、英雄主義的氛圍。」隨著帝國誕生，人們開始講究乾淨。

西元前三世紀之初，大鬍子盧基烏斯．西庇阿（Lucius Scipio Barbatus）協助打敗了諸義大利敵軍組成的同盟，但更重要的是，他是第一個身世清楚的執政官，屬於一新成立的自由共和國，他於西元前二八〇年去世，在他氣派的墳墓上，意氣風發地誇說自己生前的軍事勝利和美德。他的兩個兒子也都出任執政官，並與迦太基人交手，只是其中的格奈烏斯（Gnaeus）遭俘，後來則被取了綽號「母驢」。

這時，大鬍子的孫子大西庇阿和格奈烏斯來到西班牙，赫然發現在這場兩共和國——以及兩家族——的對決中，他們中了漢尼拔的計，落居下風。

西庇阿、漢尼拔和馬西尼薩

西元前二一八年春，漢尼拔率領象隊和四萬六千部眾越過阿爾卑斯山進入義大利。多數大象於途中暴斃，但一路上他也結交到新盟友，即法國南部的高盧人。執政官老西庇阿把部分士兵留在西班牙，由格奈烏斯統領，自己則率兵搭船回義大利迎擊漢尼拔。在與他同名的二十歲兒子——日後贏得「征服非洲者」（Africanus）之名——大西庇阿伴隨下，老西庇阿想要在提基努斯河（Ticinus）攔住漢尼拔，結果在該處身受重傷，接著又想在特雷比亞河畔（Trebbia River）攔住對方，卻依舊潰敗，另一名執政官喪命於該處。西元前二一七年春，漢尼拔越過亞平寧山脈，因感染而失去一眼，攻進義大利中部。

經此教訓，羅馬人選法比烏斯．馬克西穆斯．維魯科蘇斯（Fabius Maximus Verrucosus）——Verrucosus意為「疣」——為獨裁官，改打消耗戰並騷擾對方，而不正面對決。但後來羅馬人嘲笑這個獨裁官懦弱，稱他為「拖延者」（Cuncator），兩名執政官隨即集結八萬大軍對抗漢尼拔。在坎尼（Cannae），迦太基

42　男人只消說「收拾妳的東西走人」，就能休掉妻子。貴族婚姻往往是政治婚姻，但並非全是如此。有時兩情相悅的夫妻被迫離婚，委身政治婚姻。孕婦在家生產，許多女人死於分娩。剖腹產時，母親無一存活，即使嬰兒保住（例如西庇阿）。嬰兒一出生若有缺陷，便淪為棄嬰，拋諸荒野任其自生自滅。大多數貴族女人將她們的嬰兒交給具有奴隸身分的乳母。在貴族人家，男孩、女孩一律接受教育，但女孩往往取上帶編號的家姓——例如西庇阿家族的科涅莉亞（Cornelia）——由此可見女孩的地位。男女未婚同居一事，稱作 *concubinatus*。後來，concubine 一詞意指未婚女人、妾，或更常見的，統治者後宮裡的奴婢。

包圍、屠殺了七萬名羅馬軍團士兵，一分鐘殺掉一百人。這時被選為護民官的大西庇阿親冒矢石，協助拯救了最後一萬名倖存者，可惜此役仍是羅馬最大的敗仗。貴族執政官盧基烏斯・埃米利烏斯・保盧斯（Lucius Aemilius Paullus）喪命；然後，大西庇阿娶這位已故執政官的女兒埃米莉亞（Aemilia）——理想羅馬女孩的典型。

漢尼拔蒐集羅馬騎士（*equites*）屍體上的圖章戒指，並指派弟弟馬戈（Mago）前往迦太基，到了那裡，馬戈竟突然將大把戒指撒在權貴會議的會場地板上。而漢尼拔的柏柏籍騎兵指揮官馬哈爾巴（Maharba）力促他強攻羅馬時，他卻斷然拒絕。馬哈爾巴說，「你懂得如何征服，卻不懂如何贏得最終勝利。」漢尼拔反倒向羅馬元老院送出合情合理的和平條款，暗示他的遠征是為了逼迫羅馬承認迦太基屬西班牙，他也許將返回西西里，此行不是為了征服義大利。

在羅馬，全城人心惶惶。四名叛徒——高盧人、希臘人——遭活埋於羅馬廣場，藉活祭他們拯救已損失二十萬男子的羅馬共和國。羅馬在義大利內外的盟邦，包括馬其頓，一一變節靠向漢尼拔。「拖延者」法比烏斯・維魯科蘇斯恢復秩序，以宗教儀式淨化全城。軍隊中的護民官討論著放棄義大利時，只見大西庇阿衝進會場，拔出劍，要他們「發自肺腑」誓言「絕不會棄我們的祖國而去。如果存心違背誓言，就讓最偉大、最優秀的神邱比特要我和我家人死得顏面掃地！一起發誓！」他們依言發誓。羅馬人臨危不亂，繼續抵抗。

西庇阿家族另兩名較年長的成員先前已被派回西班牙，並打贏漢尼拔的弟弟哈斯德魯巴爾・巴爾卡，但這時，西元前二一一年，他們雙雙喪命。二十五歲的大西庇阿一心要報父仇，要求掌兵權，而由於此外無人毛遂自薦，他和他的軍隊便登陸西班牙，並於西元前二〇九年打敗哈斯德魯巴爾——正帶兵離開以增援漢尼拔。大西庇阿既有過人的幹勁，又不乏深思熟慮的外交作為：由此他以耽溺於女色而臭名遠播，他的手下為討他歡心，便送上一名俘虜——西班牙最美的女人——他卻把她還給她的未婚夫、一名西班牙籍酋長，對方因而感激在心，隨後加入羅馬陣營。

哈斯德魯巴爾・巴爾卡率部啟程，企圖前去增援漢尼拔，他帶著另一隊象隊，千辛萬苦地越過阿爾卑斯山，衝進義大利，沒料到，竟在梅陶羅河畔（Metauro River）和蓋烏斯・克勞迪烏斯・尼祿（Gaius Claudius Nero）統領的一支羅馬軍隊交手而喪命。尼祿是貴族名門之後，尤利烏斯—克勞迪烏斯王朝（Julio-Claudian dynasty）諸皇帝的先祖，他把哈斯德魯巴爾的頭顱拋過圍籬，丟進漢尼拔的兵營裡。

巴爾卡家族中的兩兄弟保住性命：漢尼拔置身義大利已將近十五年；他未嘗敗績，但也擊敗不了羅馬。他無法給予致命一擊。羅馬人受到沉重打擊，然相對於迦太基人，他們有一優勢——有五十萬可從軍的人力，每年有其中一成至兩成五服役，反觀漢尼拔，相當倚賴傭兵，而且壞消息接二連三。大西庇阿擊敗馬戈，征服西班牙；努米底亞人造反；漢尼拔的敵人在迦太基批評他，就在大西庇阿正勸元老院讓他攻打非洲之時。拖延者反對此議，然而西元前二〇四年，三十一歲的執政官大西庇阿統領三萬五千人登陸非洲。

大西庇阿說服非洲籍王子馬西尼薩（Masinissa）——他的父親是迦太基人的長期盟友——改投其陣營。馬西尼薩是「當今之世所有國王麾下最優秀之人」，也是精明且足智多謀的努米底亞籍騎兵，生了四十四個孩子。有了他助陣，大西庇阿得以和漢尼拔的騎兵隊相抗衡。大西庇阿圍攻烏提卡（Utica）遭迦太基人攻破時，大西庇阿索性伏擊迦太基人兵營，屠殺四萬士兵，迦太基城經此慘敗，元氣大傷，始終未能恢復。大西庇阿承認馬西尼薩為柏柏人統治者，馬西尼薩建立努米底亞王國，與羅馬結盟。四十六歲時，漢尼拔被召回：他已有二十五年未曾踏上迦太基土地；馬戈死於返國途中。此後，漢尼拔和大西庇阿將在非洲正面對決。漢尼拔集結四萬兵力和八十頭大象，大西庇阿兵力較少，但由於國王馬西尼薩鼎力相助，騎兵人數反而更多。

西元前二〇二年十月十九日，在札馬（Zama），大西庇阿幾乎擊潰漢尼拔，未想後者的大象發狂，衝入己方陣營的部隊裡。這場戰爭導致西庇阿、巴爾卡兩家族多人喪命。漢尼拔留在迦太基，並獲選為蘇菲特（suffete，迦太基領導者），支付賠款，支持民主改革，使權貴會議每年改選，而非終身職。拜馬西尼薩的農業長才之賜，他的王國後來成為羅馬不可或缺的穀物來源之一，他本人則創立了統治達兩百年的王朝。

大西庇阿自此擁有無人能及的神聖權力（*auctoritas*），獲授予凱旋殊榮，[43]又獲授以終身執政官職和獨裁官官職；而在遭批評奢侈、追求排場後，他只接受「征服非洲者」這個表彰其功績的附加名（*agnomen*）。[44]接著，他退休而去。

唯恐迦太基在漢尼拔統治下東山再起，羅馬便派使者前去逮捕，或說是引渡他。漢尼拔往東逃到塞琉古後裔安條克斯三世的王廷，此時的安條克斯正在東方戰場上拿下驚人的偉業。

德梅特里奧斯、印度人之王

安條克斯三世（Antiochos the Great）的個性易焦慮緊張、過度激動，身形削瘦卻雄心遠大一如其家族開創者。他征服了土耳其、伊朗、伊拉克三地的許多地方，甚至攻入阿拉伯半島和印度。在大夏，他的總督歐提戴摩斯（Euthydemos）已宣告獨立，在巴爾赫（Balkh）堅決抵抗安條克斯。安條克斯無法擊敗他，索性把女兒嫁給這位總督的十六歲兒子、瀟灑的德梅特里奧斯。德梅特里奧斯是當時最不凡的人物之一，承繼他希臘父親的大夏國王之位，然後在西元前一八六年入侵印度，時值印度阿育王的王國已瓦解。德梅特里奧斯就此開啟長達兩百年的希臘—印度混合統治時期（比英國統治印度時期還久）——印度人稱之為達摩密塔（Dharmamita），希臘人稱之為阿尼凱托斯（Aniketos，無敵者）——並以塔克西拉（今巴基斯坦境內）為都城。這位雅瓦納國王（Yavana，希臘—印度的）將印度眾神、希臘眾神融為一體：在錢幣上，可見他戴象牙、巨蟒王冠，連結起海克力士、佛陀、可能還有婆羅門教女神吉祥天女（Lakshmi）。[45]

安條克斯三世收下德梅特里奧斯送來的一批大象，騎象往西，拿下希臘。然而，他卻收容漢尼拔，納為顧問，自此和羅馬為敵：羅馬人很想算舊帳，並意識到他們得控制希臘——一處抵抗他們的天然中繼地。他們找來西庇阿家族的征服非洲者和其兄弟盧基烏斯，兩人先在海上擊敗漢尼拔，緊接著在陸上擊敗安條克斯。盧基烏斯因此贏得附加名「征服亞洲者」（Asiaticus），只是西庇阿家兩兄弟遭控收受安條克斯賄賂、任漢尼拔逃走。征服非洲者搗毀暗示漢尼拔有罪的泥板，替漢尼拔求情，但羅馬一心要將他緝捕到案。這名武將遭包圍後服毒自殺，和大西庇阿死於同年。大西庇阿憤恨於羅馬不知感激，要人在他死後將他葬於他在利特努姆（Liternum）的別墅，而非羅馬，墓志銘寫道：「不知感激的祖國，你連我的骨頭都

---

43 凱旋便是勝利遊行，獲授予凱旋者，先與其軍隊等候在羅馬城外，臉塗上鉛丹以肖似邱比特，並有一名奴隸隨行並低聲念著「*Memento mori*」（切記你是不朽者），然後帶領士兵（士兵唱著關於他們將軍的淫誨歌曲）、一車車的戰利品和上了手銬的戰俘，浩浩蕩蕩穿過喜氣洋洋的羅馬城，以獻祭和接著將特別重要的戰俘勒死在地牢裡作結。

44 只有西庇阿家族等最尊貴的羅馬家族，全名中才會有三個字（*tri nomina*）：先是個人名（*praenomen*），即普布利烏斯，再來是氏族名（clan *nomen*）科爾內利烏斯，最後是家族名（*cognomen*）西庇阿。大多數羅馬人的名字中，只有兩個字；奴隸則只有一個字。附加名是綽號，往往讓人發噱，或是元老院為表彰功績而賜。附加名「征服非洲者」是元老院所賜的勝利名，後來由子孫代代承繼。

45 德梅特里奧斯的後繼者之一梅南德（Menander／Milinda，米林達），統治印度西北部和巴基斯坦，並以希臘巴亞琉斯（basileos）和印度摩訶羅闍（maharaja）的形象示人：「有學問、口才好、有見識、有能力」，信奉這時尚未以雕像呈現的佛陀，但這些希臘君主可能影響了他作為人的形象呈現。梅南德去世時，他的遺孀阿嘎托克萊亞（Agathokleia）憑自身實力成為女王——希臘化世界和印度人世界的第一人。

得不到。」大西庇阿可能也遭毒死。

吞下羅馬敗仗後，安條克斯放棄向歐洲擴張的念頭，承諾交出他的象隊和艦隊，送他的較年幼兒子前往羅馬當人質，但他保有伊朗、伊拉克，奪下敘利亞、猶大兩地全境，善待猶大人，給予他們半獨立地位和在耶路撒冷神殿膜拜的自由。就情勢看來，塞琉古家族似乎將消滅與他們有堂表關係的托勒密家族，並拿下埃及，把亞歷山大所征服的地區再度納歸一朝統治。在此期間，中國的秦朝已創建一全新的大帝國。不過跡象顯示，並非事事順利：秦始皇乘船沿海岸南來北往，用巨弩射鯨，尋找海中長生不老之島。

秦朝的鹹魚：無賴出人頭地

秦始皇四十九歲駕崩，時值與二十一歲太子胡亥在外巡遊之際。胡亥是秦始皇的第十八子，最得寵，秦始皇則可能是被他自己摻了汞的長生不老藥毒死。他的宰相、七十歲的李斯，密不發喪：每天照樣進獻餐食給秦始皇，而他的宦者亦有模有樣向「轀輬車」呈送奏章，只是屍體很快就臭不可聞，於是李斯買來一車鹹魚以掩蓋屍臭。李斯和胡亥的宦官趙高決意擁立胡亥，以續掌大權。

秦二世來到都城咸陽，登基為帝，他的父親葬在皇陵，並有九十九名未生出兒子的嬪妃殉葬。她們的年輕骨骸已被人找到，從中可看出她們死於非命——有個女孩仍戴著珍珠。造陵工人遭殺害，丟入集體墓坑，諸皇子則在主廣場遭肢解。

境內逐漸出現叛亂。西元前二〇九年八月的河南，兩名保鑣負責押送九百名囚犯，途中遇大雨，無法如期抵達目的地。心知按照秦律，逾期者，一如逃跑者，皆斬，於是他們決定「今（逃）亡亦死，舉大計亦死，等死，死國可乎？」其中一人說，「王侯將相寧有種乎！」（王侯將相都生下來就獲賜高位？）與此同時，有個名叫劉邦的亭長，即曾親眼見過秦始皇的那個來自華中的農民，也押解犯人到驪山興建秦始皇皇陵。一些犯人逃走，依法劉邦和他押解的人都要處死，他索性放走所有犯人。他殺掉當地縣令時，更多人投入他麾下。

劉邦小時候總在村裡遊手好閒又愛惡作劇，因此被他的父親稱作「無賴」，不過，他也和藹可親、開朗、忠心。他發跡甚晚，曾是當地一貴族的門客和亭長，慢慢才出人頭地，令他所遇見的那些人深感敬佩，其中有個叫呂公的人，見劉邦相貌不凡，認為將來必定前途大好，於是把他女兒呂雉嫁給他。這時四十七歲的劉邦，投入群雄並起的戰爭，各地豪強在戰爭中據地稱王。

秦二世治國失當：西元前二〇八年八月，宦官趙高構陷丞相李斯，李斯因而被判受五刑。這種恐怖刑罰大概是秦始皇所創，自此將沿用千百年：先在受刑人臉上刺青並塗上墨，然後割掉鼻子，使腳脫位然後截掉，割掉生殖器，然後腰斬。[46]趙高造反，攻入皇宮，逼迫秦二世自盡，然後扶立聽話的皇子子嬰為帝，只是為時已晚。

西元前二〇七年七月，劉邦攻入都城，俘虜子嬰，以確保近日征服的人民忠誠於他，並宣布減輕秦朝的嚴刑峻罰。與群雄交戰五年後，西元前二〇二年二月，劉邦擊潰對手，接受皇帝稱號，死後被尊為漢高祖。漢高祖把帝國分封給家族成員，在距已成廢墟的咸陽城不遠處建新都城長安。他納了許多妃子，而正室依舊是元配呂雉。呂雉替他生了一兒一女，只是高祖擔心兒子「為人仁弱」，難當大任。而得高祖寵愛的，是年輕的妃子戚夫人及其子劉如意，高祖已允諾改立劉如意為太子。此舉引發兩位母親之間的凶狠較量，而這樣的較量也將會是多數中國宮廷的一大特點。

---

46 已是丞相的趙高，逼群臣作忠誠測試，藉此愚弄皇帝：他送上一隻鹿，然後堅稱那是馬。秦二世問，「丞相誤邪？謂鹿為馬」，未想群臣竟附和趙高。這是每個領導人都記謹記在心的故事，也是見諸記載的第一個操縱他人心理、使其開始自我懷疑的例子。

高祖農民出身，是個吃苦耐勞、不矯飾且一喝酒就易過量的士兵。有次，他在往日的村落停留，擊筑而歌，訴說自身離奇的崛起：

大風起兮雲飛揚，
威加海內兮歸故鄉。
安得猛士兮守四方？

漢朝以「海內」一詞稱中土自身；要克服的難關是守四方，尤其要防範北方的馬上民族來犯。馬上民族組成聯邦，襲掠漢人城市，日後有時還會征服中土全境。這些匈奴的首領是冒頓，他身為單于——王——已把這些馬上部族統合為一個聯盟，而且該聯盟勢力擴及滿洲、西伯利亞東部、中亞，挑明不喜漢人的擴張：是為三大乾草原帝國的第一個。西元前二〇〇年，漢高祖攻打冒頓，不久卻反遭冒頓包圍。高祖急欲脫身，於是承認冒頓地位並納貢，把漢朝一公主嫁給他，是為和親之始。和親時中原王朝把公主嫁給這些較文明的蠻夷，同時以數千匹絲綢賄賂。冒頓兩樣都得到。

劉邦征戰不休。某次被圍時身中流矢，後來傷重，性命垂危，對著一起打天下的老臣憶起當年的豐功偉業。他死後，由仁厚的長子繼位。可惜他被皇太后呂氏控制，一個既有能力，又讓人膽寒的女人。

女惡魔：觀人彘

漢惠帝繼位時才十五歲，所有決策自然由他母親一手操持，包括奉母后之命娶了自己的外甥女，但兩人一直生不出小孩。呂后要皇帝、皇后收養戚夫人生下的兩個兒子，同時密謀殺害了那個親生母親。

呂后決心徹底讓戚夫人的野心斷念，呂后首先要對付的，便是先帝年僅十二歲的趙王劉如意。惠帝一再出手阻撓，這男孩才免於遭呂后毒手，但有次惠帝出外打獵，呂后竟乘機毒殺了他。兒子既除，他的母親頓時陷入險境。呂后抓來戚夫人，將其手腳砍掉，眼睛挖掉，然後下毒使其癱瘓，丟進茅房裡，任其死去。呂后命惠帝等人親眼看看戚夫人，還說這是「觀人彘」。惠帝未敢忤逆母后，朝政一律交給她處理。她是治國能手，讓她丈夫的許多心腹續任原職，同時消滅異己。由宮中女子、太監、姻親組成的內廷，常被史官形容成墮落、腐敗。但綜觀整部歷史，這些受信任的關係往往構成皇帝對抗外廷官員的基本憑藉。在中國，一如在其他大部分君主國，家族和性別——往往被人從淫亂的邪惡女人和意志軟弱的男人的角度來呈現——是追逐權力、正當性的永恆競爭中的兩股力量。

西元前一八〇年呂后終於去世，此時，她的家族已打算取漢朝而代之，但老臣不支持，還誅殺了呂氏全族，扶立高祖子繼位，是為漢文帝。漢文帝在位時，王朝鞏固，將稱雄東亞，幾乎和羅馬同時並立於世。

但在羅馬、中國之間，則有另一股勢力主宰西亞，此即亞歷山大將領塞琉古的後代——安條克斯三世。

米赫達德和猶大：猶大鍾子、回馬箭

然而，安條克斯三世的權勢有賴於他熱愛遊走四方的旺盛活力：西元前一八七年，他在伊朗境內某神廟裡慘遭襲擊喪命。他的兒子神顯者安條克斯四世（Antiochos IV Epiphanes）性格比父親暴躁，年輕時在羅馬度過。受到羅馬的半民主啟發，這個華而不實的國王喜歡在出外巡遊時問候子民、聊天，舉辦盛大的宴會，並打扮成木乃伊，由人抬進會場，接著從纏縛的繃帶裡掙脫而出，以贏得眾人的掌聲。而他也自認是神的體現者——人、神結合的失敗例子。他一心想完成父親的遺志，建立從印度至利比亞的帝國，於是，他揮兵入侵埃及。只是，這時托勒斯王朝受到羅馬保護。有個羅馬使者攔住他，並在他腳邊「沙地上（畫了）一條線」：他再往前一步的話，羅馬會出手干涉。安條克斯只好退回猶大。此地猶大人——和埃及有所聯繫，猶大祭司家族的成員在埃及當將軍——陰謀不利於他。安條克斯屠殺猶大人，禁止他們的宗教信仰，又在聖城耶路撒冷的猶大人聖殿裡蓋了一座供奉他自己的廟，結果激起外號「馬加比」（Maccabee，「錘子」）的猶大（Judah）造反，進而最終催生出一個新猶大人王國。[47]安條克斯的諸多伊朗省分也遭到攻擊。他迅即東馳解救，卻不幸遇上名叫米赫達德（Mihrdad）的軍閥。米赫達德日後將建立一個足以使羅馬四百年不敢進犯的強大帝國。

米赫達德是阿爾薩克（Arsak）的姪孫，阿爾薩克則大概是逃到安息（Partha，今土庫曼），成為一騎馬半游牧部族神聖統治者的阿富汗籍酋長。該部族拜祆教眾神，但受他們的希臘化鄰居影響。他們的強大源於他們結合了盔甲騎兵和輕騎兵，騎兵能邊馳騁邊射弩：羅馬人所謂的「回馬箭」（Parthian shot）。西元前一六四年，安條克斯來到伊朗防守，但米赫達德已殺掉塞琉古王朝最後一個偉大的國王，然後拿下波斯、巴比倫，在巴比倫受封為萬王之王，帶著馬爾杜克、伊絲塔爾的神像遊街，接著遷至塞琉西亞，他和他的繼任者在該地建造新都城泰西封（Ctesiphon），集希臘王權、波斯王權於一身。米赫達德之後的繼位者動不動就為爭奪王位而殺人，不過他們的騎兵戰力超強，而且由於對中國、地中海——此時由羅馬控制——之間的絲、香水、香料貿易課稅，可說是財力雄厚。

小西庇阿和努米底亞王：大城的滅亡

戰敗的迦太基恢復元氣之際，羅馬人找西庇阿家族出山，以一舉徹底消滅這座大城。征服了希臘和伊比利半島——羅馬人所謂的西班牙——之後，征戰過迦太基戰爭的那些雄心勃勃的將領和軍團不能任其閒置：新勝利會為羅馬帶來新戰利品、新神廟、新奴隸。迦太基已不再構成威脅，只是壞脾氣的前執政官加圖（Cato）走訪迦太基時，駭然發現城裡欣欣向榮。在元老院，他揮舞一顆新鮮的迦太基無花果，由此證明該城離羅馬航程甚近。他嚴正表示，「迦太基非滅掉不可。」拿果實當開戰理由，史上就這麼一樁。

挑動迦太基人毀約的，是羅馬的非洲籍盟友國王馬西尼薩。毀約意味戰爭，羅馬人找西庇阿家族中某個年輕人擔此重任。此人有錢、有文化素養、地位高，是個能言善道的演說家，贊助一票希臘籍知識分子，自豪於自身擁有足以展現令人讚賞的智慧以及健美的軀體。西元前一四九年，二十六歲的西庇阿・埃米利阿努斯（Scipio Aemilianus），即小西庇阿[48]，率領羅馬軍隊至非洲，他的希臘籍年長教師波利比烏斯（Polybius）隨行。波利比烏斯著迷於羅馬日益強大的國力和東西方之間的新聯繫。年僅二十八歲的小西

---

47 這是在今日猶太人在獻殿節（Hanukkah）時會講的故事。馬加比家族國王統治猶大超過百年，其版圖涵蓋今日以色列、約旦、黎巴嫩三地的大部。

48 有尊名為《希臘王子》（*The Greek Prince*）的雕像，展現出一名體格健美的羅馬貴族的樣貌，很可能便是在刻畫這個西庇阿。羅馬貴族氏族間的通婚錯綜複雜，而且因領養關係而讓複雜的情況更是嚴重。權貴會領養他人的兒子，從而使已然紛亂的關係更是雪上加霜。西庇阿・埃米利阿努斯（全名Publius Cornelius Scipio Africanus Aemilianus）被大西庇阿領養，因為他的生父盧基烏斯・埃米利阿努斯・保盧斯（Lucius Aemelianus Paulus），征服馬其頓者，生了許多兒子。他父親在希臘時遇見日後會成為歷史學家的波利比烏斯。波利比烏斯被迫當人質住在羅馬，後來成為這個男孩的私人教師。大西庇阿把他未成年的女兒——以美德和聰穎著稱的科爾內莉亞・阿菲利卡娜（Cornelia Africana）——嫁給年紀長她許多的元老院議員格拉庫斯（Gracchus）：兩人的女兒森普羅妮亞（Sempronia），是羅馬人貞潔、忠誠精神的典範，後來嫁給小西庇阿。

庇阿被選為執政官，在馬西尼薩助陣下打敗迦太基人，然後切斷該城與海的聯繫。迦太基人在城牆上將所俘虜的羅馬人剝皮肢解後，他強攻迦太基城。迦太基人在神廟裡自焚而死。羅馬人屠殺成千上萬人，士兵逃出被他們縱火燒的屋子——考古發掘已證實此悲慘世界。他們望著這一切時，波利比烏斯忍不住流下眼淚。他說，「所有城市、國家、權力都必然像人一樣逃不過一死。」一座大城的覆滅讓人特別心痛。那就像一部分的自己死掉。

小西庇阿同意此看法，說「這讓人很開心，但我有預感，有朝一日，我的國家會落得同樣下場。」他將這座城市夷為平地，把該城八萬市民販賣為奴，以當今羅馬英雄之姿返鄉。波利比烏斯回希臘寫世界史，親眼目睹一種新行為——互聯互通（symploki）的時代——的開端：「起初，歷史是一連串互不相干的事件，但從今起，歷史成為一有機整體，」他寫道，「歐洲、非洲和亞洲聯繫，亞洲也和非洲、歐洲相連。」而最偉大的、橫跨非歐亞的大陸強權，將由兩個家族打造而出。

第三幕

世界人口

一億兩千萬人

漢朝和凱撒家族

胖子國王、他的兒子和克麗奧佩脫拉

好似要證明這個新的互聯互通性，羅馬這時目光轉向埃及這個地中海地區的穀倉和通往亞洲的門戶。滅掉迦太基和在伊比利半島征戰後，小西庇阿——因展現豪華的貴族排場而為羅馬平民派所痛恨——被派去向最殘暴的埃及法老曉以大義。即使按照墮落的托勒密家族標準來看，這個法老都是最卑劣無恥之徒。

托勒密八世，即亞歷山卓人口中的「胖子」（Physcon），個性軟弱、身材肥胖、又是個施虐狂，在暴民逞凶和派系各懷鬼胎的時期，過著舒服日子。他娶了姊姊克麗奧佩脫拉二世，生下一子孟斐泰斯（Memphites），然後愛上她的姊姊暨妻子和已故兄長所生的女兒，即他的姪女暨甥女和繼女克麗奧佩脫拉三世，也真的娶了她，從而使這家族的成員關係更加惡化，因為母女互嫉，相互較勁。克麗奧佩脫拉二世震驚於遭自己丈夫和女兒背叛，痛惡至極，進而發動革命。胖子和他年輕的妻子逃到賽普勒斯，克麗奧佩脫拉二世便以唯一女王之姿統治埃及。然而，胖子不甘心。他意識到，兩人的兒子孟斐泰斯可能取代他的位置，於是擄走這個信任父親的十四歲男孩。然後，胖子要人在他面前將兒子勒死，接著割下他的頭手腳，在這男孩的母親而且是胖子的姊姊暨妻子生日前一天，命人送去給她。克麗奧佩脫拉二世甚為傷心，在亞歷山卓城把兒子的頭手腳示眾。接著，胖子揮兵入侵並打敗她，以恐怖手段報復諸多敵人，將他們活活燒死。羅馬不在意托勒密王朝的凶殘行徑，反而在意羅馬的影響力和貿易：去過羅馬的胖子用心培養他和西庇阿家族的關係，甚至提議娶該家族女兒。西元前一三九年左右，小西庇阿被派去亞歷山卓震懾行徑乖張的胖子。這時他已胖到幾乎走不動。亞歷山卓人看著臃腫的國王身穿絲袍，頂著鼓出的大肚，滿身大汗、氣喘吁吁地努力跟上這個粗獷的羅馬人。「亞歷山卓人欠我一份人情，」小西庇阿開玩笑道，「他們總算親眼見到自家國王走路。」

家族政治進一步鞏固女人統治。克麗奧佩脫拉二世的兒子遇害，她本人卻保住性命。西元前一一六年胖子去世後，她和她女兒克麗奧佩脫拉三世與某個兒子共同統治。這個兒子愛吃鷹嘴豆泥，因此被亞歷山卓人取了綽號「鷹嘴豆國王」。當一國國王被人根據其所愛的食物取了綽號，該王朝就不妙了。

不過，小西庇阿——和其歷史學家波利比烏斯——或許會肯定胖子的唯一成就：他的水手發現印度季風，從而使他們得以在夏季時揚帆前去安息或印度，冬季時折返。西元前一一八年，他派水手基齊庫斯的歐多克索斯（Eudoxos of Cyzicus）直航印度。

和諧的親屬關係、濺血的婚姻：公主和游牧民

中國人正從反方向一探究竟。在長安，有個能力出眾的年輕漢朝皇帝將在位五十四年，建立東起朝鮮半島、西抵烏茲別克的短命帝國。漢武帝最一開始熱愛探索新事物、有文化素養且敢於冒險，他派了一名使者西去接觸其他大國——中國之西行路線的開端。

武帝是女人所造就而成，也差點毀於女人之手：西元前一四一年，十五歲的他被他的姑姑暨岳母館陶公主劉嫖扶上大位，立即著手恢復帝權。然而，他的祖母竇太皇太后手握調動軍隊所不可或缺的虎符[1]，

1 虎符是帝權的表徵，金質，分成兩半，一半由統治者持有，另一半由將領持有。虎符是西元前二世紀相當於核武啟動密碼的物品。

不讓他如願。武帝與皇后陳氏一直生不出兒子，竇太皇太后打算以此為由罷黜他。武帝佯裝縱情於宴樂，不關心政事，私底下卻糾集了一批心腹智囊。一有向南擴張的機會，他便大膽繞過手握兵權的祖母，併吞了今日華南部分地區，拿下閩越（今福建）。在宮中，他和某個寵妃生下一子。竇太皇太后面對武帝這兩個舉動都莫可奈何，不久後她便去世。武帝提拔受看好的官職候選人，前提是他們能按照他所偏愛的古老文體書寫公文，儘管有一些儒生在宮中擔任皇子的私人教師，他並未發展出一套脈絡一致的儒家學說。他本身的確具有藝術、治學特質[2]，擴大了前秦皇帝所設、負責處理宮廷盛大表演和文化事務的「樂府」。然他骨子裡追求建立一帝國。靠稅收增進國家財庫後，他向各方用兵。為打造反匈奴同盟，武帝祭出和親政策，而把造反失勢的楚王劉茂那貧困無依的孫女劉解憂嫁給烏孫王（烏孫在今新疆境內）。

在侍女馮嫽的陪伴下，劉解憂前後嫁了三次：先是嫁給烏孫王，烏孫王死後嫁給他的兄弟暨王位繼承人，最後又嫁給他的姪子。她愛第二任丈夫，兩人生了五個小孩。身在外邦期間，這個不凡的女人派馮嫽與外邦洽談結盟、求助於長安朝廷，馮嫽成就斐然，獲皇上召見並封為正使。[3]

與此同時，漢武帝派遣一名驍勇的軍人暨廷臣出使西域通商。在十年的冒險生涯中，張騫被俘、淪為奴隸、遭囚、脫逃、結婚，又再淪為奴隸，最終於西元前一二二年返國並謹見皇上。他描述了安息人和印度希臘人的生活樣貌，述說他所發現的，在我們今日稱之為北印度的地區，販售著某種四川蒟醬，並向皇上推薦了產於費爾干納（Fergana，今烏茲別克境內）的某種以「汗血」著稱的良馬——「汗血」很可能是因為寄生蟲作怪，以致牠們出血。漢武帝大為激賞——他想入手這些「天馬」，而張騫的這些記述促進了中國與安息的貿易。於是，中國人的墓裡出現波斯的奢侈品，自西元前一一〇年起，安息派代表至長安。

中國與安息搭上線，羅馬亦然：漢朝正致力於完善世襲君主制之際，羅馬人則在內戰中度過接下來五十年，內戰結束後，便走入他們自己的君主制。盧奇烏斯・科內利烏斯・蘇拉（Lucius Cornelius Sulla）是自羅馬揚棄君主制以來第一位一人掌政的統治者，即凱撒的先行者——而且是把羅馬勢力帶進亞洲的第一人。

毒不死的國王、單睪丸的獨裁者、十幾歲的屠夫

蘇拉是新一類羅馬人。他在與演員、交際花廝混中度過年輕歲月，身為貴族，卻窮到棲身於城中公寓，而非鄉間別墅。他體格健壯，藍眼，有著亮眼的金黃帶紅頭髮和滿是斑點的皮膚。蘇拉瀟灑開朗又令人害怕：傳言他只有一顆睪丸，但他欣然讓士兵以他的單睪丸為題唱歌取笑，不過一有不守規矩之事，他立即懲以釘刑。他的座右銘是「沒有更好的朋友，沒有更糟的敵人」。

貴族派（optimates，「最優秀」的菁英）領袖蘇拉，在聲名更盛的蓋烏斯・馬里烏斯（Gaius Marius）的身邊闖出名號。馬里烏斯是平民派（populares）領袖，年紀大於蘇拉，西元前一〇七年，馬里烏斯與努米底亞國王尤古爾塔（Jugurtha，馬西尼薩之孫）交戰時，擔任副手的蘇拉俘擄了這位柏柏人國王，自此揚名立萬。西元前一〇二年，馬里烏斯化解了自漢尼拔以來羅馬所遭遇的最大威脅：屬日耳曼語族—凱爾

2　漢武帝某個寵妃過世後，他曾作〈秋風辭〉：秋風起兮白雲飛／草木黃落兮雁南歸／蘭有秀兮菊有芳／懷佳人兮不能忘／泛樓船兮濟汾河／橫中流兮揚素波／簫鼓鳴兮發棹歌／歡樂極兮哀情多／少壯幾時兮奈老何！

3　不管有何成就，在這「天一方」的異地，馮嫽總懷念家鄉；一如她所書寫的美麗詩句〈悲秋歌〉中，為眾多遠嫁給粗蠻外邦人的公主道出心聲，她們所傳達給她的是：吾家嫁我兮天一方／遠托異國兮烏孫王／穹廬為室兮旃為牆／以肉為食兮酪為漿／居常土思兮心內傷／願為黃鵠兮歸故鄉。五十年後，劉解憂終於回到長安。

特語族的辛布里人（Cimbri）和條頓人的部落——發祥於丹麥，然後往南遷——已擊潰一支羅馬軍隊。情勢甚為嚴峻，羅馬人因此執行了他們最後幾次的人祭，以平息諸神怒氣。馬里烏斯消滅入侵者。然後，馬里烏斯和蘇拉聯手平定同盟者（Socii）之亂，而同盟者指的是在所謂的同盟者戰爭（Social War）裡諸多結盟的義大利城市。西元前九六年，蘇拉被派去東方，擔任羅馬在亞洲的第一個省分奇里乞亞（Cilicia）的省長，在那裡他見識到一才幹過人、不屈不撓的君主迅疾崛起。此人即本都王國（Pontus）國王米特里達梯（Mithridates），為大流士和塞琉古的後裔，當時的他正四處征戰，將會建立一個涵蓋小亞細亞大部和黑海的帝國。據說所有子民所使用的二十五種語言，米特里達梯全都會。藉由生活在野地，米特里達梯鍛練了強健體魄，每日服用斯基泰籍聖師（hierophant）所調製的小藥劑，藉此百毒不侵。西元前八八年，這位毒王在前進希臘前，精心策畫了一場亞洲羅馬人大屠殺。

馬里烏斯七度出任執政官，權勢過大，令外界益發不安，蘇拉於是利用此不安心理壯大自己。兩人的敵對狀況削弱了羅馬共和國的國力。西元前八八年，元老院打算將米特里達梯逐出希臘時，蘇拉贏得了軍隊指揮權，未料馬里烏斯想自掌軍隊。令人髮指的是，蘇拉竟違反共和國規範，率領軍團進入羅馬，宣告馬里烏斯不再受法律保護。[4] 接著啟程前往希臘，將「毒王」（Poison King）逐出該地。

馬里烏斯趁蘇拉在外征戰奪回大權，同時提拔一名年輕人，即他的姪子蓋烏斯・尤利烏斯・凱撒（Gaius Julius Caesar）。他出身尤利烏斯（Julians）這個貴族氏族，該氏族聲稱是埃涅阿斯（Aeneas）和維納斯之後，而他擔任亞洲省長的父親早死。凱撒個性冷酷，身子骨柔軟靈活，具有堅硬不屈的生命力、漸禿且像鳥的頭、全身除毛、紈絝子弟的作風，和他精明的母親奧雷莉亞（Aurelia）很親。他不富有，會突然昏厥，可能患有癲癇，卻從未讓任何外力阻撓他：靠馬里烏斯的幫助，凱撒獲任命為邱比特的祭司。西元前八二年，在馬里烏斯死後，蘇拉返國，率軍進向羅馬，並擊潰對手，被選為獨裁官（自漢尼拔入侵以來的第一位獨裁官）——獲授以附加名費利克斯（Felix，「幸運者」）。他發布「公敵宣告」（proscriptio），後來該宣告成為擬殺名單的委婉說法。他心存報復。「凡是曾經助我者，凡是曾對不起我者，我都給了徹底的回報。」係蘇拉刻在其墓上的話。

蘇拉的凶殘崛起，對三個已然闖出名號的年輕人影響特別大，凱撒是其中之一。格納埃烏斯·龐培（Gnaeus Pompey），為富有的執政官之子，建立了自己的軍團，並支持蘇拉，由於殺害敵人快狠準，因而有「少年屠夫」（Adulescentulus Carnifex）的綽號。馬爾庫斯·克拉蘇（Marcus Crassus）——crass（粗俗的）一詞應該是為他而創——是個嗜殺成性的投機者，他把地主列入奪命名單，然後搶走他們的財產，藉此變得非常富有。身為馬里烏斯陣營一員，凱撒處境可謂險惡。蘇拉命令年僅十八歲的凱撒將妻子科爾內莉亞——蘇拉政敵之女——休掉，沒想到凱撒竟敢拒絕：他遭革除祭司之職，錢財遭沒收，被列入擬殺名單。要不是他母親奧雷莉亞向蘇拉求情，這才保住他的性命。凱撒逃到亞洲，在那裡效命於羅馬省長期間，他和比提尼亞（Bithynia）的國王眉來眼去的，而這段他居於下位的風流史，是他怎麼也忘不了的不堪過往。[5]

西元前七九年，他的敵人一死，在許多方面特立獨行的蘇拉立即辭去獨裁官之職，重拾先前的淫逸生活：他已讓世人知道在羅馬能有何成就。龐培於是心想，「如果蘇拉可以，我為何不行？」而凱撒將仿效

4　保民官，他的敵人之一，遭自家奴隸出賣，然後又遭蘇拉殺害。蘇拉以奴隸有功，還他自由之身，然後命人將他丟下塔佩亞岩（Tarpeian Rock）——這可是高達八十呎的峭壁，緊鄰卡匹托爾山，為一處用來處死罪大惡極的叛徒和造反奴隸的地方——藉此懲罰他背叛主子。羅馬人向來對於奴隸造反一事深感不安。

5　言外之意是，凱撒在和國王尼科梅德斯（Nicomedes）的性關係中居於下位。許久以後，甚至在他第一次凱旋式期間，他的士兵一再唱著，「凱撒使高盧人倒下，尼科梅德斯卻讓他彎身。」

這名獨裁官，同時指出「蘇拉是政治文盲，才會辭去獨裁官之職」。

蘇拉在羅馬誅殺政敵時，漢武帝則漸漸難以掌控自己和在長安的家族。

遭宮刑的歷史學家和漢武帝

漢武帝四處用兵，而且成果斐然：西元前一一二年，他拿下南方的廣東和越南更多領土；西元前一〇九年入侵朝鮮半島；西元前一〇八年攻打匈奴，然後拿下新疆眾多地方，將版圖經哈薩克擴及烏茲別克的費爾干納；西元前一〇四年，他想得到大宛（浩罕／Kokand）的寶馬，便派遣將軍李廣利展開天馬戰爭，由此取得三千匹汗血馬。

只是宮中情勢惡化。武帝的姊姊把出身卑微的歌姬暨舞女衛氏介紹給他，他為之傾心，兩人所生的兒子使他終於後繼有人。但陳皇后企圖以巫術詛咒衛氏一事遭告發，隨後皇后遭廢黜。新皇后衛子夫為他帶來了好運——可惜好運終有用盡時。

漢武帝性情多變，日益嗜殺，想法變得更加短視。他新蓋了大宮殿，進行所費不貲的巡行，處死未替眾多隨從提供食物的權貴，在泰山舉行繁瑣的封山儀式以確認自己已得天命。[6]後來，漢武帝寵愛李夫人，衛皇后隨即失寵。李夫人的兄長李廣征戰中亞，戰功彪炳，贏得「飛將軍」之名。未想匈奴反擊，擊敗一支漢軍。西元前九九年，另一位名將李陵——即「飛將軍」李廣的孫子——竟變節投靠匈奴，他的友人太史令司馬遷為其辯護，由此惹怒皇上，招來大禍。

漢武帝認為歷史和戰爭一樣重要：歷史給了王朝正當性。但那必須是正確的歷史。漢武帝要他的太史令——身兼史家、占卜之職——司馬談寫出第一部完整的中國史，即《史記》。西元前一一〇年，司馬談去世，他將手中的毛筆傳給三十五歲的兒子司馬遷，司馬遷憶道，父親「執遷手而泣」，說「無忘吾所欲論著矣」。

曾在攻打匈奴的軍中任職、身為皇帝侍從官的司馬遷自此投入寫史。司馬遷之類的書吏使用毛筆、墨條、小刀、印章，在狹長竹簡上書寫，帛只用於書寫重要文件。一如人在羅馬、和他同時代的波利比烏斯，他深信世界史理應「究天人之際，通古今之變」。但歷史的撰寫始終著眼於當下：他批評行事只求達到目的、不顧是否合乎道德的皇室近臣，譴責秦始皇的暴虐，為此觸怒了他多疑的皇帝。

西元前九九年，司馬遷為李陵向皇上說情——「欲以廣主上之意」——漢武帝為此指他「誣罔」，判處他自盡。這一刑罰可以用繳錢充抵，或受宮刑充抵。司馬遷家貧不足以自贖又不想自殺，不得不接受宮刑。他希望他的著作傳於「通邑大都」，但「惜其不成，是以就極刑而無慍色」——令人備感奇恥大辱的宮刑於蠶室裡施行，受刑之後，像蠶一樣留在溫暖不通風的房間，據信有助於防止感染。他保住了性命，並獲提拔為「中書令，尊寵任職」，完成歷史大作。只是，他所牽扯的陰謀之事，並未就此了結。

西元前九六年，漢武帝夢到一名刺客和用來詛咒他的木偶，並聽信他的水衡都尉之言，相信他的病是有人施放巫蠱所致。一時之間，告發、巫蠱四起，愈演愈烈，漢武帝命外籍薩滿僧在宮中開挖以找出木偶，並以施放巫蠱為由審判朝中大臣，處決了多達六名大臣，族滅數個氏族，殺了數萬無辜之人。就連武帝自己的女兒都遭牽連、處決。對君主來說，殺掉兒子有時是非做不可，但殺掉女兒則不然。

---

6 漢墓透露出宮廷的文化和堂皇氣派，即使是地位較低的皇子和諸王的墓亦然，尤其是金鏤玉衣（例如中山王墓中的金鏤玉衣）。金鏤玉衣以金絲將約十四塊玉片編綴而成，覆蓋全身如同盔甲，包括手套和頭盔。在長沙國承相軑侯的墓（馬王堆漢墓）中，可見帛畫、竹簡、食譜和一部房中術著作。

漢武帝和衛皇后所生的劉據為長子，無疑是太子人選，但漢武帝六十二歲時，與更年輕的妃子鉤戈夫人生下一個兒子。水衡都尉江充構陷太子劉據下蠱，說劉據希望他父皇死去——很可能是實情，因為漢武帝在位太久。隨著情勢更加緊繃，意識到自己遭誣陷的劉據先下手為強，矯詔殺了江充，然後趕去向父皇解釋。於是，在其母支持下，劉據企圖奪取大位。

經過長安城裡五天的廝殺，皇帝平定亂事，衛皇后自盡，她的氏族遭誅殺，劉據自縊。漢武帝的諸多兒子——以及曾在支持他一事上表露猶豫之意的任何人——全遭殺害，只有那個還在襁褓的皇子倖存。而這場巫蠱之禍使中國永遠改變了，世家大族慘遭滅頂，創造出可供出身寒微的官員乘機填補的權力真空。

漢武帝最終弄清楚他的太子遭自己心腹誣陷，痛悔且自責的發布了〈輪台罪己詔〉，並在此時懲罰了陷害衛家大多數人性命的李夫人一族。李家遭誅殺九族。

尚在人世的子嗣，就只有鉤戈夫人所生、現年九歲的兒子了。西元前八八年，漢武帝立他為太子，卻又擔心等他死後，太子之母權勢過大，於是他召見這個年輕女子，並下令逮捕：她一臉驚愕地向皇上叩頭謝罪，就在此時，他下令「趣行，女（汝）不得活！」隨後叫人殺了她。

西元前八七年，漢武帝去世，葬在茂陵，全身想必裹著金鏤玉衣，他的妃子們則可能跟著陪葬，但這或許在效法秦始皇。在這些出色的隨葬品中，包括那尊兩呎高的「金馬」，呈現他一生鍾愛的「天馬」。漢武帝開創了中華帝國，功業更勝秦始皇：他把中國版圖擴增了一倍，然他的殺戮、獵巫、豪奢也引發了久久不消的宮廷內鬥，以及「百起農民叛亂」。

西元前七三年，羅馬奴隸造反——該城的最高統治者龐培和克拉蘇卻是爭相鎮壓。

禿頭通姦者和埃及王后：凱撒和克麗奧佩脫拉

這場叛亂始於卡普亞（Capua）的格鬥士學校，該校七十名格鬥士——全是奴隸——脫逃，並推選色雷斯人斯巴達庫斯（Spartacus）為領導者。他在埃特納山（Etna）附近設立大本營，在擔任希臘酒神祭司的伙伴協助下，一一打敗羅馬部隊。羅馬的運行倚賴奴工，並以戰俘增補奴工，而且羅馬人很怕奴隸造反：羅馬的義大利籍居民中，有四成是奴隸，而這是四十年來第三場奴隸叛亂。斯巴達庫斯的叛軍——從在礦場和種植園勞役的農村奴隸中招募而來——拿捏不定該逃到阿爾卑斯山的另一邊，還是在義大利四處劫掠，但也未制定解放所有奴隸的計畫。不到一年，便有四萬名前奴隸和其家眷加入斯巴達庫斯麾下，那時他已拿下南義大利大片領土，接著要北征了。當時龐培正攻占伊比利半島，其他羅馬軍團正在亞洲和毒王對峙，羅馬內防可謂薄弱。不動產投機商克拉蘇募集兵力，打敗造反的奴隸，將六千人釘死在十字架上；龐培肅清殘餘勢力。兩人爭攬平亂之功。

西元前六七年，龐培被派去東方鎮壓東山再起的本都國王米特里達梯。龐培先是打敗毒王，把他追到高加索地區，米特里達梯最後自盡於此，然後龐培併吞小亞細亞大部和敘利亞。他罷黜塞琉古王朝，把阿拉伯人的納巴泰（Nabataea）王國、猶太人的猶大王國收歸羅馬支配。馬加比家族出身的一個猶大王國王子抗命於他，他便攻進耶路撒冷，進入猶太聖殿至聖所之舉等同於褻瀆，並留下一殘餘的猶大王國由猶大人統治。埃及國王「吹笛手」托勒密十二世（Ptolemy XII Auletes）討好龐培，以令人咋舌的賄賂贏得他的支持。龐培有可能遇見了吹笛手那六歲的女兒克麗奧佩脫拉，日後她將成為與羅馬統治者周旋的高手。羅馬突然成為橫跨三大洲的帝國：只有在安息，龐培遇上旗鼓相當的對手。龐培入侵喬治亞、亞美尼亞，而安息的法爾哈德二世（Farhad II）則奪回亞美尼亞。龐培和法爾哈德便以平起平坐的身分進行談判。

回到羅馬，各方勢力爭奪日益壯大的羅馬帝國所帶來的好處，從而正漸漸摧毀民主。有人陰謀以凶殘的屠殺推翻民主，多虧傑出的演說家且寫得一手好文章的執政官馬爾庫斯・圖利烏斯・西塞羅（Marcus Tullius Cicero）的滔滔雄辯，才未讓其得逞。龐培回到羅馬，便炫耀起亞歷山大大帝的斗篷（奪自米特里達梯），權勢之盛、財力之高為任何羅馬人此前所未見，因為在第三個大陸打了數場勝仗，獲授以舉行第三次凱旋式的殊榮，為史無前例的優遇。他還獲授予附加名馬格努斯（Magnus），即「偉大」之意。三度舉行凱旋式的龐培大興土木。此人具有一部分現代政治人物的特質，被說成「臉上正直，心腸狠毒」，但就連自以為是的西塞羅都驚歎於他「不可思議如神般的美德」。龐培主宰脆弱的羅馬民主，卻未獨攬大權。反倒是元老院議員對這個猝然崛起的狂妄之徒心存提防，遲遲才認可他在亞洲的安排。克拉蘇支持三人中勢力最弱的凱撒，欲藉此削弱龐培勢力。

凱撒一回到羅馬，便獲知蘇拉死訊。返鄉途中所碰上的事，全然揭露了他的性格：途中他遭海盜擒住。他警告海盜，他只要一脫身，他會把他們全殺光。而他一獲釋，便雇用一隊船追捕他們，將他們釘死在十字架。回到羅馬後，他在第一任妻子死後迎娶蘇拉的孫女龐培雅（Pompeia），借來大筆資金，競選公職。誠如他向母親所說的，他欠了一大筆債，「如未選上就要坐牢」。最終，克拉蘇替他還了債。凱撒支持平民派，在和兩位德高望重的貴族的角逐中脫穎而出，凱撒被選為祭司長（*pontifex maximus*），然後靠著在西班牙的戰功打出名號。返國後他被選為執政官，提出與龐培、克拉蘇非正式結盟的民粹式計畫。但他們三人明知不易辦到，仍竭力控制派系暴力；民主正漸漸瓦解；選舉一度遭延期，龐培擔任唯一執政官。龐培和凱撒聯姻，使雙方的結盟關係親上加親：龐培休了妻子，娶凱撒的唯一孩子，他的女兒尤莉亞（Julia）。[7]兩人自此是一家人。凱撒和克拉蘇都想攻城略地，不讓龐培專美於前：凱撒成為高盧總督；克拉蘇拿到敘利亞。

西元前五七年，三人同盟接待來自埃及的訪客：國王吹笛手和他十二歲女兒克麗奧佩脫拉。吹笛手為了賄賂龐培，以致埃及民窮財盡，此時的他剛被罷黜，由長女貝蕾妮凱四世接位。吹笛手於是逃出埃及，前來求助羅馬，順利得到凱撒和克拉蘇支持。兩人從敘利亞派出羅馬士兵助他奪回王位，其中包括趾高氣昂的凱撒遠親馬克・安東尼（Mark Antony）。吹笛手復辟後殺掉女兒貝蕾妮凱，以另一女兒克麗奧佩脫拉接替王后之位。回到亞歷山卓後，她遇到安東尼，安東尼驚艷於這位少女王后。克麗奧佩脫拉十八歲時接掌埃及，嫁給她的弟弟托勒密十三世。

西元前五三年，龐培留在羅馬時，克拉蘇啟航前往敘利亞，他希望拿下更勝龐培一籌的功績，擊退安息的阿爾薩克王朝。

克拉蘇的頭、百萬高盧人喪命

克拉蘇和四萬羅馬軍團士兵渡過幼發拉底河，沿河往南進向塞琉西亞。安息國王烏拉德一世（Urad I）表示願談判，卻遭克拉蘇拒絕。烏拉德張開他的手，警告道：「等這裡長出毛髮，你才會看到塞琉西亞。」

---

7 西元前六二年，凱撒的第二任妻子龐培雅、蘇拉的孫女，讓凱撒極為難堪。這個臭名遠播的通姦者暨祭司長，被自己的年輕貌美妻子戴了綠帽。龐培雅主辦只有女人能參加的「好女神」（Bona Dea）慶祝活動時，她的地下情人克洛迪烏斯（Clodius）不請自來，搞砸了慶典。這個無禮的年輕貴族，為了偷會他的愛人，不惜男扮女裝。不料他喬裝之事遭揭露；他後來受審，無罪獲釋。不過，凱撒還是休了龐培雅，說「凱撒的妻子絕不容受到一絲懷疑」。克洛迪烏斯成為凶殘的民粹主義煽動家，最終在派系爭鬥中慘遭殺害。凱撒沉迷女色，善於讓女人傾心於他：他和他三人同盟的盟友龐培、克拉蘇的妻子都睡過，他的軍團士兵給他取了綽號「禿頭通姦者」（Bald Fornicator）。他最愛且關係維持最久的愛人是明媒正娶的貴族女子塞爾維莉雅（Servilia），她的第一任丈夫馬爾庫斯・布魯圖斯（Marcus Brutus）已遭龐培處決。而如今，凱撒又娶了貴族少女卡爾普妮雅（Calpurnia）。

有人勸克拉蘇避開平原，因為平原地形最有利於安息騎兵施展身手；他全然不理會。

在卡雷（Carrhae），疲累不堪的羅馬軍團士兵遭遇位在山上、居高臨下的安息人。後者最初披上獸皮偽裝，接著同時拋掉獸皮，頓時出現一千名全覆裝甲的騎兵（cataphract）和一萬七千名輕騎兵，身上盔甲在陽光下閃閃發亮。羅馬人擺出典型的龜甲形盾陣（testudo formation）時，安息人以殺傷力極強的安息回馬箭回敬。克拉蘇撤退。與安息人非正式談判時，他被拖下馬，當即砍頭。安息人把黃金灌進他喉嚨，嘲笑他的市儈，然後把頭送給烏拉德。烏拉德熱愛希臘文化，娶了希臘籍公主，收到頭時正在觀賞歐里庇得斯（Euripides）的悲劇《酒神的信女》（*The Bacchae*）。該劇的導演用這顆頭當作舞台道具：其中一個演員拿著頭出現在舞台上，邊唱著，「我們把一個鬈鬚、剛砍下之物／從山裡帶到王宮／多麼棒的戰利品啊。」

反觀遙遠的西方，凱撒正征服高盧。凱撒出外征戰時已四十一歲，仍重債纏身，這時才漸漸展現他視人命如草芥的野心、冒險精神（有次扮成高盧人赴敵人領地探察敵情）、旺盛的精力。他把戰情報告傳回國內（報告以第三人稱寫成），藉此務使羅馬人了解他的彪炳戰功——他聲稱已殺了一百萬高盧人，這些羅馬人眼中的野蠻人。凱撒兩次襲擊大不列顛（Britannia）這愚昧無知的野蠻島，令民心大喜，但他所擁有的最高權力就要告終，與他為敵的貴族，在龐培的支持下，質疑起他的權力。龐培的妻子，即凱撒的女兒尤莉亞，已死於分娩，從而兩人本已不穩的關係更加疏遠。龐培不想開戰，深怕一旦失敗會損失慘重，但他逼得凱撒非戰不可。

蘇拉精神上身的凱撒渡過盧比孔河進入義大利時，說了句「賭一把！」龐培支持民主共和國對抗一可能成為暴君的人，但他猝不及防，不得不放棄義大利，在希臘重整旗鼓。凱撒追了過去。他在法薩羅（Pharsalos）擊敗龐培，龐培乘船前去埃及。不久前，他才在埃及冊立十二歲的托勒密十三世為法老，認可由他和他的姊姊暨妻子阿爾西諾埃（Arsinoe）共同主政。托勒密十三世原本和另一個姊姊克麗奧佩脫拉共同統治埃及，後來他、阿爾西諾埃和專橫的克麗奧佩脫拉失和。眼下，克麗奧佩脫拉正為保住自己性命而奮戰。

托勒密家族有必要支持羅馬內戰的贏家：龐培乘船上岸時遭斬首。獲選為獨裁官的凱撒讓騎兵長（*magister equitum*，獨裁官的傳統副手）安東尼留下來治理羅馬，他自己則帶著僅四千兵力乘船前往亞歷卓山追捕龐培。他一抵達亞歷卓山，埃及人便獻上龐培的人頭。凱撒當下落淚，為前女婿感到悲痛，然後下榻於王宮，並要求水火不容的姊弟克麗奧佩脫拉、托勒密前來見他。克麗奧佩脫拉不願任人裁定自己和弟弟的輸贏，反倒把自己裝進一洗衣袋裡，由一名槐梧的雜役工差揹著她去見凱撒。即便凱撒已不再是那種會對她高傲的群眾魅力心悅誠服的人，看到這性感尤物突然現身眼前，仍為之心蕩神馳。那時他五十二歲，她二十二歲。

我肏了誰：克麗奧佩脫拉、凱撒、安東尼

然而，這兩人非常匹配。兩人都是政治動物，演技也爐火純青，天生善於化險為夷、善於殺人。凱撒始終不改大膽冒險的政治作風；她則是世上最尊貴王朝的女繼承人，亞歷山大大帝長眠之處的所有者——凱撒來埃及後曾前往亞歷山大墓憑弔。這個女王受過教育，聰穎，可能是處女，通曉多種語言——希臘語、拉丁語、「衣索比亞語」、埃及語——（托勒密家族裡擁有這本事的第一人；她母親可能是埃及人），還有凱撒所最尊敬的語言：權力。如果她輸掉和弟弟之間的爭鬥，她將性命不保。她需要凱撒。

街頭爆發戰鬥，凱撒一時措手不及，但他支持克麗奧佩脫拉。托勒密的部隊圍攻位於宮中的凱撒和克麗奧佩脫拉，同時托勒密召集暴民助陣。戰事極為慘烈；凱撒為了一個他認識不多的女孩賭上世界。他的

小股部隊後撤；博物館著火。凱撒意識到自己受困，於是潛入港灣，游到他的一艘船上——以他那時的年紀來說很不簡單。憑藉援軍——包括耶路撒冷大祭司派來的猶太人和納巴泰國王派來的阿拉伯人——凱撒大敗托勒密，拿下亞歷山卓。托勒密則於兵敗後溺死。

凱撒和克麗奧佩脫拉乘船遊尼羅河以慶祝勝利——他十年來首次歇下腳步。凱撒留下已懷孕的法老克麗奧佩脫拉，由她和弟弟共治埃及，自己則趕去消滅米特里達梯的兒子，即已拿下本都王國並下令閹割羅馬籍公民的法爾納凱斯（Pharnaces）。凱撒打敗他，過程之輕鬆以致他發下豪語：「我來，我見，我征服。」肅清亞洲、伊比利半島、非洲的殘敵後，他舉行了絕無僅有的第四度凱旋式[8]，獲任命為史上第一位終身獨裁官（*dictator perpetuus*）。而在非洲期間，他也未改其一貫作風，和柏柏人王后茅雷塔尼亞（Mauretania）的埃烏諾埃（Eunoe）私通；他還獲得殊榮，得以將臉打印在錢幣上、以他之名為七月（July）。凱撒並未清洗敵對者，反倒誇耀自己的寬大為懷。克麗奧佩脫拉正帶著他們的兒子小凱撒——托勒密．凱撒里翁（Ptolemy Caesarion）——訪問羅馬。只是凱撒在羅馬感到無聊，打算踵武亞歷山大，計畫攻打達契亞（Dacia，今羅馬尼亞），然後進攻安息，接著征服斯基泰（今烏克蘭），藉以替克拉蘇報仇。克麗奧佩脫拉心知凱撒可能一去不回，想要讓三歲的凱撒里翁獲冊立為他的繼承人。但她入住他某棟別墅期間，凱撒只會和至交好友論及他的埃及家庭。羅馬人著迷於她和她的小兒子：西塞羅得到她接待，卻抱怨她傲慢。凱撒立遺囑時未提到克麗奧佩脫拉的小兒子，反倒指名曾在西班牙和他並肩作戰的十九歲外甥孫屋大維為他的繼承人。

安東尼曾三次表達願為這位終身獨裁官加冕，但連遭拒絕，不過，他的敵人痛惡他近乎君主的作風，打算趁他尚未離開時殺了他。這群敵人的領導者是他的情人塞爾維莉亞之子布魯圖斯（Brutus）。有女先知要凱撒提防三月的第十五日；安東尼和卡爾普妮雅要他提防有人陰謀加害於他；然而，凱撒卻遣走了他的西班牙籍侍衛，直接步行到位於龐培劇場（Pompey's Theatre）的元老院議事場。在該劇場的門廊，布魯圖斯和一群熟悉面孔走近凱撒，其中一人索求簽名，然後所有人抽出匕首捅他。刺客掄刀狂刺，混亂中竟刺到自己人。凱撒拿用來刻寫的尖筆護身，但一看到當初被他赦免的塞爾維莉亞兒子布魯圖斯時，他只說，「我的孩子，你也是嗎？」隨後倒地，用自身的托加袍蓋住頭。他被捅了二十三刀（但據說刺進胸膛的第二刀是致命一擊）。

諸刺客想要恢復共和制，但未擬計畫。時任執政官的安東尼更勝他們一籌：在羅馬廣場的凱撒葬禮上，他熱情讚揚凱撒的神性及偉大，展示了他沾了血污的托加袍，群眾見此群情激動，憤而把這些刺客趕出羅馬（然後他們在希臘成立大本營）。四十二歲的安東尼身體結實，一頭鬈髮，凶狠又充滿陽剛的男子氣概，是個冷血政治人物、能力平庸的將領，動不動就愛作秀，但絕非凱撒的替角：他追求權力是為了自己。他是個在雅典讀過哲學的花花公子，熱中於勾引女子、參加盛宴，往往喝到半醉。有時他仿效海克力士戴著獅皮，帶著一隊不列顛戰車在羅馬城裡四處奔馳，車上載著他的情婦，交際花基泰莉絲（Cytheris）——和他的母親。這會兒，他拋棄基泰莉絲，迎娶富爾維雅（Fulvia），一個咄咄逼人的政治糾紛仲裁人，曾嫁給蠱惑人心的煽動家克洛迪烏斯（Clodius）——為此還遭西塞羅大加嘲笑。安東尼鄙視稚嫩無經驗的凱撒繼承人屋大維——這時屋大維已正式自稱「凱撒」——最終安東尼卻和他結盟，發出一份奪命名

---

8 在這場為慶祝在高盧、本都、埃及、非洲取得勝利的盛大儀式中，凱撒麾下那些忠誠於他的軍團士兵，以歌唱方式雀躍地道出他的功績，甚至唱出他與比提尼亞國王的同性不倫關係，歌曲最後唱道：「各位，把你們的老婆鎖好；我們把禿頭通姦者帶回來了！你們借給他的黃金，全拿去付給他的高盧婊子。」敗在他手下的高盧人國王韋爾金蓋托里克斯（Vercingetorix）和曾與凱撒交手、遭罷黜的埃及王后阿爾西諾埃四世被押著遊街——阿爾西諾埃的姊姊克麗奧佩脫拉也在場觀看。韋爾金蓋托里克斯遭絞死，是為凱旋式的傳統壓軸高潮。阿爾西諾埃獲饒命，暫時饒命。

單——「公敵宣告」（proscription）——藉此安東尼對西塞羅展開報仇，一雪其詼諧之言。西塞羅告訴殺手：「你們所要做的事，毫無正當可言，但請盡量以正當方式殺了我。」安東尼把西塞羅的雙手和頭釘在羅馬廣場的演講台，富爾維雅則割下他的舌頭，用她的帽針穿過——即使就羅馬人的標準來看，都是很不入流的表現。

眼看羅馬安定下來，安東尼和屋大維隨即動身追捕刺客集團。追捕者追到希臘，擊敗刺客，逼他們自殺。然後兩人瓜分帝國，安東尼得到東部，屋大維得到西部。

安東尼已接下凱撒未竟的遠征安息遺志。他在塔爾蘇斯（Tarsus，今敘利亞境內）集結兵力時，現年二十八歲的克麗奧佩脫拉前來爭取他的支持，她搭著御船，以伊西絲—阿芙蘿黛蒂的身分到來。一如凱撒，安東尼熱愛東方君主，才剛和交際花出身的卡帕多細亞（Cappadocia）王后格拉菲拉（Glaphyra）有過一段情。[9]

第一次共度良宵，安東尼就迷上克麗奧佩脫拉。她以托勒密王朝的方式慶祝此良緣——酒神節盛宴和殺害手足：她要安東尼殺了她的妹妹阿爾西諾埃。安東尼在亞歷山卓縱情歡愉期間，她生下了雙胞胎。但不久後，西元前四〇年，安東尼和屋大維談成新伙伴關係，竟甩掉克麗奧佩脫拉，迎娶屋大維的姊姊屋大維婭（Octavia）。這兩位領袖接下來全副心力都在從安息人手中奪回猶大、敘利亞，冊立年輕的猶大籍盟友希律（Heord）為版圖已擴大的猶大王國的國王。

西元前三八年，安東尼東征安息，然後回去找克麗奧佩脫拉，把位於黎巴嫩、以色列、賽普勒斯的新領土給她，兩人又生了一個兒子。未想他的軍隊在今日亞塞拜然之地遭殲滅，他好不容易才逃回敘利亞。克麗奧佩脫拉帶著補給品乘船沿海岸北上。她的支持，當然還有她大發雷霆、兩人的孩子，使他相信她才是他的真命天女，於是拋棄了雅典的屋大維婭。

安東尼和這位王后以戴奧尼索斯和薩拉皮斯（Sarapis）的身分在亞歷山卓城遊街，然後結婚。她成為諸王的王后，凱撒里翁成為諸王之王，在歡呼聲中獲宣告為凱撒之子，他們的三個兒子都分封到王國。屋大維批評這種不符男子精神的東方淫亂行徑，安東尼則回應道：「你反對我肏克麗奧佩脫拉？但我們已經成親，根本不是什麼喜新厭舊。」其實屋大維不過是個偽君子，本身就愛通姦亂搞。不久前，就在自家妻子斯克莉博尼亞（Scribonia）懷孕之際，屋大維竟愛上利薇雅（Livia）。利薇雅聰明、漂亮，係提比略．克勞狄烏斯．尼祿（Tiberius Claudius Nero）的二十歲妻子，而且也有孕在身。尼祿則是克勞狄亞（Claudia）氏族一員，支持安東尼一方，他同意和妻子離婚。女兒尤莉亞出生那天，屋大維休了斯克莉博尼亞，與生完小孩三天的利薇雅成親。結婚儀式盛大豪華，以半裸男孩奴隸（deliciae）為會場增色，她溫順的前夫也出席。「你呢？你忠於利薇雅嗎？」安東尼向屋大維這麼天真地一問，「在哪裡勃起或為誰勃起，有什麼要緊？」

就政治上來說，那的確要緊。屋大維揭露了安東尼的遺囑，內容宣告凱撒里翁為凱撒之子，而一切都留給克麗奧佩脫拉，希望死後和她葬在一塊，大概如同法老製成木乃伊葬在亞歷山卓。屋大維指控克麗奧佩脫拉根本禍水（*fatale monstrum*），元老院則對她宣戰。安東尼和克麗奧佩脫拉集結了大軍——兩百五十艘戰艦、兩萬兵力。[10]倘若屋大維贏，他的帝國將會講拉丁語，以羅馬為都城；安東尼贏的話，他的帝

---

9 在義大利本土，安東尼之妻富爾維雅及其弟盧基烏斯已向屋大維發出戰書，而屋大維在佩魯西亞（Perusia）圍攻他們時，寫了一首很低級的詩，詩中透露了這個年輕軍閥的另一面：因為安東尼肏了格拉菲拉，富爾維雅安排我來執行這個懲罰：讓我也來肏她。／我來肏富爾維雅？……／「不肏就開打。」她說。她不知道嗎？／我看重我的屌甚於性命？吹響號角吧！

10 猶大的國王希律和阿拉伯的國王馬利克（Malik）這兩個受安東尼恩庇的閃族國王，並未如期派兵助陣——兩人都為安東尼贈予克麗奧佩脫拉寶貴領土而感到有苦難言。

國將會講希臘語，以亞歷山卓為都城——而如今，我們全都講希臘語，而非拉丁語。他們為稱霸地中海世界而戰。

克麗奧佩脫拉的蛇、亞歷山大的鼻子

西元前三一年九月二日，雙方艦隊交手。雙方軍隊集結於希臘時，屋大維的將領馬庫斯・阿格里帕（Marcus Agrippa）棋高一著，把安東尼的軍隊和艦隊封鎖在阿克提烏姆（Actium）。安東尼的艦隊以多排槳木船為主，包括五排槳木船、八排槳木船（octere），乃至身形龐然的十排槳木船（decere），可惜他的調度本事較差。在作戰會議上，統領自己艦隊（兩百艘船）的克麗奧佩脫拉投票支持突圍衝出阿克提烏姆，但協同作戰還是一塌糊塗。克麗奧佩脫拉帶著六十艘船逃回亞歷山卓，打算用她的紅海艦隊逃到她位於阿拉伯半島、甚至印度的貿易站，她的船卻慘遭阿拉伯的國王馬利克毀掉。安東尼乘船跟在她後頭時，屋大維率軍穿過敘利亞，暗中和克麗奧佩脫拉談判，克麗奧佩脫拉表示願退位，前提是讓她的小孩保住王位，尤其凱撒里翁。她是否真心歡迎戰敗的安東尼來找她，就不得而知了。

她在位於王宮的陵墓裡設立大本營，並和屋大維談判。安東尼可能遭克麗奧佩脫拉出賣，她向安東尼假傳她的死訊，此舉很清楚示意要他自殺。安東尼以劍自刺後被抬到她的墓裡，死在她懷中，享年五十二。屋大維允許她住在宮殿裡，同時把安東尼的三個孩子納入監護。兩人相見時，她得知她的人生已沒有續曲：屋大維會在他舉行凱旋式時將她遊街示眾。她告訴他：「我不會讓自己受糟蹋。」——她已親眼見過親妹妹在羅馬被押著遊街——但隱瞞了她的盤算。享用過豐盛的一餐後，她的忠心隨從艾拉絲（Eiras）和恰爾米安（Charmian）安排一個農民帶來一籃無花果，內有一條蛇或至少某種毒物，然後她們三人全服下毒。她派人送了一封封訖的信給屋大維，要求將她和安東尼合葬，他的侍衛立即趕過去阻止她——卻已太遲。克麗奧佩脫拉戴著她的王冠，一身盛裝，一動也不動地躺著，已然香消玉隕，享年三十九，她的兩名女官亦隨她而去。屋大維的士兵衝進去時，其中一人還活著，她見證了綻放人生最後燦爛的克麗奧佩脫拉：「多莊嚴的情景！」

那女孩以微弱的聲音說：「非常莊嚴，完全匹配她身為眾多國王之後的身分。」

克麗奧佩脫拉原希望凱撒里翁統治埃及，沒想到屋大維的顧問示警道：「留太多凱撒家的人在世上不好。」

克麗奧佩脫拉生前已派她十七歲的兒子國王凱撒里翁和他的私人教師一起南下，前往紅海的貝雷尼凱港（Berenice），以便逃至印度，但屋大維用計讓那個私人教師帶他回來，暗示會讓那男孩統治埃及——接著，派人將他勒死。[11]

屋大維前去亞歷山大的墓，但碰觸木乃伊時，不慎弄掉木乃伊的鼻子——這一刻，便標誌著亞歷山大時代的結束、羅馬共和國的覆滅，以及帝制君主國的開端。

---

11 克麗奧佩脫拉和安東尼的三個孩子，由屋大維姬在羅馬養大。其中兩人早死，第三人克麗奧佩脫拉．塞蕾涅（Cleopatra Selene）則嫁給茅雷塔尼亞國王尤巴二世（Juba II）。柏柏人王子尤巴在阿克提烏姆之役為屋大維助陣，因而得此賞賜，此外他還獲授名為茅利塔尼亞（Mauritania）的新創王國，位於今阿爾及利亞境內。他們兩人共同建造了文化發達的希臘—羅馬式都城，尤巴則派出足跡遠達加納利群島的貿易隊。克麗奧佩脫拉死於西元六年，兩人的兒子托勒密於西元二三年承接其父親的王位，他身上流著歐裔非洲人、柏柏人、羅馬人、希臘人的血，以及安東尼家、托勒密家的血。

奧古斯都、尤莉亞、獨眼庫什王后

年輕軍閥屋大維創建帝國後我行我素，勾引心腹的妻子，晚餐時把她們帶進另一間房間，把她們還給她們的丈夫時，只見她們雙耳紅、頭髮凌亂。與她們獨處時，他就她們丈夫的政治活動盤問她們，找出誰正陰謀不利於他。

屋大維是個政治劑量高手，經過數年的征戰和謀殺，他知道下猛藥會招來反彈，心存敬意的因勢利導則會讓人察覺到劇烈改變。他據說尊敬共和體制，這時他是歷來權力最大的羅馬人，採用了新稱號「首席公民」（*princeps*）——意為「第一」——和新名字；有人提議取名羅穆勒斯，但他最終敲定奧古斯都（Augustus），意為令人敬畏的。但他依舊謙遜，住在他位於帕拉丁山（Palatine Hill）上的舒適別墅裡。[12]不過，謙卑是裝出來的。他一家子人口眾多，有獲解放的奴隸從事祕書工作，然利薇雅的雇員所屬的墳墓中，也可見一千名奴隸服侍她的畫作，包括表演者和侏儒。他的統治也非如他所想要假裝的那麼輕鬆自在。他必須凶狠時就凶狠，可以仁慈時仁慈，他利用線民掌握所有異議；陰謀作亂者很快便遭剪除；他的祕書收賄，洩露他某封信的內容，被他親自斷腿。[13]但他也不是沒有幽默感的自大狂；他寫給至交的信戲謔且感情真摯。他嗜賭，好交際，常與友人聚餐，曾想過寫部悲劇，而且經由富有的顧問麥凱納斯（Maecenas）推薦，擢升宮廷詩人維吉爾（Virgll）、賀拉斯（Horace），並與他們交好。他稱讚賀拉斯活躍的愛情生活，暱稱他「完美陰莖」，但這名詩人未稱讚這位首席公民時，奧古斯都並未揚言要他好看，只是取笑他。

凱撒．奧古斯都想要為披著共和制外衣、實質已走上王朝制的羅馬帝國，營造神聖世界帝國的形象：他三次娶妻都未生下兒子後，他的雄心抱負於是寄託在女兒尤莉亞身上。把她嫁給表哥，未料表哥早死，奧古斯都又把她嫁給他的權力伙伴阿格里帕。阿格里帕當時四十歲，獲授予和首席公民一樣的權力。奧古斯都的大臣麥凱納斯事前示警道：「阿格里帕太厲害，若不殺他，就得把他納為女婿。」這樁婚姻生下兩個兒子蓋烏斯和盧基烏斯，兩人後來都成為繼承人。尤莉亞因那年紀大了許多的丈夫而一再懷孕，她覺得這樣的日子乏味沉重，只不過，懷孕是有好處的。

奧古斯都提倡家庭價值觀，貫徹包括反通姦法在內的保守新道德政策，但尤莉亞和一連串的男人有婚外情，只在有孕在身時和丈夫行房：「我只在船艙滿時讓一名乘客上船。」隨著她的兩兒子長大，奧古斯都當他們是心肝寶貝，她的淫亂則成了麻煩。

羅馬帝國這時疆域極遼闊，奧古斯都於是派阿格里帕去統治東半部：首先，他們和庫什王國的年輕王后（kandake）簽了一個條約。但據地理學家暨歷史學家斯特拉博（Strabo）的說法，這位王后阿瑪妮雷娜絲（Amanirenas）是「陽剛味十足的那種女人，咄咄逼人，獨眼」，一系列女戰士型統治者之一。她和丈夫國王泰里泰卡斯（Teriteqas）不滿於羅馬附庸國的身分。當奧古斯都命令埃及總督奧魯斯·伽魯斯（Aulus Gallus）揮兵入侵「阿拉伯半島肥沃區」（今葉門），她迎來了機會。從印度走海路過來的香料、藥物、香水、珠寶，在紅海的埃及口岸或阿拉伯半島口岸卸貨，並仰使從示巴王國（Sheba，衣索比亞／葉門）的馬里卜（Marib）而來的商隊走陸路經納巴泰（約旦）運到羅馬。奧古斯都想要控制這些貿易。

12　英語prince一詞源自princeps，就和palace一詞源自Palatine差不多。奧古斯都避用凱撒遭暗殺後被廢除的獨裁官（dictator）稱號。從此，dictator一詞成為貶義詞，而非官職。

13　但他不喜歡只因為以虐人為樂就虐人。他較早期的支持者之一韋迪烏斯·波利奧（Vedius Pollio），是個有錢卻也惡名昭彰的施虐狂，他把觸怒他的奴隸丟進別墅的池子裡餵肉食性的七鰓鰻。奧古斯都去那裡吃晚餐，有個奴隸把一只值錢杯子掉在地上，韋迪烏斯當即命人將他丟進池裡餵七鰓鰻，奧古斯都隨之要他的隨從砸碎剩下的杯子，直到那個奴隸獲釋、獲原諒才罷手。

上萬名羅馬軍團士兵從貝雷尼凱港渡過紅海，在離吉達（Jeddah）不遠處上岸，往南經麥地那，企圖拿下亞丁（Aden），沒料到他們在沙漠中迷路，未能拿下馬里卜，而且在他們的艦隊遭消滅後，命喪他鄉。

在麥羅埃，一得知奧古斯都的埃及駐軍已前往阿拉伯半島，泰里泰卡斯和阿瑪妮雷娜絲便發兵入侵埃及。泰里泰卡斯去世後，阿瑪妮雷娜絲接掌王位，率兵溯尼羅河而上。她在一石碑上頌揚此功績，而且把一顆巨大的奧古斯都頭像埋在某神廟前以表彰功績。埃及是羅馬不可或缺的糧倉：奧古斯都攻打庫什，阿瑪妮雷娜絲反擊，然後雙方同意談判。奧古斯都撤銷加諸庫什人的稅；阿瑪妮雷娜絲割讓「下努比亞」（Lower Nubia）的一塊地，但她已如願讓羅馬最偉大皇帝收回成命。

奧古斯都和納巴泰王國的馬利克達成協議，使他得以美化他的玫瑰紅都城佩特拉（Petra）和瑪甸沙勒（Mada'in Salih）。這位皇帝也支持他的猶大籍盟友希律——儘管希律大肆殺戮，而且殺了他所深愛卻背叛他的妻子、他眾多兒子裡的其中三個。希律精明、富魅力、有遠見、精神錯亂，在位四十年，改造了耶路撒冷，在該城建造了宏大壯麗的猶太聖殿。[14]

不久，每年有一百二十艘羅馬船從紅海口岸駛至印度。西元前二〇年左右，印度某統治者派出的代表團來到羅馬面見奧古斯都，獻上數隻老虎。羅馬帝國商人——大多是阿拉伯人或埃及人，而非義大利人——拿盛葡萄酒的兩耳細頸橢圓土罐、鏡、雕像和燈，以換取象牙、香料、黃玉以及奴隸。而某種新奢侈品漸漸從中國經安息、歐戴蒙（Eudaemon，今亞丁）運來：那便是「絲」。

趙飛燕和斷袖之癖

她叫趙飛燕，漢成帝前來陽阿公主府時，正好看到她在跳舞。她是歌妓，出生時家中甚窮，遭父母棄置於外，後來父母後悔萬分，便回頭去找，發現她還活著。漢成帝看到身材苗條、體態優雅的趙飛燕正和妹妹跳舞，立刻愛上她。當時她才十五歲。

西元前三三年，就在奧古斯都和安東尼對抗時，十八歲的成帝即位，已有妻子許后和愛妃班婕妤，但兩人都未為他生下嗣子。成帝是個個性開朗的紈絝子弟，差點因為沉溺聲色而被父親廢掉太子之位。他愛聽靡靡淫樂，喜歡喬裝打扮進入長安的窯子區招妓鬥雞。趙飛燕正合他所好。至於政事，他交給母親王皇太后處理，她的兄長王鳳和王家其他人以大司馬身分治理帝國。這時，趙飛燕被帶入宮，和她的妹妹趙合德一起被立為妃，趙飛燕也隨之將強烈程度前所未見的凶殘嫉妒帶進已然暗潮洶湧的宮廷裡。兩姊妹入宮不到一年，便構陷皇后和班婕妤行巫蠱，促使成帝於西元前一六年封趙飛燕為后。趙飛燕未能生下小孩，但有兩個妃子為成帝生下兒子。成帝（也可能是皇后）聽信趙飛燕或趙合德之言，親手殺掉兩個嬰兒以保護兩姊妹；其中一嬰兒的母親被迫自殺以免事跡敗露。成帝專寵趙合德時，兩姊妹失和，後來兩姊妹又聯手毒殺其他每個懷孕的女孩。

西元前七年，成帝突然駕崩，可能死於趙合德所提供的過量春藥。隨著接下來對嬰兒遇害和春藥服用過量兩事的調查，凶手漸漸指向趙合德，趙合德心生恐懼，在成帝的姪子哀帝即位之際自縊。哀帝登基，外界寄望甚高，無奈有病在身以致他無法好好治國，而且他「不好聲（女）色」，反倒愛上少年廷臣董賢：有次睡醒，哀帝怕吵醒他還在睡覺的愛人，於是剪斷自己的衣袖再下床，由此可見他愛董賢之深。許多皇帝愛男人，把他們公開列入寵愛之列，但「斷袖之癖」寵愛更甚：哀帝晉升二十二歲的董賢為大司

---

14 希律悠遊於羅馬政局，從安東尼一方轉投靠奧古斯都一方，然後他幾乎可說是凱撒家族的外籍成員。他所建造的紀念性建築，有許多保存至今。至於他興建的猶太聖殿，只有外牆仍在：西牆是哭牆（kotel），今日猶太人眼中最神聖的聖祠。

馬，任其執掌軍隊，哀帝垂死時，甚至傳位給這個男友。但王太皇太后出手阻止，設法使董賢自殺，提拔姪子王莽為攝政。高齡八十三歲的太皇太后獨力保住漢朝的穩定，可惜西元一三年她去世後，她的姪子企圖自建王朝——從而為帝國的治理提供了一則該避免的教訓——就在此時，在絲路另一頭，有另一個皇帝正在一位能幹且掌有實權的女人輔佐下，向世人演繹治理帝國的正道。

卡布里的蛇

七十五高齡的奧古斯都在羅馬南部家鄉諾拉（Nola）的自家別墅裡，正漸漸走向生命盡頭，他那七十幾歲的妻子利薇雅和她能幹卻陰鬱的兒子提比略（Tiberius）陪在他身旁。他的皇位不會由他的直系親屬繼承，但他結成了一個交織的婚姻網，已牢牢纏縛住他的血統和利薇雅的血統。

他希望留下幾個嗣子繼承大位，為此老早就寄望女兒尤莉亞和女婿阿格里帕所生的兩個目前仍年少的兒子蓋烏斯、盧基烏斯。西元前一二年阿格里帕去世時，尤莉亞有孕在身，後來生下一子波斯圖穆斯（Postumus），但這個兒子長大後毫無責任感，甚至精神錯亂。而兩夫妻還有一女阿格麗普庇娜（Agrippina）。

接著，奧古斯都命令尤莉亞嫁給提比略，西元前六年起，奧古斯都和提比略便共享保民官的權力。尤莉亞樂見這一婚事，提比略不然。不過，聰明且熱情洋溢的尤莉亞既樂於在性愛上冒險嘗鮮，在政治上也與父親唱反調，極惱火於父親對她的控制。她的兩個兒子蓋烏斯、盧基烏斯都被選為執政官，奧古斯都也就沒把心思放在女兒尤莉亞身上。他很喜歡這兩個外孫，暱稱蓋烏斯為他「最愛的小驢」，期盼有朝一日他們「承繼我的位置」。可惜兩兄弟在短時間之內相繼去世——就在奧古斯都發現他們母親有多乖張荒誕之際。

尤莉亞一身最艷麗的打扮，毫不避諱地和數名元老院議員和將軍私通，其中包括某西庇阿家族的成員和安東尼兒子伊烏魯斯・安東尼烏斯（Iullus Antonius），而和後者有所牽連，恐招來禍害。如果她是男人，這樣的風流韻事會被視為男人難免的小過失，然而她是女性皇位繼承人，這麼受男人愛戴已構成隱患，而且她的放蕩使奧古斯都取締不道德行徑的保守之舉站不住腳。西元三年，他將她終身放逐——但一如他所擔心的，她成為抵抗的象徵，反對他的人民紛紛靠向她。伊烏魯斯・安東尼烏斯遭處決。

奧古斯都不得不轉而寄望於妻子利薇雅的兒子提比略和德魯蘇斯（Drusus）。提比略覺得政治讓人心煩又緊繃。他對尤莉亞混亂的男女關係很反感，也痛恨他母親的命令，厭煩戰爭，於是退隱羅得島不問世事。事情卻未就此結束：尤莉亞的女兒小尤莉亞更是厚顏無恥，與多人不倫，其中包括好色詩人奧維德（Ovid）。而重點不在於詩和性：小尤莉亞的丈夫埃米利烏斯・保盧斯（Aemilius Paullus）正計畫暗殺奧古斯都。西元八年，保盧斯遭處決，小尤莉亞遭放逐。[15]

奧古斯都居中撮合了最終會帶來卡利古拉（Caligula）、克勞狄烏斯（Claudius）、尼祿等諸皇帝的幾樁婚姻。利薇雅的小兒子德魯蘇斯娶了屋大維婭和安東尼的女兒安東尼婭（Antonia），生了兩個兒子，分別是帥氣又富群眾魅力的日耳曼尼庫斯（Germanicus）和說話結巴且不良於行的克勞狄烏斯。克勞狄烏斯很幸運，襁褓時未被棄之於外——他母親斥他為「怪物」——而且娶了四個女人，生下小孩。他們的父親德魯蘇斯早死，而奧古斯都拔擢日耳曼尼庫斯，後者在戰場上打敗日耳曼人。奧古斯都讓日耳曼尼庫斯

15 在奧古斯都治下，與人妻不倫之事已受到唾棄，但奧維德甘冒大不韙，記錄這些事。奧維德自承那不只是一首「詩和一個錯誤」，還坦承那是「比謀殺更惡劣的罪行」，但他幸運保住性命，被放逐到遙遠的托米斯（Tomis）鎮（今羅馬尼亞境內），最終客死異鄉。

娶阿格里帕和尤莉亞的女兒阿格麗普庇娜，兩人生下三男三女共六個孩子。阿格麗普庇娜堅持要和丈夫一起出征，且必要時由她在戰場上發號施令，並讓她的么子蓋烏斯當軍隊吉祥物，穿上迷你版的軍團士兵制服，從而使他有了卡利古拉（意為「小靴子」）這個綽號。奧古斯都立提比略為繼承人，但命他收養日耳曼尼庫斯，從而串連起這些計畫。

垂死之際，奧古斯都談到他一生的一次大挫敗：西元九年，在條頓堡森林（Teutoburg Forest），三個羅馬軍團遭日耳曼部落民殲滅。考古學家已在此地找到羅馬盔甲。奧古斯都最後幾年不時低聲抱怨：「把我的軍團還我。」死前，利薇雅陪伴在側，奧古斯都說：「如果我善盡了職責，給我掌聲。」[16]他善盡了職責，他們也的確給了掌聲，在將他火化，葬在他宏偉的陵墓裡，一如當初對待凱撒，將他奉為神。而如今該陵墓仍屹立於羅馬。

提比略一掌權，就在他母親利薇雅建議下——她的女性權威（auctoritas）在她的家族名為奧古斯都中得到肯認——下令殺掉奧古斯都僅存的孫子波斯圖穆斯（Postumus）。提比略退居卡布里島（Capri），在那裡，這個像爬行動物的首席公民寵愛他溫順的蠶蜥蜴，享受游泳之樂，同時，據誇大渲染的史學家所述，被一批他暱稱為「米諾魚」（minnow）的男孩用舌頭探索（當時一如現在，游泳池狂歡是腐化墮落的簡稱）。

在羅馬，他把大權交給心腹禁衛軍（Praetorian Guards）總長瑟亞努斯（Sejanus），[17]利用他肅清敵人。他的繼承人是兒子德魯蘇斯，德魯蘇斯娶了日耳曼尼庫斯的姊姊莉維拉（Livilla），沒想到莉維拉與瑟亞努斯有染，瑟亞努斯想得到大位，因而可能毒死了德魯蘇斯。西元三一年，安東尼的女兒安東尼婭終於前去卡布里島，向提比略告發瑟亞努斯的背叛之舉。提比略現身羅馬，命人將他處決。莉維拉則落得被她鐵石心腸的母親餓死的下場。

帝國興盛與否，端視派出的地方行政長官優劣。提比略的目光被引到東方，他指派養子日耳曼尼庫斯為東方總督。這隻老鬣蜥嫉妒這名皇子。三十三歲的日耳曼尼庫斯在安條克病倒於不治之症時，指控提比略對他下毒——然後在他的妻子和諸子（包括七歲大的卡利古拉）——注視下死去。後來提比略迫使他的遺孀餓死，接著逮捕日耳曼尼庫斯兩個較年長的兒子，暗中將他們殺害。

在更南邊，提比略指派的地方行政長官本丟．彼拉多（Pontius Pilate）竭力控制騷動的猶大人，因為羅馬人的偶像崇拜和專制作風令猶大人不放心。[18]彼拉多暴力鎮壓猶大人在耶路撒冷的抗議聲浪以及他們的撒馬利亞同胞，由此加劇情勢緊張。這時，西元三三年，彼拉多遇上一名猶大籍先知耶穌，眾多這類傳道師之一。耶穌——希伯來語 Joshua ——是大衛王朝後裔，在加利利被撫養長大，而加利利的統治者是希律的諸子之一。一如所有猶大人，他已在耶路撒冷聖殿裡行過割禮，常去該城過逾越節等猶大人節日。他人生頭幾十年不詳，以傳道師身分出現時，儘管有治病、提供食物的神蹟，他未自稱彌賽亞。反倒批評猶大聖殿的權貴，支持受壓迫者，提倡在今世行為要端正，以為猶大教摩西五經裡所預言的即將到來的末日

16　謠傳利薇雅用無花果毒死奧古斯都，也有傳言說她毒死了先前有望繼承他大位的人。此說並無證據，而且其中有不少純粹是大男人主義作祟，因為下毒被認為是陰柔之舉——祕密、伺機進行、隱藏在食物中，被不疑有他之人放心吃下。在有許多人死於莫名感染的時期，中毒或巫術可解釋健康之人為何暴斃。但誠如先前已提過的，毒物是謀殺家人的理想武器：保住了順利繼承的表象。在人人都相信占卜、符咒、兆示之作用的時代，毒物是政治武器之一，所有最高統治者都有管道覓得行巫術或下毒的專家。奧古斯都臨死時說：「利薇雅，記住我們的婚姻生活，別了。」

17　禁衛軍向來是征戰時羅馬將軍的侍衛：睡在將軍大帳的門口。軍團士兵不得進入羅馬城界（pomerium）——蘇拉或凱撒違反此規定時例外——因此奧古斯都創建自己的禁衛軍，由他們和一隊日耳曼人侍衛保護他。

18　希律死後，他兒子的無能和短期內出現一連串猶大籍彌賽亞——聖王——促使提比略認定，有必要併吞猶大（Judaea）這個由羅馬帝國地方行政長官、猶大人大祭司、希律家族王子共同治理的地區。

進行準備。人心需要一個提供生命意義和死後救贖的道德使命，而此說正呼應了該需求。眼見在猶大人逾越節期間，耶路撒冷滿是朝拜者，局面陷入混亂，彼拉多便在城外某山上將耶穌釘死在十字架上。隔天，耶穌遺體從墓中消失，他的追隨者相信他是死而復生以承擔人類罪惡的彌賽亞——即神子。

這件發生在瘋狂猶大人之間的小事，提比略本不會花太多心思，但得知彼拉多把事情搞砸後，他便召回彼拉多。關於皇位繼承人，他選中日耳曼尼庫斯僅存的兒子，封他為「凱撒」，以長治久安：他正是卡利古拉。

要是羅馬有脖子那該多好：卡利古拉和姊妹

「小靴子」登基時得人心的程度，為其他首席公民所不能及。他在謀殺及野心交織的詭譎情勢裡，由兩個嚴厲的女人養大——先是他的曾祖母利薇雅（他稱之為「穿連衣裙的奧底修斯」），然後是安東尼的女兒安東尼婭。難怪他有情緒問題、沒安全感。

西元三六年，提比略邀卡利古拉來卡布里島和他同住，「為羅馬人民培養一條毒蛇」。但他指定了共同繼承人——卡利古拉和他自己的孫子十八歲的提貝利烏斯．格梅勒魯斯（Tiberius Gemellus）——但這男孩被懷疑是瑟亞努斯的兒子。提比略去世時，時年二十五歲、患有癲癇、高瘦且動作笨拙、下巴尖、已開始禿頭的卡利古拉，在人民大肆慶祝時被人民歡呼為「我們的小雞」，他同時承諾終止叛國罪審判並恢復選舉。元老院指定卡利古拉為唯一繼承人，但他之前的羅馬帝國皇帝都是經驗豐富的指揮官，他本身未有彪炳戰功。生了短時間病後，他下令處決表兄弟格梅勒魯斯，他們的共同祖母安東尼婭為此驚駭不已，最終絕食而死。他心儀埃及手足聯姻的傳統，於是把他的三個妹妹（小）阿格麗普庇娜、尤莉亞．莉維拉、尤莉亞．德魯西利爾拉（Julia Drusilla）全留在自己身邊，可能和她們有性關係，或者只是聲稱有性關係。後來小阿格麗普庇娜嫁給貴族格奈烏斯．多米提烏斯．阿海諾巴布斯（Gnaeus Domitius Ahenobarbus），只生下一子盧奇烏斯，即後來的尼祿。德魯西利爾拉去世時，卡利古拉奉她為女神，是為第一個被提升到如此地位的凱撒家族女性。而此舉暗示卡利古拉也是神。

他即位後，先是向人民發錢，大興土木，也舉辦了壯觀的表演活動，騎他的愛駒「飆速」（Incitatus）走過橫跨那不勒斯灣的浮橋，身穿亞歷山大大帝的胸鎧。卡利古拉很愛誇示他的權勢；誠如他向祖母安東尼婭所說的：「切記我有權對任何人做任何事。」他有劊子手般的風趣。殺他所要殺的人時，他要劊子手「出手時要讓他感覺到自己快死」。當他漸漸察覺到自己不得人心時，他便引述了某希臘劇作的話語：「讓他們心中的恨和害怕一樣久，」還說，「要是羅馬有脖子那該多好。」晚宴時，他要求有權利勾引賓客的妻子，並在事後評定她們的等級。他想必聽過奧古斯都做過類似的事，但不知為何，奧古斯都就是有辦法和受他傷害的人結為朋友，而卡利古拉卻令人們極為反感。在他的某場晚宴上，他突然大笑了起來，他告訴兩名執政官：「我點個頭，你們兩人就會當場被割喉。」每次他吻自己妻子，總禁不住嘆道：「無論何時，只要我一聲令下，這顆美麗的頭就會落地。」為折磨元老院，他揚言要讓他的愛駒當元老院議員。元老院議員塞涅卡的父親是來自伊比利半島的歷史學家，時年四十四歲的他進行了一場精采演說，卡利古拉為此眼紅，竟下令以陰謀罪將他處死——但一得知他已得了不治之症，他便笑道，他反正活不久，就免他一死，放逐就好了。而塞涅卡很清楚，「所有殘酷都源於軟弱」。

卡利古拉與帥氣演員姆涅斯特（Mnester）、德魯希拉的丈夫暨奧古斯都的玄孫馬庫斯．埃米利烏斯．雷皮杜斯（Marcus Aemilius Lepidus）有染，在羅馬社會，男人有此癖好完全是可被接受的，只要該男子已婚、畏神且在男男性關係中扮演主動方即可。但後來，他不放心雷皮杜斯的家世淵源，要人將他處決。

而每當他信任的禁衛軍總長卡斯西烏斯·凱雷亞（Cassius Chaerea），以折磨女人來消遣之際，往往有卡利古拉一同參與。這個皇帝放逐了自己尚存的兩個妹妹。他理所當然不放心所有家人，卻對那不良於行的叔叔克勞狄烏斯百般縱容，克勞狄烏斯則把此前的人生歲月全部投注在撰寫伊特拉斯坎人的歷史上。卡利古拉以兒戲的心態擢升他為執政官，而且安排他娶了和他們兩人都有親戚關係、也是屋大維和安東尼後代的少女瓦蕾莉亞·梅薩麗娜（Valeria Messalina），而明眼人都看得出，他並未把克勞狄烏斯視為威脅。與此同時，卡利古拉急於要有個接班人，他想要生個兒子，於是第四度娶妻，對象是他的情婦米洛妮亞·凱索妮亞（Milonia Caesonia），兩人生了一個女兒。

為了在戰場立功，他前去高盧，據說在此命令士兵採集貝殼獻給海神尼普頓（Neptune）。不過，較可能的情況是他們蓋了臨時營房（被誤譯為貝殼），同時卡利古拉得到了一心盼望著拿下的目標——不列顛尼亞的輸誠。

在卡利古拉的祕書、獲解放的希臘籍奴隸卡利斯托斯（Callistus）的督導下，帝國治理得井井有條，因而即使在精神錯亂的怪胎統治下，羅馬帝國仍繼續運行。卡利古拉很想穩定東方情勢，於是派友人猶大的王子希律·阿格利帕（Herod Agrippa）前去，撤換掉不可靠的埃及地方行政長官，然後封他為王，地位一如他的祖父大希律王（Heord the Great）。接著，卡利古拉命令猶大人膜拜立在耶路撒冷猶大聖殿裡的卡利古拉雕像。猶大人群情騷動。希律·阿格利帕說服卡利古拉收回此令。[19]

卡利古拉被寵壞、有情緒毛病、愚蠢，在各方樹敵。掌權的基本規模是嘲笑任何人，但絕不嘲笑自己的侍衛。卡利古拉取笑禁衛軍總長凱雷亞，要他入內面見他時必須以「陰莖」、「小姑娘」之類侮辱性的字眼為通關口令。凱雷亞開始與另外兩人計畫陰謀，即祕書長卡利斯托斯，另一人可能是卡利古拉的叔叔克勞狄烏斯。卡利古拉鼓勵克勞狄烏斯的一名奴隸告發主子的不法行為，此舉勢必會使任何羅馬人都對卡利古拉心生反感。西元四〇年，卡利古拉自封為神，即將離開羅馬，遷都亞歷山卓。這下子，再不動手就來不及了。西元四一年一月二十四日，才二十九歲的卡利古拉在帕拉丁山上劇場主持了為慶祝奧古斯都神而舉辦的表演活動，然後離開會場，他走向地下廊道（*cryptoporticus*），穿越格局複雜的皇宮後方，要回宮沐浴。他不良於行的叔叔克勞狄烏斯先請求告退。就在卡利古拉停下來觀賞歌手表演之際，三名他最信任的禁衛軍成員團團圍住他，並順勢拔出劍。

19　與此同時，卡利古拉召見非洲籍遠親茅雷塔尼亞國王托勒密，即克麗奧佩脫拉和安東尼唯一的孫子，並將他處決，併吞王國，或許是因為他的托勒密王族血統可能阻撓他在埃及的計畫。

圖拉真和「第一步驚」：羅馬人和馬雅人

宮中的亂交女：梅薩麗娜的政變

「認命吧！」凱雷亞喊道。他拔劍往卡利古拉的脖子揮去，但只砍碎他的頷骨。另一人一劍過去，差點削去他的一臂。而第三個人，在混亂之中，則全然忘了刺殺一事。只見卡利古拉在地上抽搐，不住高喊「我還活著！」懇求將他了結。

三名禁衛軍成員大喊「再砍！」順勢便往卡利古拉身上捅了三十下，包括生殖器。他的日耳曼族衛士一得知情況，勃然大怒地衝進劇場，幾乎殺光現場所有人。凱雷亞打算殺光卡利古拉全家，便派衛士去殺凱索妮亞和她的女嬰，未想她已衝出去，躺在遺棄的卡利古拉屍體旁啜泣。他們就地殺了她，然後抓起女嬰的頭部砸向牆。

振奮不已的元老院議員爭辯該指定誰為元首，但有些禁衛軍找到藏身於掛毯後的克勞狄烏斯。在長年老友猶大的國王希律．阿格利帕的助力下，克勞狄烏斯與禁衛軍、元老院著手進行談判。

他聲稱無意掌權，甚至私下希望恢復共和政體，但這全是為了保命並讓自己站在卡利古拉的對立面而裝出來的。尤利─克勞狄家族的人，可是天生流著野心的血液。克勞狄烏斯接下大位，他的狠毒及善變幾乎和卡利古拉不相上下。

克勞狄烏斯即位之初，便展現出令人意外的幹勁，賄賂禁衛軍，原諒刺殺卡利古拉者（但處決凱雷亞），答應元老院尊重他們的特殊權利。在國外，他授予友人希律．阿格利帕版圖更大的猶大王國，範圍涵蓋以色列、約旦、黎巴嫩三地的許多地方。然後，他下令發動一場宣揚國威的小戰爭：征服大不列顛島。羅馬帝國由三個原為奴隸、辦事幹練的自由民治理，其中為首者是他所信任的納基蘇斯（Narcissus）。入侵大不列顛之前，一有軍團騷動，他即以皇帝之名對他們講話，由此可見他權力之大。

克勞狄烏斯宮廷的中心人物是他的妻子梅薩麗娜。克勞狄烏斯五十三歲，梅薩麗娜二十三歲，出生於皇家。她已生下一女，這時，就在克勞狄烏斯征服大不列顛之際，她生下一子不列顛尼庫斯（Britannicus）。

平靖了大不列顛南部，克勞狄烏斯立即前去接受十一位不列顛國王的投降，在他位於卡穆洛杜諾姆（Camulodunum，今科爾切斯特／Colchester）鎮的新殖民地騎象遊街（不管是當時，或是現在，大象出現在科爾切斯特大街上，都是很轟動的事），而如此一來，他只能把梅薩麗娜留在羅馬。在克勞狄烏斯所解放的那些奴隸鼓勵下，她販賣起省長官位、玩弄權力。

這位年輕皇后所熱愛的生活，係今人或許可稱之為亂交的淫亂生活，然而這種生活不只說明她享樂的本事；她尋求刺激之舉，無疑也是被權力沖昏頭的年輕人表現。她迷戀誰全憑一時歡喜，一迷戀上就無法自拔，而且會逼對方就範。而她也把不支持她的人視為敵人——被她當成敵人可是件危險事。曾是卡利古拉愛人的梅內斯特，甚得她喜愛。但他不讓她得逞時，據說她要不知情的克勞狄烏斯命他服從她的所有命令——他就此成為她的愛人，把她伺候得非常開心，她因此命人為他鑄造一尊銅像。在劇場裡，觀眾大聲說出梅內斯特（Mnester）在宮中和梅薩麗娜廝混，克勞狄烏斯聽了，竟天真地揮手將觀眾趕走。卡利古拉的某個日耳曼籍侍衛被判下格鬥場了結性命時，她出手保住對方的性命，因為他和她上過床。據說她曾和別的女人比賽二十四小時內誰讓較多的男人在床上繳械，結果她以二十五名男子的成績奪冠。事後她以象徵守口如瓶的戒指，確保此事不外流。可惜紙終究包不住火。

克勞狄烏斯的皇位剛坐不久而且不穩。塞涅卡寫道：「元老院諸位同僚，此人看著你時，讓你覺得他連蒼蠅都傷害不了，卻殺人如踩狗屎一樣輕鬆。」這個腦筋不清楚的首席公民殺了三十五名元老院議員。

與此同時，梅薩麗娜受到卡利古拉的妹妹威脅。她揭露尤莉亞・莉維拉和塞涅卡有染之事，兩人因此都遭放逐。後來，克勞狄烏斯以陰謀作亂為由，把回來不久的尤莉亞・莉維拉和她的堂姊尤莉亞・莉維亞殺害，據說是梅薩麗娜慫恿所致。梅薩麗娜也不放心小阿格麗普庇娜（卡利古拉僅存的妹妹）和她益發得民心的兒子盧奇烏斯・多米提烏斯・阿海諾巴布斯（Lucius Domitius Ahenobarbus，日後的皇帝尼祿）。據說她去悶死襁褓中的尼祿時，有條蛇從枕頭下爬出。後來，她試圖放逐小阿格麗普庇娜、殺害該男孩，但在競技會上，尼祿所得到的歡呼甚於她自己的兒子不列顛尼庫斯。

西元四七年左右，三十歲的梅薩麗娜行事愈來愈誇張。她誣陷權勢甚大的前奴隸卡利斯托斯，他的同僚納基蘇斯、帕爾拉斯（Pallas）隨之意識到自己也可能遭不測，時值梅薩麗娜把生活重心從無恥的淫亂轉向政治陰謀之際。她寵愛的情人蓋烏斯・西利烏斯（Gaius Silius）是個瀟灑迷人的元老院議員；她自覺處境非常危險，於是著手計畫奪權，希望逼退（更有可能是要殺害）克勞狄烏斯，然後代表不列顛尼庫斯和西利烏斯共同統治。

奴隸出身的克勞狄烏斯忠臣納基蘇斯知道，梅薩麗娜能輕易讓他失去皇帝信任，於是說服他主子所寵愛的妓女克麗奧佩脫拉、卡爾普妮雅告訴皇帝真相——兩個少見的明是非、識大體的妓女。克勞狄在奧斯提亞（Ostia）巡視新港口時，梅薩麗娜正在舉辦與西利烏斯的酒神節式婚禮，而這場婚禮正是一場得到羅馬城民兵隊支持的政變的開端。兩個妓女將實情告訴皇帝時，納基蘇斯證實她們所言不假。克勞狄慌亂不知所措，所幸禁衛軍仍忠於他，納基蘇斯於是逮捕了陰謀作亂者。梅薩麗娜連忙攔了一輛垃圾車搭上，把她的兩個孩子獻給正趕回羅馬的克勞狄烏斯，欲藉此乞求饒命。他一時說不出話，但納基蘇斯命人把兩個小孩帶回家。逮捕梅薩麗娜後，克勞狄烏斯和納基蘇斯前往西利烏斯住所，發現他家裡滿是從宮中偷出的財寶。克勞狄烏斯大怒不已，當下殺了西利烏斯、姆涅斯特等陰謀作亂者。然後，就在他猶豫是否殺掉梅薩麗娜時，納基蘇斯命人砍了她的頭。克勞狄烏斯得知後一語不發，要人再端來一瓶葡萄酒。

此時的克勞狄烏斯看似虛弱，想必懷疑起不列顛尼庫斯不是他兒子。小阿格麗普庇娜——和兒子尼祿——因此有了上位的機會。

奴隸出身的自由民掌權：小阿格麗普庇娜的婚姻

小阿格麗普庇娜無論做什麼，都表現出向其叔叔克勞狄烏斯請教的姿態，而身為奧古斯都的直屬後裔，她要鞏固奧古斯都的帝國君主政體。納基蘇斯擢升克勞狄烏斯早先娶的某個妻子，但此時已和小阿格麗普庇娜私通的帕爾拉斯則支持她。西元五〇年，克勞狄烏斯娶小阿格麗普庇娜，她獲封「奧古斯塔」（Augusta）的尊銜，克勞狄烏斯同時收養她的兒子盧奇烏斯，並取了克勞狄家族名尼祿。小阿格麗普庇娜任命塞涅卡教導尼祿，同時指控納基蘇斯貪污。尼祿娶克勞狄烏斯的女兒克勞狄雅（Claudia）為妻，與不列顛尼庫斯一同被指定為繼承人。

六十三歲且大半時間都在喝醉酒的克勞狄烏斯，逐漸擔心起這男孩的安危。克勞狄烏斯和梅薩麗娜的母親（他的岳母）多密提婭（Domitia）愈來愈親近，還曾脫口而出他的命運就是要娶女人，然後懲罰她們。小阿格麗普庇娜擔心克勞狄烏斯甩掉她，改娶多密提婭。她和尼祿表明多密提婭有貳心；克勞狄烏斯默許將她處決。

時間來到西元五四年，小阿格麗普庇娜把納基蘇斯送到外地治療痛風，從已因謀殺入獄的製毒高手洛庫絲塔（Locusta）手中習得製毒本事，然後，她收買克勞狄烏斯信任的御膳試毒者暨御醫，接著她在克勞狄烏斯的蘑菇裡下毒。這位首席公民先是感覺不適，但活了下來，於是她要那個御醫毒死他，這次，她總算得手。

小阿格麗普庇娜派十七歲的尼祿去向禁衛軍承諾，將會給予他們額外好處，並處決了納基蘇斯，而她的情人帕爾拉斯依舊擔任財政大臣。

尼祿擔任首席公民的第一天，給了禁衛軍聽來反感的口令「最好的母親」，而他暴漲的青少年野心很快就和小阿格麗普庇娜的「權威」起衝突。太自負、脖短而粗、金髮、肥胖的尼祿，太輕易就掌握大權，因而不懂珍惜，反倒自認是操作政治的能手，刻意展現他表演和駕馭戰車的本事。他是個作風出奇現代的政治人物，把政治視為表演事業的延伸。

小阿格麗普庇娜想要成為尼祿的情人，以重振她日益式微的母親影響力。只可惜他已愛上友人奧托（Otho）的漂亮妻子薩比娜·波派婭（Sabina Poppaea）。尼祿想要休掉妻子克勞狄雅時，小阿格麗普庇娜認為不妥。波派婭嘲笑他沒膽，不敢違逆媽咪。

波派婭一身性感迷人打扮，身上穿的是突然間大為流行的衣料：女人穿起中國絲質衣物，而且絲衣底下不著寸縷。塞涅卡埋怨道：「我看到有人穿絲質的衣服，如果說藏不住胴體、甚至連得體也稱不上的織物可稱作衣服的話。成群的可憐女僕辛苦工作，好讓姦婦的身體得以隔著薄薄的連衣裙就被人看到，她的丈夫對妻子身體的熟悉程度，竟和任何陌生人沒什麼兩樣……」這一時尚要人刮掉恥毛，而與權貴關係甚好的自然學家老普林尼（Pliny the Elder）得知後大為驚駭。元老院數度禁止穿著不合道德的絲質衣服，未想這一風潮更為強勁，金錢亦然。[20]

而在絲的來源地中國，有個出了傑出作家、軍人的家族，正在體會為另一個世界級偉大王朝漢朝效力所帶來的機會和風險。

母親、兄弟、姊妹：尼祿、小阿格麗普庇娜、班氏一族

西元五四年，已動筆書寫王朝歷史的班彪去世，留下未竟的代表作《漢書》。宮廷內鬥的凶殘和貪婪幾乎毀了漢朝，但經過一場慘烈內戰，能力出眾的漢朝宗室劉秀（光武帝）恢復了漢王朝，並任命班彪寫下漢朝史。班彪去世，留下兩子一女：兩子是文風鋪張揚厲的二十二歲詩人班固、凶狠的二十一歲軍人班超，一女是九歲的班昭，而後者將會是這個能人輩出之家族裡最不凡的人物。三兄妹也將以不同的方式改變歷史，而且這些方式的影響，從皇廷往外，一路跨過絲路，往西方蔓延。三人個個揚名立萬，一人是歷史學家，一人是征戰高手，一人是作家、廷臣和女權提倡者——最早取得如此顯赫成就的女人之一。

班固開始繼承父志，私下撰寫《漢書》。他凶惡的弟弟班超對這類細膩活完全沒興趣：他入朝為官，擔任蘭臺令史，只是此工作步調緩慢，令他厭煩。他想要冒險。

光武老皇帝去世，傳位給他三十歲的兒子，是為明帝。明帝得知班固「私修國史」——言下之意暗指他未能頌揚漢德——便將他逮捕，沒收藏書。所幸弟弟班超代為向明帝求情。明帝於是釋放班固，並召見他，任命他為正式史官（蘭臺令史），他的弟弟班超則偏愛較逞凶鬥狠的活動：他力勸這個心思細膩的史家，「投筆從戎！」班超隨將軍竇固出擊匈奴，在此役期間取得彪炳戰功，同時開啟了他對文化的好

20 老普林尼估計，羅馬對印度洋奢侈品——例如來自中國的絲、來自印度西南部哲羅國（Chera）口岸穆齊里斯（Muziris）的甘松——貿易課徵兩成五的稅，羅馬因此一年賺進一億塞斯特斯幣（sesterce），或許占羅馬帝國歲入的三分之一。證據表明，紅海口岸有印度僑民（大概是商人）居住，在貝雷尼凱找到的一尊佛像就是明證之一。此一貿易——經由多條路線，既有陸路也有海路——一八七七年由德籍旅行家斐迪南・馮・里希特霍芬（Ferdinand von Richthofen）男爵稱之為絲路（Seidenstraße）。一次大戰著名飛行員「紅男爵」（Red Baron）便是馮・里希特霍芬的姪子。

奇心、過人政治本事，促使他成為征戰功績最輝煌的中國征服者，擴展了「西域」（中亞）。班家順風順水，然而，漢廷和凱撒家族的宮廷一樣陷入險境。

尼祿夾處在母親和情婦之間。仍只有四十出頭歲的小阿格麗普庇娜把尼祿灌醉，並勾引他，後來卻揚言要把克勞狄烏斯的兒子不列顛尼庫斯扶上王位。此前尼祿曾虐待不列顛尼庫斯，甚至強暴了他。他要這個年紀較小的皇子在劇場朗誦詩時，不列顛尼庫斯以詩講述了自己受到如何的冷遇，臺風莊重，引得觀眾喝采。而且，不列顛尼庫斯演技更勝一籌，令這位有無限權力的自戀者怒不可遏，於是要製毒者洛庫絲塔提供兩種毒藥，一種藥效快，一種藥效慢，並在家庭晚宴時給不列顛尼庫斯吃下。慢性毒藥並沒有要了不列顛尼庫斯的命，尼祿轉而騙他吃下速性藥。他親眼目睹不列顛尼庫斯在他面前抽搐。

尼祿的母親小阿格麗普庇娜和妻子克勞狄雅（不列顛尼庫斯的姊妹）看出這個皇帝已失控。尼祿把小阿格麗普庇娜趕出宮，與親信討論如何消滅她。禁衛軍不願殺掉日耳曼尼庫斯的女兒，而且毒藥常常不靈，於是，卑劣的獲解放奴隸阿尼凱圖斯（Anicetus）提出某個計畫，他聽了大為振奮。

西元五九年，小阿格麗普庇娜在那不勒斯灣畔參加慶祝活動時被帶去乘船旅遊，她搭的是一艘被動過手腳的殺人船。鉛質頂篷垮下，壓在她身上，她竟逃過一劫，接著船身解體，而她奮力游上岸。尼祿唯恐她報復，便派那個獲解放的奴隸回她的別墅。阿尼凱圖斯制伏了她之後，將她殺害，她當下指著自己肚子喊道：「阿尼凱圖斯，刺這裡，因為這個子宮生下尼祿。」

在大臣塞涅卡的協助下，尼祿誣陷小阿格麗普庇娜叛國，藉此洗刷殺母罪，同時擺平元老院。從此尼祿更是恣意而行，不受約束。

西元六二年他殺了帕爾拉斯，搜刮了他的家產。最後，尼祿終於可以娶波派婭——但他和皇后克勞狄雅仍有婚約在身，而且非常厭惡這個皇后。他要以不孕為由將她休掉的傳言傳開時，人民止不住抗議，而尼祿則慌亂了起來。這時，阿尼凱圖斯再度展現自身絕非無用武之地，出面作證和皇后通姦。她遭放逐至潘達泰里亞島（Pandateria），在島上，她被綁住，割開血管。她的頭被獻給波派婭，作為結婚賀禮。西元六三年，尼祿和新皇后生下一女。

隔年，尼祿人在他位於安提烏姆（Antium，今安奇奧／Anzio）的別墅時，羅馬發生火災，在稠密的多層樓木造建築區，火勢迅速蔓延。這場大火是推動歷史的超級推手——大流行病和天災人禍——之一，這些推手使領導人和體制在我們不妨稱之為尼祿測試（Nero Test）的行動中受到無情的考驗。他事事處置得宜，把他的私人庭園拿出來當避難所，降低穀價，修建棲身之所，邀難民住進他的皇宮，只是出於時時需要以戲劇性手法凸顯自身重要性的自私心理，他推出一場以此大火為主題的表演，在其中彈里拉琴，引吭高歌。隨著羅馬火災復熾，此演出更難令人叫好。尼祿拙於體察人心，竟決定利用大火燒出的空地蓋新宮殿「金屋」（Golden House），從而使人們更加相信此火是他所放。在該宮殿的門廳，他立起一尊自己的巨像：在一顆球體上，一尊九十九呎高的裸身神，手握著舵，藉此表達其支配世界的地位。[21] 觀感比真相更是事關緊要：尼祿未能通過「尼祿測試」。

他們的短命女兒出生後，波派婭獲授尊銜「奧古斯塔」，而且身為百畝皇宮的女主人，權力大到足以指派她所提攜的無能之徒治理猶大。

尼祿不受任何明白事理的顧問約束，想要為羅馬大火和其他不祥之事找代罪羔羊，索性把矛頭對準剛

21 「金屋」富麗堂皇，令最終承接尼祿之位且生活較簡樸的維斯帕先（Vespasian）難堪。於是，該宮殿遭逐步拆除，改建成提圖斯的浴場（Baths of Titus）等建築，最終只有較低層的房間保留了下來。十五世紀被人發現時，這些房間最初被認為是岩洞（grottoes），因此，牆上那些墮落的濕壁畫，即令拉斐爾、米開朗基羅兩大藝術家大受啟發的畫作，被說成是grotesques（奇異風格作品）——從而有了今詞grotesque。

擄獲人心的猶大教派，即奉提比略在位時遭羅馬人處決的先知耶穌為教主的基督教徒。他們拒行向諸神——和向首席公民——獻祭的羅馬基本儀式，因此成了特別可疑之人。有著古老信仰的猶大人勉強接受這一儀式，但晚近才出現的基督徒不然，基督徒的人人平等論似乎在挑戰整個社會秩序——在羅馬，蓄奴始終是非常需要小心處理的問題，而基督徒認為，羅馬社會提倡蓄奴，違反他們的教義。尼祿逼基督徒命喪於沙場（即競技場），尚在世的耶穌十二使徒之一彼得（Peter）被頭下腳上釘死在十字架上。[22]

在「金屋」，尼祿和有孕在身的波派婭關係日漸惡化：據說某次爭吵時，尼祿踢了她的肚子，誤殺了她。再度單身的他想要娶克勞狄烏斯更早一次婚姻所生的僅存女兒，被拒後，結果她也遭殺害。他啟程前往希臘參加戰車競賽並下場表演，在那裡愛上一個年輕宦者。此人是獲解放的奴隸，名為斯波洛斯（Sporus，「種籽」）具有戲謔的性意味，他長得出奇像波派婭。尼祿鼓勵他化身為波派婭——並娶了他。

陰謀活動更加猖獗；叛亂大增。塞涅卡喜歡說「毒從金杯飲入」，但就連這位哲學家也積聚了大筆財富，因而放起高利貸——貸款給不列顛酋長等人。他的強勢討債可能加速了女王博阿迪西婭（Queen Boadicea）在大不列顛島上所領導的叛亂爆發。付出一個羅馬軍團遭滅的代價後，這才平定此亂。塞涅卡那時已六十歲，已退居別墅，以他所認識的歷任皇帝為題，撰寫驚人的諷刺性作品。就在這時，他牽連上一樁陰謀案，儘管證據薄弱，尼祿還是命他自盡。塞涅卡曾有感而發說：「我們總是抱怨人生苦短，卻總是表現得像是人生沒有盡頭。」如今，人生走到盡頭：在友人環繞下，塞涅卡服毒、割腕，死在浴缸裡。

西元六六年，猶大情勢劇變。看不慣羅馬的離譜貪腐，叛亂者消滅一支羅馬軍團，建立猶大國家，以幾乎攻不破的宏偉聖殿城市耶路撒冷為都城。此一情勢威脅到羅馬帝國東部，引發一連串叛亂。高盧軍團、伊比利半島軍團造反；他們攻向羅馬時，元老院議員和禁衛軍終於和尼祿反目，而尼祿則想逃到奧斯提亞，再逃到安息——很愚蠢的計畫。回到羅馬皇宮後，他隔天早上醒來，驚覺已眾叛親離，大喊道，

「我既沒有朋友，也沒有敵人！」他帶著小股隨從逃難，其中包括他那個一身女孩打扮、貌似波派婭的漂亮宦者斯波洛斯。途中，他想以跳台伯河、用劍自刎的方式了結自己，可惜都未能如願，自殺未遂過程中，他一直高聲念著戲劇台詞：「死有那麼可怕嗎？」最後，這位超愛出風頭的人無路可逃，來回踱步，不住喊著：「世界就要失去我這樣一位優秀的藝術家。」然後，說服他的祕書割開他喉嚨。就在那時，一名元老院使者衝進來，而血汩汩流出的尼祿低聲說：「太遲了！這就是忠貞！」

凱撒家族自取滅亡。經歷三位皇帝後，西元六八至六九年迎來第四位皇帝維斯帕先（Vespasian）——一個毫不做作的老將軍，綽號趕騾人（Muleteer），曾為羅馬征服大不列顛島一事出力過，史學家蘇埃托尼烏斯（Suetonius）說他長得「像一直在使勁要拉出屎的人」。被擁立為皇帝時，他正在消滅造反的猶大人。西元七〇年，他的兒子提圖斯強攻耶路撒冷，摧毀聖殿，只留下希律那宏偉巨構的支撐牆。[23]

西元九七年，志得意滿的中國武將班超、宮廷史家班固之弟，遣使經安息拜訪羅馬。這名衝勁十足的將軍率兵西征，遠至裏海之濱。他的兄長班固在宮廷修史，兩人才華橫溢的妹妹班昭嫁到他們的家鄉省分，班超則始終想要在邊境攻打匈奴，他告訴作家兄長：「大丈夫無他志略，猶當效傅介子、張騫立功西域。」他的使命是奪下與安息、羅馬的貿易——攻破匈奴。班超說：「不入虎穴，焉得虎子。」

---

22 他的祕密埋葬處成為基督徒膜拜地——位在今日聖彼得大教堂之下。

23 這場勝利帶來龐大財富——包括來自猶大聖殿至聖所的枝狀大燭台——和數萬猶大籍奴隸。提圖斯美化了羅馬，蓋了一道拱門和一座巨大的新圓形露天競技場。他和維斯帕先改造尼祿的巨像（Colossus），為該像增添了光芒，獻給「戰無不勝的太陽神」（Sol Invictus），並設立在那座新建的競技場外——該競技場因而有「大競技場」（Colosseum）之名。這座競技場屹立至今，然那尊巨像，作為羅馬名勝長達四百年，在西羅馬帝國覆滅前後消失。

女作家和身在虎穴的都護：班超和「曹大家」

西元七五年，新皇帝章帝苦於在中亞鎮壓部落的開銷無窮無盡，於是命班超回朝，沒想到班超決定抗命，因為他意識到，此時若罔顧西域，就會永遠失去西域。他反倒勸章帝，只要動用少許兵力，且讓兵力得到當地盟邦援軍支持並高調展現驃悍軍威，就能——一如其他許多帝國——維繫住他的新帝國。在與鄯善王談判時，他聽聞匈奴使者已抵達當地，企圖破壞他的出使任務。他殺掉匈奴使者，揮舞他們的頭顱，終於如願讓鄯善王歸順於漢。另一次談判期間，他眼見于闐王受巫師的意見左右，班超便於交談時斬殺這個巫師，然後渾然無事般繼續交談。他最終擊敗匈奴，拿下疏勒、于闐兩王國。

班超遭遇名叫月氏（貴霜）的一支民族。月氏敗於匈奴之手，南遷後，建立自己的王國：這些騎馬游牧民——當時仍有以外力改變新生兒顱形的習俗——征服大夏，進犯北印度。[24]班超打敗一支貴霜軍，但最終和權力舞台上的這些新對手締和。

班家受章帝皇后竇氏提攜，宦途一帆風順。竇皇后是權力遊戲高手，利用行巫術的誣名除掉太子，收養另一妃子的兒子，再逼妃子自殺。[25]太子長大後，仍以為竇皇后是生身母親。

西元八八年，九歲男童繼承父皇之位，是為漢和帝。竇皇太后依舊掌權，他的哥哥竇憲以大將軍或攝政身分把持朝政。但他的專橫跋扈惹惱每個人，連年幼的皇帝都對他反感。竇憲拿下對匈奴的數場勝仗，在燕然山舉行慶功儀式並刻石記功，銘文出自班固之手。班固獲晉升為竇憲的祕書，職稱為玄武司馬，與其妹班昭一同在朝為官。此時班昭已喪夫，但不願再嫁，成為藏書閣的御用教師。

西元九二年，十三歲的少年皇帝「加冠」——成年禮——在他所信任的宦官鄭眾支持下，著手對付竇家：竇憲遭迫令自殺，皇太后從此不問政事，時年六十一歲的班固受牽連被捕。班昭認識這位年輕皇帝，代哥哥向皇上求情，但班固仍遭處決。現實再度表明寫史是危險的志業。和帝賞宦官鄭眾鄛鄉侯之位和大長秋之職（掌管皇后宮中事務的主要職官），是為第一個升到如此高位的宦官。竇憲信任的宦官之一蔡倫，擔任尚方令（職掌兵器製造及宮內器用），在竇憲垮台後未失勢，得以繼續研發用以書寫的新素材。宮廷文書向來寫在厚重竹簡和昂貴帛布上，但這時，蔡倫觀察過胡蜂如何用唾液將樹皮黏合在一塊後，因而發明了紙，為此得到皇上擢升。然而，班固已死，誰來完成《漢書》？

這場奪走班家一人性命的政變，造就了另外兩人的風光。皇上擢升班超為西域都護，而且希望看到《漢書》完成，於是命學問淵博的班昭完成此書。時年僅約四十五歲的班昭，教授皇后及諸貴人數學、歷史、道德、女性禮儀，因此與皇后鄧綏親近，受鄧皇后擢升為女侍臣。鄧綏十五歲被選入宮，一如其他入宮女孩，最初是個妃子，最終取代陰皇后，成為皇后；她聰穎且能幹，鼓勵使用紙這項新發明，而且有可能是出於班昭的建議。在班昭主持下，藏書閣棄竹簡改用紙。班昭的《漢書》是最早寫在紙上的史書之一，她的《女誡》七篇是為指導女性如何在宮中存活而寫。班昭綽號「曹大家（音「姑」）」，對各種事務都提出見解，包括擔任宮廷詩人時對道教房中術提出看法，以及為特殊活動奉詔作賦、就政事撰寫奏章。溫順的和帝死後過了許多，鄧太后臨朝稱制，施政便是採行這名不凡女子的建議。

24　疆域遼闊的貴霜帝國，由翕侯（地位如同諸侯）丘就卻（Kujula Kadphises）創立，定都華氏城（Pataliputra），存世三百年。貴霜人留鬍、八字鬚，蓄長髮，穿長外衣、長褲、靴子，以矛和劍為兵器。開朝君主的曾孫迦膩色伽（Kanishka）協助將印度文化、宗教傳入中亞、中國，將中亞文化傳入印度。他尊崇希臘、印度、波斯等諸神——將濕婆、佛陀、海克力士、阿胡拉—馬茲達混而為一——自稱萬王之王。他也把中國絲運到印度洋，再轉運至地中海。

25　漢朝遴選後宮規範嚴謹，每年陰曆八月派中大夫、掖庭丞和相工赴城鄉考查良民家中處女，按一至九級將女孩分級。雀屏中選者會被帶到京城洛陽細加檢查，有部筆記寫道：「肌理膩潔，拊不留手，規前方後，築脂刻玉，胸乳菽發，臍容半寸許珠。」以及「不痔不瘍，無黑子創陷及口鼻腋私足諸過。」而妃子則分為貴人、美人、采女諸級。通常諸貴人中會有一人被立為后。

班昭教皇后天文、夫妻相處之道時，她的兄長西域都護班超已得知羅馬帝國的存在，中國人認為羅馬帝國與中國相類，因此取名大秦，表達了對該帝國的欣賞之意。班超大概已見過羅馬人的貨物和錢幣，於是這位老將軍遣甘英出使大秦。他的妹妹在《漢書》裡記載了甘英去到西海（或許是波斯灣）一事，並聽信安息人的說法而未再前進，他解釋道：大秦「與安息、天竺交市於海中，利有十倍……其王常欲通使於漢，而安息欲以漢繒綵與之交市，故遮閡不得自達。」這時的歐亞大陸東西聯通。貿易並非今日才有。至於羅馬皇帝，甘英說道，「其王無有常人，皆簡立賢者。國中災異及風雨不時，輒廢而更立，受放者甘黜不怨……」[26]

若說甘英對羅馬皇位繼承的看法流於溢美，他的看法，就羅馬當時的情勢來說，還真說對了：西元九七年，羅馬人拒斥家族統治，選了一名「賢者」繼承大位，那就是與班超同時代且成就和班超不相上下的羅馬最出色軍人圖拉真（Trajan）。圖拉真打算踵武亞歷山大大帝入侵波斯和印度。

星戰、陰莖穿洞、性奴、蒸汽浴

圖拉真一副虛張聲勢的老派羅馬軍人的模樣——能吃苦，鬍鬚剃得一乾二淨，一頭灰白頭髮，一身典型的凱撒式打扮，大多被描繪成身披泛著亮光、刻有圖案的胸鎧——而且把這樣的角色扮演得微妙微肖。

圖拉真最快樂的時刻，莫過於和「我優秀且最忠貞的同袍」一起分享配給，共住營地。他唯一沉迷的事物是葡萄酒和男孩，而且大多是身為演員、舞者的男孩。圖拉真言詞坦率而且好交際：乘車遠行時，總是邀三個友人同行，一路聊天，而且他有罕見的自信，自認很有把握將濟濟多士聚於自己身邊。他曾以頗不友善的口吻告訴某哲學家：「我喜歡我所聽到的話，但你正在說的，我一個字都不懂。」但他天生知道如何取得權力。

這個皇帝生於西班牙的義大利卡（Italica），與妻子龐培婭・普羅蒂娜（Pompeia Plotina）未生下兒子，但與一家子女人——龐培婭的姊妹、姪女、兩個甥孫女——全搬到羅馬住在一起，他置身其中猶如眾星拱月。皇后龐培婭來到皇宮時告訴觀眾：「我進來這裡時是什麼樣的女人，離開時也會是同樣的人。」

圖拉真樂於拿皇位繼承之事纏擾他的隨扈，有一次，曾要他們提出十個最理想的皇位繼承人選：盛世有個奇怪的特點，那就是總會出現眾多能力足以躋身統治之位的人，然而在衰世，這樣的人似乎是鳳毛麟角。而哈德良始終遙遙領先。一如圖拉真，他來自伊比利半島：哈德良的父親早逝，圖拉真是這個男孩的監護人，然後一路提攜他，不過哈德良有件事惹惱圖拉真。哈德良很得圖拉真的妻子歡心，經她安排，他娶了皇帝深愛的甥孫女薩比娜（Sabina），為他日後接位安排好最有利位置。只不過成為最被看好的候選人，始終會招來危險：或許圖拉真的妻子為了保護他，未過度提拔他。但圖拉真一度不贊同他縱情歡樂的豪奢作風，不久，哈德良竟被逮到挑逗圖拉真的男情人。年紀較長的獨裁者或許就是很容易被這類事情惹惱。與圖拉真交好的學者小普林尼寫道，「事事都取決於一人心血來潮的想望」，然這個皇帝的決定向來明智。[27]

26 西元一〇二年，曹大家班昭懇請鄧皇后讓兄長班超退休返國。獲鄧后同意後，他回到洛陽，向鄧后匯報了在西域的冒險事蹟，然後死於七十歲時，留下兒子班勇經營他打下的疆域。班昭的影響力仍持續：這名女作家死於西元一一五年，皇族為她穿上素服表示哀悼。她是史上第一個著名的女作家：鄧太后於她死後命人蒐集她的著作，集結為三卷。

27 比提尼亞（Bithynia）行政長官小普林尼遇上信徒愈來愈多的基督教時，處決了那些不願向諸神獻祭藉以向皇上致敬的人，而為了釐清情況，他拷問了兩名信仰基督教的奴隸，但「除了發現墮落、走火入魔的迷信，一無所獲」。於是他向圖拉真徵詢意見，圖拉真回道，「親愛的普林尼，你的作法恰當；不必費心去揪出他們，一旦他們遭舉發且證明有罪，就要受懲罰，但若有人否認自己是基督徒，而且真的——藉由膜拜我們的神——證明這一點——就要予以赦免……匿名舉報完全不可取……與當今的時代精神不符。」

世人總是在走過一時代之後，才意會到該時代有多幸運。但拜溫和天候、糧食豐收、五千萬至七千萬帝國人口貢獻的龐大稅收之賜，這個時代便是那幸運時代。圖拉真具備了偉大之人的三個要素——明斷果決、遠見、謀略。為消滅達契亞人（位於今羅馬尼亞），圖拉真兩次出兵征討，而在兩次出兵之間，他在羅馬大興土木，以新神廟、他的勝利紀念圓柱、新體育場「大戰車競技場」（Circus Maximus），來誇耀他的偉大和勝利。

富人有成群奴隸伺候，過著奢華、安逸的生活——用詩人馬提亞爾（Martial）的詩句來說，「紅海珍珠和拋光的印度象牙」——但城市生活、皇權行使、羅馬社會實際上依舊嚴酷且雜亂、腐敗、殘酷。

羅馬這時是有百萬人口、街上熙來攘往的大城，皇帝住在大宮殿裡，富人住在豪華別墅裡，窮人則擠居在高高的十層公寓大樓（insulae）裡。馬提亞爾寫道，「我住在斗室裡，有一扇根本關不上的窗，那是博雷亞斯（Boreas，陰暗冬天之神）都不想住進去的房間」。馬提亞爾，又一個出身良好且在羅馬發展順遂的西班牙人，曾受寵、又失寵於皇帝，但以壓抑不住的戲弄語氣，記錄了達官貴人、販夫走卒的虛偽下流。他寫道：「用你的巨鼻和巨屌，／我相信你肯定能輕鬆辦到／你興奮起來時／查看末端有沒有起司。」他痛惡具施虐狂心態的殘酷奴隸主：「你說野兔沒煮熟，要人拿來鞭子；／魯福斯，比起切碎你的野兔，你更想切碎你的廚子。」但他也有悲憫感性的一面。他最感人的詩，係在讚美一個他愛慕卻早逝的女奴，「一個聲音和傳說中的天鵝同樣悅耳的小孩」。[28]

然而，連窮人都能觀賞尤維納勒所稱的「麵包和馬戲」（bread and circuses）——即在有五萬座位的巨大競技場（Colosseum）和有二十萬座位的大戰車競技場（Circus Maximus）上演的血腥競技[29]——亦能享用浴場。圖拉真不過是在位期間蓋了公共浴場（thermae）的近期一個最高統治者而已。六萬羅馬人隨時都有地方泡澡——從事奧維德（Ovid）所謂的「偷偷摸摸之消遣」的絕佳場所。浴場成為彰顯羅馬人與眾不同之處的東西，最能說明何為城市奢侈享受的標記：有個羅馬人在牆上塗寫道，「活著就要上浴場」，有個生活舒適愜意、講究吃喝的人，在墓碑上正告：「泡澡、性、酒毀了我們的身體，卻使我們不虛此生。」亙古彌新的真理。而諷刺的是，浴場之所以界定了何為羅馬文明，係因為浴場也或許傳播了以水為媒介且奪走許多人性命的疾病。在浴場，馬提亞爾記錄了赤條條的羅馬：他注意到男人竭力遮掩割過包皮的陰莖（這種陰莖是猶大籍奴隸的標記，因而不為多數人所接受），同時記錄了一名陰莖特別粗大的男子脫掉袍服時，數千名泡澡者鼓掌叫好的歡鬧場面。他嘲笑因為男女共浴而興奮異常、最終和一年輕男子私奔的端莊人妻，嘲笑色迷迷直盯著年輕男子陰莖瞧的陽剛男子。當時留下的某個塗鴉寫道：「阿佩萊斯和戴克斯特在此享用了非常愉快的午餐，同時和人性交，」還說：「我們兩人，『老鼠』阿佩萊斯和他兄弟戴克斯特，開心肏了兩個女人兩次。」從茅利塔尼亞至大不列顛島，帝國各地一一仿效羅馬城建城：文明（civilisation）一詞源自civis（城鎮），文明則來自城市（urbis）。但城市欣欣向榮，不只見於歐洲、非

28　馬提亞爾縱情於羅馬富家女人，例如他的淫蕩友人凱莉亞（Caelia）樂於享受無拘無束的性愛。每當羅馬帝國打勝仗，就有形形色色的奴隸湧入羅馬，從而讓凱莉亞有了許多上床對象：「妳讓安息人……日耳曼人……達契亞人、為了妳從埃及城市過來的孟斐斯情人，以及來自紅海的黑印度人，上妳的床；對於行過割禮的好色猶大人，妳也來者不拒。」與他同時代的詩人尤維納利斯（Juvenalis，英語作尤維納勒／Juvenal）同意說道，在奴隸本該守好女主人的貞操，卻很快便和她一起偷偷縱情歡愉的世界裡，貞潔妻子是「稀有之人」。「誰來看守負責看守之人？」他在一個常被誤解的詩句裡如此問道，「如今，當這個淫亂女孩給予他們同樣的款待，他們就守住嘴巴，不向人透露這個女孩的罪行。」

29　戰車比賽奪冠者會變得非常富有——即使奪冠者是奴隸亦然。最有名的，是生前拿下兩千零四十八場比賽冠軍的斯科爾普斯（Scorpus）。此人最終死於非命，大概死於戰車撞毀事故。馬提亞爾替他寫了墓志銘：「我，斯科爾普斯，喧鬧大競技場的驕傲，羅馬的寵兒，長眠於此。惡毒的命運之神在我二十六歲時取走我的性命。命運之神想必算過我得勝的次數，而非我的年齡，並認定我已經老了。」

洲、亞洲。

在大西洋彼岸，存在著一個與非洲—歐亞洲不相往來數千年的世界，和圖拉真同一時代的中美洲，這個世界的「第一步鯊」（Yax Ehb Xook）正在創建將會有長達八百年國祚的偉大王朝之一。第一步鯊是興盛的城邦提卡爾（Tikal，今瓜地馬拉境內）的領主（ajaw），提卡爾則是諸多說馬雅語的城市之一。提卡爾創建於西元前三〇〇年左右，馬雅人稱之為「雅克斯穆塔」（Yax Mutal），居民十萬人，規模比歐亞大陸四大城——即各有居民百萬的羅馬、洛陽、長安、塞琉西亞——小了許多。然而，提卡爾也只是擁有先進城市生活的諸多中美洲城邦之一。這些城邦發展出象形文字（使用符號代表文字），繪製星圖，創造出曆法，根據他們對天空的認識過節。他們以玉米、番茄、豆類為食，喝巧克力飲料。他們在作坊裡把黑曜岩（即火山玻璃）打造成武器、工具、首飾、鏡子，而且紡製棉紗，拿棉紗、奴隸和鄰居做買賣。他們治牙技術高超，把綠松石、石英嵌入門牙，在出土的馬雅人遺骸上，這些嵌入物依然安在，由此可見嵌入之牢固。他們知道輪子，但未把輪子用於運行，而是用於童玩，不過他們建造了高出地面的筆直道路——白路（white raods）——以反映銀河。他們在宏偉的角錐狀神廟裡膜拜要求血祭的多種神：他們的統治者得把魟魚刺穿過自己的陰莖，很痛苦的一種儀式，卻也說明了統治需要神的認可。在神廟，他們以人為祭品，把用來獻祭的活人砍頭、剝頭皮、剝人身皮、挖出內臟，割下心臟，將它們和野生動物一起埋葬。最理想的活人祭品是出身高貴的囚犯。球場是馬雅城市的一大特點，馬雅人在球場用橡膠球進行神聖比賽，獎金比我們的足球比賽還高。馬雅人的神據說在球場上和凡人起衝突；有些神是玩球高手，凡人藉由打敗他們成為神。馬雅人的統治者下場比球以展現他們的權勢。有時馬雅人使用內含人頭的球。

這些球賽象徵相抗衡的城市雙方已打過的戰爭，而在這些戰爭中，參戰者動用吹箭和黑曜岩矛。他們稱大規模衝突為「星戰」，並以一散落於地球上的星星象形文字代表此意。馬雅人用首飾、黑曜岩手工藝品、奴隸和其他美洲民族進行買賣，[30]貿易地區包括位在墨西哥河谷的美洲最大城市特奧蒂瓦坎（Teotihuacan，「太陽城」）。特奧蒂瓦坎鼎盛時，正值圖拉真在位期間。該城有人口十五萬，由多個族群組成——馬雅人和其他族群，整個腹地則有百萬人口——而且有一條中央大街「亡者大街」（Avenue of the Dead），街兩旁林立宏偉金字塔和神廟。「太陽金字塔」（Pyramid of the Sun）是當時世界上第三高的建築，為集體獻祭的場所。

特奧蒂瓦坎是黑曜岩工藝的中心，居民從一古老火山開採這些玻璃原料，其中許多人在黑曜岩實驗室工作，並製造武器、鏡子、首飾。但這座城市的建造，沒用到帶輪的交通工具，沒用到獸力，而且和許多馬雅人城市不同的是，只有少許銘文，也沒有球場。特奧蒂瓦坎沒有肖像畫或陵墓，因此可能勉強稱得上是共和國。經過西元二〇〇年左右的一場革命，特奧蒂瓦坎人不再建造神廟、宮殿，反而蓋起公寓，而且住起來舒適且飾有色彩炫麗、風格迷幻的壁畫，居民在公共祭壇祈禱，祭壇處陳列著獻祭者的人頭。這或許是史上第一個社會住宅和都市更新計畫。[31]

接著回到羅馬，獲授附加名「最優秀皇帝」（Optimus Princeps）的圖拉真，決定征服已因為阿爾薩克

30　馬雅人與加勒比海地區有往來，來自大陸的入侵者和商人慢慢征服了該地區的島嶼。根據新的ＤＮＡ分析結果，加勒比海地區曾有以採集為生的原始民族居住了數千年，但這時，從今日美國所在地乘獨木舟過來的入侵者——製陶者——一一占領諸島，並透過通婚或殺害的方式除掉既有的住民，於是，在大部分地方，他們消失無蹤。西班牙人入主之前，這些島嶼上住著塔伊諾人（Taino），而上述占領者便是塔伊諾人的祖先。

31　特奧蒂瓦坎的觸角不只延伸到南邊：證據表明也與北美有連結。就在這時期，在美國俄亥俄州的霍普韋爾（Hopewell）周邊，存在一批彼此相聯通的村落，西元前一〇〇年後，人們根據複雜的天文測量法在該地建造墳塚和大型土方，創造出形形色色美麗的手工藝品——從銅胸鎧到石雕陶笛所在多有，石雕陶笛上可見令人想起薩滿儀式——埋葬身穿儀式服的死者——的獸類雕刻。而這些儀式用服裝以裝飾品製成，裝飾品則來自從墨西哥至五大湖區的多個地方。此一文化於西元五〇〇年左右逐漸式微。

王族內鬥而漸衰弱的安息。羅馬正逐步吞併控制歐亞大陸貿易的諸王國。西元一〇六年，納巴泰王國國王去世時，圖拉真吞併阿拉伯半島，使羅馬多了一段與安息接壤的國界，並控制大部分貿易路線，只有位於波斯灣畔的安息帝國口岸不在其控制之列。而「最優秀皇帝」可不能失手……

戀愛中的哈德良：愛人命喪尼羅河

圖拉真的伊拉克戰爭一開始很順利。有哈德良在敘利亞掩護後方，圖拉真動用一支多族群的軍隊，並意識到安息人正處於混亂狀態。這支軍隊只有約百分之二是義大利人，成員包括來自帕爾米拉（Palmyra）的阿拉伯籍駱駝騎兵、由柏柏籍將軍盧奇烏斯．奎埃圖斯（Lucius Quietus）統領的巴利阿里群島（Balearic）投石手、非洲籍騎馬人。猛然襲擊都城泰西封之後，他乘船順底格里斯河而下，來到波斯灣，於此，他凝視船隻，說道：「要是我還年輕，我肯定也會跨海前去印度。」沒料到，安息人重整旗鼓，而且羅馬人的盟友——位於亞歷山卓、賽普勒斯、猶大的猶大人——造反。面對伊拉克叛亂，六十三歲的圖拉真必須豁出去應戰，「他那顆尊貴的灰白頭」引來敵人攻擊。退到安條克後，他命令奎埃圖斯除掉猶大人，因此有大量猶大人遭殺害、淪為奴隸。最優秀皇帝中風——不過他認定自己遭下毒。在他的病榻旁，皇后龐培婭和她的姪女瑪提蒂雅（Matidia）編造了圖拉真收養哈德良一事，或勸誘他收養哈德良。凡是知道太多的人都劫數難逃。西元一一七年八月，圖拉真去世，兩天後他的試酒侍臣死亡，如他的墓碑所言，得年二十八——這肯定不只是巧合，勢必間接也表明了他臨死之際，身邊人有見不得人的勾當。

有鑑於猶大人叛亂尚未平定，皇帝哈德良放棄圖拉真在安息的征戰，而這的確是明智之舉。但他不信任奎埃圖斯，索性殺了他。然後，來到羅馬後，他先發制人，處決四名前執政官，消滅反對勢力。

哈德良綽號「小希臘人」（Greekling），本身著迷於希臘文化、希臘時尚和希臘式情愛，留著滿頭鬈髮和用心修剪的鬍子，一派希臘作風。不管什麼事，他都喜歡以專家自居：而他確實是最有才華的皇帝之一。他寫詼諧的詩，言善道，有說服人的本事，而且勤奮。他率兵遠征，東至敘利亞，西至大不列顛島，促使他成為蒸汽時代到來之前足跡最廣的君主。他嫉妒專家，但提拔能人，和詩人之間粗俗妙趣橫生的應答，讓他樂在其中。一次，有個女人呈上請願書，他說他可能沒時間看，那女人竟反駁道：「那就別當皇帝了。」他禁不住稱讚她，並正式接見了她。不過，這個非常容易緊張且靜不下來的皇帝，同樣是精明狡猾又凶狠，肅清敵人乾淨俐落，而且部署特務（frumentari）。特務向他回報他下屬的私下動態，不時提供有利的情報。他有時自命不凡，太注重細節或傳統規則，易被激怒。圖拉真的建築師曾告訴正在設計圓頂的哈德良：「走開，去畫你的葫蘆，你不懂這些。」哈德良自此記恨在心，後來把他殺了。[32]而且有一次，他甚至刺瞎一名奴隸身分的祕書。

他敬愛岳母瑪提蒂雅，在她死後奉她為神（並非每個女婿都會這麼做），卻和她女兒薩比娜的夫妻關係變差，不過他出遠門時總堅持要她同行。西元一一九至一二一年，前往日耳曼尼亞（Germania）和大不列顛途中——他在大不列顛興建了橫跨北部的長城——婚姻關係出現危機。現年四十歲的蘇埃托尼烏斯，生於非洲，與普林尼為友，曾任圖拉真的檔案管理員，經由爬梳帝國文件，已編成他的《羅馬十二皇帝傳》（*Lives of the Caesars*），此時擔任圖拉真的首席祕書。他被控和當時三十多歲的薩比娜有染。普林尼說他「沉穩、勤奮」，卻也善於找出驚世駭俗的素材（他同時完成了如今已佚失的傑作《名妓傳》〔*Lives*

32　哈德良建造的建築非常壯觀：他位於蒂沃利（Tivoli）的宮殿——殘遺如今仍陸續被發現——無異於旨在展現其權勢的御用主題公園。在羅馬，他的陵墓——今日稱作聖天使堡（Castel Sant'Angelo）——極為搶眼，他所重建的美麗萬神殿（Pantheon），如今仍令人讚歎，以其中央開有圓孔的穹頂代表世界本身；穹頂之寬，在一四三六年之前居世上諸建築之最。

of Famous Whores〕），由此研判，與他為伍，不乏歡聲笑語。這個歷史學家遭革職——然後無消無息。哈德良悄悄殺了他嗎？

薩比娜繼續陪哈德良遠行：在比提尼亞，他愛上希臘籍美少年，十四歲的安提諾烏斯（Antinous），後來安提諾烏斯一直跟在他身邊。西元一二九年，遊歷猶大、走訪耶路撒冷廢墟，禁不住令他想起尚未平定的猶大人叛亂，他於是決定在猶太聖殿所在地興建邱比特神廟，在這座聖城所在地建造羅馬城市。根據他的家族姓埃魯斯（Aelus）和位於卡比托利歐山丘上的邱比特神廟，他把耶路撒冷改名為埃利亞卡比托利納（Aelia Capitolina）。接著前去埃及，在那裡過奧西里斯節——紀念這位在同一天死去並化為尼羅河水重生的埃及神）——就在這時，現年二十歲的安提諾烏斯溺死，原因不詳，出意外、自殺、儀式過程中出差錯，又或者是拿他獻祭以換取哈德良性命，這些都有可能。哈德良震驚不已，於是以他愛人的墳墓為中心蓋了新城安提諾烏斯城（Antinouspolis），然後創立一個遍及帝國全境的教派，用以頌揚這個犧牲自己來賦予他人生命的崇高青年。這個教派大受歡迎，由此可見，崇高青年透過自我死亡和復活來提供救贖之說很能打動人心。但就在尼羅河水上，哈德良的運氣漸走下坡。

塞維魯斯王朝和芝諾比婭家族：阿拉伯王朝

太監、哲學家皇帝和大流行病

哈德良走訪希臘，著迷於希臘文化儀式並把自己塑造為當世的伯里克利斯之際，也以神顯者安條克斯（Antiochos Epiphanes）為本，為自己塑造另一個英雄形象。然在猶太聖殿遺址建造邱比特神廟一事，在耶路撒冷引發新叛亂，叛亂領導者是自封為以色列國君的西蒙・巴爾・科克巴（Simon Bar Kochba）。他殲滅一支羅馬軍團，威脅到整個帝國東部的安定。哈德良趕回猶大，從大不列顛召回他最善戰的將領，他親自監督，展開了一場苦戰，並於西元一三六年奪回耶路撒冷，但為此殺了五十萬名猶大人，把九萬七千名猶大人降為奴隸。奴隸人數一時大增，以致奴隸價格大跌。而哈德良繼續建造埃利亞城，禁止猶大人進入猶大，並以非利士人（Philistines）之名，刻意將猶大改名為巴勒斯坦（Palestina）。猶大人為此咒罵哈德良，但經過這第三次浩劫（前兩次是西元前五八六年和西元後七〇年摧毀耶路撒冷），大量定居於亞歷山卓和伊比利半島的猶大人既以宗教教徒的身分，也以民族的身分，如今以猶太人之名倖存了下來，他們從未丟失和耶路撒冷、猶大之間的聯繫以及對它們的尊崇。

回到自己的蒂沃利別墅時，六十歲的哈德良罹患動脈硬化，煩惱於皇位繼承問題。他的甥孫佩達尼烏斯・富斯庫斯（Pedanius Fuscus），有他九十多歲的顯赫祖父塞爾瓦尼烏斯（Servanius）當靠山，一直以為哈德良會指名由他接位，未想哈德良選中個性爽朗有趣的貴族凱伊歐尼烏斯（Ceionius）。佩達尼烏斯和塞爾瓦尼烏斯對此多所抱怨，又或者說不定甚至陰謀作亂，哈德良隨之處決了這個男孩，逼這個老人自盡，塞爾瓦尼烏斯自盡之際，曾詛咒哈德良會「想死卻死不成」。結果，他真的料中。

哈德良因病痛苦不堪，便以自己的乳頭為中心畫了一個圈當靶心，懇求一奴隸殺了他，但奴隸根本做不到。這個皇帝腦子還未完全失常，於是寫下關於死的珠璣妙語。[33]西元一三八年，凱伊歐尼烏斯早逝，哈德良隨之打造了以自己為中心的一個新收養家庭，好讓自家人續坐統治之位。首先，他收養已五十二歲的安托尼努斯（Antoninus），一個正派且辦事俐落的地方長官。成為養子之後，安托尼努斯必須收養已故的凱伊歐尼烏斯之子盧奇烏斯和十六歲的馬可・安尼馬斯・維魯斯（Marcus Annius Verus）。

自小時候在西班牙起，哈德良一直和維魯斯家很親近。馬可・奧理略的祖父，也是另一個受人敬重的地方長官，係哈德良所信任的友人之一，身為精明的政壇老手，在他的大理石碑上，後人為文稱讚他玩「玻璃珠拋接」的本事——由此為政治下了極貼切的定義，當時和現在皆適用。後來馬可・奧理略寫道，「從我祖父維魯斯身上，我學會要和善待人、性情和藹。」而孫子馬可・維魯斯有個特點打動了哈德良：他根據維魯斯（Verus）之名，替這男孩取了綽號「最誠實者」（Verissimus）。安托尼努斯也是馬可・奧理略的姑丈。他所編織的是個複雜卻也周全的網。

西元一三八年，哈德良終於去世了，死前還痛斥藥物無效且要命：「這麼多的醫生殺死一個國王」。皇帝安托尼努斯・庇護（Antoninus Pius）要兩位「凱撒」住進宮裡，並找來最好的老師教導。盧奇烏斯是個花花公子，馬可・奧理略則是哲學家，以希臘斯多噶學派的思想作為實習皇帝的生活指南。正當多數人以為安托尼努斯應該會和大部分羅馬人一樣死於五十多歲，沒想到，他竟在位二十三年，在位期間國家社會穩定。若是在先前大多數皇帝的在位期間，馬可・奧理略恐怕都不會無以為繼這麼長的時間：無論是要當上皇帝，還是要被立為皇儲，都得殺掉另一人，只是馬可既無野心，也無權利這麼做。他住在帕拉丁山上提比略的舊宮，他不時告誡自己，「絕不要成為凱撒那樣的人！絕不要沾染上紫色！*——因為那是有可能發生的！」

西元一四五年，安托尼努斯把女兒法烏斯蒂娜（Faustina）嫁給馬可·奧理略，而就一個身邊圍繞著供他隨意差遣的奴隸的皇子來說，年輕的馬可·奧理略出奇的率真：「我保住男人最精華的部分，不尋求證明我的男子本色，甚至把那一刻延後。」法烏斯蒂娜成為「奧古斯塔」，位階高於身為「凱撒」的馬可·奧理略一級。哈德良所編之網的絕妙之處，在於這讓安托尼努斯有機會把帝國交給他自己的女兒。

西元一六一年，衛士請這位垂死的皇帝下達口令，他答「鎮靜」，然後死去。鎮靜的確會是馬可·奧理略所追求的理想境界。盧奇烏斯無能且魯莽自大，帶一團演員和小丑巡迴帝國各地表演，然馬可·奧理略依舊讓盧奇烏斯擔任地位低於他的共治皇帝。這個喧鬧愚蠢如今日大學生兄弟會成員的年輕人，甚至在別墅裡蓋了一間酒館，以便日夜喝個痛快。

法烏斯蒂娜此前十年歲月大半在懷孕中度過，一生共生了十四個小孩，其中六個仍在襁褓中便已離世。孩童死亡率高：羅馬女性只有五成活到十二歲，男孩只有五成活到七歲；許多人死於天花和飲水引起的疾病，天花大概演化自史前非洲的某種以囓齒動物為媒介的病毒。馬可·奧理略很愛自己的小孩，把某個女兒形容成「無雲的天空、節日、即將實現的希望、十足的喜悅、優秀且完美無瑕的驕傲來源。」某小孩早夭時，他嘗試以斯多噶學派的作風回應：「有人祈禱道，『我要怎樣才不會失去我的幼兒』，而你應該祈禱：『我要怎樣才不會害怕失去他』。」關於死，他深思道，「失去生命只是改變而已」。他們登基那

33　小靈魂，小漫遊者，小可人兒，／身體的賓客和同伴，／眼下你要出門去哪裡？／去微暗、寒冷、陰沉的地方——／在那裡，你將不會開慣常的那些玩笑。

＊　編注：紫色為皇帝的專屬顏色，凱撒大帝便是首位穿著紫袍的皇帝。

年，法烏斯蒂娜生下雙胞胎男嬰，其中一人死於四歲，另一人康茂德（Commodus）成長為金髮藍眼、活力十足的人，是為自不列顛尼庫斯以來第一個生於首席公民家的兒子。為保護幼小的康茂德，馬可・奧理略把一女兒嫁給他的共治皇帝盧奇烏斯，其他女兒則嫁給不會威脅到康茂德繼承皇位的男人。

經歷這麼多次危險的分娩都保住性命後，熱情且坦率的法烏斯提娜與知性多於感性的馬可・奧理略愈來愈疏遠，盡情地和格鬥士、演員私通。馬可甚至曾當場逮到她和某男子翻雲覆雨，而他都忍了下來，不過，連羅馬的戲劇演出都提到法烏斯蒂娜不倫之事。馬可・奧理略的左右手勸他將她放逐，他則以玩笑口吻說，「如果把她送走，我們也必須把她的嫁妝——帝國——送走」。未想法烏斯蒂娜的通姦幾乎要了馬可・奧理略的命。

沒有哪個羅馬皇帝比他更有資格享有哲學思索當道的太平日子，只是馬可・奧理略仍得應付各方的戰事。日耳曼部族從東北方往南奔馳，闖進義大利；在東邊，安息人進攻敘利亞。盧奇烏斯被派去主掌一次的反擊，並以泰西封付之一炬告終。與此同時，馬可・奧理略很想趁安息人戰敗之際擴大戰果，於是遣使遠赴中國。

西元一六六年，大秦（羅馬）國王安敦（即馬可・奧理略・安托尼努斯／Marcus Aurelius Antoninus）派出的使者——可能是來自紅海某口岸且羅馬化的希臘籍或阿拉伯籍商人——抵達都城洛陽，希望謁見漢朝皇帝——此為中西第一次直接接觸。此前百年間，羅馬人和漢朝人曾數次相隔甚近：圖拉真在泰西封時，離班勇（西域都護班超之子）的駐軍只有幾百哩。後人已在中國、越南境內找到羅馬錢幣，尤其是在印度曾發現，間接表明大部分貿易於印度進行。馬可・奧理略的使者帶來作為禮物的象牙、犀牛、玳瑁龜甲和一篇談論天文學的文章，或許要來談絲的直接買賣，把安息人排擠掉。可惜他們抵達時，洛陽情勢正發生極戲劇性的變化：三十四歲的桓帝，在心腹宦官的幫助下，打敗把持朝政的權臣，並主理朝政。

在中國，受閹之人有時是被自家人送去閹割，以便入宮當太監，而其他受閹之人則是在宮外自行請人閹割。刀匠向受閹者問三次後不後悔，接著用鴉片將人麻醉，再將對方按住以便閹割——在中國，他們不只遭割除睪丸，還割掉陰莖，完全失去男性身分。傷口要一百天才癒合。存活率只能訴諸猜測，但九成至三分之二的受閹者死於感染。如果閹割後保住性命，他們就會申請入宮工作。協助皇帝打垮權勢過大之大臣的宦官獲封官位，而且獲准收養兒子，以便死後有人繼承財產和官位。只是閹人因不同於正常男人而極不討人喜歡——他們往往個頭始終很小，說話尖聲銳氣，一部分閹人甚至尿失禁，用他們插在頭髮裡的羽翮排尿，因而有綽號「尿袋」。

桓帝控制不了握有實權的宦官，這些宦官誣陷皇后，以巫蠱罪名將她和她的全族誅殺。西元一六八年桓帝去世，竇太后任命父親竇武為攝政。竇太后決意殺掉先帝生前寵愛的九個妃子，沒想到，宦官只准她殺掉其中一人。皇位一度虛懸，後來竇武在京城以外的地方找到一個年幼的宗室成員，將他迎入都城。他隨後登基，是為靈帝，即位時十一歲。但身為文官之長的太傅陳蕃，說服竇武動手誅除宦官。十七名閹人暗中聚集，「歃血共盟」，祈求皇天助他們誅殺竇家。這些宦官劫持皇太后，包圍竇武。竇武自殺，他的家人遭殺害，太傅陳蕃被憤怒的閹人踩死。中國自此由掌權的宦官——所謂的十常侍——統治，但強烈反宦官的行動即將展開。

馬可．奧理略的使者身在洛陽期間，可能正逢宦官得勢，但這些使者是否返國不得而知。盧奇烏斯打敗安息，為羅馬帝國帶來豐厚的戰利品，而他所帶回來的，可不止這些。

西元一五一至六一年，中國遭逢大疫。當時世界的全球化程度，遠超乎後人所以為的；盧奇烏斯圍攻泰西封時，傳出許多羅馬士兵罹患此病，然後，隨著他們返國，疾病也跟著來到羅馬。盧奇烏斯和馬可．奧理略慶祝打敗安息，但不久瘟疫便重創羅馬帝國。馬可．奧理略認知到瘟疫的消除和瘟疫所導致的人心恐慌，有時「破壞性遠大於」此病本身。這個大流行病，大概是某種天花——從古至今一再奪走人命的流行病。馬可．奧理略的醫生蓋倫（Galen）仔細觀察此病症。蓋倫是來自培爾加摩（Pergamum）的希臘哲學家，曾在亞歷山卓攻讀過醫學。身為格鬥士的醫生，他專精於處理利器在柔軟肌肉上劃出的傷口，認為腦是靈魂所在，認識到血在體內循環。但他對大部分事物的理解卻錯得離譜：他相信健康是四種體液（血、痰、黑膽汁、黃膽汁）所共同促成，相信有兩個循環系統存在：他的學說作為主流醫學理論長達千餘年，對病人來說，醫生反倒是禍患，直到十九世紀後期才改觀。接下來兩千年，每當讀到「叫了醫生來」這幾個字，就表示要準備受死。

這時，馬可．奧理略和盧奇烏斯北行，要去打日耳曼戰爭，同行的蓋倫眼睜睜看著軍隊被瘟疫殲滅，同時也記下相關症狀。在此時期和幾年後疫情再起期間，死亡率是兩成五，在羅馬一天奪走兩千條人命，總共奪走二十五萬人性命。羅馬經此重創未能復原，此後直至一八〇〇年，歐洲境內一直未有百萬人口的城市。帝國各地的村落空無人煙，多達一成人口遇害，這支軍隊也遭重創，帝國因此人力不足，從而可能削弱了羅馬招集兵員赴日耳曼、多瑙河守邊的能力。這次瘟疫也襲擊了諸日耳曼部族，但他們不住在城市，得以輕易拔營轉赴他地。瘟疫對羅馬帝國國力的削弱作用大到無法估量：大流行病來去無蹤而且原因不明，而它們所打垮的帝國，比精神錯亂皇帝和激烈戰役所打垮的帝國還要多。

馬可．奧理略遠離羅馬，蓋倫則開了一記特殊補藥，由糖蜜、沒藥、蛇肉和罌粟汁調製成，其中的罌粟汁或許最管用。返國途中，才三十九歲的盧奇烏斯染上流行病，然後去世。馬可．奧理略自此全力保護八歲的兒子康茂德，將他交由蓋倫照顧。

西元一六九年，馬可．奧理略對諸日耳曼部族用兵，受到強烈抵抗，打敗至少其一支軍隊，入侵義大利和希臘。但而位從實戰中習得作戰本事的皇帝不屈不撓，甚至得到神奇外力助一臂之力，例如一道閃電擊毀日耳曼人的攻城器具，一陣詭異的暴雨解救了遭圍困的一支羅馬軍團。他最終在戰場上打敗日耳曼人，西元一七五年談成和約，允許許多日耳曼人入帝國境內定居，在羅馬軍中服役，包括遺骨在大不列顛島北部哈德良長城附近找到的女騎士。

馬可．奧理略在前線度過數年歲月，思索活著的意義。[34]只是，人不在羅馬總招來禍患。他已死的傳言傳到法烏斯蒂娜耳中，而她的首要之務是確保由康茂德繼承王位。而這個假消息不過是一連串爭執的前導：法烏斯蒂娜寫信給東方總督阿維迪烏斯．卡西烏斯（Avidius Cassius），表示如果馬可．奧理略真的死了，希望可以得到他的支持。不管蓄意與否，法烏斯蒂娜背都叛了她丈夫。

哲學家的怪物：康茂德

阿維迪烏斯曾自稱塞琉古家族、奧古斯都家族、希律大王之後——不祥的血統組合——為人凶狠又嚴厲，要人完全服從，而他竟自行稱帝。只是在帝國西部，馬可．奧理略深得人心——而且還活得好好的。某個百夫長砍了阿維迪烏斯的頭，把首級送去給馬可．奧理略，他只是命人埋了，不願報復（他告訴元老院議員，「願你們之中任何人都不會死於我投下的一票或你們投下的一票」），而且他燒掉阿維迪烏斯和妻

34 他在前線期間，書寫完成《沉思錄》，一部為專制君主而寫的獨特著作，書中探索自覺，並調和生命中的殘酷以及死亡：「所有事件之河，一道暴力之流，此即永恆之所在。」他如此寫道，呼應古希臘哲學家赫拉克利特（Heraklitos），「一切的發生，不早於這一切的流逝；緊接而來的，也將消失……物質猶如河流，無止境的流淌。」至於寫給他自己的，則是：「我擁有一城，我擁有祖國。身為安托尼努斯的一員，我是羅馬人，身為人，我是宇宙的一介公民。」而他同時是個務實的人：「分分秒秒，都要如同羅馬人那般果斷，一個人，就是要做好手邊的工作。」許多領導者都曾讀過《沉思錄》；有些甚至奉為圭臬；而馬可．奧理略自己，則是盡力為之。

子往來的信件，讀都沒讀。

馬可．奧理略和法烏斯蒂娜最終重歸於好，但不久，法烏斯蒂娜便死在與馬可．奧理略遠行途中，得年四十五。馬可．奧理略為她感到哀痛——「這麼好的女人，這麼聽話，這麼深情，這麼單純」——結束東方遊歷返國後，他晉升才十五歲的康茂德為共治皇帝和執政官，可說是史上最年輕的。馬可．奧理略再度出征日耳曼人時，康茂德隨行，但這個老是在嘻笑的不良少年漸漸厭惡起愛挑剔的父親。馬可．奧理略知道康茂德有缺點，不過，凡是父母無不天生對自己孩子存有錯覺。許多少年被寵壞，而帝國儲君被寵壞最是嚴重：馬可．奧理略得到的啟發是：「如果辦得到，就靠教導轉化他；如果辦不到，切記，你所受到一切善待，都是為了讓你做成這件事。」所以他總說，「仁心善意無敵」，「不，孩子，你在傷害自己，孩子」。只是，他面臨一個簡單卻又可怕的兩難困境，而這是唯有獨裁者才懂的困境：不是選擇康茂德為儲君，確保他順利繼承，就是立他人為儲君，不得不殺掉自己的兒子或判他犯下叛亂罪，將他處死。

西元一七九年，馬可．奧理略擄獲四萬日耳曼人，以一尊騎馬雕像和一頌揚勝績的圓柱慶祝此事，雕像和圓柱如今仍屹立於羅馬。但不久，在文多博納（Vindobona，今維也納），他不幸染疫。他對疫症非常清楚，於是召見群臣，斥責他們哭泣，然後召來康茂德，當著他諸多友人的面前說：「這是我兒子，你們一手帶大的，剛進入青春期，需要你們指引度過人生的暴風雨……你們一定要代我對他行使父職……如此一來，你們將為自己和其他每個人帶來一位優秀的皇帝……」一想到康茂德會當上皇帝，群臣想必禁不住全身發顫。馬可．奧理略掌握了人與人之間的競爭之道，由此贏得人們發自內心的敬愛。他熟諳臨終時刻，熟諳肉體一一肢解、政治轉移的那些離奇場景。馬可．奧理略注意到康茂德「站在他的臨終床邊，樂見此惡事降臨他身上」，注意到他低語著說：「這個校長一走，我們會比較輕鬆。」有個保民官請他指示口令時，此時五十八歲的馬可．奧理略回道：「去找正要升起的太陽，我已日薄西山。」

屠殺太監和「最最優秀者」康茂德的妄自尊大

康茂德「外貌極迷人，因為他身材比例恰當，具陽剛之美，天生一頭鬈曲金髮。在陽光下走動時，頭髮閃耀明亮如火（有人認為他撒了金粉才出門）……臉頰上就要長出最初的細毛。」如果說陌生人欣賞他，那些知他最深的人則對他恨之入骨：第一樁陰謀的主使者是他的姊姊露綺爾拉（Lucilla），但負責動手行刺者是兩人的表哥夸德拉圖斯（Quadratus），他卻搞砸了這場襲擊且因此喪命。露綺爾拉遭殺害。第二樁陰謀則給了康茂德藉口，先後處死父親的大臣、自己的妻子。和他的姊姊合謀作亂的其中一人名叫馬姬婭（Marcia），她是夸德拉圖斯的情婦，父親是獲解放的奴隸，而且信仰基督教。不知為何，馬姬婭不只未遭舉發，還成為皇帝康茂德的情婦和顧問。

然而，康茂德具有識破人性弱點的精明本事和操縱人的天分，用金錢和不必上戰場的和平賄賂軍隊，用驚險刺激的演出娛樂人民。這個凶狠的蠢人，很愛作出打破禁忌的乖張愚蠢行為，曾表示只要給他一百萬塞斯特斯幣，他願下場格鬥。參加格鬥比賽的人向來是凶殘的奴隸，因而康茂德此舉有助於營造他親民的形象。康茂德以追擊鬥士（secutor）的身分下場，這是最厲害的格鬥士，身穿只有眼部開了小縫的全罩式頭盔、纏腰布、皮帶，一臂上纏著條狀皮革，一腿上戴著護脛，手持盾和劍。而與之對戰的網鬥士（*retiarius*）則是輕裝鬥士，以三叉戟和網為武器。他每次都贏，一旦對手投降，他便饒對方一命。他殺了一百頭獅子、三頭大象、一隻長頸鹿。

惡作劇始終是愚蠢之人愛用的手段，而他的惡作劇殘忍無情。他的隨從有巨人和侏儒，有身形高大如浩克的摔跤手納基蘇斯和一個陰莖比任何動物的陰莖大、只小於大象的男人。康茂德樂於和這些人為伍，而他擅長的惡作劇包括把人弄瞎和解剖。觀眾看到他的乖張行徑，著實不知該咯咯笑，或是驚嚇到緊咬嘴唇。

西元一八九年，他以邱比特、海克力士的形象示人，披戴獅皮，手持棍子，採用誇張的附加名Exsuperatorius（相當有意思的詞，意為「最最優秀者」）。他自稱亞馬佐尼烏斯（Amazonius）時，也把馬姬婭改名為亞馬佐尼婭（Amazonia）。她不像真的信仰基督教，但想方設法保護羅馬主教維克多（Victor）和來自礦場的自由基督徒。此前的皇帝認為基督教是危險的迷信，而與他們不同的是，康茂德認為這不過是另一個東方教派而已；或許馬姬婭助長了他自視前世是神的想法。他的統治失當激起更多陰謀，從而使他更是多疑。瘟疫死灰復燃，而且來勢甚猛；數千人性命垂危，康茂德則殺人殺紅了眼。他的殺手把針插入天花病人身上的皮疹裡，接著用這些受感染的針殺人，以致受害者表面上看來死於自然原因——這或許是史上第一場生物戰。這時，康茂德計畫找他的敵人算帳，與此同時，在中國，誅殺宦官的行動於焉展開。

西元一八九年九月二十二日，文武大臣決意一勞永逸解決權勢滔天的十常侍。十年的農民叛亂、肆無忌憚的貪污、宦官暴政此時來到最高點。十常侍一再操縱懦弱的皇帝，以令人髮指的殘酷手段除掉所有不服者。他們扶立一年幼皇帝，殺掉他們的敵人，諸位將軍隨之決心剷除所有閹人。為此，他們包圍洛陽南宮，在宮門點火，以用煙逼出宦官。三天後，他們強行攻入宮中，殺掉他們所能找到的每個宦官——共兩千人。只要是無陰莖的人（女人除外）一律砍頭，於是，男孩和少年得脫褲露出陰莖，以證明自己是完整的男人。把持朝政的宦官張讓挾持少年皇帝少帝逃往黃河，卻仍遭追兵追上，無路可逃。張讓說，「臣等殄滅，天下亂矣！願陛下自愛！」隨後投河自盡。

宦官勢力剷除，漢朝也跟著一蹶不振。將軍董卓找到少帝和他的弟弟時，兩人正乘坐在農民的車上，在黃河邊不知何去何從，幾無他人陪伴。農民叛亂打碎了以漢朝皇帝為首的整個宇宙體系。天下大亂，各路英雄逐鹿中原，要過四百年才會有人掃蕩群雄入主中原，由一個家族再度一統中國。[35]

西元一九二年十二月的羅馬，年僅二十九歲的康茂德找來一群格鬥士，殺掉兩名執政官，震懾了整個羅馬。而他已走火入魔。

轉變期的埃拉加巴盧斯：非洲籍皇帝和三個阿拉伯籍皇后

康茂德窩在浴場裡焦慮苦思，同時寫下要殺害的名單，交給他寵愛的奴隸費爾康茂德（Philcommodus，「愛康茂德者」）。他狂妄自大，朝政失序，因為他仰使愛人馬姬婭、他男僕出身的內侍長埃克萊克圖斯（Eclectus）、嗜殺的禁衛軍萊圖斯（Laetus）治國。

西元一九一年，他自封「平靖世界者」，根據自己的名字更改所有月份的名稱，把羅馬改為「康茂迪亞納之殖民地」（Colonia Commodiana）。西元一九二年一月一日，他打算大開殺戒之際，馬姬婭反而勸他審慎為之。

那個愛康茂德者把康茂德的誅殺名單拿給馬姬婭看，她看到自己名列首位。她說：「好樣的，康茂德，」隨之和愛人埃克萊克圖斯啟動殺害康茂德的陰謀，「我對你那麼好，這麼多年忍受你醉後的侮辱，我得到什麼回報。醉鬼玩不過清醒的女人。」

馬姬婭決定毒殺康茂德，擁護羅馬行政首長佩蒂那克斯（Pertinax）為皇帝。與此同時，康茂德舉辦競技活動，並在過程中砍掉一隻鴕鳥的頭。有個在場者憶道，然後他「左手提著鴕鳥頭，右手舉著沾血的劍，走向我們的座位前」。他一語不發，咧嘴而笑，露出詭異的眼神。

35　就在這時，中國宮廷與日本有了第一次見諸記載的接觸：日本列島尚未一統，並沒有日本這個概念存在，但中國人稱日本人為「倭人」。當時的日本政治情況不詳，但西元一九〇年，有個巫女暨女王，名叫卑彌呼，年二十，繼承了小國邪馬臺的王位，控制由諸多產米的部落國組成的聯盟。後來她以奴隸為禮物獻給中國皇帝。

十二月三十一日，馬姬婭為正在泡澡的康茂德送上一杯下了毒的葡萄酒。這位最最優秀者吐了起來，就在這時馬姬婭叫來私人教練納基蘇斯，納基蘇斯用他浴衣的繫帶活活勒死康茂德。佩蒂那克斯被擁立為皇帝，馬姬婭則嫁給埃克萊克圖斯。但這三人都死於接下來的內戰，內戰結束，一王朝脫穎而出，該王朝由一非洲籍皇帝和一阿拉伯籍皇后主掌。

塞普提米烏斯・塞維魯斯（Septimius Severus）有著希臘式鬈曲的濃鬍，出身柏柏—迦太基家庭，他在非洲出生，拜大流行病之賜，於馬可・奧理略麾下青雲直上。四十幾歲任職於敘利亞時，迎娶阿拉伯籍女孩尤莉亞・多姆娜（Julia Domna）——埃姆薩（Emesa，今敘利亞荷姆斯／Homs）的公主[36]——生下一對雙胞胎兒子。自西元一九三年獲擁立為帝，塞普提米烏斯東征西討，羅馬帝國版圖在他治下來到最廣闊，征戰期間，多姆娜始終隨行。

西元二〇八年，他入侵卡列多尼亞（Caledonia，今蘇格蘭），征戰足跡遠至最北端，但最終只能保住中心地區。他把凶狠的長子卡拉卡拉（Caracalla，因穿著粗糙的卡列多尼亞連帽外衣而得此綽號）晉升為共治皇帝，後來他的弟弟蓋塔（Geta）也晉升共治。可惜兩兄弟水火不容。受挫於卡列多尼亞人之手，塞普提米烏斯撤退至埃博拉肯（Eboracum，今約克），打算將卡列多尼亞人殺光：「全部消滅，一個不留……連子宮裡的男嬰都不放過。」多姆娜公開批評蘇格蘭女人淫亂，和許多男人上床。蘇格蘭酋長的妻子回道：「比起妳們羅馬女人，我們遠更能滿足自然欲求，因為我們毫不遮掩地占有最好的男人，而妳們被最糟糕的男人偷偷誘姦。」在約克，這個皇帝病倒、離世，死前告誡兩個兒子：「要和睦，要付薪餉給士兵，要藐視其他每個人。」

兩兄弟的母親竭力維持家人團結，但一回到羅馬，卡拉卡拉便下令殺掉蓋塔。多姆娜想護住他，結果他死在母親懷裡。卡拉卡拉讓帝國內所有自由民，不分階級或種族，一律擁有公民身分，展現了有助於羅馬取得如此輝煌成就的寬容精神。在種族上包容異己的帝國，比堅持非我族類的帝國存世更久。但卡拉卡拉的用意是為了盡可能增加稅收，以為他那巨大的浴場和入侵安息之舉提供資金。他把母親留在敘利亞，由她掌理政事，自己率兵攻入安息，卻遭一名心有不滿的軍官暗殺。五十七歲的多姆娜苦於乳癌折磨，自殺身亡，但她的姊姊尤莉亞·馬艾莎（Julia Maesa）擔起家族大家長之職，立她十四歲孫子、家族祠的祭司埃拉加巴盧斯（Elagabalus）為帝，聲稱他是她妹妹為卡拉卡拉生的兒子。

獲授予「奧古斯塔」稱號的馬艾莎和女兒共治，兩人都出席元老院議事，而埃拉加巴盧斯則忙著探索自身性向認同和宗教認同。他結婚五次，以他所信仰的敘利亞神祇、聖舞和異於常人的性活動等嚇壞了羅馬人。就性活動來說，他愛上他的戰車御者希耶羅克雷斯（Hierocles）、陰莖巨大的摔跤手奧里利烏斯·左提庫斯（Aurelius Zoticus）。對於希耶羅克雷斯，他說，「我很樂意成為希耶羅克雷斯的情婦、妻子、王后」，至於左提庫斯，他曾對他說，「別叫我主子，我可是個女士」，然後要他的醫生動手術替他做個陰道。而他可能只是被割了包皮，即猶太人、阿拉伯人尤其贊同的習俗。這些說法有許多只是反東方的宣傳。不管他是否真是第一個改變性別者或只是個愛上身材健美、肌肉發達之戰車御者的敘利亞男孩，他的東方宗教觸怒了許多羅馬人。

十八歲的埃拉加巴盧斯和他的皇位繼承人——行事較符合社會習俗的表弟亞歷山大·塞維魯斯（Alexander Severus）——反目時，禁衛軍要求殺掉他。西元二二二年，他的七十幾歲老祖母馬艾莎默許殺

36　尤莉亞·多姆娜的父親為龐培所冊立之國王的後裔，是阿拉伯的太陽神阿拉—伽巴勒（Allah-Gabal，「人類之神」，拉丁語作Elagab）的大祭司。此神以一顆黑隕石的形態受人膜拜，而這顆隕石可能只是落在阿拉伯世界的諸多隕石之一。沒有證據顯示當時有麥加存在，但日後麥加會有顆類似的黑隕石——克爾白（Kaaba）——受人膜拜。尤莉亞的名字多姆娜——阿拉伯語意為「黑」——意指埃姆薩的聖石。

掉她的女兒和孫子，兩人隨之遭砍頭，一絲不掛地丟進台伯河。頭型小、無鬍的亞歷山大．塞維魯斯穿上紫色托加袍，被擁立為皇帝，最初受凶殘的祖母支配，而祖母去世後，則由他母親瑪麥雅（Mamaea）支配。瑪麥雅是塞維魯斯家族的第三個女性掌權者，連皇帝出征，她都同行。瑪麥雅心儀於基督教，師從亞歷山卓學者歐利根（Origen），為證明自己禁欲苦行的堅定，歐利根不惜割掉自己的生殖器。但為抵擋日耳曼人、安息人的進犯，瑪麥雅和亞歷山大兩人苦苦掙扎。西元二三五年，在日耳曼邊境，這對母子面對軍隊譁變的局勢，兩人緊緊相抱於帳中，雙雙遇害，羅馬帝國因此陷入自漢尼拔入侵以來最大的危機，新的波斯籍實權人物阿爾達希爾（Ardashir）則得益於羅馬帝國的衰微。

他的出身不詳，但收到的一份禮物——一對睪丸——卻離奇的證明了他的新王朝的正派作風。

波斯國王、製成標本的皇帝、鹽醃的睪丸

阿爾達希爾是祆教祭司暨王子薩珊（Sasan）的孫子，本身精於征戰，也善於止戰，他先是掌控古波斯，然後恢復祆教信仰，自認是阿胡拉—馬茲達神所選中之人。西元二二〇年，阿爾達希爾殺掉安息王，娶其女兒，並向安息的王公貴族表示，歡迎他們加入他的伊朗帝國（Iranshahr）。在早期四處征戰的動蕩歲月，他的孕妻米爾達德（Mirdad）由他的心腹阿巴爾薩姆（Abarsam）守護，阿巴爾薩姆則被控是她腹中胎兒的生父。為證明王族香火的純正，阿巴爾薩姆自宮，把睪丸放進鹽盒，送給國王——以此自證清白的確太過。

面對陷入困境的羅馬人，阿爾達希爾向士兵承諾，只要戰勝羅馬人就賜予戰利品和榮耀，然後在他少年兒子沙布爾（Shapur）的陪同下，襲擊敘利亞，並在過程中精進了全覆裝甲騎兵（cataphract）的戰法。這是他重騎兵隊裡的裝甲騎兵，足以攻破羅馬的步兵隊，將是薩珊王朝對軍事作戰的一大貢獻。接著，他

拿下尼西比斯（Nisibis）、哈特拉（Hatra）兩要塞，取得波斯灣岸的貿易集散地查拉克斯（Charax），控制了前往印度的商隊和海路。然後他策馬向東，滅掉貴霜人。西元二四〇年阿爾達希爾去世時，沙布爾大肆蹂躪羅馬帝國東部。

沙布爾的諸多扈從中，會有兩人特別重要：好戰的祆教祭司基爾德（Kirder）和具有貴族身分的先知摩尼（Mani）。摩尼具有猶太教—基督教背景，受雙生神（Twin）的話語啟發，創立了以善惡鬥爭為核心的新宗教「摩尼教」。摩尼教不只傳遍波斯，還遠及中國、羅馬——本有可能成為主要的世界性宗教之一，而非當時的基督教。摩尼促使沙布爾兄弟佩羅茲（Peroz）和其他許多人改信他的宗教，且沙布爾允許他自由傳教。基爾德力促肅清這些異端人士，可惜這個國王的心思只在打垮羅馬。

三個羅馬皇帝死於和沙布爾的交手，其中至少一個皇帝不得不順服於這位萬王之王。最殘酷的打擊發生於西元二六〇年，這一年，沙布爾擊敗羅馬皇帝瓦勒良（Valerian），據他所說，「親手」擒獲他，然後拿下羅馬帝國東部首府安條克。瓦勒良被沙布爾用來充當上馬的墊腳石，接著被活活剝皮，皮塗成紅色，往皮囊裡塞進禾稈，放在神廟裡示眾。

羅馬陷入內戰期間，波斯似乎即將取代羅馬在東方的地位——未料，一名阿拉伯籍女征服者改變了這場「世界博奕」。

芝諾比婭和君士坦丁

就在沙布爾滿載戰利品，走在返國路上時，帕爾米拉的統治者奧戴納特（Odeinath）稱王，攻擊沙布爾，並在薩莫薩塔（Samosata）附近擊敗他。奧戴納特（羅馬語名奧戴納圖斯／Odaenathus）為阿拉伯人，蓄鬍、頭髮鬈曲，戴希臘式王冠，時年四十歲，靠貿易積聚了足以影響政治的財力，為帕爾米拉的首領（阿拉伯語ras，希臘語exarch）。帕爾米拉則是沙漠中的貿易城，人口二十萬，城內可見阿拉伯人、阿拉姆人、希臘人、羅馬人。此城靠從事東方貿易的商隊致富，廢墟至今仍顯宏偉壯觀。奧戴納特娶了阿拉伯─希臘女孩芝諾比婭（Zenobia），她是托勒密王族之後，與克麗奧佩脫拉有親緣關係──只是她的成就將使這位埃及王后顯得微不足道。

有個羅馬籍史家寫道，「她臉部膚色深且黝黑，眼珠黑且炯炯有神，精神煥發，美麗絕倫。牙齒白到讓許多人以為她用珍珠取代了牙」。她十四歲左右嫁給這位帕爾米拉首領，請了希臘裔敘利亞籍私人教師朗基努斯（Longinus）教她希臘哲學。

話說回來，這時奧戴納特為羅馬奪回埃德薩（Edessa）和埃姆薩，隨後在西元二六二年召集一支大軍入侵波斯，圍攻泰西封。該軍由帕爾米拉籍弓箭手、全罩裝甲騎士、阿拉伯籍騎兵組成。奧戴納特為帕爾米拉人擁立為神，軟弱的羅馬皇帝賞以東方總督（Corrector Totius Orientis）之位，授予附加名「打敗波斯人的偉人」（Persicus Maximus），而他自封為萬王之王，把自己說成殺了兩隻虎──羅馬、波斯──的神聖獵人。西元二六七年，一群游牧民──首度出現在歷史舞台的哥德人──襲擊敘利亞／伊拉克，奧戴納特將他們擊退，但後來他反而遭一個曾在國王狩獵時受羞辱而懷恨在心的姪甥暗殺，王位隨之落入他手中──僅止一天。這時，二十五歲的芝諾比婭站在丈夫這一邊，重新集結軍隊，殺掉這個姪甥，奪取王位，立她襁褓中的兒子瓦巴拉圖斯（Vaballathus，又稱Wah-ballāt，意為阿拉特的禮物，阿拉特則是阿拉伯人的女神）為王。在令人意想不到的這三年裡，她拿下安條克，於此成立王廷，以她的哲學家隆基努斯為顧問，統領七萬大軍，主導拿下今日黎巴嫩、敘利亞、土耳其、以色列、阿拉伯半島、埃及──就在此時，消滅了這麼多皇帝的沙布爾離世，以致芝諾比婭所向披靡，更遑論波斯正因宗教分裂對立而癱瘓。[37]

西元二七二年，芝諾比婭自封奧古斯塔——女皇——並封她的兒子為奧古斯都，但在西邊，強而有力的羅馬將領奧雷利恩（Aurelian）先是將四處肆虐的蠻族趕出義大利，接著領兵東征，先後收回埃及、敘利亞，在埃姆薩打敗芝諾比婭（事前見異象，看到無敵的太陽神承諾讓他得勝）。芝諾比婭企圖乘駱駝逃走，可惜遭擄獲。[38]奧雷利恩的軍隊拿下帕爾米拉時，年輕羅馬軍官綽號「臉色灰白者」的君士坦提烏斯（Constantius Chlorus）正好在軍中服役，而他的兒子將使世界改頭換面。

君士坦提烏斯於西元二五〇年在羅馬達契亞省（Roman Dacia）出生，他出身卑微，卻得到皇帝奧雷利恩青睞，成為該皇帝的侍衛之一。在東方的某個酒館裡，君士坦提烏斯遇見來自比提尼亞的希臘女孩海倫娜（Helena），並娶了她，他治理達爾馬提亞（Dalmatia）期間，她生下一子君士坦丁（Constantine）。海倫娜可能已是基督教徒。君士坦提烏斯臉部輪廓分明，顎大，下巴尖，留著凱撒式髮型——道地的羅馬將軍——他不是基督徒。他信仰的是無敵太陽神，即助奧雷利恩打敗芝諾比婭的神。

奧雷利恩遭暗殺後，君士坦提烏斯支持戴克里先（Diocletian）爭取皇位。戴克里先是出生於達爾馬提亞的將領，竭力擊退或吸收從東乾草原移來的一波又一波的部族。哥德人、撒克遜人、撒馬利亞人、法蘭克人、阿勒曼尼人（Alemanni）集體遷徙，試探他的邊境：每一次可怕的入侵，再再引發驚恐至極的逃亡，以躲過更可怕的攻擊。哥德人、法蘭克人之後，又來了這段期間襲擊波斯東部的匈人。

西元二八五年，戴克里先意識到他的職責太過重大，非一人所能應付，於是把將領馬克西米安

37　沙布爾的繼位者巴赫拉姆二世（Bahram II）支持狂熱的祆教祭司基爾德，基爾德重振這個波斯宗教，攻擊先知摩尼，摩尼被捕，遭砍頭、剝皮、製成標本。他的死亡，類似耶穌的殉教，助長摩尼教的傳播：中亞的維吾爾人便集體改信摩尼教。

38　帕爾米拉遭洗劫，數千名帕爾米拉人淪為奴隸，芝諾比婭在奧雷利恩的羅馬凱旋式中被押著遊街。她未遭處死，而是嫁給一羅馬元老院議員，在郊區沒沒無聞度過餘生。此前，她創立了史上第一個阿拉伯帝國，締造了近代之前最不凡的女性功業之一。

（Maximian）晉升為「共同奧古斯都」。戴克里先坐鎮尼科美底亞（Nicomedia，博斯普魯斯海峽附近），統治帝國東部，以梅迪奧拉努姆（Mediolanum，今米蘭）為根據地的馬克西米安，則提拔君士坦提烏斯治理高盧。[39]君士坦提烏斯娶了馬克西米安的女兒，但始終未厭棄海倫娜和她的兒子君士坦丁。然當這兩個奧古斯都任命兩名凱撒——西部凱撒君士坦提烏斯，東部凱撒伽列里烏斯（Galerius）——打造出四頭統治（tetrarchy）之際，此聯姻關係便讓君士坦提烏斯受益。

君士坦提烏斯先是攻打法蘭克人等日耳曼部族，隨後入侵大不列顛，除掉卡勞西烏斯。他二十歲的兒子君士坦丁跟在皇帝戴克里先身邊，足跡遠至埃及、巴比倫。一臉粗獷的君士坦丁得到戴克里先欣賞，戴克里先把他的姪女嫁給君士坦丁；她生下他的第一個兒子克里斯普斯（Crispus）。

羅馬為何陷入危機？戴克里先認為，舊宗教遭冷落、新迷信四處傳播，由是惹得諸神不高興。在安條克，他和凱撒伽列里烏斯命令內臟卜僧（觀察為祭祀而宰殺的牲畜內臟或腸子來占卜者）以牲畜為祭，占卜吉凶。但情況不對勁，而且戴克里先認為基督徒實在太多。他命令每個人向諸神和皇帝獻祭。基督徒不從，殺戮於焉展開。基督徒和摩尼教徒遭剝皮、焚燒、砍頭。戴克里先在尼科美底亞的宮殿著火，恐怖氣氛更是加劇。有著信仰基督教的老婆海倫娜且本身信仰偏向無敵太陽神的君士坦提烏斯，始終沉默以對，而身為戴克里先隨扈的君士坦丁——他們兒子——暗地裡則對於旨在對付「拜上帝者」的「血腥詔書」深感遺憾。他即將經歷一場重大的信仰轉變。

---

39 高盧、梅納皮亞（Menapia，今尼德蘭）兩地沿海地區，苦於法蘭克人、撒克遜人海盜劫掠，於是馬克西米安指派麾下軍官毛塞烏斯・卡勞西烏斯（Mausaeus Carausius）打造艦隊，將他們一舉消滅。結果，卡勞西烏斯先是和這些海盜勾結，然後在羅馬籍、法蘭克籍、不列顛籍士兵支持下稱帝，下轄高盧北部和大不列顛島。他甚至鑄造錢幣，幣上刻有獨步世界的口號「恢復不列顛者」（Restitutor Britanniae）和「不列顛精神」（Genius Britanniae）——簡直就是第一個不列顛帝國（British empire）。

第四幕

世界人口
兩億人

君士坦丁王朝、薩珊王朝、擲矛者梟王朝

基督教家庭價值觀：殺妻者和第十三使徒

西元三〇四年，戴克里先在眾目睽睽下昏倒，決定退出政壇，是為第一個生前退位的皇帝；他退到他位在斯普利特（Split，位於今克羅埃西亞）的皇宮種植甘藍。[1]戴克里先逼馬克西米安也退位，隨之晉升君士坦提烏斯和伽列里烏斯為西、東帝國的奧古斯都。君士坦丁察覺到伽列里烏斯將不利於他，於是策馬西奔。與父親在高盧相會後，父子渡海至大不列顛攻打皮克特人（Picts），未想在西元三〇六年，君士坦提烏斯於約克去世。一日耳曼籍國王擁立君士坦丁為奧古斯都。拿下大不列顛、伊比利半島、高盧後，三十四歲的君士坦丁擊退來犯的法蘭克人，擒住他們的幾名國王，並餵食他位於特里爾（Triers）首府的圓形露天競技場裡的獅子。君士坦丁肌肉發達，身材健壯，顎部突出，塌鼻，下巴處有縱條狀酒窩，作戰時，他總是身先士卒，誰擋他的路就殺誰，但他也是個深思熟慮、行事謹慎的人。

馬克西米安支持自家兒子馬克森提烏斯（Maxentius）當皇帝，向已死了第一任妻子的君士坦丁提親，表示願把他未滿二十歲的漂亮女兒法烏絲塔（Fausta）嫁給他。兩人成親後，生了三個兒子，但與法烏絲塔家的同盟關係已漸漸令他煩惱了起來。岳父企圖暗殺他之後，君士坦丁鬥垮這個老皇帝，逼他自盡。法烏絲塔自此得和實際上殺了她父親的丈夫同住一屋簷下——在這期間，她的兄長馬克森提烏斯依舊統治義大利。

君士坦丁發布宗教寬容詔令，此舉間接表明他同情母親海倫娜所信仰的基督教。西元三一二年，君士

坦丁來到一座供奉無敵太陽神的神廟附近時，他看到太陽周邊有一圈光環。基督徒堅決認為耶穌基督是「世界的光」——太陽——而君士坦丁斷定他已收到基督發出的神蹟。他統兵進入義大利時，要求士兵在旗幟上刻上希臘語「基督」一詞的頭兩個字母 Ch-Rho。

君士坦丁向羅馬推進時，馬克森提烏斯心生怯意，把他的王室寶器藏在帕拉丁山上，其中包括一精美的權杖，杖上有代表世界的一顆藍球。在米爾維安橋（Milvian Bridge），君士坦丁大敗馬克森提烏斯，馬克森提烏斯落馬，墜入台伯河裡；後來他的首級被插在長矛上，在羅馬遊街示眾。

接著，君士坦丁展現出他支持基督教的立場。基督教過度絕對的道德觀，是不可能和羅馬眾神妥協並存的，即便如此，君士坦丁不急於求成，在聖彼得葬身處興建新教堂，在拉特朗（Lateran）蓋了一座屹立至今的宏偉巴西利卡式（basilica）教堂。但他的凱旋門以無敵太陽神——「未嘗敗績之君士坦丁的同伴」——為特點。不過，勝利始終是最令人信服的宗教論據：君士坦丁認為，基督已為他打贏數場仗。

君士坦丁只統治西帝國；與他同享「奧古斯都」稱號的同僚李錫尼（Licinius）統治東帝國。西元三一三年，這兩位奧古斯都會面，君士坦丁把他的同父異母妹君士坦提婭（Constantia）嫁給李錫尼。只是這個帝國太小，容不下兩個奧古斯都。西元三二四年雙方攤牌，受輕傷的君士坦丁在古老希臘城鎮拜占提翁（Byzantion）附近擊潰李錫尼。君士坦丁的妹妹君士坦提婭、他外甥的媽媽，出面談定李錫尼投降——但不久後，君士坦丁便暗中殺掉這對父子。他絕非聖人。

自此君士坦丁以基督徒皇帝的身分示人，把教會的統治集團提升到和國家的統治集團平起平坐，施行

1　這是種非常特別的甘藍：有個使者前來請他回歸政壇，他答道，「如果你能把我親手種的甘藍拿去給你的皇帝看，他肯定不敢建議我捨棄這平靜快樂的生活，代之以風暴般不得安寧且永不饜足的野心」。他的皇宮大部分仍存世於斯普利特。

新的道德規範：廢掉釘刑以紀念耶穌，禁止凶殘的競技活動，鞏固婚姻，嚴禁通姦，以太陽日（Sun-day）為基督徒安息日，確立聖誕日（羅馬人本就在這一天慶祝冬至）和復活日，迫害猶太人（他口中「殺害主的凶手」）。[2]

君士坦丁習於當個神授統治者，把自己定位在從上帝至人的等級體系裡的高位，自認是第十三位使徒。但這時他得處理一個引發分裂對立且已開始導致仇殺的爭論，即關於上帝、基督、聖靈三者之間關係的爭論。耶穌有多大的神性？許多基督徒認為，這三者都有神性，但亞歷山卓祭司亞流（Arius）認為，耶穌是被神觸碰過、位階低於上帝的人。救贖攸關生死；在亞歷山卓街頭，不同派系爭辯和耶穌有關的問題，並為此大打出手。君士坦丁下令燒掉亞流的著作，在尼凱亞（Nicaea），他裁定一折衷方案，後來該方案成為正統觀。但凡是相信有個絕對真理、相信該走一條堅定不移的得救之路的宗教，都不可能妥協。

君士坦丁發現，基督徒是最難掌控的，[3]但他的家庭例外。

西元三二六年，君士坦丁逮捕長子凱撒克里斯普斯，命人將他毒死。他的妻子法烏絲塔——三個皇子和兩個公主的母親——不知為何遭牽連。若非克里斯普斯與他風情萬種的繼母合謀，就是兩人有染。她似乎向君士坦丁舉發了他。僅僅三年前她又生了一個孩子，因此她和君士坦丁至少有婚姻之實。但君士坦丁已殺了她的父親和兄長，而不管是哪對夫妻，發生這種事，都會令婚姻蒙上陰影。

克里斯普斯遭處死一年後，他下令逮捕法烏絲塔。君士坦丁母親海倫娜（這時七十五歲）更是落井下石：她指責他殺害克里斯普斯，讓他相信這個男孩受法烏絲塔勾引，然後遭她誣陷。法烏絲塔因此被投入蒸汽浴場裡煮死。諷刺的是，這個凶殘的婆婆將成為基督教聖徒。海倫娜被晉升為「奧古斯塔」，奉皇帝之命前去埃利亞卡匹托利納（舊稱耶路撒冷）發掘耶穌的遺物。

海倫娜是歷來最成功的考古學家，她很快就找到耶穌受釘刑和耶穌墓的位置，就在哈德良所蓋的維納斯神廟底下，然後她挖掘出「真十字架」殘片，最後委請人將埃利亞轉型為基督教化的聖城，新基督教「聖地」裡最重要的地方，在猶太人眼中的這座聖城裡蓋起氣派的教堂，以彰顯耶穌一生中的重大遭遇。[4]海倫娜揮舞著兒子寫的一封信——讓我們得以聽到他強勢、誇張之語氣的諸多信之一：「在神的指示下，我已拆掉重重壓在那個聖地上的可惡偶像崇拜，而我最操心的事，莫過於要如何以一個輝煌氣派的建築，為那方聖地添上最上乘的裝飾。」維納斯神廟遭拆除，代之以一座標示出聖墓和各各他（Golgotha）所在的巴西利卡式教堂，並在伯利恆的耶穌出生地蓋了另一座教堂。事後，海倫娜把她找到的真十字架碎片和用來釘死耶穌的釘子送到君士坦丁手中：她把那些釘子嵌在他的頭盔和馬勒裡。

她死在君士坦丁懷裡時，他已決定在東帝國境內建造一座新都城。檢視過特洛伊、卡爾凱登（Chalcedon）、帖薩洛尼卡三地且一律不予考慮之後，他於三三〇年五月在博斯普魯斯海峽歐洲一側的拜占提翁，為一新城舉行了落成儀式。該城有良港和守得住的半島，隔著博斯普魯斯海峽和他當年打敗李錫

2　奴隸制不利於基督教理想的實現；許多早期基督徒原是奴隸或獲解放的奴隸，從某些方面說，基督教是追求人人平等的奴隸的宗教。這時，不管是奴役基督徒，還是和奴隸有性行為，都不再得到多數人認可：奴隸主得先解放女奴，然後娶她，才能和女奴有性行為。這些規定當然無法貫徹：蓄奴——通常以非基督徒為奴隸——在基督教世界又盛行了兩千年。

3　至於亞流本人，他結束遭放逐的生涯，返回君士坦丁堡，在那裡，他在神學上的放言高論，招來急性腹瀉之災：走在該城廣場上，「亞流猛然感受到一股源自良心懊悔的恐懼」，隨著恐懼生起，「便意猛然來襲」。他趕緊跑到廣場後面，「整個人感到暈眩，糞便排出，腸子跟著跑了出來，接著大出血，小腸下落，一部分的脾和肝跟著大量的血一起噴出，他幾乎當場喪命。」異端很棘手：神職人員索克拉蒂斯（Socrates Scholasticus）指出，數十年後觀光客仍對著該地指指點點。但亞流針對耶穌的人的屬性所提出的本體相類論（homoiousian）看法，打動了三六〇年代期間皈依基督教的眾多日耳曼人部族。

4　這時猶太人已遭凶狠迫害，在接下來三百年間一直受到禁止進入耶路撒冷，但還是有許多猶太人冒著喪命的風險偷偷前往膜拜，暗中前去聖殿山和其城牆祈禱。

尼的地方遙遙相望。君士坦丁宣布上帝已要他以自己的名字為該城命名——君士坦丁堡——然後，他打算不只要建設一個有所屬元老院的「新羅馬」，還要建設一帝國都城兼基督教首府。他的皇宮位在這座都城的衛城上。龐大笨重的巴西利卡式基督教教堂與一座巨大戰車競賽場、一座廣場（forum）爭輝。廣場上可見搶眼的斑岩柱，柱頂是這位皇帝的裸身像，裸身像採多神教風格，散發著光芒。

他皈依基督教，使基督教和羅馬帝國本身一樣吸引人、一樣強大：權力始終是為信仰指引方向的明星。耶穌沒沒無聞去世三百年後，如今基督成為西方文明最重要的道德人物：數百萬人信教。西元三一九年，君士坦丁的鄰邦伊貝利亞（Iberia，今喬治亞）跟進，[5]在非洲，在厄利特里亞、衣索比亞境內已消滅庫什王國並將版圖擴及葉門境內的阿克蘇姆（Aksum）王國國王埃札納（Ezana），老早就和來自亞歷山卓的商人、傳教士有往來。西元三五〇年左右，他也入教。只是君士坦丁入教之舉，導致羅馬與波斯陷入新的緊繃關係。而在波斯，薩珊人正以一懷孕王后的肚子為中心團結在一塊。

未出世即加冕和多神教信仰的皇帝

西元三〇九年，波斯王公大臣殺掉國王，而後立王后肚子裡的胎兒為王——一個未出世的國王——完全不知是否為男孩。

幸運之神眷顧，果然生下男嬰，是為沙布爾二世。君士坦丁創建君士坦丁堡時，沙布爾二世已是公認的強勢獨裁者。沙布爾在位頭幾年教訓了伊拉克的拉赫姆阿拉伯（Lakham Arabs）部族，把他們拉入自方陣營，而他們的領導者則是自封為所有阿拉伯人之王的阿姆爾（Amr），[6]接著，未滿十九歲的沙布爾奮力打退了匈奴人。君士坦丁信仰基督教一事使沙布爾懷疑起他許多基督教子民的忠誠。而已基督教化的亞美尼亞求助於君士坦丁，君士坦丁於是備戰。他已封法烏絲塔為他生的三個兒子和他同父異母弟的兒子為凱撒，他的姪子漢尼拔利亞努斯（Hannibalianus）則成為萬王之王，一旦羅馬打敗波斯，他可能成為波斯的統治者。不料東征時，六十五歲的君士坦丁病倒，於是他指派最得寵愛的二兒子君士坦提烏斯前去擊退沙布爾。尚未滿十九歲的君士坦提烏斯得知父皇垂危，趕緊折返。君士坦丁臨終時受洗，他死後，君士坦提烏斯大開殺戒，殘殺系出祖父第二任太太的兩個叔叔和六個堂弟。

這三個兒子於是碰面，並瓜分帝國：長子君士坦丁二世，二十一歲，自視為主要繼承人，得到大不列顛、伊比利半島、高盧；君士坦斯（Constans）得到義大利、非洲；君士坦提烏斯則得到帝國東部，不久，君士坦提烏斯就在自己的領地止住沙布爾前進。可惜三兄弟不久就失和，兩人被殺，君士坦提烏斯成為唯一的皇帝。而他野心太大，反倒一事無成。

君士坦丁家族的男性成員，只有兩人在君士坦提烏斯誅殺親人的行動中倖存：他的兩個堂弟伽盧斯（Gallus）和尤利安（Julian）低調地生活在位於卡帕多細亞（Cappadocia）的一處莊園，幸運地保住性命。伽盧斯雄心遠大；尤利安對政治敬而遠之，用心攻讀哲學。君士坦提烏斯封伽盧斯為凱撒，沒想到，伽盧斯太不識相，竟在君士坦丁堡主持競技會，那可是奧古斯都才享有的權利。君士坦提烏斯把伽盧斯斬

5　喬治亞並非首位跟進者。西元三〇一年，亞美尼亞（羅馬、波斯之間的緩衝國）國王梯里達底三世（Tiridates），在被某個基督教聖徒治好精神疾病後，便已皈依基督教——儘管他這麼做的原因之一，係為了申明他不受信仰祆教的惡意波斯人擺布，享有獨立自主地位。

6　放眼歷史，帝國都偏愛指派統治者——國王——作為中間人，以控制帝國境內難駕馭的子民，就此例子來說，難以駕馭的子民正是薩珊帝國的阿拉伯籍盟友。亞述人也指派了阿拉伯的國王。薩珊王朝統治者和拉赫姆阿拉伯國王之間的長久關係，就從此時開始，怪的是阿姆爾的墓出現在羅馬帝國的敘利亞。這意味著他後來叛離伊朗，投奔羅馬陣營。綜觀歷史，阿拉伯的領袖遊走於列強之間的事屢見不鮮，而上述事件是其中第一樁。不久，羅馬人會在阿拉伯圈子裡找到提攜的對象。

首，想著要不要也殺了尤利安。來自馬其頓的皇后歐塞比婭（Eusebia）富有文化素養且和善、極具同情心，便把尤利安帶到君士坦提烏斯面前。君士坦提烏斯同意讓他在雅典讀哲學，此後，他拒斥基督教，信仰太陽神。

受歡迎的尤利安令君士坦提烏斯「不放心」，但君士坦提烏斯需要一名伙伴治理帝國西部，卻在歐塞比婭鼓勵下，晉升尤利安為凱撒，派他前往魯特蒂亞巴黎西（Lutetia Parisiorum，今巴黎）。沒料到，讓所有人意外（尤其是他自己）的是，尤利安竟打敗阿勒曼尼人，然而西元三六〇年，沙布爾在匈奴盟軍支持下進攻帝國東部。羅馬、波斯的軍隊都已動用大量「蠻族」。君士坦提烏斯命尤利安將他的一半兵力派往東邊。此時，尤利安剛失去他唯一的盟友歐塞比婭，她死於服用催孕藥過量。在巴黎，他被擁立為奧古斯都。君士坦提烏斯趕緊回師，急欲消滅他，卻在途中死於發燒。

尤利安自此成為唯一的皇帝，隨之將帝國的宗教偏好轉回多神教，攻擊基督教，恢復多神教神廟，甚至把耶路撒冷還給猶太人，以便他們重建猶太聖殿。他的伯父君士坦丁將基督教強加於帝國；這個姪子，如果運氣好，本有可能推翻。但他首要處理的對象是波斯，他打算拿下波斯的泰西封，用船將六萬五千大軍自幼發拉底河順流而下，再經一運河，進入底格里斯河。他下船登岸後，燒掉船隻以示信心，但最終未能消滅薩珊王朝軍。尤利安未攻下泰西封，遭薩珊王朝騎兵騷擾後，尤利安便撤退。西元三六三年六月二十六日，在薩馬拉（Samara）附近，他急於上前與敵廝殺，竟忘了披上鎖子甲。一支投槍擊中他身側，他的希臘籍醫生想要縫補破掉的腸子，可惜尤利安仍傷重不治，歸心似箭的羅馬人給了沙布爾索要的一切。

尤利安的去世結束了君士坦丁王朝，帝國隨之大亂，在此亂局中，性情暴躁的將軍瓦倫提尼安（Valentinian）被選為奧古斯都，他則指定弟弟瓦倫斯（Valens）為東皇帝，只是兩人都被迫應付蠻族入侵。西元三七五年，瓦倫提尼安一陣暴怒後，死於中風，[7]瓦倫斯隨之得處理日耳曼語族哥德人武裝遷徙的問題。這些哥德人被稱作泰爾文基人（Thervingi），與住在烏克蘭、俄羅斯的民族有親緣關係。[8] 瓦倫斯已雇用他們當盟軍（foederati），授予他們土地，卻遭羅馬官員搶走：哥德人憤而開戰。西元三七八年，在哈德良城（Adrianople，今埃迪爾內／Edirne），一哥德族騎馬弓箭手一箭打中瓦倫斯臉部。

西元三七八年瓦倫斯倒下之際，在遙遠的西邊，中美洲提卡爾的統治者，也在來自特奧蒂瓦坎（位於墨西哥河谷的大城）的督軍「擲矛者梟」（Spearthrower Owl）下令征服提卡爾時，落得同樣下場。

「第一隻鱷魚」和匈人魯吉拉

擲矛者的將軍錫亞赫卡克（Siyah Kak，「火誕生了」）率兵往南六百哩，打敗、生擒提卡爾的統治者「大豹爪」（Great Jaguar Paw），而且很可能把他拿去祭神。有些學者認為，當時恐怕沒有領導人能從特奧瓦蒂坎來到這麼遠的地方，但肯定有人員來往於這兩個城市——而且這不會是最後一個由來自遙遠神祕異地的外地人建立的王朝。上面這段征戰敘述仍有諸多令人費解之處，但「火誕生了」大概成為攝政——「西方之主」——擲矛者梟則任命他年輕的兒子「第一隻鱷魚」（First Crocodile）為提卡爾的領主。擲矛者梟統治多年，而第一步黨的王朝並未就此終結：擲矛者安排兒子第一隻鱷魚娶了大豹爪的女兒基妮奇夫人（Lady Kinich），兩家成為一家人。第一隻鱷魚統治了數十年，死後與一隻無頭鱷魚、九名殉葬的年輕人

7　除了奪走他性命的壞脾氣，瓦倫提尼安還以殘忍形象為人所知。他巡行帝國各地時總帶著一個籠子，籠裡養了兩頭熊，名為「天真」和「金片」，凡和他唱反調的倒楣鬼，他一律餵牠們吃。「天真」克盡職責地吃掉惹怒瓦倫提尼安的異議分子，因此獲野放，是為野生動物保育上一樁暖心的劃時代事件。

8　後來，泰爾文基人被稱作西哥德人（Visigoths），他們往西遷後不久，他們的兄弟族裔東哥德人（Ostrogoths）隨後跟進。

合葬，其中年紀最小的殉葬者是個六歲男孩，還有一尊作為香爐之用的雕像——一個坐在人骨凳子上的老神——陪葬。隨著征服提卡爾，特奧蒂瓦坎步入鼎盛時期。[9]

瓦倫斯的屍體就此下落不明。哥德人流竄巴爾幹半島，四處伺機搶殺，勃艮第人、撒克遜人、法蘭克人、汪達爾人則進入羅馬帝國境內。若說羅馬帝國的覆滅為全境碎裂成數塊會更為貼切，因為那並不是單一事件，而是長久時間逐漸的轉變。蠻族已不是在家門口，而是進到廚房和臥室：羅馬帝國邊界管理鬆動，帝國人民，尤其軍隊，已是由羅馬化且信仰基督教的蠻族雜混而成。如果說羅馬人害怕哥德人，那麼，哥德人更怕他們後方的民族。

在帝國境外的歐亞大陸乾草原上，有個稱為匈人的民族正策馬西遷，其中包括阿提拉（Attila）的家族。他們發祥於遙遠東方的遼闊草原，確切地點不得而知，但他們不是單一族群，而是由凶悍的襲掠者和游牧民組成的聯盟。他們的語言也不詳，不過大概是源於突厥語。他們的遷徙可能和匈奴本身的分裂有關。這時，匈人住在黑海東邊，卻由於氣候變化、強而有力的領導階層、新牧草地的需求以及便於取得劫掠的訊息等因素而往西遷。他們三歲時就被綁在馬上，和馬有著特別的共生關係，在乾草原上的騎馬射箭之術，早已磨練成如征服機器般，得以在任何季節殺敵、馳騁遙遠距離。每個戰士遠行時都帶著兩或三匹供換騎的馬，配備複合弓和鐵頭箭，守衛乘著大車遷徙的家人，停下來紮營時，圍著大鍋煮食，由淪為奴隸的俘虜伺候用餐。戰時，他們以千人或更多人為單位前進，其反曲弓能射出時速一百二十五哩的箭。英國歷史學家約翰．曼（John Man）寫道，「五秒鐘一千枝箭能射中兩百名敵人，再五秒鐘又一千枝箭發出……每分鐘射出一萬兩千箭，相當於十把機槍。」敵人一旦受傷，他們即用套索套住對方，抓著他們的腳拖走，或拴在馬後拖行。在一千年後火藥普及之前，這些騎馬弓箭手是定居型社會的致命威脅。

他們崇拜稱之為騰格里（Tengri）的天，他們的薩滿僧占卜未來，但他們的王也尊崇神祕的戰爭之劍，持有該劍者得以統治世界。他們的臉有悼念儀式所留下的疤，匈人的遺骨顯示他們某些小孩的顱骨，不分男女，曾被綁縛，以型塑出長條麵包狀的頭顱——這一切再再嚇壞羅馬人。有個叫魯吉拉（Rugila）的君主，連同他的弟弟奧克塔爾（Octar）和蒙祖克（Mundzuk），把匈人和其他部落統合為一個聯盟，征服、拉攏東哥德人等多個民族，東哥德人等民族突然騎馬奔向羅馬帝國，而當時羅馬皇帝狄奧多西（Theodosius）的兩個兒子各據一方，羅馬帝國一分為二，分別以拉文納（Ravenna）、君士坦丁堡為根據地。

這場衝突的核心人物是兩個非常特別的人物，一男一女：其中一人是個匈人，即魯吉拉的姪子，與羅馬公主訂了婚約，另一人是嫁給蠻族國王的羅馬皇帝之女。

阿提拉和皇后普拉姬迪亞

伽拉．普拉姬迪亞（Galla Placidia）是皇帝狄奧多西之女，狄奧多西維持帝國一統局面已歷二十年，而且是不太平的二十年。他死時把他的兩個兒子、一個女兒、帝國交給具一半汪達爾人血統的武將斯提利科（Stilicho）照管。帝國因他的兩個兒子失和而分裂之際，斯提利科在各個前線打蠻族，其中包括原與羅馬結盟的西哥德王阿拉里克（Alaric）——其祖先曾殺害皇帝瓦倫斯——而這時，阿拉里克入侵義大利。但在西元四〇八年，斯提利科功高震主，遭軟弱的年輕皇帝霍諾留（Honorius）處死——由此種下大禍。

9　當時世上前幾大城市分別是君士坦丁堡、泰西封／塞琉西亞、華氏城（今巴特那／Patna）、羅馬、南京、安條克、亞歷山卓、特奧蒂瓦坎。

西元四一〇年，阿拉里克圍攻羅馬，迫使羅馬城民餓死，人相為食，而後他洗劫羅馬，搗毀奧古斯都、哈德良兩人陵墓中的甕——帶著一個身分特殊的俘虜一起離開。那就是霍諾留的二十歲妹妹普拉姬迪亞公主，她後來嫁給阿拉里克的兒子阿陶爾夫（Ataulf）。普拉姬迪亞頓時成為摧毀羅馬之蠻族的王后。

然而，這場婚姻為時不久。阿陶爾夫遭暗殺，繼承者羞辱普拉姬迪亞，逼她徒步走十哩路，沿路受群眾嘲笑，這才讓她回到兄長身邊。而她的一生展現了何為堅強和求生。她安然回到位於拉文納的皇廷，西元四一七年，經霍諾留安排，嫁給一將軍，生下一女一子，女兒霍諾莉亞（Honoria）堅毅如她的母親。霍諾留去世後，局勢大亂，普拉姬迪亞逃到君士坦丁堡，投靠她的姪兒狄奧多西二世，談成助她完成大業的軍援，接著她領導遠征，從而恢復她和兒子瓦倫提尼安三世（Valentinian III）在西帝國的權位。

受過教育且高傲的她，以奧古斯塔暨攝政的身分掌理政事，她在拉文納興建自己的皇宮和禮拜堂，玩弄蠻族王、她麾下有一半蠻族血統的將領於手掌中。她的主將是有一半哥德人血統的弗拉維烏斯·埃提烏斯（Flavius Aetius），此人年輕時曾在匈人王廷當人質，由此結交了匈人君主魯吉拉。埃提烏斯威脅到普拉姬迪亞時，她索性將他革職。埃提烏斯逃奔魯吉拉，獲魯吉拉借予一支軍隊，憑藉這支軍隊，女皇普拉姬迪亞完全不敢小覷他。西元四三二年，她任命他為她的主帥，即步騎兩軍元帥（magister utriusque militiae）。普拉姬迪亞和埃提烏斯促使帝國改頭換面，而他們在西邊的盟友法蘭克人、哥德人自此安定了下來，只可惜卻被汪達爾人奪走非洲。

在東邊，埃提烏斯的朋友魯吉拉正把勢力擴及中歐境內，威脅到君士坦丁堡的狄奧多西二世，狄奧多西付給他三百五十磅的黃金，並祈求他死。西元四三五年，魯吉拉遭雷擊，但更可能是得了天花。他死後，聯盟交給他的兩個姪子布烈達（Bleda）和阿提拉統領。兩兄弟迫使狄奧多西將貢金增加一倍至七百磅黃金，對匈人開市，交還變節的兩個堂兄弟。狄奧多西一交出這兩個堂兄弟，阿提拉立即在羅馬人的眾目睽睽之下，將他們釘死在鐵樁上。

雖然阿提拉和布烈達勒索狄奧多西，他們卻協助女皇普拉姬迪亞和埃提烏斯打敗進犯的另一支日耳曼部族勃艮第人。但他們想要更多黃金。西元四四〇年，他們渡過多瑙河劫掠數個羅馬城市，羅馬人付出更多錢，他們這才罷手。後來阿提拉殺了布烈達，阿提拉揮舞統治世界的聖劍，裏海至多瑙河的「斯基泰、日耳曼尼亞」在他劍下統一。他在都城召集群臣議事，都城中央是座巨大的木造王宮，王宮周遭是一座座木造房子，羅馬人所樂於享受的——葡萄酒、地毯、臥榻、浴場——這裡一樣不缺。有個叫澤孔（Zercon）的非洲籍弄臣[10]為頻頻到來的羅馬使者表演餘興節目，羅馬外交官普里斯庫斯（Priscus）回憶道，羅馬使者獲賞「陪睡的迷人女子，在匈人看來，這是優遇賓客的表現」，然後，普里斯庫斯以正經口吻補充道，「我們拿大量食物招待這些女人，但不願和她們上床。」他很欣賞阿提拉，說他「身材矮小，胸膛寬，頭大，眼小，鬍子稀疏夾雜著點點灰毛，鼻子短平」，行走時「步態高傲，眼神銳利，權勢和驕傲鮮明可見」。阿提拉不識字，於是由他的羅馬籍祕書奧雷斯泰斯（Orestes）處理他的對外通信。他「熱中於征戰，卻也懂得克制，善於開會議定事務，對有求於他者心存同情，對受他保護者仁慈以待」。但他也殺人不眨眼——他總愛說「我要把你釘在尖樁上餵鳥」——阿提拉的都城裡始終有一兩個被釘在尖樁上的「間諜」。

10　與羅馬人談判期間，阿提拉和布烈達收到一份禮物——即澤孔。這個跛腳無鼻的矮子來自茅利塔尼亞，此前在非洲被俘。他在匈人王廷當弄臣，從事兼具拉丁人、匈人風格的表演，以此娛樂國王布烈達，保住性命。布烈達要他穿上一套盔甲，看了他的滑稽表演後放聲大笑。澤孔對此事極度反感，於是逃走。布烈達派騎兵追捕，不計代價要將他帶回。被抓回去後，布烈達問他為何逃走，澤孔答道，因為他沒老婆，布烈達聽了不住地高聲大笑，便把他某個妻子的女僕其中一個女兒嫁給他，並為他主持婚禮。這時，阿提拉承繼了布烈達的王位。

狄奧多西二世建成新城牆，君士坦丁堡在此後近千年幾乎堅不可破，便不再向阿提拉納貢——並且唆使名叫艾迪卡（Edika）的斯基里族（Skirian）盟友暗殺他。未料此事洩露，而阿提拉可是樂於揭露羅馬的兩面作風。「狄奧多西的父親很忠心；我是蒙祖克之子阿提拉，」阿提拉說，「我保住我的尊貴，狄奧多西則未保住。這下，誰是蠻人，誰是文明人？」但君士坦丁堡堅不可破，而阿提拉需要戰利品來滿足底下貪得無厭的諸首領：他該征服波斯，還是往西走？在汪達爾人定居於非洲，哥德人、法蘭克人、勃艮第人定居於西班牙、法國、低地國時，阿提拉接受了一個意料之外的請求：[11]國王聯姻的提議。

阿提拉的血腥婚禮——以及查士丁尼的新娘

在拉文納，六十幾歲的女皇普拉姬迪亞退休；她兒子瓦倫提尼安三世掌理朝政，然而她行事不顧後果又不安分的女兒霍諾莉亞如今約三十歲，厭煩了身為「奧古斯塔」的枯燥生活，她渴望冒險，於是開始和內侍長尤吉尼烏斯（Eugenius）有了不倫關係。她母親和弟弟發現了此事，於是處決了情夫，把她許配給一個老元老院議員，這個奧古斯塔隨之寫了封信給阿提拉。名字透著花香的宦官希亞金圖斯（Hyacinthus，「風信子」）偷偷帶著此信和她的戒指交給阿提拉。

阿提拉接受她不合流俗的求婚，建議她把西羅馬帝國的一半領土當嫁妝給他。普拉姬迪亞得知後禁不住暴怒。瓦倫提尼安將希亞金圖斯砍頭，並下令處決霍諾莉亞，母親出手阻撓才保住她的性命。霍諾莉亞被迅速嫁給那個老元老院議員。阿提拉得知未婚妻被捕時寫道，「不該冤枉霍諾莉亞」。他接著寫道，如果她未接下君王的權杖，他會替她報仇。或許，這段長久的婚姻令霍諾莉亞苦不堪言；或許，這一連串戲劇性事件令普拉姬迪亞苦不堪言；但兩人都死在阿提拉和他的部眾——包括匈人、哥德人、勃艮第人、蓋皮德人（Gepids）、阿蘭人（Alans）、倫巴底人——渡過萊茵河、肆虐高盧之際，而埃提烏斯召集同樣包含諸多蠻族成員——羅馬人、法蘭克人、勃艮第人、西哥德人——的聯軍應戰之時。在特魯瓦（Troyes），當地主教頂撞他，要求他表現出神職人員的慈悲。

「我是阿提拉，」阿提拉冷笑道，「我可是上帝之鞭。哪個凡人頂得住上帝之鞭？」他饒了特魯瓦。在沙隆（Châlons）附近雙方交手，埃提烏斯止住阿提拉的進攻，羅馬—西哥德聯軍將阿提拉圍困在車陣裡。阿提拉不願被活捉，準備投身用木鞍升起的篝火，以游牧民的傳統自焚方式自我了結。而匈人走運，殺了西哥德國王，就在那裡，這個國王在他自己的木鞍升起的火堆裡被活活燒死。埃提烏斯不想消滅匈人，因為那樣的話，他將受哥德人擺布。

拂曉時刻，阿提拉愕然發現羅馬人已遠去——他索性帶著部眾回匈牙利。

西元四五二年，阿提拉入侵義大利，順利拿下米蘭，但匈人軍隊不堪疾病肆虐，於是在收到羅馬人的黃金，自覺還算有所收穫後撤軍。隔年春天，早妻妾成群的阿提拉娶了新老婆伊兒迪科（Ildico）。在婚宴上縱情狂飲後，他搖搖晃晃地回到床上，忽然大量吐血，溺死在自己的一灘血裡。[12] 伊兒迪科醒來發現自己渾身是血，而阿提拉死在她身旁。普里斯庫斯寫道，隔天，「上午已過了大半，國王侍從懷疑他遭不

11　埃提烏斯和阿提拉依舊友好。埃提烏斯送了兩名羅馬籍書吏給他當祕書。阿提拉把始終不討他喜歡的非洲籍矮子澤孔送給埃提烏斯，埃提烏斯把他轉送給他原本的主人阿斯帕爾（Aspar），而當初正是這名有一半蠻族血統的將領在非洲找到澤孔。此後，澤孔不再見於歷史記載。

12　阿提拉吐血很可能是食道靜脈瘤的症狀，酗酒者是食道靜脈瘤破裂出血的高風險族群。他死後被放在棺木裡，埋葬在一祕密之處，棺木以金、銀、鐵封印，下葬前也一併獻祭挖墓人和僕人。他的三個兒子爭奪王位：登吉齊克（Dengizich）死於東羅馬人之手，首級在君士坦丁堡遊街，然後放在戰車競賽場示眾，「全城的人都前來一探究竟」。但三個兒子無一具有阿提拉那種威望，聯盟解體，先前與他結盟的東哥德人自此得以大展身手，最終將征服義大利。

測，一陣劇烈騷動後，侍從破門而入」，發現國王身上沒有傷口，到處是血，那個漂亮姑娘「罩著面紗，低垂著臉哭泣」。伊兒迪科在不知情的狀況下挽救了歐洲，但她就此消失在歷史中：或許被殉葬，和阿提拉埋在一起了。

阿提拉死後不久，有個在斯庫皮（Scupi，今史高比耶／Skopje）擔任養豬員的年輕色雷斯人查士丁（Justin）不堪蠻族入境襲掠，因而逃往君士坦丁堡，抵達時，除了身上的破衣服和些許麵包，什麼也沒有了，但最終在負責守衛皇帝八角形寢宮「聖寢宮」（Sacrum Cubiculum）的禁衛軍（Excubitors）裡覓得工作。

如今，君士坦丁堡是世上最大城市之一，由住在「大宮」（Mega Palation）的東羅馬皇帝統治，有密道從「大宮」通往戰車競賽場和廣場。憑藉富饒的農業和來自埃及、敘利亞、希臘、巴爾幹半島的稅收，這個「大城」財力雄厚，居民達五十萬，而且說希臘語的居民日增。[13]「大城」由高度發展的皇廷和行政部門治理，且多聽命於閹人內侍長。「大城」居民執著於兩樣事物：救世神學（soteriology）——追求得救——和體育競技。他們的基督教因不同教派對基督的看法歧異而分裂，教派對立嚴重，而在戰車競賽場，觀眾有時多達十萬，有五支戰車競賽隊下場爭奪獎項，每支隊伍的衣著顏色各異，用今日的話來說，係體育競技迷、足球流氓、幫派分子、準軍事部隊成員的混合。皇帝自稱上帝的代理人，而檢驗他們得到上帝認可的標準，除了他們自身的富足和皇權的威儀堂皇，便是國內安定、無天災、戰場得勝，尤其是打敗巴爾幹半島的游牧民族和波斯國王。

查士丁這個來自伊利里亞（Illyria）的農家男孩，在戰場上與波斯人廝殺立功，藉此揚名立萬，而後回到宮中擔任禁衛軍總管（Comes Excubitorum）。此時他已請妹妹維吉蘭提婭（Vigilantia）和她的兒子彼得．薩巴托斯（Peter Sabbatos）從史高比耶前來，和他及其妻子作伴。他的妻子收養了這個男孩，為他取了新名字：查士丁尼（Justinian）。

此時的皇帝是六十幾歲的阿納斯塔西烏斯（Anastasius），他原是廷臣，為解決最新的基督論爭議竭盡心力，而後被推選為皇帝。西元五一八年七月，八十七歲的阿納斯塔西烏斯身體大為衰弱之際，查士丁和外甥查士丁尼則是爾虞我詐的宮廷密謀核心人物。神聖的皇帝不該存有卑鄙的野心，因為唯有不覬覦皇位者配當皇帝。而查士丁有現年三十幾歲的查士丁尼替他做盡見不得人的事。皇帝寢宮的宦官總管阿曼提烏斯（Amantius）給了查士丁一大筆錢，好收買禁衛軍支持他當皇帝，沒想到，查士丁尼卻拿這筆錢去為舅舅爭取支持。皇帝去世時，查士丁受命到戰車競賽場向群眾宣告他的死訊，而查士丁尼動員現場觀眾齊喊帝國需要一位將軍。不過當時有兩個將軍；擁護查士丁者和擁護其對手者兵戎相向。查士丁尼差點喪命，但最終用計助舅舅登上皇位。在皇帝包廂裡，宦官將象徵皇權的寶器交給查士丁，然後查士丁向群眾講話。而這便是君士坦丁堡的皇帝即位儀式。

六十歲左右的皇帝查士丁老練，可惜目不識丁；時人約翰．馬拉拉斯（John Malalas）寫道，三十六歲的查士丁尼「矮但胸膛寬厚，鼻子漂亮，膚白，鬈髮，帥氣，臉圓，頭頂已漸漸禿了，臉色紅潤，頭髮和鬍子已開始斑白」。他是任誰都看得出的當然繼承人，但凡是領導人無不痛惡自己難逃一死，無不痛惡有人有資格繼承他的這個想法。查士丁尼差點失寵——因為情愛。

他的情婦是小他二十歲的金髮女演員泰奧多拉（Theodora），戰車競賽場馴熊師的女兒，據滿懷憤怨的普羅科皮厄斯（Procopius）的說法，她在舞台上表演現場性愛秀，曾讓多個男伙伴插入她身上的所有

---

13 東羅馬帝國的人自稱 Romaioi ——意為羅馬人；阿拉伯人和土耳其人稱此帝國為魯姆（Rum）——羅馬；中世紀西歐人稱他們希臘人。拜占庭（Byzantine）是十七世紀西方學者創造的外來名，經十九世紀英國歷史學家詮釋而流傳開來，用以指稱西元五〇〇年後的希臘東正教文化。

孔洞，讓鵝吃掉放在她私處的穀物。而普羅科皮厄斯的諷刺作品之所以有趣，全因為內容部分屬實。[14]後來，她避開養熊的獸欄和性表演，以嚴肅正經的心態擁抱宗教，但真正改變她人生者，係她偶遇查士丁尼一事。

古賽和查士丁尼：從君士坦丁堡至麥加

查士丁尼決意娶泰奧多拉，但法律禁止貴族和女演員結婚，皇后歐斐米婭（Euphemia）也不贊成。最終於西元五二一年，查士丁將貴族與較卑下者通婚一事合法化，卻也允許調查查士丁尼的陰謀策畫。查士丁尼便以攻打波斯的計畫證明上帝眷顧查士丁王朝，藉此重獲查士丁的寵信。

當時羅馬、波斯兩帝國正利用從敘利亞至葉門的諸多阿拉伯籍盟友進行代理人戰爭。薩珊王朝國王支持伊拉克的拉赫姆阿拉伯人，查士丁則在外甥建議下，承認以戈蘭高地為根據地的伽桑人（Ghassan）部落的謝赫（sheikh）為國王、貴族、部族首領。這些掌有實權的阿拉伯人打得太狠，以致他們背後的帝國主子不得不竭力約束他們。在阿拉伯半島南部，羅馬人與波斯人爭雄。希木葉爾（Himyari，今葉門）王國原被信仰基督教的阿克蘇姆（Axum，今衣索比亞）王國國王征服。但後來，希木葉爾國王阿布卡里巴（Abu-Kariba）趕走這些非洲人，拒絕聽命於阿克蘇姆、君士坦丁堡以及波斯：他皈依猶太教，征服阿拉伯半島，版圖北至亞士里卜（Yatrib，今麥地那）。信仰猶太教的希木葉爾國王優素福（Yusuf）迫害基督教的子民時，阿克蘇姆國王卡列卜（Kaleb）欲奪回葉門，並得到查士丁支持。非洲軍渡海來到亞洲，推翻優素福，優素福只能騎著戰馬入海。基督徒獲勝——暫時獲勝。

在阿拉伯半島上，這三個阿拉伯的王國之間，有數個境內混居基督徒、猶太人、多神教徒的小鎮。從紅海、阿拉伯灣至埃及、敘利亞的商隊，途中會在這些小鎮停留，而麥加是其中之一。麥加既是貿易中心，也是神聖的膜拜地，由某個謝赫的家族治理。這個謝赫名叫古賽（Qusay），來自希木葉爾王國，後來成為麥加克爾白（kaaba）的守護者——多個神像圍繞的一顆黑隕石。[15]西元四八〇年左右，古賽去世，他的兒子、孫子統治麥加，這些子孫是世界史上最有權勢之家族創建者。

回到君士坦丁堡，查士丁尼繼承舅舅之位，繼續展現他眼中高人一等的基督教正統性，迫害猶太人和摩尼教徒，建造具有圓頂這個新設計特點的新教堂，編定法典，攻打波斯。只是戰爭之路總是未必穩贏。波斯王突然派出阿拉伯籍盟友——國王蒙迪爾（al-Mundhir）——襲擊羅馬的巴勒斯坦、埃及，乃至安條克郊外，並在安條克擒獲兩名羅馬將領和四百名修女，並要求羅馬人拿錢贖回這兩名將領，再活活燒死這些修女以祭拜烏札。

查士丁尼晉升色雷斯籍將領貝利薩里烏斯（Belisarius），他曾在查士丁的侍衛隊覓得第一份工作。而身材魁梧、相貌堂堂的他，與瘦小、薑色頭髮的查士丁尼對比強烈。貝利薩里烏斯娶了安托尼娜（Antonina），她是戰車競賽選手的女兒，青春年華時便是泰奧多拉的好友。貝利薩里烏斯的幕僚成員，包括在筆下描寫情色細節的歷史學家普羅科皮厄斯，貝利薩里烏斯本人則熱中於創新，設計出一支由多功能

14 普羅科皮厄斯是法律事務官員，也是逢迎拍馬的宮廷史家，和查士丁尼、泰奧多拉都認識，但他暗中寫了《祕史》（*Anekdota*）——半諷刺性作品，風格兼具今日的《每日郵報》（*Daily Mail*）和綜藝節目《週六夜現場》（*Saturday Night Live*）的特點——在其中形容查士丁尼是個非常貪婪、因戰爭而發狂的惡魔，把泰奧多拉說成凶狠、性愛成癮的蕩婦。他寫此書之事若遭揭露，大概會因重叛逆罪遭處決。

15 據說有三百六十五個神，但主神是提出預言的金手神胡巴爾（Hubal）、三女神阿爾拉特（Al-Lat）、馬娜特（Manat）、烏札（al-Uzza）、在該地交媾而被變成石頭的伊薩夫（Isaf）、奈拉赫（Nailah）兩夫婦，以及耶穌和聖母馬利亞，而且這些神全聽命於最大神阿拉。為祭拜其中的三女神，當地人把人燒死作為祭品。

重騎兵和輕裝騎馬弓箭手組成的新軍，並首先以自己的部隊試行。查士丁尼和貝利薩里烏斯兩人組成無往不利的伙伴關係，然這位極愛操縱人的皇帝從未忘記戰功彪炳的將領是個威脅。這時，貝利薩里烏斯在戰場上數次打敗波斯人，但他那些不受指揮的阿拉伯人表現著實太差，讓他很失望，波斯國王則於不久後揮兵挺進敘利亞——就在情勢似乎再糟糕不過時。

查士丁尼：索羅門，我已超越你

西元五三二年一月，查士丁尼下令吊死戰車競賽「綠隊」、「藍隊」的某些鬧事的隊員，沒想到繩子竟斷掉，這些惡棍頓時逃脫。在戰車競賽場，觀眾向查士丁尼高喊赦免這些逃脫者，反遭他拒絕，於是這兩支隊伍即同聲一氣高喊戰鬥口號「尼卡！」（Nika，「勝利」），強行攻入監獄，接著失控發狂，同時火光四起。群眾在戰車競賽場擁立新皇帝，遭圍困在「大宮」的查士丁尼意志動搖，準備隨時乘船逃走。但泰奧多拉嚴正表示，她寧可以皇后的身分死去，說「紫色造就了最好的壽衣」。

皇帝、皇后兩人留了一手：貝利薩里烏斯——率領由「布凱拉利」（Bucellarii，「吃餅乾者」）護衛隊和巴爾幹盟軍組成的先行部隊——從前線來到君士坦丁堡，衝進戰車競賽場，屠殺三萬人（占該城人口高達百分之五）。查士丁尼繼續安坐大位。

查士丁尼經此挫敗大受打擊，不得不以一萬一千磅黃金的代價和新波斯王霍斯勞（Khusrau）締結「永久和約」。受辱的查士丁尼這時得知，他那個以迦太基為都城，同時統治西西里的盟友——汪爾達非洲的國王——已在政變中遭貴族蓋利梅爾（Gelimer）推翻。西元五三三年，查士丁尼派出貝利薩里烏斯和九十二艘戰船、三萬水兵、一萬五千五百名士兵。而貝利薩里烏斯發現，蓋利梅爾不在非洲而是在薩丁尼亞，在西西里重新補給後，貝利薩里烏斯大軍揚帆前往非洲。西元五三四年三月，貝利薩里烏斯拿下迦太基，先是流放、誅殺汪達爾族統治階層，隨後返回君士坦丁堡舉行凱旋式。凱旋式近尾聲，這位獲授予凱旋式殊榮者，在戰車競賽場十萬觀眾面前，明智地吻了查士丁尼的腳。

接著，查士丁尼以他的盟友哥德族的義大利王后遭殺害為由，奪回了羅馬。西元五三五年，貝利薩里烏斯和一支小軍隊拿下西西里、羅馬、拉文納，接著拿下西班牙南部。

查士丁尼美化君士坦丁堡，藉此反映他構想中的基督教帝國，慶祝這些勝利：他立起一根兩百三十呎高的圓柱，柱頂立著他本人的著盔甲騎馬雕像，並建造三十三座新教堂，以及最令人驚歎的，興建宏偉的聖索非亞（Hagia Sofia，「聖智」）教堂。[16]他望著聖索非亞，禁不住思忖道，「索羅門，我已超越你！」但無敵始終只是一時。

西元五四〇年，為回應查士丁尼的阿拉伯籍國王哈里特（al-Harith）的襲擊，波斯王揮兵入侵敘利亞。此前，哈里特攻擊波斯的盟友蒙迪爾，但這場代理人戰爭打得太過火：蒙迪爾反擊，擒獲哈里特的兒子，並獻祭給太陽女神烏札。哈里特在戰場上殺死蒙迪爾，這才了結此宿怨，但這個次要事件背後的

16　這座教堂不再以敦實厚重的羅馬巴西利卡式建築為本，而是體現了新的神聖空間概念：一巨大的磚造方形空間，有著兩百六十呎長的中殿，方形空間頂上是直徑一百一十五呎的十六邊圓頂，如今仍是人類歷來所建造最堂皇的建築之一。普羅科皮厄斯寫道，「其內部採光，倚賴來自外部陽光者不多，反倒從內部產生光亮」；其圓頂「飛在空中……表面貼金」。此教堂啟用時，全城眾多人民參與了由皇帝和其廷臣所帶領的遊行行列——彰顯皇帝的神聖化。身為上帝的代理人，查士丁尼這時堅決繁複的晉見儀式，凡是欲晉見他的臣子，都得由宦官領入，然後像晉見波斯君王般在他面前五體投地。教堂的啟用也預示了一個新的且受更多人喜愛的基督教的到來。自此，人們參與明定於曆書上的一連串聖徒節日。在查士丁尼的帝國全境，在耶路撒冷、伯利恆、西奈、拉文納，紛紛蓋起宏偉的神聖空間，而在拉文納，至今仍存的鑲嵌畫裡，可看到查士丁尼和泰奥多拉眼中自己的模樣，他一頭黃褐色頭髮、紅潤臉頰的堅決果斷模樣，以及他瘦削、熱切、蒼白、道貌岸然、威嚴的面容。

主謀是個在攻城略地、大興土木、立法方面和查士丁尼無分軒輊的薩珊王朝國王。霍斯勞・阿努希爾萬（Khusrau Anushirvan，阿努希爾萬意為「不朽的靈魂」），把此前數年的承平歲月用於清洗敵對家族和消滅祆教祭司馬茲達克（Mazdak）所創立的新宗教。馬茲達克把阿胡拉—馬茲達、摩尼教的二元宇宙論、與基督教有諸多契合之處的革命性平等、博愛理念融而為一，間或夾雜了某種女性享樂主義。馬茲達克教諭世人，妻子不是男人的所屬物，批評他的人將馬茲達克信徒斥為信奉社會主義的性濫交者。霍斯勞認為，該教威脅到祆教，於是活埋了眾多馬茲達克信徒，只露出他們的腳，藉此打造出他的「人類花園」。他要馬茲達克好好欣賞這座花園，然後拿他當靶練箭。雖有此「人類花園」，霍斯勞在宗教上仍比查士丁尼更包容異己，更兼容並蓄，他邀請印度賢者、猶太教賢者、基督教賢者來到他的王廷，不久後又邀來遭查士丁尼驅逐的多神教希臘哲學家。「我們考察羅馬人、印度人的習俗和行為，接受那些看來合情合理且值得稱許的一切，」霍斯勞解釋道，「未因為任何屬於不同於己的宗教或民族而予以拒斥。」

他提倡印度棋戲絕非巧合：這時霍斯勞挺進羅馬治下的敘利亞，避開曠日廢時的圍城，強攻東部首府安條克。霍斯勞把數千人貶為奴隸，要他們往東踏上死亡跋涉之路，以充實維赫—安條克—霍斯勞（Veh-Antioch-Khusrau，「霍斯勞的更好的安條克城」）這座新城的人口。[17]

查士丁尼把貝利薩里烏斯從義大利叫回來，派去敘利亞，但接著查士丁尼得了重病——染上大流行病。這個大流行病令無數生靈塗炭，普羅科皮厄斯稱之為「使全人類幾乎滅絕的瘟疫」。

查士丁尼的大流行病——以及麥加的奪命鳥

這個大流行病迫使霍斯勞撤退，但西元五四一年夏天，疫病已襲擊君士坦丁堡，不分尊卑貴賤奪人性命，最嚴重時一天奪走一萬條性命。該城居民約兩成至四成死於疫病。這個大流行病是腺鼠疫，由帶有鼠疫桿菌（Yersinia pestis）的跳蚤帶過來的，鼠疫桿菌則藏身於中亞天山山脈的旱獺毛皮裡，大概是隨著匈人等乾草原游牧民的遷徙往外傳，然後透過城市裡、船上的老鼠擴散，往南傳入印度，接著波斯、埃及，再往西傳到君士坦丁堡。[18]

當時的大環境為災禍的發生打好了條件：西元五三六年，一場火山爆發導致大量煙塵噴入大氣層，普羅科皮厄斯憶道，「陽光黯淡；氣溫下降，作物歉收，人變衰弱。」[19]這個疾病來得不知不覺，但奪命甚速：

> 他們突然發燒，而且一發燒便讓人軟弱無力，直到傍晚……染上此病的人都沒想過自己會死。但幾天後，身上就出現腹股溝淋巴結紅腫；而且紅腫不只出現在被稱作bubon（腹股溝，字面意思「腹部下方」）的身體部位，還出現在胳肢窩、耳旁、大腿上。接著，某些患者陷入深度昏迷，另一些人陷入劇烈譫妄。陷入譫妄者苦於失眠和虛妄的幻覺；因為他們懷疑有人要來消滅他們，他們會變得

17　在泰西封，他以一座嶄新的大宮殿慶祝勝利，資金則來自查士丁尼獻上的黃金。宮殿的謁見廳有一道一百二十一呎高、八十五呎寬、一百六十四呎長的拱道——數百年間都是世上最大的拱道。

18　西元一八九四年，在香港調查鼠疫的巴斯德研究所法籍科學家亞歷山大·葉爾桑（Alexandre Yersin）發現鼠疫桿菌（該菌即以他命名），且在老鼠和受感染的人體內都存在此菌，從而證明了傳播途徑。新的古遺傳學研究顯示，查士丁尼鼠疫可能也襲擊了英國、西班牙、德國。

19　在離此火山甚遠處，不管是在冰島，還是在東亞，這些大規模的火山噴發把滾滾煙塵噴入空中，聚積成今日科學家所謂的「塵罩事件」（dust-veil event），從而可能為日益升高的世界性危機創造了有利條件：此事件改變了天氣，可能迫使游牧民族離開乾草原，往西遷攻擊羅馬帝國、波斯帝國——而且可能把老鼠帶到更靠近人的地方，為大流行病的爆發創造了絕佳條件。

> 亢奮，尖叫著逃離……（隨著身體組織壞死、腐爛）腹股溝淋巴結紅腫變成壞疽，患者再也忍受不住疼痛——死去。死亡很快到來，另有些人則多日後才死去；有些人身上突然長出和扁豆大小的黑色膿疱（因為這種泛黑的疹子，此病後來被稱作黑死病），而那些人連一天都捱不過去，轉眼間便死去。

西元五四二年三月，查士丁尼頒布法律以支撐經濟，提到已「擴散到每個地區」，「無所不在的死亡」。他病倒時，至少得維持這個如同埋葬所的城市的安定，無奈此城已有失控之勢：「最初每個人用心安葬自家的死者；但後來，無處不徹底混亂失序」。

陰謀論者以今人看來很熟悉的方式散播恐慌。普羅科皮厄斯論道，「他們喜歡編造十足莫名其妙的原因，樂於揑造離譜的自然哲學理論。但就此災難來說，除了歸因於上帝，不管用言語去說明，還是在腦子裡構思任何解釋，都不可能盡如人意。」那至少讓政治人物擺脫責任：沒人認為查士丁尼或霍斯勞能像今日領導人那般保住人命：唯有上帝能造成或終止這樣的大破壞。查士丁尼寫道，「上帝好意的懲戒」，照理會使為上帝服務者成為更好的人，「但我反倒聽到他們變得貪婪」。在君士坦丁堡，普羅科皮厄斯親眼目睹「連權貴的屍體都未下葬」。最後，查士丁尼「動用宮中的軍人，並且發錢……墳墓填滿屍體，接著他們在城周邊挖掘墓穴」。「屍臭」讓人無法忍受。連集體墓穴都填滿時，「他們爬上防禦工事的塔樓，拆掉屋頂，往裡面胡亂丟屍體，屍體愈堆愈高，最終，所有塔樓都塞滿屍體，他們再把屋頂放回去」。

查士丁尼染病的消息——「因為他也出現腹股溝紅腫」——傳出時，整個統治集團大受震撼：「完全看不到身著官員斗篷（chlamys）的人」。封城令下：「在一個主宰整個羅馬帝國的城市裡，人人穿著符合個人身分的衣服，靜靜待在家裡」。霍斯勞也染病。但這兩個皇帝盡皆康復。普羅科皮厄斯寫道，「腫脹處腫得特別大，但排出膿，他們保住性命。」

四個月後疫情沉寂，卻又一波波再起。這個大流行病可說是超強的推進力，係促成世局改變的天災之一。高達四分之一的歐洲人和許多波斯人死亡；農業受創；歲收減少。這兩個帝國國力動搖了起來。

西元五四八年，泰奧多拉死於癌症，享年五十一。她葬在聖使徒教堂（Church of the Holy Apostles），查士丁尼禁不住傷心啜泣。他又活了二十年，竭力保住義大利和非洲，而一如在諸多戰爭中所見，這兩個地方易攻難守。這個迂腐、自以為公正善良、衰老又狂妄自大的皇帝，統治帝國剛愎自用，明知帝國因鼠疫肆虐而民生凋敝，而且人心擺脫不掉鼠疫的陰影，仍發動所費不貲的戰爭。柏柏人部族在非洲造反；貝利薩里烏斯和其將領討伐叛亂的哥德人，而來自北方的日耳曼語族倫巴底人則南下挑戰羅馬人，再再使查士丁尼的輝煌冒險事業變成不知何時才能脫身的困境，在這過程中羅馬城則是一再得而復失。不過，君士坦丁堡卻保住南義大利數百年。

西元五六二年，查士丁尼終於和霍斯勞言和，付給波斯人更多黃金。府庫已空空如也，但朝廷還是從飽受鼠疫摧殘的農業心臟地帶爭稅。查士丁尼之後，那些較平庸較無名氣的皇帝得一一替他收拾這個爛攤子。

自封為「征服許多國家者」的查士丁尼繼續過他的日子，用得了硬化症的手指緊抓著權杖，不願指定接班人。不過，泰奧多拉已安排她的外甥女索非亞（Sophia）嫁給查士丁尼的外甥，即此時擔任查士丁尼皇宮總管（kouropalates）的查士丁。西元五六五年十一月，查士丁尼以八十三高齡去世時，[20]查士丁二世已控制「大宮」，宣布索非亞將以「奧古斯塔」的身分和他一同統治帝國。經防腐處理的老皇帝遺體安

20 貝利薩里烏斯則已死於一年前，在死前最後一次英勇統兵作戰之際，打敗逼近君士坦丁堡的游牧民族軍隊，不久後，卻因陰謀不利於查士丁尼而面臨審判，審理法官是名叫普羅科皮厄斯的某城行政長官，或許正是那位著名的歷史學家和貝利薩里烏斯的前祕書。查士丁尼赦免了他。普羅科皮厄斯卒年不詳。

葬前供民眾瞻仰，查士丁吻了他，說「你，我尊敬的父親，正愉悅地置身天使之列……你看到上帝」。已四十五歲的查士丁二世決意證明他是上帝選中的人，於是，無視人力物力財力已捉襟見肘，他準備對付伊朗，而在伊朗的霍斯勞，府庫裡滿是羅馬人獻上的黃金，正一心要把版圖擴及阿拉伯半島。

霍斯勞的阿拉伯籍盟友、綽號「把人燒死者」（Burner）的國王阿姆爾（Amr）——常把俘虜燒死獻祭，因而得此綽號——與希木葉爾王國的非洲籍國王起了衝突。這個國王是來自阿克蘇姆的基督徒，名叫阿伯拉哈（Abrahah），曾是某羅馬商人的奴隸，此際，正率領象隊攻向麥加。

這時，麥加人的領導人是阿布杜・穆塔利卜（Abdul Muttalib），因頭髮顏色之故，而有「白紋髮」（Whitestreak）的綽號，係克爾白的守護者，古萊什（Quraysh）氏族的謝赫，定期前往巴勒斯坦之商隊的隊長。西元五七〇年，麥加人以從天而降的暗殺手段，擊退這個衣索比亞人和他的象隊：一群殺人聖鳥從空中用石頭轟炸阿伯拉哈。象隊遭擊敗，這個非洲籍國王遭肢解。這場半神話性質的勝利，就發生在名叫穆罕默德的小孩在麥加出生時，[21]時為象年（Year of the Elephant）。

21　「你難道不知道你的主怎樣處治象的主人嗎？」在《可蘭經》中，阿布杜・穆塔利卜的孫子穆罕默德如此說道，「難道他沒有使他們的計謀變成無益的嗎？他曾派遣成群的鳥去傷他們，以黏土石射擊他們。」

第五幕

世界人口
三億人

穆罕默德王朝

家族世仇

這個男孩的父親阿卜杜拉（Abdullah）死於他出生前，他的母親阿米娜（Amina）死於他年幼時，因此，穆罕默德·伊本·阿卜杜拉（Muhammad Ibn Abdullah）由他滅了象軍的知名祖父阿布杜·穆塔利卜扶養長大。白紋髮和他的兩個兒子阿拔斯（al-Abbas）、阿布·塔利卜（Abu Talib），從葉門帶領香料、香水商隊前往加薩、大馬士革。白紋髮八十一歲去世，死前要他的兒子阿布·塔利卜撫養由一名衣索比亞籍乳母和一批奴隸養育的穆罕默德。阿布·塔利卜帶商隊去敘利亞，年幼的穆罕默德同行。

不過，這個家族分為兩支，分屬奧瑪亞（Umaya）和哈希姆（Hashem）之後，兩兄弟原為連體嬰，據說被人用劍分開。哈希姆是阿布杜·穆塔利卜的父親，穆罕默德的曾祖父。白紋髮去世後，奧瑪亞家族趕走穆罕默德所屬的哈希姆家族。兩家族為了克爾白祠和商隊收入失和，後來則演變成權力鬥爭，演變成至今仍分裂阿拉伯人世界的家族世仇。

穆罕默德在麥加成長時，阿拉伯半島的權力格局正處於激烈變化，而葉門的非洲籍國王有理由為自身攻打麥加一事感到後悔。霍斯勞從阿拉伯籍盟友把人燒死者國王阿姆爾口中得知，葉門人求他協助對付這些衣索比亞人，於是派兵南下至葉門，驅逐了這些非洲籍基督徒，併吞了該王國。如果皇帝查士丁需要用兵藉口的話，這正給了他藉口。

霍斯勞和查士丁仍困在他們的雙雄戰爭時，另一個將使世局改觀的民族正快馬穿越他們兩人北方的乾草原。突厥人是來自蒙古／滿州交界地帶的騎馬射箭游牧民族，他們因中國境內動亂而被迫離開家園，漸漸西遷，引發一場亂竄式的遷徙。查士丁遣使前去鼓動突厥人攻打霍斯勞，而且他不再向波斯納貢。突厥人將開闢一條北部戰場。只是這場戰爭開打時，不朽的靈魂霍斯勞雖已六十歲，仍精神矍鑠，拿下羅馬的要塞達拉（Dara），突厥人則始終未現身。這一羞辱簡直逼瘋了查士丁。

如公雞叫、如狗吠的皇帝：查士丁發瘋

查士丁想要跳窗，自以為是在「大宮」各處兜售貨物的店家老闆：「誰要買我的平底鍋？」接著他開始咬他的宦官。最後他一逕「如狗吠，如羊咩咩叫，如貓喵喵叫，如公雞啼叫。」嚇得大氣不敢喘一聲的宦官趕緊用迷你車載著坐在皇位上的他四處奔馳，同時讓他聽風琴樂——或聽到阿拉伯的國王「哈里特就要過來」的威脅話語，他才安靜下來。皇后索非亞接掌朝政，說「這個王國從我身邊溜走，如今已回到我身邊」——不愧是泰奧多拉的外甥女。但查士丁發瘋削弱了這個家族的實力。索非亞打算把皇位給查士丁家族的一個堂表兄弟，只是面對游牧阿瓦爾人（Avars）在巴爾幹半島的襲擊和波斯人在東邊的進攻，查士丁收養將軍提比略（Tiberius）。身為步騎兩軍元帥的提比略二世，西元五七八年登基，遴選曾任其祕書的皇帝侍衛長莫里斯（Maurice）為接班人。莫里斯儘管沒有帶兵作戰經驗，還是抵擋住阿瓦爾人，止住波斯人的進攻。但莫里斯竭力控制行事浮誇的阿拉伯籍盟友蒙迪爾：西元五八一年，他們兩人聯手攻打泰西封，卻未能拿下。莫里斯命人將這個阿拉伯的國王逮捕。他們兩人的失和將會是羅馬—波斯兩極世界失去穩定的一大因素。西元五八二年，提比略二世臨終前把女兒嫁給莫里斯，莫里斯一登基為帝便好運上身，碰上意料之外的好事。

波斯王霍斯勞二世竟來到羅馬人的領土。他是不朽的靈魂的孫子，當年一場政變推翻他無能的父親，把他送上大位時，他才二十歲，但已在治理伊朗轄下的亞美尼亞上展現他的能耐。他父親遭他貪婪的兩個舅舅弄瞎眼睛，然後勒死，而眼見諸位將軍爭奪權力，年輕的霍斯勞在他信仰基督教的「極美麗」王后席琳（Shirin）陪同下，[1]在她的基督教教友阿拉伯的國王努曼（al-Numan）協助下，一起逃出國。一來到羅馬的領土，這個年輕的波斯王就宣告求助於莫里斯，莫里斯於是收養他，以亞美尼亞西部為報酬，借他一支軍隊：西元五九一年，霍斯勞奪回泰西封。

莫里斯和霍斯勞這時紛紛終止了與不可靠的阿拉伯人的盟友關係。蒙迪爾的阿拉伯人對於莫里斯逮捕他們的國王一事相當憤慨，於是劫掠巴勒斯坦。莫里斯停止對他們的補助。霍斯勞想要娶他的阿拉伯籍盟友努曼三世的女兒遭拒，還被努曼說成「這個可惡、叫人厭惡的東西」。阿拉伯人、伊朗人互看不順眼其來已久。努曼回道，「『黑暗』之牛（伊朗的女人）不夠他用？或他也必須有阿拉伯女人才滿足？」霍斯勞用大象把努曼踩死。不服的阿拉伯人在名為「駱駝乳房之戰」（War of the Camel's Udder）的戰役中和這位波斯王廝殺。在此沙漠的兩側，羅馬、波斯君主已不再控制阿拉伯人。就在人們認為會迎來世界末日的奇怪氛圍裡，世局逐漸出現意想不到的轉變。

霍斯勞忠於他的「父親」莫里斯，直到西元六〇二年，這位皇帝對士兵太過嚴厲而遭百夫長福卡斯（Phocas）領兵叛變推翻為止。福卡斯要莫里斯親眼看著他的六個兒子被砍頭，再把他殺了——後來又殺了他的妻子和三個女兒——在仍尊崇羅馬皇帝的西方，此一暴行令羅馬主教大為震驚。

這時，就在愚昧無知的羅馬，在那被遙遠的統治者福卡斯冷落、被查士丁尼的戰爭毀掉、被鼠疫摧殘得人口大減，而且反感於君士坦丁堡謀殺事件的羅馬，出了個主教，在幾乎無人和他抗衡的情況下，漸漸取得了神聖地位。羅馬主教——當時還未被稱作教宗——由其他諸主教、羅馬權貴、君士坦丁堡皇帝以非正式的方式選出。這時，有個信仰虔誠且具群眾魅力的貴族——即時年五十歲的格列高利（Gregory）——成為羅馬主教，而後更為羅馬教廷、為西方的家庭價值觀，打下了基礎。此前，身為羅馬市長，他已憑著為窮人提供食物揚名立萬。當時主宰西方者是法蘭克的國王、倫巴底的國王，他們雖信仰基督教，卻公開施行一夫多妻制，除了正室，還養了眾多妃子，並且娶堂表姊妹、姪甥女為妻，只為了把財產和權力留在自己氏族裡。格列高利指這無疑是亂倫，予以禁止，是為羅馬教會鍥而不捨數百年提倡新婚姻觀的開端。與此同時，他開啟傳教事業，以使北方多神教徒皈依基督教。

西元五九七年，格列高利遣使至肯特，使者名叫奧古斯丁。此前，在君士坦丁主導下，大不列顛曾皈依基督教，但西元四一〇年羅馬軍隊一離開，羅馬的奢侈生活風格和基督教跟著在某些地方消失，只在另外某些地方保留下來。自來水、熱澡堂、有玻璃窗戶的別墅消失得非常突然且顯著，但在某些鎮，羅馬人離去數十年後，別墅裡依舊鋪著飾有鑲嵌畫的地板。來自德意志的多神教入侵者，如盎格魯人和撒克遜人等，削弱、甚至剷除大不列顛羅馬人的基督教。他們屠殺、強姦、劫掠，具修士身分的歷史學家比德（Bede）記錄了他們的惡行。然而DNA顯示，這些入侵者也以強迫方式或出於愛意和大不列顛羅馬人成立家庭，定居了下來。大不列顛西北部依舊由史特拉斯克萊德（Strathclyde）等王國的國王統治，依舊屬於堅不服從於羅馬的凱爾特人圈子，東部——稱之為盎格利亞（Anglia）——為盎格魯人所殖民統治，南部被自建王國的撒克遜人殖民統治。肯特王國的撒克遜人國王艾塞爾伯特（Aethelberht）娶了巴黎的法蘭克的國王之女貝爾塔（Bertha），而她帶著她的主教一同前往肯特。格列高利於是下令奧古斯丁確立教宗

1　霍斯勞一看到席琳沐浴，便就此愛上她——和大衛王、拔示巴（Bathsheba）夫妻的故事如出一轍。他們的愛情故事後來啟發了兩部伊朗文學經典著作：《列王紀》（*Shahnameh*）和《霍斯勞與席琳》（*Khusrau and Shirin*）。

對該地的控制權。

艾塞爾伯特默許，而奧古斯丁成為坎特伯里（Canterbury）的第一任主教。「大不列顛改宗」一事，遠不如教會所宣傳的那麼引人注意，不過，格列高利仍大肆吹噓。接下來君士坦丁堡的情勢演變，更進一步助推羅馬教廷的崛起之勢。

霍斯勞得知養父皇帝莫里斯遭暗殺後動武。這個波斯王急須讓世人見識他的雄才大略：每樣東西都要特別巨大。他會坐在祖父的巨大晉見室裡登基，身穿鑲了許多珠寶的閃亮袍服，腳下鋪著廣達一千平方呎的地毯——「國王之春」（Shah's Spring）——上有圖案呈現他的庭園。他會穿著鑲金邊的盔甲，騎著身形偉岸的黑色牡馬「午夜」，走在由全覆裝甲騎兵、騎士、馬組成的軍隊前頭，而他的虎皮旗，長一百三十呎，飄揚於上方。但他所要的不只是堂皇氣派的排場，他要全世界。

霍斯勞打算多方出擊，於是指派霍雷亞姆（Khoream）攻打亞美尼亞，而後攻打敘利亞。霍雷亞姆為安息籍的小國君，娶了這位波斯王的妹妹，很喜歡自己的稱號沙赫巴拉茲（Shahbaraz，「國王的野豬」）。福卡斯力有未逮，他的軍團不敵「國王的野豬」的全覆裝甲騎兵，就此潰散。不過，羅馬人求助於能幹的年輕貴族海拉克利烏斯（Heraclius），他是前非洲總督之子，已準備好承擔此重任。海拉克利烏斯乘船前往君士坦丁堡，殺了福卡斯，奪取皇位，設法阻止國王的野豬的進攻。可惜帝國正面臨解體。

複誦！我複誦不出來！複誦！穆罕默德的啟示

波斯人大舉西征，進展神速。國王的野豬拿下大馬士革、耶路撒冷，促使猶太人生起世界末日的狂熱，而拜他之賜，猶太人擺脫了數百年來基督教徒對他們的迫害。在安條克，他的士兵閹割了當地的基督教最高級主教，把他的生殖器砸向他的臉。霍斯勞把耶路撒冷還給猶太人，猶太人統治了這座城數年，是為一九六七年前猶太人最後一次統治——國王的野豬拷打耶路撒冷的最高級主教，直到他交出「真十字架」殘片為止，接著，他派人將殘片送去給王后席琳。

皇帝海拉克利烏斯受到教訓，不敢輕舉妄動。耶路撒冷陷落似乎預示著世界末日即將到來——不只對基督徒是如此，對多神信仰的阿拉伯人亦然：在麥加，四十幾歲的商人穆罕默德得知羅馬人所遭遇的這些驚人挫敗，認為那兆示著新時代的到來，新的啟示。他認識到「羅馬已在附近某地遭擊敗」。他因言行得體、和藹可親、個性安靜而受到敬愛，有綽號「艾敏」（al-Amin，「可靠之人」）。他已去過羅馬的領地，先是和他的叔父去了敘利亞，然後在二十五歲時被較年長的女商人哈蒂嘉（Khadija）派去那裡。哈蒂嘉很有錢，女性獨立自主的典型人物。穆罕默德此次遠行期間的表現，為他贏得另一個綽號「薩迪克」（al-Sadiq，「真誠之人」），然後他娶了哈蒂嘉，哈蒂嘉還夠年輕，生了六個小孩。兩兒子早逝，所幸法蒂瑪（Fatima）和另外三個女兒存活了下來。穆罕默德自己的孩子，連同穆罕默德的堂弟阿里（Ali，他的衛士阿布・塔列布／Abu Taleb之子），還有名叫宰德（Zayed）的男孩——曾被綁架又奴役，變成自由人之後，為穆罕默德收養——幾個孩子同在一屋簷下長大。穆罕默德和哈蒂嘉一起生活了二十五年，婚姻幸福美滿。

四十歲那一年，穆罕默德在希拉（Hira）的一處洞穴裡默想時，突然感到一股異常，身體發熱，不良於行。四周全是嗡嗡作響聲，全身汗如雨下，他相信是大天使加百列（Gabriel）現身。加百列告訴他，他是阿拉的使者和先知。「複誦！」加百列命令道。

最初，穆罕默德只向妻子哈蒂嘉透露此事，後來把此異象告訴以友人阿布・巴克爾（Abu Bakr）為首的一小群人。他以令人著迷的阿拉伯語押韻詩念出他的預言，令聽者驚歎不已，而且他的教義雖然大多以聖典所一貫具有的晦澀語言表達，卻放諸四海皆準且易懂。穆罕默德深諳基督教的《聖經》，這有一部分拜其遊歷過巴勒斯坦、敘利亞之賜，有一部分則從阿拉伯半島上的眾多猶太人和基督徒身上習得。他的教義吸收、挪用猶太人、基督徒的預言和先知的說法，從而使這個新教義有了淵源久遠且神聖的正當性。其教義的核心是絕對一神論的教條，但這個一神論去除了猶太教的儀式和排他性，去除了基督教對一人和對其形象的崇拜以及複雜的三位一體論。在最早版本的清真言（shahada）中，穆罕默德複誦道，「萬物非主，唯有真主」，而且這個神沒有兒子。唯一該走的路是順服──伊斯蘭一詞的意思──按照該教的禮拜規則過活，而這個教不分階級、性別或國族，歡迎所有人加入，提供了放諸四海皆準的道德觀，提供了讓人想要追求死後生活的動機、易懂的儀式和規則。與基督教不同的，伊斯蘭允許一夫多妻，最多可娶四個妻子和許多的妾。

任何人都可皈依伊斯蘭。非洲籍奴隸比拉勒．伊本．拉巴赫（Bilal Ibn Rabah），又名哈巴希人〔Habashi〕，阿比西尼亞人），是他最早的信徒之一。所有「有經之人」（People of the Book）──猶太人和基督徒──想皈依伊斯蘭教都來者不拒：穆罕默德稱他們「信士」。他會組成以忠實信士為成員的社團──烏瑪（ummah）──以傳播教義：末日──the Hour──就要到來。那只會發生在耶路撒冷；他已夢到他在所謂的「夜行」中去過該城。他祈禱時身子轉向這座聖城，後來這一朝向之舉被稱作基卜拉（qibla）。但真主已收回祂對猶太人、基督徒的賜福：猶太人已失去聖殿，羅馬在波斯人進攻下即將垮掉。伊斯蘭的啟示是第三個且最後一個啟示。

穆罕默德開始批評克爾白，從而使他不受古萊什部落諸多族兄弟歡迎，這些族兄弟的大家長──富有的謝赫阿布．蘇富揚（Abu Sufyan）──下令暗殺他。西元六二二年，穆罕默德帶著他的信眾，逃到更北邊的綠洲亞士里卜，於此將麥加人和死忠追隨者納入「烏瑪」，其中也包括猶太人。據阿布．巴克爾所述，他「書寫能力不佳」，不過他的信眾寫下他的話語，稱之為「應誦讀之物」——《可蘭經》（*Quran*）；他的其他話語後來則編入《聖訓》（*Hadith*）裡。

亞士里卜改名麥地那恩納比（Medinat un-Nabi）——「先知之城，麥地那」——成為由穆罕默德領導的小型神權統治國——而與耶穌不同的是，穆罕默德既是見到異象的宗教人物，也是政治、軍事領袖。獲解放的非洲籍奴隸比拉勒聲音洪亮，因此獲穆罕默德提拔，成為第一位穆安津（muessin）——按時呼喚信徒進行禮拜的宣禮員。但麥地那一地的某些猶太人部落拒斥伊斯蘭，於是穆罕默德把禮拜時的朝向從耶路撒冷改為麥地那，而且誠如阿拉所告訴他的，他「以仁慈的寬恕精神原諒他們犯下的錯」。但不管是什麼啟示，要大行其道，都必須牢牢掌握權力。

西元六二四年，在拜德爾（Badr），穆罕默德伏擊由阿布．蘇富揚率領的麥加人商隊。這名謝赫於是反擊。在武侯德之戰（battle of the Uhad），阿布．蘇富揚的那凶猛的妻子欣德（Hind）以吟唱方式鼓舞她的士兵：

> 我們的脖子上掛著珍珠，
> 我們的髮中有麝香，
> 你們如果前進，我們會擁抱你們，
> 如果後退，我們會避開你們。

阿布．蘇富揚獲勝，欣德便興高采烈地吃下穆罕默德的叔叔哈姆札（Hamza）的肝，用死去的穆斯林的耳朵製成項鍊。關係的親近更顯心腸的凶狠：這位先知的另一個叔叔阿拔斯（Abbas）——往後將是舉足輕重的人物——為信奉多神的麥加人一方而戰。西元六二七年，麥加人再次回來圍堵麥地那；在壕塹之戰（the battle of Trench）中，穆罕默德下令所屬部隊掘土，並擊退麥加人——一次軍事上的困境，卻也是政治上的勝利，最終導致反抗他的聯盟分崩離析。穆罕默德懲罰與麥加人勾結的某個猶太人部落：「命人將他們一批批帶出來，打掉他們的頭」，並奴役他們的女人和小孩。

他的教義在阿拉伯半島上大行其道，不只因為他具有群眾魅力，也因為這世界看起來快要垮掉了。諸帝國以令人意想不到的轉折興起、衰落；阿拉伯人已擺脫主子的束縛；貿易被毀，形勢危急。穆罕默德麾下的某個軍人憶道，「沒人比我們更窮困，而我們信仰的宗教就是相殺和動手襲擊。」比起要人拿活人獻祭的烏札女神，以永遠得救撫慰人心的一神論更能打動人心。在阿拉伯半島傳道的神聖領袖有好幾個——穆賽利馬（Musaylima）、圖萊哈（Tulayha）、阿斯瓦德（Aswad）、女先知薩賈赫（Sajah）——穆罕默德只是其中一人。穆罕默德看著東羅馬離奇地陷入搖搖欲墜的境地，自覺與祆教徒的契合，遠不如與基督徒的契合。他預言道，「他們落敗後，將再度得勝。」

唐朝和薩珊

致命獵人、東方之獅：霍斯勞的妄自尊大

羅馬人未注意到阿拉伯半島綠洲上出現的啟示，而且情況看來不一定會拿下最終的勝利。國王的野豬拿下埃及。西元六一九年，霍斯勞將軍夏辛（Shahin）率軍穿過小亞細亞，兵威遠至隔著博斯普魯斯海峽與君士坦丁堡相望的迦克墩（Chalcedon）。海拉克利烏斯考慮遷都迦太基，然後，在和夏辛面晤時，他表示願承認霍斯勞為最高皇帝，有權任命羅馬帝國統治者。情況看來，霍斯勞已打贏波斯、羅馬間長達六百年爭雄世界之戰。在東北部，突厥人已被他的另一個將領──亞美尼亞籍小國君斯姆巴特·巴格拉季昂（Smbat Bagration）──打敗，不過，突厥人將一雪此恥。霍斯勞自稱帕爾維茲（Parviz，「勝利者」）；他稱雄於世界。伊朗貴族建議接受海拉克利烏斯的提議，卻遭霍斯勞拒絕。

要克服的難題是如何拿下君士坦丁堡，這座城有著幾乎攻不破的城牆。霍斯勞與正在巴爾幹半島橫衝直撞的阿瓦爾人可汗談判。但西元六二二年，海拉克利烏斯盤算著進行一次大膽的反攻。他離開固若金湯的「大城」，用船把兩萬兵力沿著黑海沿岸運送，在小亞細亞東部的波斯人防線後方上岸。在那裡，他收到這位波斯王的來信，信中波斯王自稱「致命獵人，東方之獅」、「最尊貴的神和全世界的王和主子」，並嘲笑海拉克利烏斯為「霍斯勞那可惡又愚蠢的奴隸」。信中話語著實大言不慚，可見真是率軍紮營於亞塞拜然境內的霍斯勞所寫，「你說你相信上帝，那祂為何把我送到凱撒雷亞、耶路撒冷、亞歷山卓？」他建議海拉克利烏斯退休，去泰西封種葡萄度餘生。

海拉克利烏斯把耶路撒冷慘敗轉化為第一場聖戰，簡直就是為奪回「真十字架」所進行的聖戰。他宣布，「我們身陷的險境，正是永生的兆示……我們來為上帝犧牲吧！要來贏得殉教者的王冠。」他率兵迅速攻向霍斯勞，打得他措手不及，迫使他顏面掃地的撤退，接著燒掉奉祀阿杜爾．古什納斯普（Adur-Gushnasp）的祆教大廟，為耶路撒冷之役報仇。西元六二五年初，海拉克利烏斯接觸突厥人可汗俟毗（Sipi）——突厥人大汗統葉護的姪子——並提議結盟。面對過度自信的波斯人，他巧妙用兵，伏擊國王的野豬，迫使他丟下他的金盾，乃至他鑲了珠寶的涼鞋，裸身騎馬逃走。

在西邊，勝利者霍斯勞這時下令打最後一仗以攻占君士坦丁堡，完成「末日」的最後階段。他警告海拉克利烏斯「我毀不掉君士坦丁堡？」之際，國王的野豬正進抵迦克墩；阿瓦爾人和來自東邊的另一個部族斯拉夫人來到博斯普魯斯海峽的歐洲這一側，划船進入港口，將攻城機推到狄奧多西城牆外。情勢看來危急。但伊朗人每次欲跨海轉移至歐洲這一側，便一再受挫於羅馬人。波斯人隔著博斯普魯斯海岸遠遠看著阿瓦爾人攻打君士坦丁堡城牆，而羅馬人在巡邏防禦土牆的聖母瑪利亞助陣下將他們一一擊退，波斯人於是撤兵。[2]

在遙遠的伊拉克境內，已與俟毗底下四萬突厥人結盟的海拉克利烏斯打贏了三支伊朗人軍隊，殺了夏辛。霍斯勞這時對國王的野豬害怕了起來，便命令副手殺掉他，沒想到，海拉克利烏斯攔截信件，並轉交給這位將軍。雙方達成非正式的祕密協議，國王的野豬在亞歷山卓自立王廷。西元六二七年，海拉克利烏斯在第比利斯（Tbilisi）城外的高峰會上與俟毗會晤，答應將女兒嫁給這位信仰薩滿教的可汗。海拉克利烏斯把圍攻第比利斯的任務交給俟毗，自己則奔往泰西封。

波斯都城人心惶惶。波斯王成為眾矢之的，「我們要在這個凶殘的國王面前害怕、顫抖多久？我們的許多兄弟不正是無數次成千上萬地死於他下令進行的各種拷打，有些人甚至遭溺死？」霍斯勞下令將他的所有囚犯殺掉——人民終於忍無可忍。勝利者已使伊朗人的帝國陷入騷亂。他的長子卡瓦德二世（Kavad II）背叛了他父親「這個惡人」，喬裝改扮逃走，可惜未逃過他的追捕。王公大臣瞧不起他；他十六個兒子在他面前慘遭殺害，他本人則中箭身亡。他的遺孀席琳不願嫁給她的繼子卡瓦德，同樣死於非命。鼠疫復燃，奪走卡瓦德二世性命——就在此時，國王的野豬抵達當地稱王。他把真十字架還給海拉克利烏斯，海拉克利烏斯讓兒子和國王的野豬的女兒訂立婚約——這對夫妻日後將統治世界。但有人不服他篡位；國王的野豬遭暗殺。霍斯勞的兩個女兒被立為王，不料其中一人遭勒死，另一人遭毒死。在麥地那，眼看著「如今由女人統治」的波斯垮掉，在海拉克利烏斯帶著真十字架進入耶路撒冷，以慶祝其聖戰的勝利時，穆斯林體認到末日的意涵。在泰西封，薩珊王朝的一名王子，即霍斯勞和席琳的孫子，時年八歲的伊嗣俟（Yazdgard），於西元六三二年被扶立為王，就在突厥人猛然攻入滅掉波斯之時。

但接下來突厥人突然消失。在歐亞乾草原的另一頭，就在海拉克利烏斯與突厥人聯軍，而穆罕默德正著手改造聖戰觀期間，唐朝新皇帝即將與突厥人達成專屬的協議。

而唐朝的興起，則起始於一首危險的韻詩。

2　西元六五〇年左右，美洲最大城特奧蒂瓦坎在平民革命中遭徹底燒毀。這不是外族入侵：入侵者大多會毀掉平民百姓的家和基礎設施，但會保住宏偉的紀念性建築。在此的情況則相反：宮殿和神廟付之一炬。在因此而產生的權力真空中，小了許多的城市圖拉（Tula，托爾特克人的都城）和猶加敦半島上的馬雅人城市欣欣向榮一如既往。

唐太宗和吐蕃贊普

西元六一四年，隋朝境內流傳著一首詩，宣稱有個李姓之人會殺掉皇帝，隋煬帝於是殺掉朝中某個李氏重臣一家三十三人，而不出所料，少數未遭殺害的李姓人裡，有一人不禁思考起自己的處境。西元六一七年，具有部分突厥人血統的唐國公李淵和次子李世民（日後的唐太宗）決意造反。此舉不只為了自己，還為了實現那個「天授之機」的預言。李淵說，如不承接天命，災禍會上身。

農民起事（即黃巾之亂）毀了漢朝，但漢時朝廷將眾多乾草原游牧民遷置漢帝國境內，催生出一個多族群的帝國，而來自印度的佛教則已盛行，和中國傳統信仰並存。[3]

西元六一八年，李淵——後來的唐高宗——與天突厥（Gokturks）的可汗談成協議，藉此掩護他奪取中國。經過十年戰爭，他和李世民一統天下。而身為長子的太子和弟弟兩人，都視強而有力的李世民為威脅，兩人為了讓李世民垮台而不惜殘殺手足，以致上述功業很快便有失去之虞。就在這兩個兄弟企圖毒死李世民之際，李世民反指控他們與皇帝的妃子有染，心知如此一來，他們會被父皇叫去問個清楚。而他們一抵達，他便用弩射中其中一兄弟，另一個兄弟遭砍頭。正在釣魚的唐高祖同時獲告知他已退位，改由李世民當家作主，他當下大為震驚。中國不施行長嗣繼承制：中國人認為，賢者才有資格當皇帝，因此，選出最具能力的皇子當太子——或出於自願，或是被迫——王朝才得以太平。

二十六歲的李世民，既殺人不眨眼又仁慈，既有學問也善於打仗，既粗魯、活力十足又聰明過人，既冷酷無情又容易動感情。他成長期間不具太子身分，因而體驗過尋常人生的粗礪——後來他告訴兒子，他「十八歲時仍和百姓為伍，懂得一切真偽」——而他父親是官場人脈甚好、具有部分突厥人血統的將軍，他本人自幼學習了儒家的理想觀和道教的儀式，習得突厥人的箭術。李世民不想被死板定性成特定一類人

——既是詩人、書法家，又用自己的箭殺了手足。他十五歲時自願出征攻打突厥，十八歲時助父親李淵籌畫政變。李世民武功昭著，在位二十三年，把中國版圖往西推進到和漢朝一樣遠。但也是他找到中國歷史上最不凡的女人武后。他們兩人將主宰這個世紀。

李世民即位後，曾迫使他父親難堪讓步的天突厥可汗隨即乘機入侵。西元六二九年起，唐太宗以金帛外交（例如拿帛換取多種馬）、精明操弄（例如「以夷制夷」）、殘忍暴力等手段對付突厥人。天突厥可汗想要暗殺他，他便出兵征討東突厥、西突厥汗國，[4]逼使他們承認他是天可汗，把唐朝勢力帶回中亞。唐太宗本人體現了他所打造的多族群帝國，向所有人敞開大門。而在此帝國裡，突厥時尚和舞蹈盛行，上層人士除了講漢語，還講突厥語，並且欣然接受突厥人的騎馬風格，女人騎馬，男人打馬球，在他的百萬人都城長安、洛陽裡，市場裡既有大夏駱駝商隊，也有回紇人、波斯人、印度人，大夏駱駝商隊運來的印度胡椒、馬來廣藿香、爪哇芳香木、波斯無花果。

然而，每個作為都有其預想不到的後果。就此例來說，滅掉天突厥之舉，給了年輕贊普松贊干布所統治的吐番一次機會，將他們的高山王國往南擴及北印度境內、往東擴及四川境內，從而會在日後讓唐朝付出沉重代價。松贊的父親死於非命，而他自己則統一了西藏大部地區，派遣大臣至印度學習治國之道、佛教、語言，創制出藏文。他娶了據認是多羅菩薩（印度教、佛教女神）化身的印度公主布里庫提

3　新疆吐魯番克孜爾石窟發現的精美彩色濕壁畫，為印度文化、中國文化暨波斯祆教的融合提供了最早先的證據，推測完成時間約莫西元三〇〇年至四〇〇年之間。

4　在今新疆境內的塔里木盆地，唐太宗征服了已和回紇人部分通婚的吐火羅人。吐火羅人所留下的情詩，使他們的形象鮮明保留至今。「我們的故事會流傳千年，」其中一首詩寫道，「你是我最親的人，同樣的此後我會是你最親的人。你的愛，你的情，我歡欣的歌唱起。我會一輩子只愛一人……」

（Bhrikuti，尺尊公主）。他征討位於中國邊境的党項人時，逐漸受到唐太宗關注。

松贊向唐朝索求在亞洲稱王者所能收到的最大肯定：一名唐朝公主。唐太宗傲然拒絕。松贊隨之出兵襲擊位於四川的唐朝邊省，遭擊退後，立即又遣使至長安。唐太宗不想把女兒送給這樣一個蠻人，於是，西元六四〇年，他找到一名皇室宗女，封為文成公主，派她嫁給松贊。後來唐太宗借兵吐蕃，以支持吐蕃入侵印度——史上第一次中印衝突。

這時唐太宗開始著迷於佛教，研究起佛教在中國的傳播情況。在《聖教序》中，他欲調和印度佛教和中國道教。有個叫玄奘的佛僧請求允許赴印度求法，遭唐太宗拒絕，但在西元六二九年，玄奘無視命令，踏上了驚心動魄的西行之旅，途中數次險些喪命。他先後去到撒馬爾罕和阿富汗，並在阿富汗的巴米揚（Bamiyan）瞻仰了巨大佛像，接著步行穿過開伯爾山口，前去白夏瓦、那爛陀學習佛法、禮拜。玄奘親身見證了一次非凡的東方征服，而且靠的不是軍隊，而是文化。他注意到，「印度之人，隨地稱國，殊方異俗，遙舉總名，語其所美，謂之印度」。

玄奘西行求法：印度文化圈的開啟

玄奘說得沒錯。早在希臘籍大夏國王在位時，印度文化昌盛，已傳播到東亞各處，包括梵語、印度藝術、婆羅門教、佛教，以及鑄有濕婆像、黑天的大夏國錢幣等。在北印度的印度教王朝笈多王朝影響下，印度文化圈更是不斷擴張，[5]只是笈多王朝的盛世不長。西元四八〇年代，匈人入侵，消滅笈多王朝，宮中的祭司、傳教士、商人、藝術家等因此四散，不只四散至印度境內各地，往西及至阿富汗，往東到東南亞的島嶼、大陸地區，往北抵西藏、中國、日本。話說回來，這時攻下南印度大部地方和斯里蘭卡者，係與唐太宗同時代的拔羅婆（Pallava）家族成員，綽號「摔跤高手」（Mahamalla）的那羅僧訶跋摩（Narasimhavarman）。他也在馬哈巴利普蘭（Mahabalipuram）建了港口，商人和傳教士從港口將印度文化傳及東亞各地。他位於建志補羅（Kanchipuram）的都城，玄奘也曾走訪過。

印度文化往東、往西傳。在阿富汗，玄奘見過的巴米揚大佛剛完成。在印度東邊，高棉人和馬來人學習梵語，將其視為代表權力和神聖的語言；國王取梵語、泰米爾語的封號。佛教隨著商人的腳步先行傳到此地區，印度教隨後傳來。在今越南境內的沃坎（Vo Canh）所找到的最早的梵文碑文，是於西元二五〇年左右出自一印度籍國王之手；西元四〇〇年，婆羅洲某些地方由婆羅門種姓的羅闍拉金德拉·穆爾瓦爾曼（Rajendra Mulwarman）統治，這位統治者立了刻有梵文的柱子，得意宣說濕婆派婆羅門（Shaivite Brahmins）從印度來到此地一事。印度籍王子憍陳如（Kaundinya）據傳娶了柬埔寨王后紹瑪（Soma），創建了印度化的扶南王國，唐朝時期，該王國版圖涵蓋東南亞大陸地區大部。西元七一七年左右，身為濕婆派婆羅門的爪哇籍王子桑賈亞（Sanjaya）在爪哇創建了馬打蘭（Mataram）王國，該王國以神君教（devaraja）為治國基礎，教義裡，轉輪王（chakravartin）是濕婆神或黑天神的化身。馬打蘭王國主宰爪哇數百年；夏連特拉（Sailendra）王朝信奉佛教，該王朝在日惹（Yogyakarta）所建的神廟，離印度甚遠，

---

5 這個王朝的創立者笈多是統治今北方邦一狹長領地的摩訶羅闍。他的孫子旃陀羅笈多一世——與君士坦丁一世同時在位——藉由聯姻和戰爭，攻占了印度西北部大片領土，因而自稱為摩訶羅闍迪羅闍（Maharajadhiraja，「諸王中的大王」）。他的孫子旃陀羅笈多二世與尤利安同時代，攻占了北印度大部地方，版圖西起阿富汗，東至孟加拉，北至喜馬拉雅山脈，以華氏城為都城，係又名超日王（Vikramaditya，「勇敢的太陽」）的完美婆羅門種姓皇帝的化身。在他主政下，印度步入作家輩出的文學黃金時代，宮中有九位著名學者，號稱「九珍珠」（Navaratnas），以劇作家迦梨陀娑（Kalidasa）為首。他把毗濕奴神及其人間化身提升為最高神，不過，他也建造佛寺。

卻是世上最偉大的印度文化古蹟之一。

佛教這時傳到日本。西元五五二年，來自朝鮮半島的使者帶著一尊佛像抵達日本。一強大王國正在日本境內形成，隨著與唐朝中國往來，王國得到進一步的發展。居於統治之位的大和家族聲稱先祖為太陽女神「天照大神」，自西元前六六〇年起王脈賡續未斷，不過，此說是十足的王朝神話。有別於傳說中的王朝，真實存在的王朝是位於中日本的統治氏族，出現於西元六世紀，扮演人、神的中間人角色：他們的稱號「天皇」，字面意思為「上天的後裔」，譯為「皇帝」。天皇深受唐太宗和唐朝啟發，針對貴族建立起宮廷位階體制，創建了一所公務員訓練學校，公務員講漢語，穿中式袍服，讀漢詩。西元五八七年，某個半神話性質的天皇之子——聖德太子——將佛教和日本神道教融合在一塊。

玄奘率領一支旅行隊，帶著五百箱寶物（但某印度籍統治者所贈的一頭大象途中摔落懸崖）回到長安，唐太宗對他說，「歡迎離國十七載的你歸來，雖然當年未獲許可而私自出國」，不過，唐太宗原諒他犯下的抗命之罪，反而勸他還俗當官，為他效力。玄奘拒絕，回道，那「無異乘流之舟使棄水而就陸，不唯無功，亦徒令腐敗也」。唐太宗轉而封玄奘為御弟，把自己的佛寺賞賜給他（大雁塔，如今仍屹立於西安）。唐太宗限制各佛寺所能擁有的財富，然佛寺依舊愈來愈富有。思想觀念的流動為雙向：西元六三五年，基督教僧人阿羅本（Rabban Olopun）從君士坦丁堡來到中國，受到唐太宗歡迎。唐太宗下詔曰：「道無常名，聖無常體，隨方設教，密濟群生。」並下令建造中國境內第一座教堂。

只是唐太宗不減軍人本色，即使到了晚年亦然。他依舊帶兵與敵廝殺，下令為他的愛駒塑像，好在他死後陪葬。他的晚年係在欲征服東邊朝鮮半島三國和中亞西突厥中度過。他對突厥用兵之舉，促使新波斯王伊嗣俟免遭突厥侵犯，卻也導致伊嗣俟未意識到，在南邊，有另一支游牧民族大軍正在集結。

穆罕默德的家人

西元六三〇年，「麥地那信士的先知」穆罕默德率軍南征麥加，並於此和親族談判。吃人肝的欣德不為所動，糾纏著她丈夫務必「殺掉這個虛偽圓滑的胖禿子」，但阿布．蘇富揚還是談定和平交出麥加。穆罕默德親吻了克爾白，不過砸毀克爾白周邊的偶像。阿布．蘇富揚看重現實利害，後來皈依伊斯蘭。穆罕默德需要他：他娶了阿布．蘇富揚的女兒拉姆拉（Ramla），同時聘雇他的兒子穆阿維葉（Muawiya）為祕書。

穆罕默德仍以麥地那為都城。每當代表團來到麥地那表態歸順時，他坐在清真寺裡的地上，神情篤定，因此贏得眾多人追隨，而他始終自稱真主的使者，未替自己冠上其他稱號。他是個冷面笑匠，說笑話時一臉正經：有次，某個老婦問阿拉是否允許老女人入天堂。他答以不准。她當下哭了起來，他隨之又說道，「他先把她們變成年輕性感的處女了。」

他生於家族世仇橫行的世界，既懂得世襲王朝的實力強大，也深諳其危險。他說，「家系是騙人的東西」，可是他也費了很大工夫打造一個愈來愈複雜的宮廷。家族很重要：家族內部的分歧如今仍存於伊斯蘭裡。

哈蒂嘉去世後，穆罕默德另外娶了約十三個妻子，其中多數婚姻是政治聯姻。首先，他娶了追隨者阿布．巴克爾的女兒阿伊莎（Aisha）：他那時五十多歲，而她未滿十八歲，但他很喜歡她，也最寵她。兩個更年輕的妻子是戰死戰士的遺孀，連同兩個分別名為蕾哈娜（Rayhana）、莎菲亞（Safiya）的猶太女孩，也成了這個家的一分子，此前兩人在她們部落遭滅後曾淪為奴隸。他原把他美麗的堂表妹宰娜卜（Zaynab）許配給他奴隸出身的養子宰德，兩人婚姻不幸福，而穆罕默德一直心儀於她。她一得知「真主的使者在門口」時，便穿上盛裝，「引起這位使者的傾慕」。他的養子表示願把她讓給他，他最終同意娶她。宰娜卜嫉妒阿伊莎。阿伊莎坦承，「宰娜卜的美與我不相上下，先知對她的愛，不輸他對我的愛。」

除了這幾個妻子，還有穆罕默德的女兒法蒂瑪負責照顧他：法蒂瑪嫁給父親的堂弟阿里，生了胡笙（Hussein）、哈桑（Hasan）等孩子。穆罕默德在他諸多妻子的住所之間輪流居住時，總喜歡和妻子坐在一塊開玩笑、討論人生，有時回憶哈蒂嘉。他喜歡和孫子們玩，讓他們騎在他背上，說，「哇，你們有頭好棒的駱駝。」

然而，他的宮廷已出現緊張關係。攻打麥加期間，阿伊莎為了找一條丟失的項鍊而在沙漠裡和她丈夫分開，最後被一年輕男子救下，把她送回給穆罕默德。她被指控通姦。指控最烈者是穆罕默德的女婿阿里。阿伊莎得到對手宰娜卜支持，穆罕默德最終也相信阿伊莎，而這不過是至今仍使得伊斯蘭世界分裂對立的那個世仇的開端罷了。

海拉克利烏斯的聖戰觀已為穆罕默德所知——阿布・蘇富揚已親眼見過這個皇帝在耶路撒冷遊行——而且穆罕默德強行占用此一觀念以作為自己的聖戰觀。穆罕默德提議止戰——他說，「你應憑智慧和善言，勸人遵循主道」——但也提倡戰爭：「在哪裡發現以物配主者（崇拜偶像者），就在那裡殺掉他們」。他甚至寫信給海拉克利烏斯，要求這個皇帝改宗，海拉克利烏斯回贈一件毛皮大衣；羅馬帝國的埃及行政長官則回贈一名科普特籍女孩瑪利亞，穆罕默德於是娶了她。後來，西元六三〇年，穆罕默德派兩支部隊襲擊敘利亞，其中一支抵達亞喀巴（Aqaba，今約旦境內）；另一支遭羅馬軍隊攔截後戰敗。但他們帶回值得留意的情報：羅馬已經腐敗。被瘟疫和戰爭削弱國力的波斯、羅馬兩帝國，成了讓人很想入手的兩塊肥肉。只是這一切取決於一人，而穆罕默德未有接班計畫：真主的最後一個先知離世後，誰能接班？世上只有一個真主的使者。

用你們的劍除掉割了包皮的人！穆罕默德家族攻城略地

西元六三二年，已六十二歲的穆罕默德發起高燒。有感於他將不久於人世，他的追隨者便問他想去哪裡。他說「阿伊莎」，他們於是把他帶去她身邊，最後他死在她懷裡，隨後由長老挑選他的老戰友阿布・巴克爾為信士的指揮官（Amr al-Mu'min）——後來稱作哈里發（khalifa）。但阿里和穆罕默德家族不同意。麥加貴族對此決定心存懷疑，而阿拉伯半島上諸多地方於此時脫離自立，各擁其他先知為主。阿布・巴克爾派他的第一武將哈利德・賓・瓦利德（Khalid bin Walid，「伊斯蘭之劍」）率部前去奪回這些叛離的省分。哈利德殺掉一名已皈依伊斯蘭的王子，將對方的美麗妻子據為己有。這個醜聞在麥加引發軒然大波，但在西元六三四年，阿布・巴克爾仍指派哈利德、他的另一個將領阿姆爾・伊本・阿斯（Amr Ibn al-As）、阿布・蘇富揚的兩個兒子雅季德（Yazid）、穆阿維葉等人率領兩萬兵力進入敘利亞。

對當時人——和歷史學家——來說，阿拉伯人入侵之舉的速度和範圍，似乎讓人很是震驚，但其實不久前，伽桑人和拉赫姆人的阿拉伯人軍隊已騎馬穿越巴勒斯坦和敘利亞；這時，這些戰士有可能為一新的大業效力。鼠疫已除掉羅馬、波斯兩帝國城市裡較為體弱的居民，但才剛侵襲到沙漠邊緣。阿拉伯人一次能出動一萬兩千人或更多兵力時，海拉克利烏斯只能調集到五千人。阿拉伯人騎乘駱駝，移動甚快，後面還帶著馬。與敵廝殺時，才會改騎馬。

海拉克利烏斯征戰二十年已心力交疲，阿拉伯人圍攻羅馬治下的大馬士革時，他在戰線後方指揮，然後在現任哈里發去世、由歐瑪爾（Omar）接位時，他和阿拉伯人談成大馬士革投降之事。歐瑪爾身形龐大笨重，有著不服輸的性格，年輕時是摔跤手，身穿樸素的袍服，手上揮舞鞭子，上任後開始編纂《可蘭經》和《聖訓》。他儉樸又太正經，針對女人設計了穆罕默德所從未提過的限制，以貪腐為由將自己的兒子活活打死。他對哈利德四處劫掠、不可一世的作風很是反感，便把他召回麥加，對他吼道，「把你搶來的東西從你屁眼裡拿出來！」哈利德交出他的財寶，又被派回敘利亞。

海拉克利烏斯命令兄弟泰奧多羅斯（Thedoros）率兵前去止住阿拉伯人進攻。在戈蘭（Golan）南邊的耶爾穆克河（Yarmuk River）邊，這兩支勢均力敵的軍隊對峙。阿拉伯半島的吃人肝女詩人欣德，也在場鼓舞她的兩個兒子，她喊道，「趕緊！用你們的劍除掉割了包皮的人！」

哈利德告訴士兵，「這是真主的戰役之一！」他的騎兵把羅馬人困在岩石和河流之間，然後在羅馬的阿拉伯籍基督徒盟友變節的助陣下，將他們一舉消滅。泰奧多羅斯喪命。

阿拉伯人的戰利品裡，有羅馬人送上的另一個大禮：鼠疫。第一任敘利亞行政長官雅季德死於鼠疫，把大馬士革交給其弟穆阿維葉。霍姆斯、蒂爾、凱撒雷亞三城與阿拉伯人談判，取得阿拉伯人的承諾，給予基督徒膜拜自由並讓「有經之人」繳交吉茲亞稅（jizyah），接著便投降。

歐瑪爾派哈利德入侵波斯，阿拉伯人策馬直抵泰西封—塞琉西亞城牆下，波斯王伊嗣俟奮力抵抗。泰西封—塞琉西亞有著錯綜複雜的運河和宮殿，係數百年文明的結晶，而這些入侵者稱之為城市群（Cities）。伊嗣俟調動飄揚著巨大虎旗的軍隊、披了盔甲的戰馬和大象，擊退一支阿拉伯人軍隊，未想在西元六三六年，他的軍隊先後在卡迪西亞（Qadisiyya）、傑盧拉（Jalula）吃了敗仗。阿拉伯人將伊嗣俟圍困在泰西封—塞琉西亞，眼看就要攻下城市群，伊嗣俟東逃，從而讓貝都因人享有驚人的好運。他們在堂皇氣派的霍斯勞的伊萬（iwan，三面圍牆、一面出入口、常建有拱頂的長方形空間）裡作禮拜，身處薩珊王朝諸王的雕像之間。不同於披著鑲金邊的盔甲、騎乘披掛馬飾之戰馬的波斯人，阿拉伯人是刻苦的騎馬人，身穿用蘆葦稈當腰帶的駱駝毛毯袍服，纏著用駱駝的肚帶製成的頭巾，頭髮翹起如「羊角」。他們騎矮胖的馬，佩戴箭、矛和「猶如一條粗圓麵包」的盾，然而他們最鍾情的武器是稱之為薩伊夫（saif）的阿拉伯劍，此劍不是著名於世的短彎刀，而是磨亮的直刃劍。他們甚愛此劍，為它寫詩、歌詠。詩人埃米爾・伊本・圖法伊勒（Amir ibn al-Tufayl）提到，「收割脖子的劍，劍刃鋒利，不用時細心封存在劍鞘裡」。更加令他們振奮的，是搶來的東西。這些阿拉伯人不明就理，竟把霍斯勞的地毯「國王之春」剪成碎片；拿昂貴的樟腦當料理鹽；掠奪成果收穫滿滿——現金、寶物、數十萬奴隸。在錫斯坦（Sistan）的一場小戰役中，就讓他們入手四萬奴隸。最初這些阿拉伯人未熱中於讓征服之地的人民皈依伊斯蘭，因為如此一來就必須還他們自由之身，不過這些奴隸漸漸改宗，成為毛拉（mawla），即獲阿拉伯籍主子釋放的奴隸。

西元六三八年，阿拉伯軍隊在耶路撒冷會合，城裡散發著穆罕默德常提到的那種特殊的末世氛圍：「復活的時刻臨近了！」而那將會在耶路撒冷發生。這座聖城的基督教最高級主教只願向「指揮官」投降，於是歐瑪爾騎騾上前，在穆阿維葉的見證下，談成保護基督徒膜拜權的契約。然後，歐瑪爾進城，走上聖殿山，在一名猶太籍伊斯蘭信士指出猶太聖殿所在位置後，他在聖殿山上禱告，並設立一座露天的清真寺。而一得知哈利德在浴場以酒為澡池狂歡，且有詩人在場歌詠他的功績後，他便將伊斯蘭之劍革職。

歐瑪爾回到麥加時，由穆罕默德的姻兄弟暨祕書掌管敘利亞，而該地的居民絕大多數是基督徒。信仰基督教的阿拉伯人為穆斯林打仗，猶太人亦然；甚至波斯籍祆教徒都被接納，成為穆斯林陣營裡的一支全覆裝甲騎兵隊。在耶路撒冷，猶太人獲准和穆斯林一起在聖殿山上的清真寺禱告長達數十年，在大馬士革，基督徒和穆斯林一起在聖約翰教堂（今日的奧瑪亞清真寺）禱告。受海拉克利烏斯迫害的基督一性論（Monophysite）基督徒和聶斯脫利派（Nestorian）基督徒（景教徒），或許是把阿拉伯人視為粗野的流氓，而非同為一神論者。

西元六四〇年，歐瑪爾命阿姆爾・伊本・阿斯入侵埃及。亞歷山卓遭攻陷，標誌著長達九百年的希臘

—羅馬文化和三百年的基督教在埃及自此告終。隨後阿拉伯人西征，越過整個北非。約十五萬阿拉伯人已征服西亞諸多地方，呈扇形往世界各地擴張。[6]

儘管穆罕默德家族裡已出現致命分裂，不久將演變為戰爭，「指揮官」歐瑪爾的征戰還未結束。海拉克利烏斯死於六四一年，君士坦丁堡陷落是遲早問題，而首要之務是歐瑪爾派先更多兵力追捕波斯王伊嗣俟。伊嗣俟這時孤立無援，眾叛親離，被追到木鹿（Merv，今土庫曼境內）附近一處偏僻的磨坊裡，並在草堆中過夜。磨坊主人回來後殺了他，把他丟進池塘裡。而薩珊王朝的末代君王生前曾心生一計，此事若成，便有可能使一切改觀：他派兒子卑路斯（Peroz）請求中國出兵相救。[7]

接下來五十年，中國由女人掌權。

西元六三七年，阿拉伯軍隊猛然攻入波斯東部和非洲北部之際，唐太宗失去愛妻。為了讓皇帝心情好起來，後宮宦官替他找來新妃子。太宗注意到一名十四歲女孩的「媚」。此女受過教育，係唐朝官員暨商人之女，透過母親的關係而與近幾位皇帝有親緣關係。唐太宗賜她「武媚」稱號，封她為才人（第六級嬪妃）。[8]武氏的母親為女兒即將入宮而哭泣時，這個早慧的女兒回道，「見天子焉知非福？何兒女悲乎？」嫵媚、天不怕地不怕的聰穎、高雅的風趣、冒險心，或許使她在後宮顯得與眾不同，而在後宮，嫵媚的一瞥就有可能推翻嚴格的等級體制。武氏在後宮受宦官調教，習得化妝術——她拔掉眉毛，畫上蛾眉，唇塗朱砂膏，臉用氧化鉛抹白。

唐太宗鮮少臨幸她，但有天她侍候皇上時，透過太宗所珍愛之物，讓皇上對她刮目相看。她後來憶道，「太宗有馬名師子驄，肥逸無能調馭者。朕為宮女侍側，言於太宗曰：『妾能制之，然須三物，一鐵鞭，二鐵檛，三匕首。鐵鞭擊之不服，則以檛撾其首，又不服，則以匕首斷其喉』。」

唐太宗以挑逗口吻回道，「今日卿豈足污我匕首耶！」稱讚她的大膽。他或許就是這時臨幸了她，只是到了西元六四〇年代初期，他已為狀況不佳的身體和不聽話的兒子而焦頭爛額。皇太子發瘋，另兩個皇子打算暗殺他；於是太宗立他寡言的九子李治為太子，是為日後的高宗。太宗征討高句麗以遠離煩心之事，不料竟慘敗，同時發覺自己已不再如過去權傾天下。由於壓力，太宗頭髮頓時轉白，李治侍奉太宗湯藥時看見長他四歲的武氏，愈來愈傾心於她。只是此事非常敏感，因為她是繼母，兩人私通就是亂倫。但無論如何，兩人還是私通了。

武媚：后殺吾女

西元六四九年，太宗去世，享年五十一。年輕皇帝高宗照例將先父的所有未生育的嬪妃送入佛寺，她們在此削髮為尼，身穿麻衣，一段日子後出宮嫁人，過常人生活。一年後的太宗忌日，高宗來到佛寺進香

6　穆罕默德的叔叔阿拔斯生於麥加，但他的五個兒子分別死在麥地那、敘利亞、突尼西亞、撒馬爾罕等遙遠異地，其中的古塔姆·伊本·阿拔斯（Qutham ibn al-Abbas）在撒馬爾罕成為具神話性質的聖徒，稱之為「活王」（Living King），他的墓則成為一神聖建築群的中心，後來也成為征服者帖木兒的長眠之處，至今仍受尊崇。

7　在長安，唐朝皇帝不願出兵抗擊阿拉伯人，但為這些薩珊王朝人提供庇護，任命末代波斯王卑斯路為波斯都督府的都督。卑路斯掌控波斯都督府十年，而後不敵穆斯林進逼，逃到長安，獲唐高宗授予右武衛將軍職。西元六八〇年，卑斯路去世。

8　後宮最高階是皇后，其次四夫人、九嬪、婕妤九人、美人九人以及才人九人，武氏便是才人之一。在她之下為寶林、御女、采女各二十七人，總共一百二十二人。除了皇帝和其宦官，任何男人皆不得進入皇帝後宮。宦官善用這特殊管道，把婆羅洲樟腦和馬來廣藿香之類奢侈品賣給這些女孩，並藉此致富。編寫中國史書的儒家士大夫是厭惡女人者，把女性統治者形容成好色的狂妄自大者，後人看待中國歷史時，務必考慮到寫史者的這種大男人主義；而同樣的，在王朝制君主國，性吸引力是女人藉以贏得政治權力的手段之一。

追悼先父，同時也看見了武氏。兩人愛意復燃，相擁而泣。他允許她蓄髮，她則寫了一首詩〈如意娘〉鼓勵他常來看她：

看朱成碧思紛紛，憔悴支離為憶君。
不信比來長下淚，開箱驗取石榴裙。

王皇后與蕭淑妃爭寵，為使高宗疏遠蕭淑妃，她鼓勵高宗將武氏納入宮中。只可惜，這種辦法往往自招殺身之禍，就王皇后的例子來說正是如此。武氏搬回後宮後，把高宗迷得神魂顛倒，贏得宮女、宦官、嬪妃的喜愛，這些人自此成了她忠心的耳目，時值焦慮不安的王皇后膝下無子，便收養另一個女孩的兒子立為皇太子，冀望止住這嫵媚女人的得寵之勢。武氏生下一子後又生下一女，此女甚得王皇后憐愛，皇后喜歡將她抱在大腿上逗玩。西元六五四年，王皇后一如既往地逗著嬰兒玩；她離開後，武后竟悶死自己的女兒，而後皇上到來時，只見她一臉哀痛苦楚，把臉色鐵青的女嬰給皇上看，並將此事嫁禍於王皇后。高宗問身邊人怎麼回事，身邊人全答以「皇后適來此」。高宗禁不住吼道，「后殺吾女」。武氏死後的生平記載，出自心懷敵意的史家之筆，但即使她未殺害自己的骨肉，她利用女兒的死破壞高宗與皇后的關係。武氏共生下六個孩子，而一直生不出孩子的王皇后，碰上這樣的對手，在講究香火傳承的宮廷，自是不會有好下場。

為懷孕，王皇后求助於巫術，從而給了武氏攻擊的把柄。武氏從其耳目口中得知此事，指控皇后行使不法的巫術。高宗表示要廢王皇后，改立武氏為后，卻遭到朝中老臣反對。老臣提起她和先皇的親密關係作為反對理由。但西元六五五年，王皇后和蕭淑妃都遭判定犯下巫蠱之罪，囚於塔樓。三十一歲的武氏成為皇后，她的長子李弘獲立為太子。未料有天，高宗經過前皇后、前淑妃囚禁之處，聽到她們的哭聲，心有不忍。武氏得知後大為不悅，命人對她們施以杖刑，去掉她們手足，投於酒缸中，且說「令此二嫗骨醉！」

高宗獨獨鍾情於武氏，武氏四十歲時生下么女太平公主。武氏始終以巧計積極保住自身權力，始終想方設法摧毀敵人，睚眥必報，但與皇帝共同掌理朝政，皇帝欣賞她的聰明。武氏的掌權反映了形塑東亞、中亞家庭格局的方式：游牧民族的女人所享有的自由和權力，高於定居型國家裡的女人。只是，沒有哪個皇帝足以填補太宗留下的缺口，高宗尤其辦不到，這對夫妻正竭力維持帝國的一統。

高宗在他漫長的在位時期初期中風，後來復原，武氏則分攤了他的不少工作——兩人被封為「二聖」。她不願提拔自家人，協助組織了征討高句麗之役、另一場打敗突厥人之役，首創由皇帝主持、覆核進士資格的殿試，促進由君主控制而非由世襲菁英控制的官僚體系，以及完成隆重複雜的泰山封禪儀式。他們採用道家的天王、天后稱號，以頌揚他們的共治。武氏尊崇佛教、道教，但她一如當時所有人，極為迷信。她養一道士之事，遭宦官向皇上告發。高宗找宰相上官儀商議，上官儀勸道，「皇后專橫，海內失望，應廢黜以順人心。」高宗幾乎要在廢后詔書上簽字時，武后的耳目向她通風報信，她及時趕來阻止。高宗把責任推到上官儀身上，上官儀遭武后指控計畫暗殺高宗，隨後連同其子遭處決。然而許久以後，這名宰相的孫女將在武后身邊占有一席之地。

武后清楚丈夫好色，先是把她寡居的姊姊武順帶進宮，而後武順獲高宗封為韓國夫人，為高宗生了一個兒子；她死後，武后把武順的女兒，即她的外甥女，引入宮中，外甥女得高宗寵愛，獲封魏國夫人——而她太受寵了。始終是基於警戒之心，武后於是毒死她。

皇太子死於結核（有些史家說他也死於武后之手）後，高宗立兩人的兒子李賢為太子。但這個太子讓武后不放心。隨著高宗體衰，李賢打算奪去母后的權力。兩人本已冷淡的關係變得更冰冷。這個男孩發現自己身世的祕密，原來他根本不是她的兒子，而是她已故姊姊的私生子，暗中生下後由武后收養。而高宗下詔，武后和太子為共同繼承人，情況更是雪上加霜。高宗、武后請教一術士，術士警告道，李賢不適合當太子。李賢得知此事，找人殺了術士。他隨之遭流放，高宗改立他弟弟李哲為太子。饑荒、地震、瘟疫橫行，顯示皇上可能失去天命，在此情況下高宗更加委頓，西元六八三年去世。正當武后盤算著她的大業時，唐朝收到來自敘利亞的報告，內容提及一名為莫易（Mo-yi）的新君：阿拉伯王朝時代於焉開啟。

第六幕

世界人口

兩億七百萬人

穆罕默德家族、查理曼家族

阿拉伯凱撒和愛嫖妓的雅季德、愛養猴的雅季德

這位新君就是穆阿維葉。唐高宗和武后耳聞他這個人時，穆阿維葉已在一場凶狠的家族戰爭之中，奪取新帝國的大位。治理帝國不易：哈里發歐瑪爾騎著騾子，只帶一名僕人，便巡行起各省，留穆阿維葉治理敘利亞。穆阿維葉想要打造艦隊和羅馬人相抗衡，但歐瑪爾不願意。他懷疑穆阿維葉有追逐世俗名利之心，替他取了綽號「阿拉伯凱撒」。

西元六四四年，歐瑪爾遭一心懷不滿的奴隸暗殺身亡，諸長老再度冷落穆罕默德的女婿阿里，選奧斯曼（Othman）為哈里發，而奧斯曼也是穆罕默德的女婿，娶了他兩個較年長的女兒。他特別照顧自己的氏族——奧瑪亞家族——確立穆阿維葉為敘利亞行政長官。這時，哈里發轄地裡的子民仍以基督徒、祆教徒占多數。穆阿維葉承襲羅馬稅制，用羅馬官員掌管行政，這些官員的由塞爾吉奧斯（Sergios，阿拉伯語薩爾君・伊本・曼蘇爾／Sarjun Ibn Mansur）負責指揮。他的醫生和宮廷詩人是基督徒，他的第一任耶路撒冷行政長官據說是猶太人，最愛的妻子瑪伊孫（Maysun）則是信仰基督教的公主。阿姆爾・伊本・阿斯取笑他被妻子差來遣去。「尊貴男人受妻子管，」穆阿維葉回道，「卑下男子對女人頤指氣使。」

他自豪於性能力強，但隨著年紀漸長，愈來愈胖，他自嘲不行了。他睡了一個呼羅珊籍（Khorasani）女奴，問起對方，「獅子波斯語怎麼講？」

「卡夫塔爾。」她答。

「我是卡夫塔爾」，她離開時，他如此吹噓，後來他問一廷臣該詞的意思，對方竟答道，「跛腳的鬣狗」。

「回得好。」穆阿維葉告訴那女孩。

西元六五五年，穆阿維葉的新阿拉伯艦隊擊敗皇帝君士坦丁二世（海拉克利烏斯的孫子），標誌著一個新時代的開端。但一年後，來自埃及、伊拉克的叛變士兵暗殺穆阿維葉的族兄——人在麥地那的哈里發奧斯曼。五十多歲的阿里隨之被選為繼任哈里發，並任命其中幾名刺客為隨扈。穆罕默德生前命令妻子在他死後不干預政治，然而他最愛的在世妻子、被尊為「信士之母」（Umm al-Mu'minin）的阿伊莎（第一任哈里發之女），譴責阿里和那些暗殺奧斯曼的凶手。她率軍對抗阿里，把他追趕入伊拉克。在戰場上，她向士兵慷慨陳詞，騎乘在有著裝甲頂篷的紅駱駝上指揮士兵作戰。可惜阿里戰勝；她那頭著名的駱駝被殺，她則遭虜獲。[1]

牢牢掌控中心地區的穆阿維葉要求懲罰殺害奧斯曼的凶手，而阿里辦不到。穆阿維葉展示遭暗殺之哈里發的遺物，包括被血染紅的奧斯曼袍服和他妻子娜伊拉（Naila）的斷指，和當年安東尼為打動人心而展示凱撒染血的托加袍的聳動手法如出一轍。

兩軍在拉卡（Raqqa，今敘利亞境內）附近的綏芬（Siffin）交手，七萬人死於肉搏戰，兄弟相殘的野蠻表露無遺。最後，穆阿維葉所部把《可蘭經》書頁挑在矛尖上，另一方因此羞愧得休兵。阿里同意談判。穆阿維葉的使者阿姆爾．伊本．阿斯技高一籌，大勝從未獲穆罕默德授以要職的阿里。穆阿維葉說，「真主的使者只任命能幹之人，不任命明知能力不足仍蠻幹之人。」阿里的軍隊瓦解。西元六六〇年，穆

1　阿里訓斥她，但饒了她——她在麥地那繼續生活了四十年。

阿維葉在耶路撒冷聖殿山上舉行了祕密會議，會中他被擁立為「指揮官」，以這座聖城的神聖性為自己加持。[2]

不久，阿里於伊拉克遭暗殺，留下身為他繼承人的兩個兒子哈桑和胡笙。然而，當穆阿維葉和奧瑪亞王朝志得意滿之際，認定該由阿里後裔繼承哈里發之位的阿里派（什葉派），將成為導致伊斯蘭核心永遠分裂的勢力。

西元六七四年，已擊潰羅馬艦隊的穆阿維葉進攻君士坦丁堡。由其子雅季德指揮的圍城戰持續了四年。阿拉伯人認為會攻下該城，羅馬皇帝君士坦斯（Constans）大概也這麼認為。他遷至西西里，在該地被一名奴隸用肥皂盤打死在澡堂裡。而堅固的「大城」城牆、重建的羅馬艦隊，加上羅馬人首度使用一項祕密武器，最終迫使穆阿維葉召回艦隊。這個祕密武器是名為「希臘火」（Greek Fire）的早期噴火器，透過管子噴出燃燒的石腦油。

哈里發向來由長老挑選。但穆阿維葉開創了一個家族世襲君主國，立他基督教籍妻子所生的兒子雅季德為繼承人，由此引發爭議。雅季德是個紈綺子弟，好酒色，總是帶著一隻寵物猴在大馬士革四處晃。一旦出現對手，穆阿維葉便建議對方，「逮住他的話，把他的手腳一隻隻剁掉」。而當穆阿維葉八十歲去世時，雅季德的縱情酒色令麥地那人瞠目結舌，麥地那人稱他「愛喝酒的雅季德、愛嫖妓的雅季德、愛養猴的雅季德」。穆罕默德的外孫胡笙在伊拉克自立為哈里發，不幸遇害於卡爾巴拉（Karbala），從而為什葉派的殉教說推波助瀾。如今，在阿舒拉節（Ashura），信徒哀悼、鞭打，仍持續緬懷他的殉教。胡笙的頭被拿去遊行示眾，雅季德把他的權杖插進它的嘴裡。雅季德意外去世——大概死於瘟疫——在庫法（Kufa，今伊拉克境內）和麥地那都出現爭奪王位者。

在遙遠的東邊，阿拉伯人正逼近中國邊界——就在那位非凡的唐高宗遺孀獨攬大權之際。

靠精液得勢：武后的爪牙

身為皇太后暨攝政的武后六十歲。先皇的遺囑載明「軍國大事有不決者，兼取天后進止」，只是他們的兒子中宗李哲，在他年輕皇后韋氏影響下，打算讓岳父韋玄貞掌理朝政。中宗欲提拔韋玄貞為侍中遭大臣反對，中宗怒道，「我以天下與韋玄貞，何不可！而惜侍中邪！」但就是有人有辦法讓他無法為所欲為：武后。她贏得文武百官的支持。面對突厥、吐蕃進攻[3]，以及饑荒、民亂，他們有感於她的經驗和膽識。這個男孩遭廢黜。他反問，他何罪之有。

武后怒道，「汝欲以天下與韋玄貞，何得無罪？」李哲貶謫外地，受到嚴密監管，[4]武后立她的二十一歲么子李旦為帝。毫不意外的，李旦很怕她，在她逼另一個兒子李賢自盡後，更是膽顫心驚。

武后為搶占上風而祭出的種種作為激起唐室數皇子造反，她隨之展開恐怖統治，以三名有虐待狂性格的祕密警察——她的「爪牙」——為恐怖行動的首腦，而來俊臣又為這三人中的主事者。來俊臣原以販賣

---

2 穆阿維葉的理念完美體現了政治家的治國之道：「如果我和我的子民之間只有一條線，我絕不會任其鬆掉，隨時緊緊拉著，而我也絕不會任由他們一逕地緊緊拉著，完全不鬆開。」他還說，「錢能辦到的事，我不費口舌；口舌能辦到的事，我不用鞭；鞭子能辦到的事，我不用劍。」他體現了希勒姆（hilm）精神，即傳統阿拉伯謝赫那種沉穩審慎的精明。他甚至容得下批評：「只要人民不介入我們和我們的王權之間，我自己也就不會介入人民和他們的舌頭之間。」

3 為控制吐蕃，她找上印度拔羅婆王朝君主那羅僧訶跋摩二世，此君又名羅闍僧訶（Rajasimha），獲唐朝授予華南將軍的稱號。但羅闍僧訶最大的影響在文化方面——他既寫劇本，也建造了至今仍屹立不搖的神廟，即位於其都城建志補羅的凱拉薩納塔（Kailasanatha）神廟和位於其口岸馬哈巴利普蘭的海岸神廟（Shore Temple）。拜拔羅婆王朝的影響力之賜，婆羅門教和梵語輸出至東南亞的印度文化圈。

4 李哲和妻子前皇后韋氏一同遭流放後，每有使者從都城過來，便有恐於對方銜武后之命前來下達可怕的懲罰，因而惶恐至想自殺。但他的妻子始終勸他勿懷憂喪志：「禍福倚伏，何常之有？豈失一死，何遽如是也！」

糕餅為業，有嚴重精神病，利用告密陷害皇子和官員，甚至編了《羅織經》，教人羅織罪名。來俊臣在武后新設的監獄裡拷打人犯，設計出新奇的酷刑和刑具，數千人死於此獄。[5]武后的大臣八成遭革職，眾多大臣遇害。來俊臣請求升為御史，武后取笑他不識字，但還是如他的願，只是她更樂意向她能幹的女兒太平公主詢問意見。

武后也是政治宣傳高手，在位期間，她頻「改年號」——既為招福納吉，也為重塑個人形象——在她所著《臣軌》中，曾宣揚對善治的看法，下令若自己親人犯下叛逆罪，應予揭發——忠於國家甚於一切。

開國皇帝高祖那五十多歲的女兒千金公主，推薦了一個男子給武后當男寵——由此可見唐朝女人在男女之事方面無所忌憚的開放。此人叫薛懷義，身材魁梧，年紀比武后小了許多，以販賣膏藥為生，他出身貧寒，以其過人的性能力和巨根，先是令這位公主的一個婢女傾倒，公主繼而也享用了這個天賦異稟的男人，隨後便在武后面前極力誇讚他的本事。

他頻頻出入禁宮，她的大臣因此建議將他閹割，結果她反倒命令薛師父剃髮為僧，提拔他為白馬寺寺主。

粗魯、傲慢、為人有趣且不同於常人的薛懷義很快就大權在握，出入有十名宦官和一票惡棍護衛。男性皇帝的年輕嬪妃動輒千百，因此，把武后說成嗜逐權力、性欲強過常人的老女人並不公允，而且她那個有著巨根的年輕男寵具有神祕的回春作用：道教認為，年輕男子的元精可讓年紀較長的情人回春，收到採陽補陰之效。然而，薛懷義也有別的本事，就在統辦事情和監造建築上。他在宗教方面向武后提供意見，兩人一同支持佛教，而佛教的出世、澄心靜慮以及講究善盡人間義務的儒家倫理學和道教的神祕儀式，有相輔相成之效。她建造佛塔，歡迎佛經，取了轉輪王、菩薩的稱號。她任命薛懷義為她督造工程後，他動用三萬工人在都城洛陽的中心建造了精美絕倫的明堂：拔地三百呎，九條龍捧著一個頂篷，頂篷上有一隻巨大的鍍金鳳凰。

她愛才惜才，有次曾以玩笑口吻斥責大臣欲迫害一個膽敢批評她的人：說他們「何得失如此人？」她的諸多顧問裡最令人意想不到的——且大概最有才華的——是她年輕貌美的女官上官婉兒。上官婉兒的父親和祖父因為想要廢掉武則天的后位而遭她處決，年紀還小的上官婉兒則淪為奴隸。但她寫得一手好詩；武后看到她寫的詩，便找來為她效力。此後上官婉兒為她寫詔敕，但有次她違逆旨意被發現，武后將她處以黥刑。這個奴隸出身、後來免去奴身、又被黥面的女官，在這個女人難得當道的政權裡執掌朝綱裡，權勢日盛。

西元六九〇年，為順利當上女皇，武后祕密動員製造輿論，命人獻上示意要她稱帝的瑞物。最後她終於同意登基，逼她兒子李旦退位，取國號為周，成為中國第一位女皇，穿上皇帝的黃袍——但自此，她更加提防有人欲不利於她。兩個大臣冒然前去見前皇帝李旦，即遭她腰斬。西元六九三年，她殺掉李旦的妻子和妃子。[6]李旦面見自己的母親時，只能佯裝什麼都沒發生，唯恐招來殺身之禍。

西元六九四年，武后厭煩了薛懷義，以御醫為新歡。失寵的薛懷義憤而燒掉明堂，而他的嫉妒心再度討得武后歡心。她封他為公，命他重建，然世上最全然的心死，莫過於已死的情愛，他輕易動怒、亂發脾氣的個性激怒了她。於是他慘遭活活打死，並燒成灰，拌進泥裡。

這時，她已擊退並用計贏得吐蕃、高句麗、突厥，一百萬非漢人納為其帝國的子民，接待了來自日

5 這些刑具有著很生動的名稱：「死豬愁」、「定百脈」、「求破家」。在「鳳凰曬翅」一刑中，受刑者被綁在車輪上曝曬；在「驢駒拔橛」中，將人犯套木枷；在「仙人獻果」中，把瓦片堆在受刑人背上。在某事件中，三百多名異議人士遭殺害。

6 受此打擊，全家人想必餘悸難消。李旦帶著包括李隆基（日後的唐玄宗）在內的所有兒子，在遠離京城之地盡量低調過日子，不問政事，但受到嚴密看管，常受迫害。

本、印度、中亞的貢使，贏得數場勝利，證明了天命屬於她。她自信已不再那麼需要用恐怖手段來保住大位。她那令人痛恨的酷吏來俊臣靠收賄致富，而且貪求女色，要心生恐懼的人家送上女人供他享用以擺平麻煩，最後竟不自量力告發武后的女兒太平公主。就在他要被凌遲時，群眾失控一哄而上，挖出他的心臟，把他踩成爛泥。

這時武后已七十多歲，靠妝容維持美貌。她也求助於假道士，提拔一個聲稱已四百歲的人為大臣，但不久就逼他自盡。

西元六九七年，性格很像武后的太平公主推薦一個男子給母親。張昌宗年少英俊、善音律歌詞，是野心勃勃的五兄弟之一。武后為他神魂顛倒，他則把他床上工夫更厲害的哥哥張易之介紹給武后。被武后稱作「男寵」的兩兄弟俗艷、帶女人氣、傲慢，身穿朱紅袍服，在宮中舉行驚世駭俗的無恥聚會。武后著迷於他們，為他們打造以近侍權力為基礎的「控鶴府」——鶴是道教仙人的傳統坐駕——從而反映了她的新思維：張昌宗是乘鶴降臨的道教長生不老者，而她則是西天王母娘娘，冀望透過採集這兩個男子的元精使她回春。

張家兩兄弟尋歡作樂，她的宮廷一派歡樂，非常熱鬧。她舉辦慶典慶祝自己青春不老或戰勝老化，包括聲稱長出新牙，眉毛長成吉祥的八字狀——她因此在西元六九九年舉辦了一場「神宮大樂」表演，上場舞伎達九百人。不管哪個暴君，死亡始終是擺脫不掉的困擾，唯有人人都逃不掉的一死能限制其無邊的權力。她猛服道士所調製的長生不老藥，她的煉金術士則發展出經加熱的硝石和硫磺的古老混合物——火藥的誕生經過漫長的演變，而這是此演變過程裡的一個階段。

八十歲左右，武后覺得必須考慮接班問題。她已提拔自家人武氏一族，把李姓皇子改為武姓，未想男寵張昌宗、張易之兩兄弟擔心武后去世後情況有變，竟說服她把遭廢的皇帝李哲重立為太子。但她態度並未軟化。當這兩兄弟告發她的孫女和孫女婿私下非議他們，她即命人打死這對夫妻，把這兩兄弟晉封為公。但兄弟兩人侵吞錢財太過肆無忌憚，遭大臣指控貪贓枉法。於是她召集群臣，當面質問兩兄弟。

張昌宗自辯道，「臣有功於國，所犯不至免官。」

武后問，「昌宗有功乎？」

平日對兩兄弟最為諂媚的廷臣回道，「昌宗合神丹，聖躬服之有驗，此莫大之功。」這肯定是史上唯一以貢獻精液有功，而得以為貪腐行為脫罪的朝廷。

大馬士革的殺蠅者和唐朝皇后

武后原諒了張昌宗。西元七〇四年晚期，她病倒於長生殿時，她的子女正起嫌隙，反張氏兄弟的勢力在她的病榻下運作。太子李哲和太平公主意識到張氏兄弟威脅到皇位繼承，找來羽林軍將軍入夥同謀推翻武周。七〇五年二月，李哲和五百名羽林兵衝進迎仙宮，找到張氏兄弟，當場將他們斬殺。然後闖入武后寢宮，圍在她床邊。

她問，「亂者誰邪？」

與李哲同來的一位大臣回道：「張易之、昌宗謀反，臣等奉太子令誅之。」

太后看著她焦慮不安的四十八歲兒子，說道：「乃汝邪？小子既誅，可還東宮！」

李哲就要遵命離去之際，某大臣阻攔道，「願陛下傳位太子，以順天人之望！」

她環視宮中諸人，投以令人生畏的目光，提醒這些造反者她曾如何提拔他們，她譏道，「他人皆因人以進，惟卿朕所自擢，亦在此邪？」

三天後，張家五兄弟梟首於天津橋附近時，李哲復辟，唐朝恢復。西元七〇五年十二月十六日，受禮遇卻遭軟禁的武后去世，與她的丈夫合葬。死前的武后，沒有妝容，似乎瞬間老了幾百歲。

但女人專政的時代還未結束。中宗的妻子韋氏，在武后的淫威下惶恐度日，終於熬過來了。她丈夫曾答應她，「異時幸復見天日，當惟卿所欲，不相禁制。」韋皇后掌權，得到情人武三思輔佐。武三思是武后的姪子，也是武后那位奴婢出身、後遭黥面、這時四十多歲的女官上官婉兒的情人。四角戀的這四人於後宮圍桌打牌時，韋皇后會把自己雙腿和武三思的雙腿交纏於桌下。女權高漲到韋皇后勸丈夫將他們二十一歲的女兒安樂公主立為皇太女。中宗不從，安樂公主駁斥道，「如果那個武氏女人可以當皇帝，皇帝的女兒為何不可？」

中宗想要阻止妻子韋氏濫權枉法，結果遭韋氏以他最愛吃的糕點毒死，直到她立了足以受她掌控的少年為帝，這才發布中宗死訊。此時，太平公主發現韋皇后想殺她、她的哥哥（前皇帝）李旦和他的兒子。她不得不有所行動，於是找來她不同凡響的姪子（李旦兒子）李隆基共謀。西元七一〇年六月某夜，時年二十五歲的李隆基來到宮門，說服守衛讓他進宮，然後砍倒正企圖逃跑的韋皇后，刺死正在對鏡化妝的安樂公主，斬殺先前屢次化險為夷的黥面上官婉兒。經過此次對決，李隆基脫穎而出當上皇帝，是為唐玄宗。性格與武后極似的武后女兒太平公主想要毒死他，發動政變未果，最終落得她的兒子遭斬首，她自己被迫自盡。

唐玄宗這個軍人、書法家暨詩人，處理掉四個權力在握的女人而拿下大位，他將締造唐朝的輝煌盛世——而他掌握大權之際，正值唐帝國、阿拉伯帝國首度接觸。

西元六八九年，「信士指揮官」阿布杜·馬利克（Abd al-Malik）擒獲一名叛亂分子，將銀項圈套在他脖子上，牽著他在大馬士革遊街示眾，然後跨坐在他胸膛上，砍下他的頭，丟給群眾。

阿布杜·馬利克蓄長髮、金牙、唇裂，口臭很嚴重，以致有「殺蠅者」的綽號（儘管這說不定純粹是什葉派欲醜化他而推出的宣傳詞），但他也是從穆阿維葉的家天下帝國打造出伊斯蘭國——並建造出他那個世紀最美宗教建築——的君主。在他所發行的錢幣上，他以戰士形象示人，身穿錦緞袍，一手抽出鑲了珠寶的大劍，另一手持鞭，並刻有「信士指揮官和真主的僕人」等文字。「要治好這個（穆斯林）群體的弊病，我的唯一工具是劍，」他勸戒道，「我不會是那種會受騙上當或被認為軟弱的哈里發。」

雅季德去世後，奧瑪亞王朝國力大衰，此時，他的家族把雅季德那年邁又富經驗的堂兄馬爾萬（Marwan）召來大馬士革繼承哈里發。他在位期間，力保他能力相當的兒子阿布杜·馬利克順利接位。阿布杜·馬利克這個新「指揮官」娶雅季德的遺孀阿媞卡（Atika）為妻，是為他的諸多妻子之一。他上任後面臨伊拉克、阿拉伯半島境內的叛亂，阿拉伯半島的麥加由與他相抗衡的一位哈里發統治。失去麥加令他難堪。阿布杜·馬利克年輕時待在麥加，作禮拜非常虔誠，因而有「清真寺之鴿」的稱號。他在那裡學會背誦整部《可蘭經》。這時的他，擁有敘利亞人軍隊、堅不可摧的自信以及識人之明：他善於物色能人為其親信，其中專為他做盡不討喜之事的打手，是校長出身的軍事將領哈賈吉（al-Hajjaj）。他在伊拉克的庫法進行週五禮拜時，滔滔發表起他殺氣重重的詩——「我看到渴切的凝望和極力伸長的脖子；我看到隨時可被摘下的成熟頭顱；我是他們的主子……真主作證，我會把你們磨成粉塵」——然後殺掉該城的叛變者。「指揮官」鼓勵信士赴耶路撒冷朝觀，他在該城的猶太聖殿基石上建造了宏偉的岩石圓頂聖殿（Dome of the Rock），既是為了仿效索羅門、希律所造的聖殿，也為和麥加一別苗頭，並讓聖索非亞教堂相形失色。岩石圓頂完工於西元六九一年，猶太人和基督徒最初和穆斯林一起在聖殿山上作禮拜。他花了七年制伏群雄，而岩石圓頂完成時，他已奪回麥加。

赴麥加朝覲後，阿布杜·馬利克從信仰和家族的角度重塑哈里發一職：伊斯蘭將會居於中心地位。他是第一位人們口中稱之為哈里發，但所指並非偏軍事性質的指揮官，他後來鑄造的錢幣避用先前使用的人像——這個禁令日後成為伊斯蘭傳統觀念的一環。而以阿拉伯語為官方用語之舉，改變了世界，促使從摩洛哥至伊拉克的廣大世界都通行此語言，而且他重啟穆阿維葉對君士坦丁堡的聖戰。

他的四個兒子把持哈里發之位——他死後陸續由他的四個兒子、姪子瓦利德（Walid）接任。瓦利德把大馬士革的聖約翰教堂改為今日的奧瑪亞清真寺（Ummayad Mosque），建造了耶路撒冷的阿克薩清真寺（al-Aqsa Mosque）。接著，他往三個方向重啟征服世界的大業。殺人如麻的教育家東部副王哈賈吉，鼓勵東征，後來由瓦利德接任此副王職，他公開表示誰能拿下中國，就讓誰擔任中國行政長官。

西元七一二年，他的軍隊拿下撒馬爾罕，西元七一五、七一七年，小股阿拉伯人軍隊敗於中國、突厥軍隊之手。並非所有阿拉伯籍將領都能征善戰，其中一個受到詩人嘲笑的將領被稱作「打情罵俏者」（the Flirt）：「你夜裡向敵人進攻，像是在和你的女孩調情；你拔出屌，而劍入鞘。」在西邊，受到君士坦丁堡局勢大亂的鼓舞，瓦利德重啟對羅馬人的聖戰。西元六九五年，復仇心切的海拉克利烏斯玄孫查士丁尼二世遭推翻，被割掉鼻子，但他奪回大位，戴著黃金打造的假鼻，此時綽號「割鼻者」（Slitnose）。他向敵人報仇手段凶殘，但效果適得其反，因為此舉為他招來暗殺身亡之禍。西元七一六年，瓦利德派十二萬大軍和一千八百艘船攻打君士坦丁堡，由其同父異母的兄弟馬斯拉馬（Maslama）掌帥印。此時出兵包圍君士坦丁堡，時機似乎再理想不過，因為內戰已使羅馬人一蹶不振。馬斯拉馬與小亞細亞區的軍政長官——伊紹里亞籍（Isaurian）將軍，名叫萊奧（Leo）——談判，萊奧答應幫助他。未想，萊奧三世反倒自己奪權，組織抵抗勢力，從剛來到巴爾幹半島的保加利亞人可汗泰爾韋爾（Tervel）手中雇來信仰多神教的外籍傭兵，並把眾所艷羨的稱號「凱撒」賜給泰爾韋爾。

阿拉伯人未拿下此城。新任哈里發歐瑪爾（Umar）命馬斯拉馬撤軍。這時，就在君士坦丁堡陷入生死存亡關頭之際，天災來襲：愛琴海錫拉島（Thera）底下的火山爆發，噴出滾滾濃煙，引發海嘯。一如今日的統治者請教科學家，中世紀的君主求助於神學家。在君士坦丁堡，人們心想他們所尊崇的宗教形象——聖像（icon）——是否就是十誡裡所禁的偶像。哈里發剛禁止這類偶像，儘管君士坦丁堡倖存，他仍在多個戰線上得勝。皇帝萊奧和其他許多人斷定，他們的偶像崇拜說明了他們為何遭到這些劫難。萊奧的摧毀偶像運動開啟長達九十年的聖像鬥爭（eikonomachia）——反對聖像崇拜者和喜愛聖像者間的自毀式爭鬥。兩方陣營都很想得到死後的救贖，而他們之間的相鬥奪走成千上萬人性命，耗掉君士坦丁堡的政治心力。

在遙遠的西邊，阿拉伯的軍隊沿著北非海岸推進，致使柏柏人部落改宗，最後來到坦吉爾（Tangier，今摩洛哥境內），從此處可看到歐洲的海岸。

西元七一一年，塔里克・賓・齊亞德（Tariq bin Ziyad）——奧瑪亞王朝易弗里基葉（Ifriqiya）行政長官穆薩・賓・努賽爾（Musa bin Nusayr）的毛拉（mawla，指非阿拉伯裔穆斯林）——受某個與當道不和的貴族邀請進入西班牙。自羅馬時代，西班牙就受西哥德人統治，而這個貴族的女兒據說遭西哥德人國王羅德里戈（Rodrigo）強暴。他帶著七千名柏柏人越過海峽，在後來以他名字命名的那座巨岩—Jibral Tariq（塔里克山）——西班牙語 Gibraltar（直布羅陀）——處登陸，殺掉羅德里戈，拿下都城托雷多（Toledo）。塔里克的上司穆薩隨之前來申明這個新省安達魯斯（al-Andalus）歸奧瑪亞王朝控制。但哈里發瓦利德懷疑這兩個雇傭兵權勢過大，把征戰有功的兩人召回大馬士革，結果兩人都死於獄中。阿拉伯人拿下西班牙大半地方，但從未抵達較荒涼的北部，北部仍由信仰基督教的軍事力量掌控。

若要發兵越過庇里牛斯山襲擊法蘭克人的王國（Francia），安達魯斯是絕佳的跳板。西元七一九年，阿拉伯人征服塞普提馬尼亞（Septimania，今納博訥／Narbonne）；並在西元七二一、七二五年，攻打土魯茲（Toulouse）。

西元七三二年，安達魯斯行政長官因追捕一名造反的柏柏人而來到法蘭克王國西部境內，隨後策馬往北奔向巴黎。阿拉伯人輕易就拿下西班牙，在這裡卻遇上另一類敵人，即法蘭人公爵查理（Charles）所統領的法蘭克人，而查理也即將贏得他的綽號「鐵錘」。

「鐵錘」查理和花花公子哈里發：所有屄都長在獅子的額頭上

查理得證明自己的本事，以杜懷疑他能力者的悠悠眾口。他是父親丕平（Pepin）的妾所生，而非正室所生，查理未被選為嗣子。

羅馬帝國末年，有個日耳曼語族的戰隊首領，亦即以高盧北部——內烏斯特里亞（Neustria）——為根據地的克洛維（Clovis），自立為法蘭克人的國王，征服羅馬治下的法蘭西、日耳曼的諸多地方，根據其祖父墨洛維（Merovec）之名將王朝取名為墨洛溫王朝（Merovingian dynasty）。羅馬人建立的秩序漸漸消失：有些城市幾乎空無一人；錢幣流通程度不如從前；蓄奴變少；大流行病猖獗；主教和領主從自己莊園發號施令統治人民，囊括了最好的土地，控制了廣大農民，農民淪為農奴（servi）。然而墨洛溫王朝內鬥——王朝成員把頭髮留得很長，以彰顯自己的神聖地位，並自詡為法蘭克籍參孫的王朝——分裂成數個更小的王國。西元六二〇年代，在布拉班特（Brabant）擁有數大片土地的貴族丕平，成為奧斯特拉西亞（Austrasia，今德國北部和低地國家荷比盧三國）國王的宮相（mayor of the palace），他自建王朝，但此舉招來禍害：他的兒子和女婿紛紛遭墨洛溫王朝處決。西元六八七年，他的孫子，也叫丕平，一統諸王國，成為法蘭克人的公爵和君主（dux et princeps Francorum），居其上位的國王有虛名而無實權。

丕平與正室普萊克特魯迪絲（Plectrudis）生了兩個兒子，但也和妾室阿爾派妲（Alpaida）生了名叫查理的庶子。兩個嫡子都去世後，普萊克特魯迪絲說服丕平將其位留給他們的孫子。西元七一四年，丕平去世，普萊克特魯迪絲讓孫子繼位，並囚禁查理——而查理想辦法逃了出去。西元七一九年，查理已打敗群雄，成為公認的公爵—君主，此後餘生，他每年夏天打一場戰爭，每戰皆贏。

西元七三二年後期，阿拉伯籍的安達魯斯行政長官蓋菲基（al-Ghafiqi）率領一萬五千名阿拉伯人進入法蘭克王國，打敗阿基坦（Aquitaine）公爵奧多（Odo），然後往北進發。所幸奧多向查理示警，查理於是召集一萬五千左右的法蘭克人迎戰，親自出馬阻擋入侵的阿拉伯人。在圖爾（Tours）附近，兩軍對峙長達七天。雙方一開打，蓋菲基的輕騎兵不敵法蘭克人騎士的盔甲而瓦解。查理佯裝要奪取阿拉伯人的戰利品，阿拉伯人竟潰散，而蓋菲基被殺。阿拉伯人一夜之間撤走。這場交戰未決定戰局的勝敗——那只是一次襲擊。阿拉伯人仍控有塞普提馬尼亞，而且不久就回師襲擊。但查理自視為鐵錘（Martel）、宰殺異教徒者、當今的馬加比（Maccabee，「錘子」）、基督的擁護者。

查理死後不久，這個家突然迎來好運。西元七五一年，教宗札卡里亞斯（Zacharias）請求「鐵錘」查理的兒子矮子丕平（Pepin the Short）助其對付統治北義大利的倫巴底人國王。教宗受貪婪的倫巴底人和羅馬權貴擺布，沒有自主權。丕平索要事後的報酬：王冠。於是，墨洛溫王朝末代國王希爾德里克三世（Childeric III）退位，削髮為修士，失去象徵國王身分的頭髮。丕平贊同法蘭克人的國王以新外貌——短髮、長髭——示人。西元七五三年，新教宗司提反（Stephen）北行去討好國王丕平時，獲丕平的六歲兒子查理——日後的查理曼——迎接。司提反塗膏於丕平、查理曼和查理曼之弟卡洛曼（Carloman），認可他們為國王和羅馬人的貴族。

矮子丕平插手義大利事務，授予教宗司提反大片土地，命令全歐人民繳什一稅以資助羅馬教廷，憑著這份獻禮，教宗首度成為國際舞台上的一角。而後，矮子丕平把阿拉伯人趕出塞普提馬尼亞。查理曼十三歲時隨父親征戰；十五歲時，丕平把他的第一個妾希米爾特魯德（Himiltrud）賜給查理曼，查理曼和她生了一個兒子。丕平和查理曼放眼世界，對大西洋彼岸的情況一無所知；北邊，他們與主要的不列顛人王國麥西亞（Mercia）關係甚好；東邊，他們與中歐仰多神教的薩克森人起衝突；更遠處，君士坦丁堡的希臘人世界陌生且遙遠；希臘人世界的後面，則是信仰伊斯蘭教的哈里發，其所轄土地非常遼闊，沿著地中海往西一直綿延到西班牙。這時，有個信仰伊斯蘭教的造反者曼蘇爾（al-Mansur）遣使請求丕平助其對付大馬士革的墮落哈里發，此人很可能是個猶太籍商人。

西元七四三年，阿布杜·馬利克的孫子瓦利德二世成為哈里發，他縱情聲色的行徑似乎正坐實了奧瑪亞王朝違反伊斯蘭教義的腐敗。他的行徑其實有乃父之風：那時是賈里亞（Jarya）風光的時代，他是以大錢買來的奴隸歌手。瓦利德的父親雅季德二世年輕曾待在麥加，他一看到奴隸女歌手哈巴巴赫（Hababah）便愛上對方，卻直到西元七二〇年他當上哈里發，才有足夠財力買下這個歌手——他付了四千金幣。在大馬士革，哈巴巴赫和另外五十名歌手一起在盛大演出中粉墨登場，這個哈里發看得如痴如醉，以為置身天堂：「我想飛走」。她被石榴籽噎死後，他不忍和她的遺體分開，不顧穆斯林應有的喪葬規定，三天未下葬。西元七二四年雅季德二世去世時，還是個少年的瓦利德被略過，由他的叔叔希夏姆（Hisham）繼位。希夏姆二十年在位期間沉迷於後宮享樂，太子瓦利德這個詩人、情人、賭徒、獵人，則在這段期間於詩中誇示他驚世駭俗的尋歡作樂——「追逐情愛而愛人」：

我希望所有葡萄酒都要價一杯一個狄納爾金幣
所有屄都長在獅子的額頭上

然後，唯有放蕩不羈者會喝酒

唯有勇者會做愛。

他的情人是奴隸歌手娜瓦爾（Nawar），綽號薩爾瑪（Salma）。他把她比喻為豐盛的收穫，歌頌她的美貌：「我的愛人薩爾瑪，因有著黑色眼睛、無瑕頸項和喉嚨而令我心生愛慕的一頭羚羊」。可是薩爾瑪不貞，瓦利德身陷這苦愛，卻也樂在其中。[7]

瓦利德縱情聲色太過放蕩，以致希夏姆決定廢掉他繼承人之位，改立親身兒子穆阿維葉為繼承人，可惜還來不及付諸實行，他就死掉——帝國就由這個花花公子繼承。瓦利德醉到無法從狂歡派對中抽身時，竟出現令人大呼不可思議之舉：歌手薩爾瑪穿著哈里發的官服，帶領眾人作星期五的禮拜。或者，他的敵人說他做了這樣的事。

瓦利德在沙漠裡蓋了新遊樂宮，在那些宮中狂歡，[8]沉緬於在浴場泡澡，而浴場所飾的鑲嵌畫，波斯、羅馬風格甚於伊斯蘭風格。在古斯爾阿姆拉（Qusr al-Amra），他找人製作了濕壁畫，畫中他君臨天下，君士坦丁堡、波斯、中國、衣索比亞、西班牙的君王一一被他征服，聽命於他，而該地的浴場則以抽菸、跳舞、參加宴會的裸女為特點。有個詩人拜見瓦利德時，他正醉倒在地，不省人事，他醒來後，對著要離

7　有人告訴我某個星期五薩爾瑪去作禮拜。／就在那時，一隻美麗的鳥坐在樹枝上用喙整理著羽毛。／我說，「這裡有誰認識薩爾瑪？」／他說，「哈！」然後飛走。／我說，「回來，鳥兒，／你見過薩爾瑪？」／他說，「哈！」打中我心裡一個不為人知的傷口……

8　奧瑪亞王朝哈里發自位於大馬士革的宮殿建築群統治帝國，夏季時在位於戈蘭、貝卡河谷、約旦沙漠裡的遊樂城堡度過。其中許多「城堡」保存至今。

去的詩人喊道，「婊子養的，如果你透露半點出去，我會砍了你的頭。」

「醒來，奧瑪亞！」某個異議人士警告道，「在鈴鼓和魯特琴之間尋找真主的哈里發！」瓦利德宴會狂歡時，謠言猖獗，啟示頻現；西元七四四年，叛亂分子圍攻他，這個三十八歲的哈里發遭斬殺。與此同時，在舉辦狂歡宴會的住所不遠處，某件怪事正在發生。

殺戮者和巨嬰：阿拔斯王朝的興起、唐朝的覆滅

在侯邁馬（Humayma，今約旦境內）這個小農村裡，住著一個擁有很強人脈卻鮮為人知的鄉紳和他的兒子。穆罕默德．伊本．阿里（Muhammad ibn Ali）與尋常人無異，唯一特殊之處是他是先知穆罕默德的叔叔阿拔斯的曾孫，而且他深為那些毫無男子氣概的哈里發所痛惡。他的兒子曼蘇爾（Mansur）論道，這些哈里發「唯一的雄心抱負，就是享盡真主所禁的那些歡樂」。奧瑪亞王朝衰頹時，有個香水販子肩負祕密任務，從伊拉克來到此農場。而在伊拉克，有愈來愈多人支持在遙遠東邊的呼羅珊所引發的激烈革命。西元七四七年六月，一名神聖戰士，一個自稱伊本．穆斯林（Ibn Muslim）的獲解放奴隸，突然橫空出世，組織起遭阿拉伯奧瑪亞王朝排斥的呼羅珊人，發動造反。造反勢力很快就壯大為由黑旗戰士組成的好戰聯軍，成員有波斯人和阿富汗人、異議人士和冒險家、穆罕默德家族阿里系的追隨者、稱之為哈瓦里吉派（Kharijites）的伊斯蘭教派。這些戰士宣誓效忠於「先知家族的一個可接受的成員」。伊本．穆斯林知道，阿里家族在敘利亞令很多人反感，於是支持阿拔斯的後代，派了這位可靠的化妝品販子前去邀他們共襄盛舉。

穆罕默德．伊本．阿里同意支持此革命，他的諸兒子承繼父志，繼續支持，只是奧瑪亞王朝聽到傳

言，便殺了長子。伊本·穆斯林率軍衝出呼羅珊進入伊拉克時，年紀較小的兒子阿拔斯轉入地下活動。兩人在伊拉克相見，基於同樣反感、憤慨於伊斯蘭世界的衰落而聯合在一塊。阿拔斯自封為穆罕默德王朝之阿拔斯家族的哈里發，並提出警告，「你們給我準備好，因為我是無情的殺戮者和毀滅性的復仇者。」他的王名即薩法赫（al-Saffah，「殺戮者」）。

西元七五〇年二月，在札卜河（River Zab）邊，伊本·穆斯林和薩法赫擊敗馬爾萬二世的軍隊，馬爾萬在埃及遭捕獲、殺害，是為最後一個奧瑪亞王朝哈里發。[9]四月，薩法赫、他的哥哥曼蘇爾、他的部隊拿下大馬士革。殺戮者親自砍掉奧瑪亞王朝諸王子的頭，已故哈里發的屍體從墓中被掘出，並予以「鞭打，然後釘在十字架」，頭顱盡遭砸碎。殺戮者宣布大赦奧瑪亞家族，邀他們去雅法（Jaffa）附近享用和解宴。不幸的是，這根本是鴻門宴：在殺戮者一臉歡喜注視下，這些座上客一一遭殺害。他說，「我從未吃過這麼有益或這麼美味的一餐。」

唯有一個王子逃過一劫，但他最終會在西邊創立一個如樂天福地的新王國。王子阿布杜·拉赫曼（Abd al-Rahman），是愛詩人希夏姆的孫子和他早逝繼承人穆阿維葉之子，他和他一個兄弟以及一個名叫巴德爾（Badr）的希臘籍奴隸共三人一起逃離大馬士革。殺戮者的打手追來，他們被困在幼發拉底河邊，

9 馬爾萬諸子南逃至馬庫里亞王國（Makuria，今蘇丹境內），該王國在查士丁尼時代已皈依科普特基督教。阿拉伯人四處攻城略地期間，馬庫里亞王國遭遇阿拉伯人攻擊，最後國王簽署了商業條約，根據該約，以該王國的出口最大宗——奴隸——換取埃及的穀物和布。西元七四七年，馬庫里亞國王基里亞科斯（Kyriakos）趁阿拉伯人內戰之際發兵襲擊埃及。但眼看阿拔斯王朝即將取勝之際，他殺掉奧瑪亞王朝王子，藉以討好阿拔斯王朝。馬庫里亞王朝國王說科普特語、希臘語、阿拉伯語，以棟古拉（Dongola）的君士坦丁堡式貼金宮殿為統治中樞，棟古拉的有錢人家誇稱擁有陶質廁所，而歐洲要再過數百年才會有此類廁所。他們在法里斯（Faris）的大教堂以精美的濕壁畫為特色。阿拔斯王朝哈里發索要積欠的五千名奴隸，國王札卡里奧斯（Zakarios）派兒子蓋奧吉奧斯（Georgios）前去巴格達談判。馬庫里亞王國昌盛甚久，十三世紀才衰落。

他的兄弟當下身首異處。而阿布杜．拉赫曼泅水逃生，踏上橫越敘利亞、非洲的五年冒險生涯，奔往目的地西班牙：他的家族在那裡仍有朋友。

殺戮者遷都庫法，離這些革命人士的波斯家鄉較近，大馬士革則沾染了奧瑪亞王朝的污穢。他出兵進向中國西域邊界，為他一生的成就畫下完美句點。當時阿拉伯人、中國人、吐蕃人、突厥人分分合合，彼此忽敵忽友。在突厥盟友支持下，中國人擊退殺戮者的軍隊，最後在怛羅斯（Talas）一役，突厥人卻倒戈。阿拉伯人戰勝，但相較於正襲捲唐朝的那場浩劫，這算是相對無足輕重的交手。

唐玄宗兢兢業業統治帝國數十載，而如今，受惑於道教煉金術，沮喪於兒子謀叛，他已喪了意志。他殺了三個兒子，把政事交給名叫李林甫的大臣處理。李林甫募集了一支職業軍隊，包括來自中亞的粟特人，其中有個愛擺派頭、不識字、身材魁梧的軍人安祿山。安祿山小時候曾因偷竊被捕，身為將領時曾因抗命差點被處死，但他極善於操縱人，把他高高在上的唐朝主子耍得團團轉。他把自己裝成肥胖、粗俗、忠心的土包子，好讓他的唐朝主子低估他，終至招來大禍。唐玄宗問他肚子怎麼那麼大時，他回「唯赤心耳」，他還曾假裝不知太子為何官，堅稱「臣胡人，不習朝儀，不知太子者何官？」但他很善於看出他人弱點，知道最關鍵的人不是皇帝，而是某個妃子。

楊貴妃十四歲時嫁給唐玄宗的某個兒子，但有次她在華清池沐浴時被他瞧見她的美——如詩人白居易所說，「溫泉水滑洗凝脂」——這個六十九歲的皇帝下令她出家為道姑，以便得以留她在宮中；與此同時，他強塞另一個女人給他兒子當老婆。楊貴妃膚如凝脂，曲線玲瓏，並用她自己設計的緊身馬甲展現她的迷人身材。

楊貴妃也是率真之人，很容易取悅，也很容易動怒。她與唐玄宗激烈爭吵，最後惹火了皇帝，被送出宮。「妾罪當死，陛下幸不殺而歸之，」她寫信告訴皇帝，「今當永離掖庭，金玉珍玩，皆陛下所賜，不足為獻，唯髮者父母所與，敢以薦誠。」而她不出所料留住了珠寶。

她剪下一縷頭髮送給皇帝，皇帝聞到髮香，忍不住思念之苦，命令宦官高力士召她回來。她當然是回來了。而不管她在何處，唐玄宗要求務必快馬輾轉將她愛吃的荔枝送到她跟前，同時要求高力士滿足她的每個想望。他也提拔她的堂兄楊國忠為宰相。安祿山這個武將善於逢迎，楊貴妃便提議收為養子，於是有了令人發噱的一幕：楊貴妃幫這個身形龐然、留著絡腮鬍、年紀已有一把的大老粗穿上嬰兒服，還替他洗澡，洗得他咯咯笑。為回報這份寵愛，他見到皇帝和楊貴妃時，總是先向貴妃行禮，說道「蕃人先母而後父」。唐玄宗覺得這很有意思，便封他為郡王。

沒想到，洪災和叛亂動搖了唐帝國根基，而唐玄宗又控制不了宰相楊國忠和番將安祿山的長期鬥爭。七五五年十二月，安祿山召集軍隊造反，迅即打敗唐軍。這個外強中乾的政權立即垮掉。安祿山拿下洛陽，同時稱帝。唐玄宗、楊貴妃、楊國忠、高力士，在騎兵護衛下，逃出長安，奔往四川。隨駕軍士於途中殺死楊國忠，然後制住唐玄宗，要求消滅楊氏家族勢力，處死楊貴妃。唐玄宗不忍，但高力士極力說服他。楊貴妃請求不砍頭，讓她以白綾勒死，以保全屍。高力士勒死她後，將她連同一個香囊埋葬。

安祿山占領另一座都城長安，戰禍所及之地猶如世界末日。政府官員暨中國最偉大詩人杜甫親眼目睹且親身經歷數百萬難民所受的苦，他在詩中寫道：

憶昔避賊初，北走經險艱。
夜深彭衙道，月照白水山。
盡室久徒步，逢人多厚顏。
參差谷鳥吟，不見遊子還。

拿下世界上前兩大城市幾個月後，在洛陽臨朝聽政的安祿山漸漸地看不見（或許是因為糖尿病），而且這時甚至肥胖到據說把一匹馬壓死，下床需要一批宦官一起拉。他的諸多兒子陰謀不利於他。他處決其中一人。

西元七五七年十二月，另一個兒子殺害安祿山，奪取帝位。但此時唐朝將領在前皇太子肅宗領導下，[10]征討安氏一族。唐肅宗無法糾集到大軍以收回長安，於是求助於回紇可汗磨延啜（Bayanchur）。這時磨延啜已在遭消滅的天突厥聯盟的地盤上打造出新帝國，以他位於蒙古的都城窩魯朵八里（Ordu-Baliq）為根據地，進而統治西伯利亞東部、蒙古、中亞大部。磨延啜的回紇人部隊與唐軍聯手拿下長安、洛陽，獲准縱掠這兩城三天。唐肅宗贈以兩萬疋帛，把自己女兒甯國公主嫁給磨延啜，是為唯一嫁給胡人的皇帝女兒。然而，唐肅宗和兒子代宗仍在為控制帝國而費盡心力，因為已征服尼泊爾、阿薩姆，兵威遠至孟加拉灣的吐蕃拿下了中亞大半地方。

西元七六三年，吐蕃皇帝赤松德贊發兵二十萬入侵唐朝，旋即攻陷長安。在回紇協助下，唐朝不久便將吐蕃人趕回去。唐朝對回紇的感激為時不久：回紇人遭屠殺、趕出境，即便如此，回紇可汗仍統治龐大帝國直至九世紀。[11]經過連番打擊，唐朝氣數已盡：安史之亂及其餘波是人類史上荼毒生靈最烈的戰爭之一，三千六百萬人喪命或被迫離開家園。杜甫寫道，「野哭幾家聞戰伐，夷歌數處起漁樵。臥龍躍馬終黃土，人事依依漫寂寥。」

儘管唐朝在怛羅斯之役兵敗於阿拉伯人之手，唐肅宗在最危急的關頭還是不懷舊恨求助於曼蘇爾，而這位哈里發可能派了一支小型阿拉伯人分遣隊至中國。據說怛羅斯之役被俘的中國士兵把中國發明的紙帶到阿拉伯世界，再從此地傳到歐洲。

若沒有曼蘇爾，阿拔斯王朝哈里發國可能只是曇花一現；而他卻成為世上最強大國家的締造者，此後兩百年，哈里發國由穆罕默德家族統治。哈里發殺戮者三十二歲死於天花時，他能力出眾的哥哥才自號曼蘇爾（「勝利者」）。

曼蘇爾身材高瘦，膚如皮革，蓄著用番紅花染過的黃鬍，曼蘇爾意識到他的最大威脅來自武將伊本・穆斯林，於是請伊本・穆斯林到他帳裡見他，此時，甚至連伊本・穆斯林的士兵也在營地裡。接著，曼蘇爾的衛士收到他拍手的信號，便在帳裡割了伊本・穆斯林的喉嚨。他的遺體用地毯裹著，棄置在帳中一隅。曼蘇爾的顧問詢問伊本・穆斯林人在哪裡，這個哈里發回道，「包起來，丟在那裡。」他的遺體被丟入底格里斯河。「純潔靈魂」穆罕默德（Muhammad the Pure Soul），即阿里家族（先知穆罕默德家族中，較高階的支系）的族長造反時，曼蘇爾索性殺了他，並將他的首級放在銀盤上示眾。

曼蘇爾在庫法和軍營之間往來遷徙一段時日後，決定建立自己的都城，每天早上拂曉即起，監督每個小地方，因而有「瑣碎事物之父」（Father of Pennies）的綽號。他把建城地點選在底格里斯河畔，四周淨是沃土，並取南邊二十哩處泰西封—塞琉西亞城的磚建造城牆，他建造了圓城「曼蘇爾城」（Medinat al-Mansur），不久後稱作巴格達。他在底格里斯河西岸的大宮殿「金門宮」（Palace of the Golden Gate）設立王廷，該宮宮頂為一百三十呎寬的金圓頂。他本人常住在一小帳裡，後來搬進「一間只有一室的小寓所」，房裡有「一塊毛氈地墊和他的被子、枕頭、毯子，此外別無他物」。

曼蘇爾信教虔誠，自奉甚嚴，受卑微出身影響和憑藉殺伐稱雄的歷練，他不喝酒，不辦宴會。他也尊

10 玄宗已同意將大權交給兒子肅宗。他退位後，曾派高力士前去取回楊貴妃遺體，只是遺體已腐爛：這個宦官只帶回香囊。

11 西元七七九年，回紇可汗卜古（Bogu）劫掠中國都城時，見到了一些摩尼教教士，隨後引入摩尼教，作為帝國的國教。他後來被信奉長生天的宰相殺害，但回紇人仍持續信奉摩尼教，後來才陸續改信佛教、伊斯蘭教。

敬身為葉門國王之後的妻子阿爾瓦（Arwa），但的確珍愛一個信基督教的妃子，她有著讓人心生美好聯想的名字「靜不下來的蝴蝶」（Restless Butterfly）。

這個哈里發主要憑藉有效率的稅制和貿易積累財富，而此貿易不只是東西方之間的貿易，還有與東非洲的貿易。阿拉伯籍商人正開始和非洲沿岸地區貿易，不只把象牙和香料運到伊拉克，也把人也運到伊拉克：成千上萬黑奴（zanj）被賣到伊拉克的種植園——東非奴隸貿易的濫觴。

曼蘇爾透過維齊爾（wazir，又稱 vizier）——帝國宰相——控制政府，但維齊爾這份差事頗危險。曼蘇爾的首任維齊爾擔任了八年後，連同家人盡皆慘遭處死，但西元七六〇年代中期，曼蘇爾又已找到一名幹練的大臣。此人是哈立德（Khalid），具貴族身分的波斯人，他的父親巴爾馬克（Barmak）是來自巴爾赫（Balkh，今阿富汗境內）的佛教僧人，以醫術高明受到尊敬，為阿卜杜·馬利克的兩個兒子馬斯拉馬、希夏姆治過病，後來改信伊斯蘭教，入朝為官。此時，哈立德身為維齊爾，成為慷慨的贊助者——此帝國的第二大家族。乾癟的曼蘇爾向來留心廷臣的動向，有次突然向哈立德·巴爾馬基（Khalid al-Barmaki）要錢，於是，哈立德便向所有曾受過他恩惠的顯貴借錢，藉此滿足了曼蘇爾的要求。

西元七五八年，曼蘇爾派太子馬赫迪（al-Mahdi）前去治理呼羅珊，正好也在呼羅珊的哈立德兒子雅赫亞（Yahya）和這個男孩結為好友。馬赫迪的寵妾海祖蘭（Khayzuran）生下兒子哈倫（Haroun）時，把哺乳襁褓王子的殊榮給了雅赫亞的妻子，而巴爾馬克家的嬰兒法德勒（Fadl）出生時，則由海祖蘭為法德勒哺乳。這一共享母乳的安排，使巴爾馬克家族和王室的關係特別親近。

曼蘇爾在他的伊萬（iwan）臨朝聽政，身側擺著一根狼牙棒，有四千名兼當劊子手的持棒宮廷侍衛守護他的人身安全，上朝廷臣達七百人，一身黑衣，站成數列。他以帝國郵政（barid）為核心，打造了一個特務網。他說，「我始終需要四人在我門口，那就是法官、警政首長、收稅官，以及提供前三人可靠情報的郵務長。」曼蘇爾樂於肅清敵人，據說他有間密室，其中存放著阿里家族成員的人頭，每個人頭都細心標明。

只有一個敵人逃出他的手掌心：奧瑪亞王朝的王子阿布杜・拉赫曼。

安達魯斯的隼和艾克斯戴王冠的鴿子：阿布杜・拉赫曼和查理曼

阿布杜・拉赫曼受曼蘇爾的打手追殺，帶著他的希臘籍奴隸巴德爾一路西奔，途中幾次驚險逃脫。有次，他不得不躲在一個漂亮女族人的香裙底下，老時他滿心快意回憶了這段經歷，說「妳的泥土味，我至今仍記得！」最終他抵達摩洛哥，派他已獲解放的奴隸前去一探虛實後，他於西元七五五年來到直布羅陀，贏得「到來者」（al-Dakhil）的綽號，接著，他凝聚起追隨者：西元七五六年，他自立為安達魯斯的埃米爾。曼蘇爾派軍隊前來消滅他，卻遭到來者擊潰。他把敵方諸將領的人頭醃製處理後放在禮盒裡，遣人送去給這位哈里發。曼蘇爾收到時，正在麥加朝覲。「真感謝主，讓我們和這個魔鬼之間隔著海！」曼蘇爾驚呼道，「誰配得上『古萊什的隼』這個稱號？」

「你，哈里發。」他的廷臣回道。

他搖搖頭，「這個隼是阿布杜・拉赫曼。」

那時二十六歲的阿布杜・拉赫曼將一生用於戰鬥以保此稱號，但他也開始美化他的都城哥多華（Cordoba），利用西哥德人的教堂打造了一座將成為西方奇觀的清真寺。這座清真寺有著林立的圓柱，或許意在讓人想起敘利亞的棕櫚樹，圓柱取自西班牙各地的羅馬時代建築廢墟。他始終懷念敘利亞，自比為一棵棕櫚樹，此樹同樣是「置身西方的外來客／遠離你的東方家鄉，一如落魄的我……／你如有淚可傾瀉，定會哭泣／為我在幼發拉底河岸上的同伴哭泣」。無奈這隻「隼」無法安然停佇在月桂枝葉上，因為他的敵人邀法蘭克人的國王查理曼越過庇里牛斯山消滅他。

查理曼正在他位於艾克斯（Aix，德語亞琛／Aachen）的溫泉池裡，周邊環繞他朝中的武將、學者、妃子、兒子；患有痛風，仍苦於騎馬奔馳數星期後的身體疼痛，他會在池裡游個幾趟後，拿關於行星或普林尼的問題向他的盎格魯—撒克遜籍書吏提問——「阿爾昆（Alcuin）大師，容我問你幾個問題」——他調皮的女兒則在此時和他的廷臣打情罵俏。

自西元七六八年二十歲登基起，高大、金髮、活力十足的查理曼便手持大刀，從歐洲一端策馬奔馳到另一端，完成稱霸歐陸的大業。他對歐陸的支配程度，只有後來的拿破崙、希特勒能出其右，而差別在於他稱雄了四十年——而且此後直至一九一八年，歐洲境內的每個君王幾乎全是他的後代。他智勝弟弟卡洛曼和其他每個可能奪走他大權的人，征服阿基坦，娶義大利倫巴底人國王德西德里烏斯（Desiderius）的女兒德西德拉塔（Desiderata）公主，後者在婚後，幾乎是立即便著手接掌羅馬。教宗哈德里安（Hadrian）求助於查理曼，查理曼轉而支持教宗，擊潰德西德里烏斯，拿下義大利的王冠，並在這過程中休了他的倫巴底籍妻子，迎娶日耳曼籍公主希爾德伽爾德（Hildegard）。

查理曼好女色，一生有五段婚姻。希爾德伽爾德為他生了九個孩子，於二十六歲離世，但他還有一票妾，他的孩子遠不止於此——共十八個。這些王子、公主自然是圍著這個六呎五吋高的魁梧國王轉——他大多一身樸素的法蘭克裝扮，絲邊緊身短上衣、毛皮外衣、亞麻長褲，配載金柄劍——但他雖有過人的自信和雄心，心境卻非平和從容：他常失眠，一晚起床五次，隔天便在床上與群臣議事。

他最初考慮過把他的七個女兒嫁給外邦王子，卻又不忍心和她們分隔兩地——而且跡象顯示，有亂倫通姦之事。[12]這些女孩以愛玩、挑逗男人、從事冒險刺激的性愛而臭名遠播，據盎格魯—撒克遜籍廷臣阿爾昆寫道，她們猶如「戴著王冠的小鴿子，在王宮眾多房間周邊飛來飛去，飛到你的窗前」，然後「像野馬般強行闖入，來到你房門口」。這些「戴著王冠的鴿子」難以約束，年輕、誘人、無所忌憚，個個都和年輕廷臣私通，也都曾懷孕，其中一人甚至是某個修道院院長。查理曼征戰時殘酷無情，但他的王廷有文化，[13]而且隨和，容許這種情欲氾濫的氣氛，同時也支持教宗旨在提倡一生僅一次神聖婚姻的運動，抑制休妻、蓄妾、堂表親結婚之事。[14]與此同時，教宗鼓勵財產只由婚生子繼承。羅馬教會聲稱，他們有權承繼無婚生子繼承的土地，及至西元九〇〇年，該教會已擁有三分之一的西方農地。把自己的權力和羅馬教廷的權力緊緊相繫的查理曼，支持這個歐洲版的婚姻觀——執著於基督教色彩鮮明的正當性和性（有所節制的性）。歐洲的家庭於是走上和亞、非洲的家庭不同的發展道路，在亞、非兩洲，人們仍忠於成員更廣的氏族。愈來愈多歐洲人只婚嫁一次，忠於自己的核心家庭；較晚婚且生育較少子女；有些女人因為不再當妾而始終未婚；財產由婚生長子繼承；衛道之士可藉由生活謹遵教會規定來彰顯自己的德行。為繁衍後代而性交是符合上帝旨意之舉，為享樂而性交則是甜美的禁忌。這些再再改變了歐洲，但未改變查理曼，他依舊公然納妾。而在他的諸多兒子爭奪權力之際，這的確影響了他們。

然而，查理曼是為戰爭，為神聖戰爭而活的。他一生八方用兵，每年夏天用兵於其中一方，在戰場

12 查理曼打算讓他的兒子查理娶麥西亞國王奧法（Offa）的女兒艾爾芙萊德（Aelfflaed），沒想到，當這個盎格魯—撒克遜人要求娶查理曼的女兒貝爾塔（Bertha）時，查理曼竟取消了這門婚事。這個小小的不列顛國王搞不清楚自己的分量。

13 查理曼要求兒子接受良好的教育，女兒當然也是。他深信止住晚近幾百年教育方面的頹勢並主導恢復信仰、秩序、文化是他的使命。他邀學者至他位於艾克斯的都城，贊助隱修院的繕寫室，從而有一萬件左右的精美彩繪手抄本誕生自這些繕寫室：《達古爾夫詩篇》（*Dagulf Psalter*）是為教宗哈德里安而做，其他彩繪手抄本則是為更廣的流通而做。亞里斯多德、柏拉圖的著作被譯成拉丁語。奧維德、普林尼等拉丁大師的著作謄抄在羊皮紙上。

14 與大小姨子、兄嫂、弟媳、岳母等結婚視為亂倫而遭禁——而這類用語，至今仍可見。

上，憑藉他騎著高大戰馬的重騎兵，他的軍隊不管面對任何敵軍似乎都有辦法占上風。他授予他的大貴族財產和稱號，以換取他們提供騎兵。國王、封臣間的這種封建關係，漸漸軍事化，同時形塑社會階級，而且被視為自然且神聖。他告訴教宗萊奧三世，「以武力在各地保衛基督的聖教會，使之不受多神教徒的進犯和異教徒的摧殘，係我們的職責。」他正為即將到來的末日作準備，而他之所以尊敬羅馬教會，在於教會為宣揚他自己的王朝，也為提倡永生——他和羅馬教會是權力和救贖上的伙伴。他的帝國的西邊有穆斯林，而且今人很容易就忘了當時的東歐和北歐——德國東部、波蘭、斯堪的納維亞、波羅的海、俄羅斯——屬多神教世界。查理曼的人生使命是讓這些怪物改宗——或殺光他們。

殺掉魔鬼：查理曼的劍

「受洗或受死」是查理曼給的提議。集體殺掉是解決辦法。西元七七二年，查理曼攻打膜拜索爾（Thor）、沃坦（Wotan）、薩克斯諾特（Saxnot）等諸神的薩克森人，燒掉他們神聖的「世界樹」（World Tree）。「世界樹」奉祀據認支撐著天的伊爾敏蘇爾（Irminsul）。為消滅「魔鬼崇拜」而啟動的三十年傳教就此展開。西元七八二年，查理曼殘殺四千五百名薩克森人以表明其意：不信基督教，就等著被「徹底消滅」。

西元七七八年，來自薩拉戈薩（Zaragoza）的一名阿拉伯籍造反者來到他的王廷，請求查理曼攻打「隼」阿布杜．拉赫曼。查理曼越過庇里牛斯山，拿下巴塞隆納北邊的吉羅納（Girona），但薩拉戈薩緊閉城門，查理曼驚險撤軍，越過庇里牛斯山，勉強逃回到阿基坦。充滿勇武騎士精神的《羅蘭之歌》（*Song of Roland*），重現了這段歷史。

他未因此喪志，轉而揮兵向東吞併巴伐利亞，從而使他與阿瓦爾人有所接觸。阿瓦爾人原是統治潘諾尼亞（Pannonia，今匈牙利／羅馬尼亞境內）的多神教游牧民族，這時也臣服於查理曼。他開始自視為基督教教徒的「奧古斯都」（即羅馬皇帝），而發生在君士坦丁堡的幾樁駭人暴行，促使他這個計畫得以有機會成真。君士坦丁堡是唯一真正的羅馬皇帝的駐在地，此際，坐在大位上者是個殺害子女的凶殘女人。

查理曼的加冕、哈倫的婚禮

雅典的伊琳娜（Irene of Athens）時時五十歲，身為皇帝的遺孀，她正引導君士坦丁堡走出瘋狂砸毀偶像的亂局，面對可能使她在南義大利的領土不保的查理曼，她急欲打消他的怒氣。西元七八一年，身為攝政的伊琳娜經過協商敲定她年輕的兒子君士坦丁六世，和查理曼女兒羅特魯德（Rotrude）的婚事，只是伊琳娜和查理曼兩人都把婚禮日期推遲。君士坦丁既無能且凶狠：他在戰場上敗於穆斯林之手，而且，有個叔叔造反時，他不只把叔叔弄瞎，還把他另外四個叔叔的舌頭割掉。他的母親認定由她當家作主會更好。於是，西元七九七年，她罷黜她二十七歲兒子，把他弄瞎。此舉表明女人專政的不當，查理曼和法蘭克人由此深信羅馬皇位虛懸。教宗萊奧三世被爭奪中義大利控制權的豪強嚇得六神無主，為爭取到查理曼的保護，他什麼條件都願意答應，促使查理曼稱帝的念頭更加強烈。事實上，就在萊奧商議這個法蘭克人的新稱號時，有刺客攻擊萊奧，企圖弄瞎他。西元八〇〇年聖誕節，在羅馬的查理曼和其諸子穿上羅馬托加袍，教宗加冕他為「羅馬人的皇帝」。查理曼稱帝後的第一個作為，係審判、處決不久前欲暗殺萊奧的三百名陰謀行刺者。

他的新稱號需要君士坦丁堡認可。伊琳娜考慮自己嫁給查理曼，沒想到她接著遭罷黜，流放至萊斯沃斯島（Lesbos）紡羊毛。查理曼向哈里發哈倫・拉希德（Haroun al-Rashid）伸出友誼之手。此舉意在向君士坦丁堡施壓，畢竟君士坦丁堡嚴重失策，不久前，才和巴格達兵戎相向。查理曼送禮給巴格達的哈里發，禮物為弗里斯蘭（Frisian）斗篷、西班牙馬、獵犬。哈里發則回贈以多種器物——一套象牙材質西洋棋、一件哈里發帳篷、一頭名叫阿布勒—阿拔斯（Abul-Abbas）的象（由他的猶太籍使者從巴格達一路護送到艾克斯）、一件展現阿拉伯人高超技術的工藝品，亦即每個整點會有騎士從小門現身的水鐘。[15]哈倫・拉希德贈禮之精美，令查理曼不由得驚歎。

西元七八二年，哈倫娶他的堂妹兼表妹祖拜妲（Zubaida），婚禮據說是歷來最盛大的宴會。婚禮在巴格達的永恆宮舉行，由新郎的父親哈里發馬赫迪和母親海祖蘭主持，每個賓客都收到裝有珠寶、香水、數把狄納爾金幣的「數個精品袋」。新郎十八歲，年輕新娘穿著鑲了珠寶的無袖巴達納（badana）示人。這件巴達納是從奧瑪亞王朝搶來的，在這個家族裡代代相傳。兩人都是哈里發曼蘇爾的孫子。新娘的綽號「祖拜妲」（「小奶油球」）便是曼蘇爾所取。

哈倫得到他母親海祖蘭支持。當年曾苗條、美麗的海祖蘭曾被人擄走，賣去當奴隸，直到被太子馬赫迪注意到並且愛上她，隨後便還她自由之身，把她娶進門，替她取名海祖蘭（「蘆葦」）。她不願待在後宮，反而著迷於在他人面前展現自我。

膽怯且害羞的哈倫不是哈里發繼承人，但一如許多國王後代，夢想著和他可人的祖拜妲一起退居莊園，遠離他所謂的巴格達「鍋爐間」。但他已展現他的機敏果決：他曾率軍出擊，一路打到博斯普魯斯海峽，羅馬女皇伊琳娜獻上黃金收買哈里發，哈倫這才止住攻勢；接著，哈里發封他為拉希德，意為正直之人。

哈倫的哥哥哈迪（al-Hadi）繼位為哈里發，由於苦於叛亂，便棄巴格達而去，與母后海祖蘭起衝突，於是有了殺她之意。西元七八六年九月，臥病在床的哈迪反而遭後宮的女孩悶死，海祖蘭接著掌管一切，以巴爾馬克家族的雅赫亞為顧問。他們給予士兵額外的津貼，哈倫因此獲擁立為哈里發。哈倫上任後任命恩師巴爾馬克家族的雅赫亞為維齊爾：「我責成你統管我的子民，你覺得怎樣治理是對，就照那樣去做。」巴爾馬克家族於哈倫簡直就是家人。哈倫是和雅赫亞的花花公子兒子賈法爾（Jafar）一塊養大，他的第一個情婦可能是雅赫亞的妾海拉娜（Hailana），海拉娜懇曾懇求這個王子把她從這個朝中老臣手中救出。哈倫表達其想望，雅赫亞隨之把海拉娜給了他。

哈倫經常喬裝打扮出宮，與賈法爾一起參加各式宴會，如《天方夜譚》中所描寫。在〈腳夫和三個巴格達女人〉（The Porter and the Three Ladies of Baghdad）中，一個女孩採買美味食物和香水——阿曼的桃、埃及的黃瓜、大馬士革的睡蓮、龍涎香、麝香——然後回聚會屋。在那裡，有個老鴇提醒她們低調審慎很重要。然後，哈倫和賈法爾加入，和她們一起在世上最大的大城狂歡，沉迷於音樂和詩、食物和性。[16]

15　哈倫允許耶路撒冷的基督教最高級主教把聖墓的鑰匙送給查理曼，是為西歐對這座聖城產生新興趣的開端。在這座聖城裡，基督徒得到哈里發政權寬容對待——暫時如此。查理曼和巴格達的哈倫的關係，隨之牽動起東、西兩邊的局勢。在東邊，君士坦丁堡遭哈里發擊敗，促使羅馬皇帝想要安撫法蘭克人；查理曼得到羅馬和拉文納；君士坦丁堡得到威尼斯、達爾馬提亞、南義大利。在西邊，哈倫也是安達魯斯奧瑪亞王朝的敵人。西元七九七年，阿布杜·拉赫曼的兒子希夏姆下令入侵阿基坦得手（就在鐵錘查理拿下那場據說決定性的勝利的六十年後）。

16　巴格達的奢侈品，多從西邊的埃及、非洲、東邊的中國，用巨大的三角帆船運來。中國、巴格達間的往返航程長達一萬兩千六百哩。西元八二八年左右，一艘在波斯建造，以非洲紅木和印度柚木為建材、馬來麻繩盤繞為帆的船從廣州出航，船上載著絲、香料、六萬片瓷磚、十八個銀錠、數件金質飾物、五萬五千個來自長沙的釉碗、七百六十三個墨水瓶（供巴格達的詩人使用）、九百一十五只香料罐、一千六百三十五個飾有蓮花（以吸引中南半島佛教徒購買）和飾有幾何圖案（以吸引穆斯林購買）的大口水壺，以及來自越南、泰國的罐子和器皿。這艘船在爪哇外海的勿里洞島附近沉沒，一九九八年發現殘骸。

《天方夜譚》：哈里發和巴格達的明星歌手

英國中世紀學者休．甘迺迪（Hugh Kennedy）寫道，這個哈里發或巴爾馬克家族以高額價碼延攬在麥地那學藝過的明星詩人和奴隸歌手，「猶如足球隊隊員轉隊」，「女孩隨著每一次被交易，身價便應聲上漲」。這些身為奴隸的超級明星，兼具交際花和藝人身分，操弄男人互鬥以從中得利，她們寫詩，而且常以若在今日的伊斯蘭世界裡會讓人大呼不可思議的方式享受性愛。[17]

哈倫深愛母親海祖蘭，與妻子祖拜妲婚姻幸福美滿。祖拜妲的行為和穿著猶如女皇，穿著鑲有珠寶的靴子和拖鞋，出行有宦官、妃子隨行。海祖蘭掌管哈倫的後宮，後宮裡住著哈倫的諸多妻子、兩千個女奴和他的小孩。

無聊想必對後宮裡的生活影響甚大，無聊和欲求爭相宰制宮中生活：傳說哈倫的後宮女孩冒著生命危險也想參加宴會，有跡象顯示，在後宮的隱密角落有女同性戀者相互慰藉：哈倫的弟弟哈迪在位期間，他的一個廷臣憶起有個宦官捧著一個蓋了布的托盤：

> 「掀開布！」哈里發哈迪說。
>
> 結果是兩個奴隸的人頭。說真的，我從未見過這麼漂亮的臉龐或動人的秀髮。那上面裝飾了珠寶，空氣中散發她們的香水味。
>
> 「你可知道她們幹了什麼？」哈里發問道，「她們相愛，為不道德的事相會。我派一名宦官監視她們。他告訴我她們在一起。我逮到她們在被子下做愛，於是殺了她們。」然後，哈里發說，「小子，把人頭拿走。」又繼續交談了起來，好似什麼事都沒發生。

祖拜妲是阿拉伯德性美的典範，有時對哈倫的婚外情很是擔憂，有一次，她送他十個新女孩好阻止他拈花惹草。哈倫和祖拜妲有一個兒子阿敏（al-Amin），因此阿敏是阿拔斯王族的雙重成員。他和二十四個女孩生了其他小孩。妃子馬拉姬勒（Marajil）早逝，祖拜妲於是收養她的兒子，即日後的哈里發馬蒙。

哈倫必須把最優秀的奴隸歌手爭取到手，為了得到「這個有痣的女孩」，付了七萬迪拉姆（dirhams）的高價。入手後，他堅持要她明說，是否和她的前主人睡過，她坦承「只有一次」時，他便把她送給某個地方行政長官。有時連他都無法如願得到他想要的歌手。當時最紅的歌手是天生好嗓子的伊南（Inan）。哈倫派他的非洲籍宦官穆斯爾（Musr）帶著十萬狄納爾金幣去買她，可惜她的主人不肯賣，這個哈里發因此失魂落魄不顧正事，他母親不得不出面開導。他說，他想要得到伊南，只為她的詩藝，既是如此，他母親說，何不找個男詩人上床？哈倫聽了不住大笑了起來。

愛上伊南者不只哈倫。阿布．努瓦斯（Abu Nuwas，「長髮之子」）是個驚世駭俗雙性戀流行歌手，他具有文學素養，也渴慕伊南，他曾對她說：「可憐可憐一個只想要妳小留片刻的男人？」伊南回道：

> 你說的那個男人是你？
> 滾開！去自己打手槍！

他回道：

17　這些女歌手獲得自由並致富的情況很少見：後來成為哈倫兒子馬蒙（al-Mamun）最愛的詩人兼歌手阿麗卜（Arib）便是個超級明星，曾為五位哈里發獻唱。她九十六歲去世時，已是個有錢地主。

我如果那麼做，恐怕
妳會嫉妒我的手。

阿布·努瓦斯以描寫古怪好笑的性行為和男人不舉的詩作，來歌頌男孩、女孩的迷人誘惑。巴格達女人的淫蕩令他心生恐懼。他寫道，「我突覺自己置身大海中央」，應付不了這股撩人的熱情，「我向一年輕男子喊道『救我』，若不是他丟給我一條繩子，我已沉到那海底。那之後我發誓……我只會乘著男人的屁股遠行。」和男情人在一塊，他較開心：「他用他的劍鋒撬開男孩的屁股……只在合適的場合表現憐惜和同情。輕捏他的蛋蛋。」他喜愛男性之美，「能親吻他且得到他褲中之物的人，是何等幸運！」他講述喝酒和男同性戀做愛的夜晚，偏愛宮中宦官和基督教修士：

夜裡吉星升起
醉鬼攻擊醉鬼時
我們向魔鬼叩頭，如此消磨時間
直到修士於拂曉時鳴鐘為止
年輕人離開，穿著賞心悅目的袍服
袍服上有我的罪惡行徑留下的污痕。

他很喜歡和歌女為伍，禁不住想起這些歌女如何討論性愛，其中一人說：「我的陰部像裂開的石榴，散發磨碎之琥珀的氣味。在我除毛後得到我的男人真是幸運。」

哈倫不願贊助這個詩人。結果阿布．努瓦斯反倒成為哈里發繼承人阿敏的情人。阿敏對妾的興趣不如對年輕宦官的興趣來得大，他的母親祖拜妲因此要她的年輕女僕纏上頭巾，穿上緊身短衣，繫上腰帶，前瀏海剪齊、兩邊鬈髮。結果使一身男孩子氣打扮的侍女（ghulamiyyat）蔚為風潮。

而歡愉終有厭膩之時。哈倫赴麥加朝覲十次；祖拜妲的宮殿猶如「蜂巢」，內有許多女孩在背誦可蘭經；西元八〇三年，這個哈里發朝覲麥加一次，而且打贏了一場聖戰，打敗了不願照伊琳娜之例獻上貢品的羅馬皇帝。哈倫給人愛玩的形象，但其實沒那麼好玩。當他轉性，就變得要人命。

混蛋，把賈法爾的人頭拿來給我

西元八〇三年初的某夜，哈倫一如既往和巴爾馬克家族的賈法爾一同尋歡作樂至三更。但兩人分道揚鑣時，這個哈里發在幼發拉底河上的船裡坐定，命令非洲籍宦官穆斯爾帶信任的衛兵去把賈法爾的人頭帶來。

巴爾馬克家父子——維齊爾雅赫亞和其子賈法爾——行事逾越了分寸。賈法爾有時未經通報便進入哈倫的房間。哈倫已處死阿里家族的領導者，或許是發現巴爾馬克家族和這個敵對王朝有接觸。巴爾馬克家所課之稅已激起叛亂；他們的顯赫使軍隊離心離德。哈倫不信任其下眾多廷臣，準備一一除掉他們。

賈法爾設法拖延對方動手，他告訴穆斯爾，「他根本是喝醉時下此命令」，要穆斯爾「早上再動手，或至少和他再討論一下此事」。穆斯爾覆核了此命令。哈倫怎麼回應？「混蛋，把賈法爾的人頭拿來給我！」

與此同時，他召來忠心耿耿的解放奴隸辛迪（Sindi），派他和衛士去把巴爾馬克家族的其他人全逮來。雅赫亞死於獄中。賈法爾的人頭呈給哈倫，哈倫朝人頭吐口水，叫人送去給辛迪：而後，這顆人頭擺在巴格達的橋上示眾。巴爾馬克家族的失勢震驚所有人。

西元八〇八年二月，哈倫帶著他最愛的兒子馬蒙離開巴格達，前去平定呼羅珊境內騷亂，而呼羅珊省的行政長官正是這個兒子。哈倫為該由誰接班苦惱萬分，「如果選阿敏，我的人民會不開心，如果選馬蒙，我的家人會不開心」。這個哈里發找到折衷辦法：由阿敏，祖拜妲之子，出任高階君主，由馬蒙統治東部。三月，四十七歲的哈倫突然駕崩；阿敏在祖拜妲的支持下繼位。馬蒙尊重這安排，將自己立基於木鹿（今土庫曼境內）一地。

滿意這安排的人不多，阿敏的情人阿布·努瓦斯即是其中之一，但就連這個詩人談及他這個朋友時，下筆也都很小心：「我愛上人，但不能說出愛上誰；我怕他這個誰都不怕的人；我摸摸自己的頭，懷疑它是否還連著我的身體？」然而，阿敏的魯莽無能和同性戀偏好同時毀了他。[18]

西元八一〇年，這對哈里發兄弟已形同陌路；兩人盡皆招兵買馬以便動手。馬蒙的呼羅珊人軍隊打敗阿敏，圍攻巴格達，一場悲劇隨之開始在巴格達上演。名為「裸體人」（Naked Ones）的街頭年輕人在街頭打入侵者；射石機轟炸該城：「這裡躺著一個遠離家鄉的外地人；無頭，躺在路當中；夾在交戰的兩方之間；沒人知道他是哪一方的人」。

阿敏企圖乘船逃走，無奈船翻了，他因此被擒：「祖拜妲的孩子」被丟入牢裡，在那裡他赫然發現一個前廷臣與他同囚。「靠過來一點，把我緊緊抱在你懷裡，」發抖的阿敏說。「我的哥哥會怎麼做？殺了我或原諒我？」

過了午夜，配戴兵器的波斯人進入囚室。阿敏起身：「我們都來自真主，也都將回到真主身邊。」這些波斯人砍了他的頭，把首級送去給馬蒙。馬蒙見了禁不住哭了出來，接著告訴他的顧問：「事已至此，接著就開始想怎麼解釋這件事。」面對什葉派叛亂，馬蒙討好阿里家族以平息其怒氣，並允諾立阿里・里達（Ali al-Rida）為他的繼承人。未想危機一過，他即下令毒死伊瑪目阿里（Imam Ali，後來被稱作阿里・禮薩／Ali Reza，為什葉派伊朗的聖徒）。西元八一九年，他來到滿目瘡痍的巴格達，著手重建該城。

馬蒙長得好看，有才幹，又保有好奇心，是個自出機杼、具創造力的人。他對阿敏的母親祖拜妲極其友善，稱她是「最好的母親」，而她也原諒了他。他的王廷不同於以往，更為波斯風，而非阿拉伯風，但馬蒙請人將希臘、印度著作翻譯成阿拉伯語，收藏在他的「智慧宮」（House of Wisdom）——圖書館兼學院的古老機構——其中最早的著作出自薩珊王朝。[19]與此同時，在他的主導下，科學、醫學、天文學、地理學大放異采，再再令這位寫詩的哈里發大為著迷：他寫道，「如果我飛到繁星點點的穹蒼；／跟著天一起西行，我會在橫越天空時認識到／底下萬物的結局。」[20]

---

18 「這個哈里發的雞姦行為令人吃驚，」當時一首諷刺詩如此寫道，「維齊爾在同性戀裡扮演被插入方，則更令人吃驚。他們其中一人對另一人肛交，另一人被肛交；那是他們之間唯一的差別。要是這兩人相互利用各取所需就好了……未想阿敏竟對宦官考塔爾（Kawthar）肛交；而被驢子肏並不能滿足另一方……」

19 阿拉伯人的社會高度發展，但為蒙昧、原始的中世歐洲搶救下希臘學問一事，不能單單歸功於「智慧宮」。九一一恐怖攻擊後，西方的歷史學家為說明美歐對阿拉伯文化有多無知，於是誇大了「智慧宮」的重要性。這些說法不知為何忽略君士坦丁堡：此後五百年間，所有希臘語著作均可在君士坦丁堡找到。查理曼的學者也把希臘語著作翻譯成拉丁語，在哥多華的奧瑪亞王廷，也相繼翻譯了其他著作。

20 馬蒙聘請穆薩家三兄弟（Banu Musa）計算地球圓周，聘請波斯籍博學者花拉子密（al-Khwarizmi）寫下他的數學專著《代數起源》（*Al-Jabr*）。《代數起源》是將現代阿拉伯數字和小數點引進西方的功臣，印度的零的概念因此傳入西方。他的名字也啟發了現代生活離不開的數學——演算法（algorithm）。阿布・穆薩・賈比爾・伊本・海揚（*Abu Musa Jabir ibn Hayyan*）——歐洲人稱之為蓋貝爾（Geber）——則為今日不懂數學的人啟發了另一個詞：gibberish（莫名其妙的話）。

馬蒙是阿達卜（adab）這類著作最重要的贊助者，這類著作談及人應遵守何種禮儀以達到優雅得體。作者塔希里（al-Tahiri）在《通姦和其樂趣》（*Adultery and its Enjoyment*）、《奴隸男孩的故事》（*Stories about Slave Boys*）和令人精神為之一振的《自瀆》（*Masturbation*）中，頌揚食物和性。作家甚至以讓人覺得非常現代的方式頌揚女性的性愛之樂。賈希茲（al-Jahiz，「突眼」）生於巴斯拉，為來自非洲東南部的黑人奴隸之後，他以論《可蘭經》的文章、亞里斯多德著作翻譯、優秀的辯論文章而贏得馬蒙的贊助，但他偏好以黑人優於白人為題（貼近他內心想法的一個主題）寫作。他所著《女孩、男孩的歡愉比較》（*Pleasures of Girls and Boys Compared*）集錄了男女兩性受訪，談論性歡愉的內容。[21]馬蒙聘請賈希茲擔任幾個兒子的私人教師，但這個作家的突眼卻讓他們驚嚇不已。[22]

身為統治者和宗教領袖伊瑪目（imam）期間，馬蒙支持什葉派的作法，懷疑拘泥於字面意思遵行「聖訓」的作風，主張《可蘭經》是根據真主的話語所創作出來，而非真主所寫下，並且逼使他的學者同意他的論點。聖戰是義務，安全是必要的追求：西元八三〇年，馬蒙和其年紀小了許多的弟弟穆塔辛（al-Mutasim）攻擊羅馬人。穆塔辛說服哈里發買下突厥籍奴隸——古拉姆（單數ghulam，複數ghilman，具亞洲人臉孔且凶狠的騎馬弓箭手）。西元八三六年，身為哈里發的穆塔辛將都城從巴格達遷到位於薩馬拉的新都，希望藉此受突厥籍禁衛軍保護，結果這些突厥人反客為主，西元八六一年，古拉姆殺害一名哈里發。來自非洲東南沿海，在伊拉克南部的甘蔗園和灌溉工程從事勞作的黑奴心有不滿，到了西元八六九年，演變為沼澤阿拉伯人（Marsh Arabs）和非洲黑奴、獲解放非洲黑奴的叛亂，持續達十四年。這次叛亂導致巴斯拉陷落，居民全遭屠殺；西元八七九年，叛亂分子甚至逼近巴格達。約五十萬人，甚至一百萬人，在動亂中遇害，阿拉伯籍統治者日後因此避用非洲奴工。這場叛亂使哈里發國一蹶不振，就在其位於西班牙的對手興旺茁壯之時。

哥多華的黑鳥

「隼」的孫子阿布杜．拉赫曼二世體現了安達魯斯男子氣概和文化教養方面的新理想人格，他寫詩，提倡新時尚，同時與查理曼的次子青年查理（Charles）交戰。查理曼死後，他所打造的帝國由三人承接，青年查理便是其中之一。

查理曼的諸位繼承人——因查理曼的拉丁名卡洛魯斯（Carolus）而得名卡洛林王朝（Carolingians）——彼此相爭時，阿布杜．拉赫曼二世正在哥多華臨朝聽政。這時，哥多華的文化昌盛更勝巴格達一籌，並由一個黑人體現該文化。這個黑人自稱黑鳥（Blackbird），受該埃米爾贊助。濟爾亞卜（Ziryab）是個被賣到巴格達的非洲黑奴之子，本身深具文明生活品味，受某猶太籍音樂家之邀前去哥多華。濟爾亞卜不只把波斯人、伊拉克人的菜肴、詩、妙語引進安達魯斯，還替他的烏得琴（oud）增添數根弦，從而發展出吉他，並且創建了一所男女孩皆可就讀的音樂學校。他發展出一套用餐觀念，先上湯或沙拉、再上主菜、最後上甜點，並以不同盤子盛裝不同餐點；促進不同季節穿不同樣式服裝的觀念；開發出早期版的牙膏、體香劑（鉛黃，即氧化鉛化合物）和新髮型。那猶如今人所謂的莫希干髮型（Mohican mullet），前額有瀏海，後頭留長髮，兩側頭髮修短，巴格達城裡來自非洲東南沿海的黑奴甚為青睞這種髮型。

21　賈希茲引述了麥地那一位高貴夫人的經歷。有年輕女孩問她，做愛是否能給人樂趣。她不禁憶起有次隨哈里發奧斯曼前往朝覲：「回程途中，我丈夫看著我，我看著他。他勾起我的情欲，而我也勾起他的情欲，就在奧斯曼的駱駝經過時，他迅速爬到我身上。我感受到亞當的女兒所感受到的快樂，大叫出來。五百頭駱駝全散掉，花了兩小時才把牠們一一找回來。」

22　在巴格達闖蕩頗長一段時間後，賈希茲的贊助者遭處決，他索性退居巴斯拉。在那裡，他堅守寫作至死不渝，最後被一堆書壓死——愛書人的最理想的善終。而在贊助者哈里發阿敏去世後不久，阿布．努瓦斯也離開了人世。

但這位埃米爾不只著迷於時裝設計師和歌女，還不斷攻戰北部基督徒和內部挑戰者，並得到古拉姆奴隸軍和維齊爾納斯爾（Nasr）的支援。納斯爾是信仰基督教的貴族，被穆斯林擄獲並閹割。這位埃米爾病倒時，這名閹人欲賄賂醫生毒死他，以解決王位繼承問題。沒想到，醫生的妻子向埃米爾通風報信，埃米爾等到納斯爾帶著他的「藥」來時，反而要納斯爾自己喝下。

西元八四四年，高雅文化教養當道的時代被一幫人的恐怖到來橫生打斷：突然出現由五十四艘狹長快速戰船（longship）組成的船隊，從船上下來一群不修邊幅、揮舞斧頭的多神教徒，直接攻打塞維爾，與此同時，另一支船隊則強攻烏什巴納（al-Ushbana，今里斯本）和加的斯。維京人來了。

留里克王朝和巴西爾的家族

魔法：留里克和維京人——狂暴武士的戰爭、群交、人祭

阿布杜·拉赫曼二世建造了一支艦隊以擊退維京人，並動用了適用於海戰的攻擊武器「希臘火」，只是，遭維京人襲擊的地區不只安達魯斯。他們也攻擊北非，而法蘭克王國、不列顛的沿海地區受到的襲擊最烈。

西元七九三年，一支艦隊攻擊林迪斯法恩（Lindisfarne），肆虐諾森布里亞（Northumbria）和聖島艾歐納（Iona），而後回頭攻擊蘇格蘭、愛爾蘭。查理曼親眼目睹了維京人對沿海地區的頭幾次襲擊，而且也有能耐發兵反擊。這時，西元八四五年，一支艦隊、共一百二十艘維京長船載著五千名維京人，溯塞納河而上，進攻巴黎。這些入侵者以擄來的法蘭克人當祭品，祭拜他們的神奧丁（Odin），西法蘭克王國國王——即日後的皇帝禿頭查理（Charles the Bald）、查理曼的孫子——付給他們丹麥金（Danegeld）——值七千里弗赫（livres）的金銀——他們這才離開。

這些戰隊由領主、國王率領，最初志在取得奴隸和劫掠，但這時他們開始落腳，在都柏林、蘇格蘭西部的小島、約克建立王國。從此他們日漸進入英格蘭，從而威脅到盎格魯—撒克遜人諸王國的生存。西撒克斯（Wessex）王國國王阿爾弗烈德（Alfred）被他們趕進薩默塞特（Somerset）沼澤區，未想到了西元八七八年，他擊敗一支維京人軍隊，強大到足以和丹麥人瓜分大不列顛島，並助丹麥人領袖古茲魯姆（Guthrum）皈依基督教。合併了西撒克斯和麥西亞後，阿爾弗烈德於西元八八六年自稱盎格魯—撒克遜人

的國王，[23]時值維京人統治大不列顛和愛爾蘭的大部地方，不久也將攻打法蘭克王國。

維京人是誰？他們是共享一套世界觀和宇宙論的斯堪的那維亞人，這套世界觀和宇宙論以他們的諸神為核心，而這些神則由獨眼戰神奧丁和農業之神索爾領導，其中的奧丁以戰士冒險家的身分現身。他們崇拜的是戰爭和英雄主義，[24]在一年一度的節日時膜拜，以馬和人為祭品，以人為祭時，把人吊死在樹上——樹在他們的信念裡占有獨特的一席之地——或把樹拉彎再放掉，藉此把人撕成兩半。他們在史詩和盧恩石刻（runestone）中頌揚他們的英雄和功績，把死者放在他們頂尖的維京長船裡燒掉，或埋在這類戰船旁。

阿拉伯人稱他們馬朱斯（al-Madjus），即拜火者，因為他們把死者火化；歐洲人稱他們北方人（Norsemen）；他們可能自稱維京人（Vikingr），意為「維克的人」（men of vik），亦即小灣或峽灣的人。他們既襲擊，也貿易，專事奴隸買賣，而且他們航海技術精湛，比哥倫布早幾百年就去過美洲。

沒人知道這些斯堪的那維亞人為何在此時展開冒險：人口愈來愈多或許導致爭奪土地；內戰使日子變得艱困；他們將女嬰棄之荒野的習俗可能導致女人短缺，從而需要搶新娘。他們最初以殺教士、襲擊教堂為樂，或許因為受過法蘭克人的暴行而作此報復，但最初是為了財物，後來才是為了取得奴隸——巴格達、君士坦丁堡、哥多華的權貴渴求他們的毛皮和奴隸。只是他們發動襲擊的主因，或許是因為他們有能力襲擊。他們經過改良的帆船吃水淺、可以張滿帆，並以天然磁石引導方向，這意味著他們有能力航越大洋、溯河而上。他們由戰士國王領導，但在某些方面受半民主議會（thing）治理——這類議會的領導人是選舉而來的說法人（lawspeaker）——他們的上層人士是解讀薩迦（saga）和盧恩石刻的識字者。

他們的生活樣貌是謎樣的，因而後世的歷史學家只能根據他們留下的線索，對幾乎任何事物都訴諸揣測——包括猛食毒品和異性裝扮癖。在戰場上他們拚勁十足，而那說不定受了某種致幻劑——擬刺茄（sticky nightshade）——刺激所致，也可能不是。他們行一夫多妻制；有些女人可能是戰士，因為少之又少的女性墓裡有大刀陪葬——但說不定當時每個人都以刀劍陪葬。基督徒和穆斯林肯定相當驚訝於他們想做愛就做愛的作風。

西元八六二年，維京人首領留里克（Rurik）——日後統治俄羅斯直至一五九八年的那個王族的創建者——帶領一支戰隊從斯堪的那維亞往南，順聶伯河而下，進入一個地貌不斷在改變的河邊邊境地帶。在那裡，信仰多神教的突厥人、斯拉夫人等受正在崛起的突厥人汗國可薩汗國（Khazars）支配，與君士坦丁堡、巴格達爭奪豐厚的貿易利益。此時，阿拉伯籍作家提到一稱之為羅西亞人（al-Rusiyya）的群體——即羅斯人（Rus），可能源於古斯堪的那維亞語roa（划船）。這群人與來自斯堪的那維亞的襲擊者和商人有關係，而這些襲擊者和商人，以他們位於北方的貿易站斯塔萊亞·拉多伽（Staraia Ladoga）為起點，老早就往來於伏爾加、聶伯這兩條大河上。留里克有可能是這些羅斯人中的其中之一。

當留里克的部眾划船南行時，他們最一開始就必須對付可薩汗國。自西元六五〇年左右西突厥裂解後，可薩汗國就統治從中亞至烏克蘭這大片地區，與阿拉伯人交戰五十年，同時和君士坦丁堡的皇帝維持著良好的關係，其中兩個皇帝娶了可薩可汗的公主。可薩汗國由兩王——可汗、伊薩（isa）——統治，以伏爾加河島嶼阿提爾（Atil）島上的宮殿為統治中樞，可薩人崇拜騰格里，即乾草原的天空神。而可薩可汗布蘭（Bulan）身處信仰基督教的君士坦丁堡和信仰伊斯蘭教的巴格達之間，不靠向任一方，並皈依猶

---

23 阿爾弗烈德是唯一在英國本地出生且享有「偉人」（the Great）稱號的人，但僅統治大不列顛島西南部。威爾斯則被凱爾特人的戴赫伊巴思（Deheubarth）、波韋斯（Powys）、格溫內斯（Gwynedd）三王國瓜分；蘇格蘭被凱爾特人的史特拉斯克萊德、阿爾巴（Alba）兩王國和位於西部小島的維京人曼（Man）王國瓜分；其他地方歸維京人統治。

24 他們對人本身的看法非常獨特：他們相信每個人都被分為四個部分，即哈姆爾（hamr，肉體）、胡格爾（hugr，本質）、哈敏格賈（hamingja，好運的化身）、菲爾格賈（fylgja，存在於人內在的女靈，即使最有男子氣概的男人）。

太教——鑄造於西元八三七至八三八年且刻有*Musa rasul Allāh*（「摩西是上帝的使者」，與伊斯蘭教清真言「穆罕默德是真主的使者」如出一轍）的錢幣，正證實這件事。布蘭的兒子奧巴迪亞赫（Obadiah）興建了猶太會堂，只是並非所有可薩人都奉行猶太教。

這些信奉猶太教的可汗控制河路貿易。留里克和由斯拉夫人、維京人、突厥人組成的聯盟，則把毛皮、琥珀、蠟、蜂蜜、海象牙以及奴隸賣給可薩人、羅馬人和阿拉伯人，並從買家手中收到迪拉姆銀幣（dirhams，當時的美元），而這使我們得以想像從印度延伸到英國的諸多貿易路線。後人已在瑞典及波蘭發現前人貯藏的哈里發錢幣——至今十萬枚——以及鑄造於喀什米爾的一尊小型青銅佛像，而在英國，麥西亞王國國王改造迪拉姆幣以供本地使用，但上頭仍以阿拉伯語標記。不過，維京人的最大宗商品是人：維京人經黑海和地中海將斯拉夫人（Slavs）賣到許多地方，且由於斯拉夫奴隸分布甚廣，奴隸（slave）一詞便是因他們而取。

巴格達和君士坦丁堡一再爭取可薩人和這些動蕩邊界地帶裡的其他部族支持，並派出勇敢的使者和這些令人畏懼的蠻人協商。哈里發使者伊本・法德蘭（Ibn Fadlan）見到羅斯人時，是既反感又興奮：他寫道，「我從未見過身體比他們完美的典型，高挑如棗椰樹，金髮、臉色紅潤。」他們的首領坐在寶座上，身邊圍著四百名戰士和四十名「服侍他就寢」的奴隸。[25]

伊本・法德蘭目睹了群交和在某首領的葬禮上一名喝醉的年輕女奴被拿去獻祭之事。葬禮由女薩滿僧「死亡天使」主持，她是個「身材魁梧的老婦，胖而且面露慍色」。伊本・法德蘭回到巴格達時，肯定覺得鬆了口氣。

留里克是半神話性質的英雄，他的生平我們所知甚少，以哥羅迪舍（Gorodische，「城鎮」）為中樞，統治一片地盤。哥羅迪舍是處從事貿易的新拓居地，後來重建為「新城鎮」（諾夫哥羅德／Novgorod的字面意思）。他之後的幾名接任者往南擴張。他的後代伊戈爾（Igor）被帶到聶伯河畔創建於六世紀左右的斯拉夫人城鎮基輔（Kyiv），後來以此為貿易總部，把毛皮、奴隸賣到君士坦丁堡，而在君士坦丁堡，羅斯人——東羅馬帝國人口中的瓦良格人（Varangians）——經常出任皇帝的禁衛軍士兵。

這座「大城」是令人垂涎的肥肉：伊戈爾兩次出兵襲擊，期間，他的維京長船遭希臘火攻擊而著火。後來，他被某斯拉夫人部落擒獲，他被拴在兩根拉彎的大樹枝上，接著鬆開樹枝，活生生被撕成了兩半。而他的遺孀奧爾伽（Olga）則打敗他的斯拉夫籍敵人，接著前去君士坦丁堡，見到了皇帝，並且受洗。由於一名能力不凡的亞美尼亞籍農民當上皇帝，東羅馬帝國重振聲威。此人憑藉他健壯的身材、無情且不屈的魅力以及精湛騎術而揚名立萬。

君士坦丁堡和羅馬：「懂馬語的單眉人」巴西爾和元老院女議員馬蘿齊婭

巴西爾的飛黃騰達，始於他年輕當僕人時，遇到東羅馬帝國的女首富達尼耶莉絲（Danielis）。達尼耶莉絲擁有三千奴隸和八十塊大面積土地，並成為他的贊助者——肯定也成為他的情人。可能的情況是兩人在一起多年後，她把他介紹給某廷臣，經由對方，他受到年輕皇帝米海爾三世（Michael III）的注意。米

25 誠如某人對這名阿拉伯籍使者所說的，羅斯人是商人：「大人，我來自很遠的地方，帶來很多很多女孩和很多很多貂皮。」他們的衛生習慣令這名使者大為震憾：「他們是真主所造之人裡最髒的——大小便不避人耳目，性高潮後不洗身體，吃完東西不洗手——猶如野驢。」然後，還有群交之事：「每個男人坐在長榻上，身邊有要賣給商人的漂亮奴隸：男人和奴隸性交時，他的同伴在一旁看著。有時整群人當著他人面前一起這麼做。來到這裡向他們購買奴隸的商人，可能得等羅斯人和其奴隸性交完後才能談正事，而且可能得邊等邊看著他們性交……」

海爾善於相馬，聘他為馬伕，然後侍衛，接著要他當皇帝的內侍。米海爾讓希臘重歸羅馬帝國統治，在他母親的引領下，結束了反對聖像崇拜運動所帶來的紛擾，只是他著迷於比他年長三十歲的粗壯肌肉男巴西爾，或許是對巴西爾有非分之想。巴西爾生於色雷斯，被稱作馬其頓人，不過，他大概是亞美尼亞人，巴西爾是「身形和體格最出色的人；兩眉毛連成一線，大眼，胸膛寬闊」，表情陰鬱。這個皇帝喜歡看他和保加利亞籍摔跤冠軍較量。米海爾痛惡他那具影響力的舅舅，把他處死，並由這個懂馬語的單眉人成為他無所不在的內廷侍從（parakoimomenos，「睡在皇帝寢室旁的人」）。米海爾和妻子之間沒有孩子，不過，和情婦歐多姬亞．英蓋莉娜（Eudokia Ingerina）生了一個兒子，而且不久便把這個情婦和巴西爾共享（巴西爾的魅力似乎令男人和女人都難以抗拒）。為使這個兒子萊奧（Leo）具有嫡子的合法身分，他命令巴西爾娶歐多姬亞，封他為共治皇帝，把自己的姊姊泰克拉（Thekla）賞給他作情婦。酒癮甚大且有綽號「酒鬼」的米海爾重新考慮過後，反而密謀殺害他最寵信的巴西爾，未想巴西爾先發制人，找來家人（包括他父親、兄弟）組成殺手隊，強行闖入皇帝寢室，刺死醉醺醺的皇帝，割下他的雙手——可能是為報復他們關係裡不符基督教教義的一面。

巴西爾的崛起教人意想不到，即便如此，未受過教育的巴西爾依舊成為認真且聰穎的巴西琉斯（*basileus*），[26]他攻打阿拉伯人，把法律編集成典，征伐保加利亞人。他始終不怎麼確定萊奧究竟是他的或是米海爾的孩子，也不喜歡這個蠢笨的男孩。巴西爾死於西元八八六年，享年七十五，死前他打獵出意外，衣服遭成年公鹿的角鉤住，拖行了數哩：他的馬伕替他割掉腰帶，好讓他脫離鹿角，卻也因此遭處死（在皇帝面前亮出刀刃犯法）。巴西爾死時，皇帝萊奧也不確定自己父親是誰，但他尊崇米海爾的遺骸，於是，便將兩人一起埋葬在使徒教堂。

「智者」萊奧（Leo the Wise）有才華、有學問，卻備受戰事折磨。他在東邊止住阿拉伯人的進攻，但在西邊，入侵西西里的阿拉伯人奪走他在島上的最後據點，接著登陸南義大利，不只威脅到他最後保有的領土，還威脅到羅馬城。

西元八四六年，阿拉伯籍襲擊者已在奧斯提亞登陸，隨後攻打羅馬，洗劫了聖彼得大教堂。眼見阿拉伯人再度進攻，見識過阿拉伯人攻擊羅馬的教宗若望八世（Pope John VIII）輪番請求皇帝萊奧和卡洛林王朝國王派兵援助。君士坦丁堡向來選立教宗、威脅教宗，查士丁尼甚至綁架了一個教宗。而眼下，教宗只能自求多福：義大利境內混亂、教宗收入遭阿拉伯人奪走、教宗威信的衰落和義大利貪婪貴族的崛起，再再削弱了若望八世的威信。若望八世遭自己的神職人員下毒，然後用棍棒打死。血腥的新時代由此展開，而主宰者是個特別厲害的女人：馬蘿齊婭（Marozia）。若說克麗奧佩脫拉可被視為女性主義英雌，馬蘿齊婭這個身為羅馬統治者和一連串教宗、國君之母親、祖母、曾祖母、情人且殺了他們的女人，也應當之無愧。

隨著若望八世遇害而漸漸出現的動亂，在一名已故教宗受審時達到最高潮。西元八九七年一月，離世一年多的教宗佛爾莫蘇斯（Formosus）遭開墓掘屍，被穿上教宗袍服、登上主教之位，隨後又被送到羅馬的教會會議會場，以作偽證和違反教會法規的罪名受審，會議主席是繼任者司提反六世，一名代表屍體發言的助祭為它的律師。佛爾莫蘇斯遭裁定有罪，衣服被剝個精光，他用來賜福信徒的三根手指遭砍下，遺體被丟入台伯河。以屍體演出這齣公審戲，係為了削弱前任教宗的正當性，從而提升新教宗的合法性。可惜並未發揮作用：司提反遭勒死，接下來由諸多不同派系的人選出三名教宗。而其中之一的塞爾吉烏斯三世（Sergius III）費盡心思贏得馬蘿齊婭父親泰奧菲拉托（Teofilatto）的支持，兩人連手殺害了另外兩名教宗。

泰奧菲拉托獲選為西元九一五年的執政官，和妻子泰奧多拉（Theodora）一同統治羅馬，把持教宗的

26 巴西爾不只歡迎他的贊助者達尼耶莉絲入朝參議政事，還封她為「皇母」（*basileometor*），由此舉可看出兩人關係之好。說希臘語的東羅馬帝國人這時稱此帝國為 *Basileia Romaion*（羅馬君主國），稱他們的皇帝為巴西琉斯（*basileus*，即君主）。

選任。當時，羅馬已是群雄割據各霸一方，羅馬競技場或哈德良陵墓之類古蹟，這時都用來充當築有防禦工事的據點，而諸多正在崛起的軍事力量把教宗一職視為他們可藉以控制羅馬的諸多市政官職之一，泰奧菲拉特——拉丁語名泰奧菲拉克圖斯／Theofylactus——正是其中一人。如果說現實情況類似幫派混戰，他們的頭銜還真是令人咋舌：最有名望者（Eminentissimus）、大人（Magnificus）、執政官、教宗。

阿拉伯人拿下羅馬南邊八十哩處的敏圖爾諾（Minturno）鎮，基督徒人心惶惶了起來。只是泰奧菲拉托單靠一己之力控制不住羅馬：教宗是基督教世界西部的精神領袖；義大利戰略地位至為重要，南邊有阿拉伯人和東羅馬帝國人，北邊則自查理曼以來，東法蘭克王國（今德國）的國王便視該地區大大攸關自身利益。

泰奧菲拉托藉由嫁女兒來鞏固權勢。然泰奧菲拉托家族最大的敵人日耳曼的奧托（Otto of Germany）的家臣，亦即克雷莫納（Cremona）主教利烏特普蘭德（Liutprand）則描述道，他的妻子泰奧多拉是個「無恥的婊子，像男人般支配羅馬市民」：利烏特普蘭德的說法往往是為日耳曼人說話的宣傳語，充斥著大男人主義。

西元九〇九年，泰奧菲拉托將馬蘿齊婭嫁給與他爭雄的陣營——斯波列托（Spoleto）的侯爵阿爾貝里克（Alberic）——馬蘿齊婭為他生了幾個兒子。她也有可能是教宗塞爾吉烏斯的情婦，和他也生下一個兒子。她的妹妹也經父親安排嫁了出去。只是馬蘿齊婭作風異於常人，開始以令利烏特普蘭德驚恐的方式運用她的政治權力。利烏特普蘭德把這對姊妹稱作以「妓女當家」方式支配教宗的「婊子姊妹」。但她們其實是掌有實權者，當時，女人在羅馬，比在其他地方更有權勢。

西元九一五年，獲選為羅馬貴族（Patricius Romanorum）——借用自古代的諸多稱號之一——的馬蘿齊婭丈夫阿爾貝里克，與泰奧菲拉托、教宗聯手，把阿拉伯人趕出敏圖爾諾。西元九二四年，她丈夫遭暗殺，加上她父親去世，四十五歲左右的馬蘿齊婭以女主人、元老院女議員、羅馬貴族（domina, senatrix and patricia）的身分，即羅馬統治者的身分，主掌此派系。與想要自己當家作主的教宗若望十世私通後，馬蘿齊婭又嫁給托斯卡尼的侯爵圭多（Guido）。他是查理曼的曾孫，既愛上她的權勢，也愛上她的美。

西元九二八年，這對夫妻攻打並逮捕若望十世；教宗被關在哈德良陵墓——此時已構築防禦工事，成為聖天使堡（Castel Sant' Angelo）——後來慘遭悶死。圭多也於不久後去世。在這期間，馬蘿齊婭將他與阿爾貝里克（甚至是與教宗塞爾吉烏斯）所生的兒子扶立為教宗，是為若望十一世，年僅二十歲。她的另一個兒子——波列托的阿爾貝里克二世——如今已認定自己應繼承父親的羅馬統治者之位。馬蘿齊婭堅決阻擋，只可惜掌權的女人需要男人幫助；於是，她和普羅旺斯的于格（Hugh of Provence）談定婚事。他是查理曼的後裔、義大利的國王，也如期來到羅馬與她成親。

她多個兒子很討厭這個繼父，強行衝進婚宴會場的卻沒幾個。馬蘿齊婭的兒子阿爾貝里克二世趁婚禮發動政變，包圍聖天使堡裡的婚宴；新郎旋即攀繩而下離去，棄新娘於不顧；馬蘿齊婭被捕，關在聖天使堡裡，並於此離世。阿爾貝里克二世此後以首席公民的身分統治羅馬二十年，娶了他的新繼妹，即國王于格的女兒，並且頗為自負的將他們的兒子取名為屋大維（Octavian）。西元九五四年阿爾貝里克臨終時，說服大貴族將屋大維任命為首席公民，而後任命他為教宗若望十二世。這個被過度提拔的少年花花公子成為羅馬的暴君。他荒唐愚蠢的行為，被利烏特普蘭德一一記錄了下來，除了令人意外的不搞雞姦，其他都讓人覺得稀鬆平常：「他和萊尼耶（Rainier）的遺孀私通，和父親的妾司帖法娜（Stephana）私通，和寡婦安娜私通，和自己的姪女（或甥女）私通，把神聖宮殿弄成娼館。據說他公開獵尋女人；據說他把告解神父貝內迪克特（Benedict）弄瞎，後來貝內迪克特就死了；據說他把樞機主教的副助祭約翰閹了，再殺了他」，而且「曾舉杯向魔鬼祝酒」。而身為若望十二世，他則為保衛羅馬而焦頭爛額，西元九六二年，他不得不向薩克森（Saxony）的東法蘭克國王奧托一世請求救兵。奧托便在主教利烏特普蘭德的陪同下，率兵南下保護他，以換取他獲得加冕為羅馬人皇帝。不出預料，若望十二世和這些日耳曼人失和，且不失其一貫作風的，死於某次通姦做愛時。

奧托和他的幾個皇子常率兵南征羅馬，卻都未能長期控制教宗之位。西元九七四年，馬蘿齊婭的甥孫克雷森提烏斯（Crescentius）為馬蘿齊婭家拿下羅馬，推翻了以日耳曼人為靠山的教宗，勒死數名礙事的主教。這個家族把持教宗的任命權，西元九九六年，才十六歲且以古希臘羅馬學問著稱的皇帝奧托三世征討羅馬，罷黜克雷森提烏斯，才結束此局面。而後，奧托將克雷森提烏斯斬首，任他的妻子被輪姦，把他的教宗、馬蘿齊婭家的堂表兄弟若望十六世弄瞎，並割下他的鼻子、耳朵及舌頭。奧托取得「世界的皇帝」和「羅馬人的執政官」稱號，打算以新的羅馬皇宮為中樞，統治他的日耳曼帝國，卻在二十一歲時就去世。

就在克雷森提烏斯家族仍主宰舊羅馬時，在東方的「新羅馬」，「智者」萊奧的私生子，亦即在君士坦丁堡「大宮」的紫斑岩室（皇后分娩之處）出生的君士坦丁七世，以「生於紫產室的皇子」（Porphyrogennetos）稱號申明其皇位的正當性。他治學且寫作，施政重心擺放在促使斯拉夫人皈依基督教一事上。西元九五七年，羅斯的奧爾伽（Olga of Rus）展開俄羅斯的第一次國是訪問時，歡迎她的是君士坦丁：她受洗，並以生於紫產室者為她的教父。斯拉夫人說他愛上她——以君士坦丁七世的挑剔，這不大可能——但他助長她的基督教傾向，給予她貿易權。

這時羅斯人不服可薩人的威權。西元九七一年，基輔公斯維亞托斯拉夫（Prince of Svyatoslav）進攻，並燒毀可薩人都城阿提爾，接著，在君士坦丁堡支持下，以六萬兵力攻打保加利亞人，不但大敗對方，還奪下他們的都城和保加利亞大部地方，致使這個羅馬皇帝心生驚恐，用計將他暗殺。在此後的亂局中，斯維亞托斯拉夫的么子——已被趕出諾夫哥羅德的庶子瓦爾德瑪爾（Valdemar）——獲其親戚挪威國王贈予士兵。而後，他打敗所有兄長，拿下基輔。

瓦爾德瑪爾有後宮八百女孩，娶了七個妻子，其中數人為他生下孩子。他崇拜達茲博格（Dazhbog）、斯特里博格（Stribog）、莫克什（Mokosh）這三個異教神，為慶祝勝利，竟把兩個孩子獻祭。而他的使者親眼目睹君士坦丁堡和聖索非亞教堂展現的基督教堂皇氣勢，為之瞠目結舌——「不知自己是在天上，還是在人間」——而瓦爾德瑪爾體認到入教的好處時，時機再好不過。東羅馬帝國馬其頓人王朝的末代君主巴西爾二世遇上叛亂，需要援手。

三十歲的巴西爾精力無比充沛：他為自己的墓志銘寫道，「從天上的王要我成為皇帝、成為世界霸主那一天起，沒人看過我的矛擱著。」在當官者奢靡、陰謀詭計橫行而且有著散發香氣之太監的城市裡，他是精悍、直率的武士，信教虔誠的苦行者，對女色不感興趣，對同性大概亦然。

瓦爾德瑪爾送了一隊瓦良格人給這位新皇帝當作禮物，還好意提醒他，「別把他們留在你的城裡，不然你會遭殃，而且別讓任何一人循原路回去」。這個基輔人接著要求娶這個皇帝的妹妹。這要求很無禮，不過巴西爾體認到基輔不可小看，便當下同意，前提是這個基輔大公要入教，並助他奪回他在克里米亞半島的殖民地凱爾索尼斯（Chersonese）。瓦爾德瑪爾如實完成，沒想到，巴西爾推遲送他妹妹前來，瓦爾德瑪爾索性把凱爾索尼斯留在自己手裡；巴西爾這才立刻送來妹妹。西元九八八年，取名弗拉基米爾（Vladimir或Volodymyr）的沃爾德瑪爾根據君士坦丁堡偏好的儀式受洗。這是世界史上具決定性影響的一刻，連同保加利亞人的改宗，將使俄羅斯和東歐發展出自成一格的儀式和教義——後來人稱東正教。[27]巴西爾的妹妹「生於紫產室的皇女」安娜（Anna Porphyrogenita）深恐嫁給愚蠢的蠻人，巴西爾卻懇求她答應：「上帝要透過妳使羅斯人的國度悔罪，因為妳，希臘將免遭慘烈戰爭之禍。」上帝的作為難以拒絕。

27　西里爾（Cyril）、美多迪烏斯（Methodius）這兩名傳教士把希臘語《聖經》譯為斯拉夫文，進而催生出西里爾字母（Cyrillic）。根據兩人的早期著作，這些新入教的基督徒深諳這些新禮拜儀式。

改宗的多神教徒：弗拉基米爾和羅洛

可憐的安娜乘船前往克里米亞半島和弗拉基米爾成親，弗拉基米爾則把凱爾索尼斯當「嫁妝」還給巴西爾二世。弗拉基米爾以他一貫的幹勁讓「羅斯人國度」改宗——把妾送走，用棍棒打掉多神教神像，並興建教堂。基輔人接到至聶伯河畔集體受洗的命令：「凡是未現身者，不分貧富奴隸，都將是我的敵人。」[28]他的新征服功績和他與羅馬帝國的關係，有助他成為歐洲一名掌有實權者，他的三個女兒都嫁給君主。一〇一五年他去世後，他的兒子智者雅羅斯拉夫（Yaroslav the Wise）接掌羅斯，以教堂林立的基輔為都城統治羅斯，並在其治下來到鼎盛時期。但此一盛世為時不久。雅羅斯拉夫去世後，羅斯分裂為數個較小的公國。這些公國始終由留里克王族的人統治，[29]其中之一在莫斯科河（River Moskva）旁興建了一處小要塞——莫斯科。巴西爾將基輔拉入基督教陣營後，急忙率兵南下，以阻止阿拉伯人在敘利亞的新攻勢，且從高加索打到巴爾幹半島。這位戰士皇帝及其士兵共享配給食物，數次差點死在戰場上，每每由他那六千名瓦良格籍衛士救回。

正當眾多維京人前往南邊為巴西爾效力時，其他維京人則襲擊法蘭克王國，而查理曼之後的法蘭克人國王——「胖子」（the Fat）、「單純者」（the Simple）、「結巴者」（Stammerer）這些別號透露了他們的弱點——向維京人付了「丹麥金」至少十三次。卡洛林皇帝胖子查理費了好一番工夫，把曾祖父的帝國重歸一統——從義大利至東、西法蘭克王國——只可惜，他欠缺保住帝國所需的強烈企圖心。西元八八五年，由數名首領率領的一支維京人艦隊溯塞納河而上圍攻巴黎，其中一個維京人是名叫羅洛（Rollo）的年輕軍事領袖。這個小城——僅兩萬居民——由胖子查理的兩個年輕貴族巴黎伯爵奧多（Odo）和其弟羅貝爾（Robert）據有，兩人的父親則是憑己力打出天下的軍事領袖壯漢羅貝爾（Robert the Strong）。兩兄弟立即求助於查理。結果胖子查理反倒付了七百磅銀子給維京人，此一姑息之舉太丟人，法蘭克王國西部貴族憤而推舉奧多為西法蘭克國王。他在位甚短，然而，卻創立了新王朝及日後將演變為法蘭西的王國。不過，奧多一家並非開闢出新王朝的唯一家族。

對襲擊法蘭克王國的「北方人」羅洛來說，巴黎之役也促使他開創了新王國。巴黎之役後不久，他搶了某法蘭克人伯爵的新娘巴約的波布（Poppa of Bayeux），與她創建了一個在某些方面賡續至今的王朝。羅洛體形巨大笨重，沒有馬撐得住他，因而有「步行者」（the Walker）的外號。這時他拿下魯昂，接著在西元九一一年再次進攻巴黎。而西法蘭克王國的卡洛林王朝國王單純者查理，以一筆交易要羅洛退兵：只要他皈依基督教並擊退入境侵犯的維京人和權勢過大的貴族，就讓他保有攻下的土地。羅洛同意：於是，他和他的「北方人」（Norsemen）開始被稱作諾曼人（Normans），他的公爵領地被稱作諾曼第（Normandy）；他的後代征服英格蘭，今日的英國君主便是他的後裔。西元九二二年，奧多之弟羅貝爾罷黜單純者查理，並與羅洛交戰，隨後，羅貝爾被推選為國王：有時直接征戰，有時和表親卡洛林王朝結盟，羅貝爾在一次戰役中擊敗並俘虜單純者查理，只是他自己也在這場戰役中慘遭殺害。他的兒子，人稱「偉大的于格」（Hugh the Great），支持卡洛林人路易四世為國王，而交換條件是他獲得「法蘭西公爵」（Dux

---

28 今人對弗拉基米爾的了解，幾乎全靠三百年後教士撰寫的編年史《往年紀事》（*Tale of Bygone Years*）。書中所述大多是神話，但十六世紀時恐怖伊凡利用該書，合理化自身為「重新聚集」西部土地而發動的戰爭。彼得大帝改造「羅斯」（Rus）一詞，為新帝國創造出新名字「俄羅斯」（Russia）。十九世紀，贊賞斯拉夫文化習慣的俄國人和二十一世紀相信存在「俄羅斯世界」的人——例如總統普丁——利用同一本書提倡俄羅斯國家迷思，俄羅斯和烏克蘭人民一律被納入俄羅斯。對烏克蘭人來說，弗拉基米爾的故事是他們國家的建國神話。

29 弗拉基米爾的兩個兒子鮑里斯（Boris）和格列卜（Gleb）在父親死後的權力鬥爭中遇害，成為這個新教會最早的聖徒，被視為「神聖羅斯」（Holy Rus）此全新的神聖國度犧牲了性命，並且開啟了將俄羅斯的統治者神聖化的事業。

Frankorum）、和東法蘭克王國和西法蘭克皇帝的姊妹結婚的親人等頭銜。只是到了西元九八七年，路易死於打獵期間，公爵的兒子于格卡佩（Hugh Capet）——以他的作為、尊貴及財富而享有盛名——獲選為西法蘭克國王。而他實際統治的區域只有以巴黎為中心的法蘭西島區（Isle de France）；今日法國其他地區及低地國，則由一些長期世仇的的君主統治，諸如布耳瓦伯爵、安茹伯爵、法蘭德斯伯爵，以及布列塔尼公爵、諾曼第公爵。而國王在這些地位平等的人之中，位居首要，不過于格一過世，他的兒子查理二世順勢繼位——而人們也愈來愈能夠接受羅貝爾家族世襲統治法蘭西的權利。

然而，諾曼人不改其襲擊作風：魯昂以其奴隸市場著稱於世，而諾曼人需要伊斯蘭奴隸以供販賣。他們於西元九五〇年代持續襲擊安達魯斯，沒想到，竟遇上西方的偉大君主，且這位君主有自己的艦隊，用來襲擊法蘭克王國、非洲沿岸。

哥多華的哈里發

阿布杜·拉赫曼三世戒心極重，非常勇猛且肌肉發達，腿短、金髮、白膚、藍眼，他的祖母是信奉基督教的公主翁內卡·佛圖內絲（Onneca Fortúnez），即潘普洛納（Pamplona）國王的女兒；他的母親是淪為奴隸的斯拉夫人，被維京人從俄羅斯賣出去的成千上萬人之一。這個奧瑪亞王廷內鬥激烈——他父親被他叔叔殺害，他叔叔又被他祖父殺害——但他由他凶狠的姑姑賽義妲（Sayyida）教養，為掌權作準備。

西元九一二年，二十一歲的阿布杜·拉赫曼三世承接這個苦於應付叛亂和挑戰的王國不到一星期，就把叛亂首腦的首級放在哥多華示眾。但他花了二十年才恢復奧瑪亞王朝的國力，在北邊攻打基督教王國，往南攻入摩洛哥。西元九二九年，阿布杜·拉赫曼稱哈里發，此舉既為慶祝軍事勝利，也為向實力受損的巴格達哈里發表達鄙夷之意。他喜歡一身素袍坐在亞麻墊上接見基督教訪客，身前只擺一部《可蘭經》、一把劍、火，把《可蘭經》或劍送給賓客，再贈以火。

不過，他是歐洲舞台上的要角，接見兩名基督教皇帝所派來的使節，以人文主義精神獎掖藝術，擁有君士坦丁堡之外最出色的圖書館。此時的哥多華，和君士坦丁堡同列歐洲最大城：君士坦丁堡的皇帝遣人送來禮物、大理石噴泉、希臘語典籍，這位哈里發則命人將這些典籍譯為阿拉伯語。他蓋了新的宮殿群，名為札赫拉城（Medina al-Zahra），有可能是根據一女奴之名而來，並仿造大馬士革的奧瑪亞王朝宮殿而建，位於哥多華城外六哩處，裡面有圍著一巨大水銀池而建造的宏偉晉見室、一群獅子（他的非洲籍盟友所贈）、歐洲最早有抽水馬桶的浴廁之一，就在倫敦、巴黎還是以敞露式水道排放污水的小鎮之際。他的宮廷則匯集各色民族的人：他的衛士和妃子是斯拉夫人，他的維齊爾往往是猶太教徒或基督教徒。他信仰猶太教的醫生哈斯戴·伊本·夏普魯特（Hasdai ibn Shaprut）出任使節和司庫，與教宗、日耳曼人皇帝和東方皇帝、信仰猶太教的可薩汗國可汗通信。

但不管是哈里發的高貴堂皇，還是講究高尚得體的伊斯蘭禮儀，都未削減阿布杜·拉赫曼的凶狠作風。他的後宮有六千七百五十個女人和三千七百五十個男奴。[30]有個背叛他的女奴被拿去餵獅；有個信仰

30　東歐依舊是奴隸的大型供應站，有些賣到西歐和伊斯蘭的安達魯斯，其他的則賣到阿拉伯的伊斯蘭地區。一個在歐洲原價三十五金克（gold grams）的奴隸，到了巴格達，可以賣到一百五十金克。西元一一六〇左右，異教徒軍事領袖梅什科（Meiszko）——車輪匠皮雅斯特（Piast the wheelwright）的後代——統一了波蘭（Polanie）的第一個公國。西元九六六年，他迎娶波西米亞公主，改宗基督教並創建波蘭的皮雅斯特王朝。他的兒子波列斯瓦夫（Boleslaw）成為波蘭的國王。捕捉奴隸、進行交易都有違基督教教義；有將近兩個多世紀，在波蘭的交易市場，有時會具體載明「女孩和牛隻」。歷史學者馬汀·拉迪（Martyn Rady）形容：「國家的形成和奴隸制，兩者攜手前進。」

基督教的男孩——日後的聖佩拉吉烏斯（St Pelagius）——拒絕他的求愛，竟遭他肢解。這些說不定是反穆斯林者的老套說法，但他的確對自己的殘酷無情樂在其中。他的劊子手憑行刑致富，時時備著刀和皮墊以便主子一聲令下立即將人處死。有次，劊子手要斬首某妃子時，她的首飾從髮上掉了下來，這個哈里發索性讓他保有首飾。他某個兒子陰謀造反時，他親自公開處決了這個男孩。

他每年出兵入侵北方，始終御駕親征，直到有次差點喪命於戰場，才停止親征。維京人攻打安達魯斯時，阿布杜．拉赫曼用艦隊擊退，他還向歐洲、非洲沿海地區擴張，在法國蔚藍海岸的弗雷瑞斯（Fréjus）建了一處海盜窩，在摩洛哥征戰。為他在摩洛哥征戰的將領是斯拉夫籍的宦官，外號「閹過的小公雞」（Castrated Cockerell）。他拿下休達（Ceuta）和坦吉爾（Tangier），使他得以運用橫越撒哈拉沙漠的商隊，但就在他希望控制橫越撒哈拉的貿易之際，有個相信救世主會降臨的王朝迫使他未能如願。這個王朝興起於某綠洲——位在摩洛哥、非洲西部之間的中途。這個哈里發[31]大概怎麼也不會相信這場不起眼的沙漠叛亂將改變非—亞洲的局勢，挑戰君士坦丁堡、哥多華、巴達格，催生出最偉大的阿拉伯城市：開羅。

31　西元九六九年，阿布杜．拉赫曼臨終時思忖道，「我如今已在勝利或和平的歲月中在位五十多年，受到我的子民喜愛，受到我的敵人畏懼，受到我的盟友尊敬。我一一細數我這一生中，真正單純且幸福的日子：共十四天。人啊，別相信此世！」

迦納人和法蒂瑪王朝

非洲力量：瓦嘎杜的迦納和開羅的主子

這場叛亂始於沙漠深處。西元九〇五年，阿布杜·拉赫曼三世還小時，三十五歲的賽義德·賓·胡笙（Said bin Husain）在偏遠的摩洛哥綠洲錫吉爾馬薩（Sijilmasa）自封為「馬赫迪」（Mahdi）——真主所選定之人，真主在世間的代表。在這處綠洲，晚近皈依伊斯蘭教的柏柏人部落已經由祕密傳教士的宣導，相信他具有神聖性。這些傳教士是什葉派祕密傳教組織「達瓦」（Dawa，「召喚」）的成員，在從葉門至大西洋岸之間的廣大地區宣揚恢復阿里、法蒂瑪（穆罕默德女兒）的王朝。賽義德聲稱他是法蒂瑪之後，而他的家族自稱法蒂瑪家族（House al-Fatimiyya），曾遭受到巴格達哈里發的追捕、殺害，他本人則喬裝為商人，和兒子一同逃走。雖受到刺客追殺，他來到摩洛哥，在此自稱馬赫迪·比拉（al-Mahdi Billah），發動聖戰，打算一路東征至伊拉克，消滅離經叛道的哈里發政權。[32]

---

32 遜尼派、什葉派的分裂是穆罕默德家族內部的分裂。自阿里遭暗殺，這個伊斯蘭派系——什葉派——便視奧瑪亞王朝、阿拔斯王朝的哈里發為冒牌貨，把穆罕默德家族成員的後代奉為神聖伊瑪目。什葉派裡的不同教派遵奉不同伊瑪目的後代，但這個法蒂瑪家族自稱是神祕的第七伊瑪目伊斯瑪儀（Ismaili）的後代——從而被稱作伊斯瑪儀派（Isamilis）。伊斯瑪儀於西元七六二年左右隱遁或消失，這時這個法蒂瑪家族正等待「馬赫迪」——救世主——穆罕默德家族一員到來。馬赫迪會在末日前恢復伊斯蘭的一體性，而由於巴格達哈里發政權的混亂，末日據認即將到來。馬赫迪·比拉自稱是第十一代伊瑪目。

馬赫迪．比拉在錫吉爾馬薩統領人數甚少的一群柏柏人時，這一宏圖偉業似乎是不可能實現的大話。錫吉爾馬薩是瓦嘎杜（Wagadu）這個最強大非洲人王國的門戶，該王國由索寧克人（Soninke）迦納（ghana，即國王）統治，統有兵力二十萬，以位於茅利塔尼亞的昆比薩列（Koumbi Saleh）為都城。在昆比薩列，「迦納坐在……圓頂閣裡接見臣民，閣周邊站著十匹馬，馬身蓋著繡金布料」，來過此都城的阿拉伯人巴克里（al-Bakri）後來寫道，「迦納後面站著十名青年侍從，手持以黃金裝飾的盾和劍，迦納右邊有他國家諸王的兒子，這些世子衣著華麗，頭髮用黃金編成辮子。」黃金到處可見：就連迦納的侍衛犬都有「金銀項圈，項圈上鑲嵌著同樣金屬材質的圓球」。迦納去世時，以財寶和僕人陪葬；這類墓可見於尼日河區域。歐洲人到來之前，西非洲、東非洲不為人所知。事實上，非—亞洲是個被不穩固卻古老的商隊路線、航運路線連在一起的單一世界，這些路線穿過沙漠和大海，抵達馬格里布（Maghreb）、西班牙、埃及和印度洋。迦納把來自巴爾馬卡（Barmaka，今迦納境內）的象牙、銅、青銅、黃金和來自伊格博烏克伍（Igbo-Ukwu，今奈及利亞境內）的青銅賣到撒哈拉沙漠的另一邊。在伊格博烏克伍，匠人製作蛇、鳥青銅像和青銅器皿，鑲以從遠處輸入的珠子：迦納的寶庫裡有十萬顆來自埃及、印度的玻璃珠和紅玉髓珠子。與北方貿易的西非洲國度，除了瓦嘎杜，還有高（Gao）、廷巴克圖（Timbuktu）、卡內姆博爾努（Kanem-Bornu），瓦嘎杜只是其中最大的國度。歐洲人持有的黃金有三分之二來自西非洲，阿布杜．拉赫曼的獸欄裡的獅子大概也是。

商隊成員往往是信奉伊斯蘭教的柏柏族駱駝夫，因此，伊斯蘭教會傳入這個盛產黃金的地方，一如北方的鹽。伊斯蘭已傳到瓦嘎杜：昆比薩列分為兩個城區，一個城區以穆斯林為主，另一個信仰索寧克人的多神教，迦納則兼行這兩種宗教。巴克里目睹了以僕人活生生陪葬國王之事，僕人事前會先喝下「發酵飲料」一直到不省人事。

在東邊的印度洋岸，從事象牙、香料及奴隸買賣的阿拉伯商人已在贊吉（Zanj）——東非洲——經商，而且他們也把伊斯蘭教帶了過來。阿拉伯半島和非洲的關係，就和索羅門、示巴的關係一樣古老。阿拉伯人和說班圖語的非洲人貿易，漸漸發展出新的混種語言斯瓦希利語（Swahili），斯瓦希利一詞來自阿拉伯語的al-Sahel（「海岸」）。在蘇丹（蘇丹一詞來自阿拉伯語的Bilad al-Sudan／「黑人之地」）和衣索比亞（阿拉伯人稱之為哈巴夏—阿比西尼亞／al-Habasha-Abyssinia），信仰基督教的古老阿克蘇姆王國正在解體。[33]因戰爭和襲擊而有了俘虜，俘虜則被賣到斯瓦希利沿海地區，波斯灣籍商人——阿曼人、波斯人的子孫，迎娶當地的非洲女子——在此創立了名為基盧瓦（Kilwa）的口岸，是為第一個斯瓦希利人貿易城市。有船隻來往於印度洋兩岸：原產於東南亞的香蕉被這些船載來，於非洲栽種，成為非洲的特色作物，並隨著班圖人南遷而擴散出去。基盧瓦水手縱橫於印度洋上。最早抵達澳洲的外邦人不是歐洲人（荷蘭人於一六〇六年上岸），而是來自基盧瓦的非洲水手，澳洲北領地馬欽巴爾（Marchinbar）島上出土的基盧瓦銅幣就是明證。這些銅幣上刻有基盧瓦某埃米爾的阿拉伯語名。亞洲人往東、往西行更早許多的

33　信奉伊斯蘭教、猶太教和基督教的諸多豪強在此爭雄。在衣索比亞境內，猶太教教徒和基督徒無不自稱是索羅門和示巴等神祕般的後代，只是阿拉伯半島和衣索比亞自古就有往來，這些位在衣索比亞的猶太人可能和阿克蘇姆王國、猶太教王國希木葉爾（Himyar，今葉門）之間的互動有關聯。從四世紀左右至六世紀遭阿克蘇姆征服為止，希木葉爾王國都信仰猶太教。許多猶太人留在衣索比亞，這些人被稱作「貝塔以色列人」（Beta of Israel，「以色列之屋」）。阿克蘇姆國王曾欲使衣索比亞北部的西米恩（Simien）王國的猶太人改宗。信仰猶太教的該國國王基甸四世（Gideon IV）死於戰鬥中，而就在此時前後，即西元九六〇年，他的女兒、女王古迪特（Gudit，尤迪特／Judith）反擊，消滅阿克蘇姆，建立猶太教王國，並和穆斯林國度、基督教國度並存了數百年。以上說法在史學界未成定論；這說法大多根據貝塔以色列人的傳說；但這些基甸王族的人可能是今日貝塔以色列人（法拉夏人／Falashas）的祖先。馬庫里亞王國（Makuria）於西元六五二年擊退阿拉伯人軍隊後依舊昌盛，一直存續到西元一〇〇〇左右和信基督教的多塔沃（Dotawo）——存續至十六世紀的地區性強權——合併為止。

事：爪哇人、馬來人或許已來到澳洲，兩件爪哇語銘文便已表明這個事實。

印度人、爪哇人、馬來人以及玻里尼西亞人不時航行至非洲。西元四〇〇年左右，馬來水手開始殖民馬達加斯加，這是冰島、紐西蘭之外最後一處可供人定居的大陸。[34]根據某部阿拉伯人歷史所述，西元九四五年，有支來自馬打蘭／室利佛逝（Mataram/Srivijaya）的爪哇—馬來人船隊在斯瓦希利海岸靠岸，搶奪了象牙、毛皮、黑奴，但未能奪下他們所覬覦的任何城市。

阿拉伯籍奴隸販子，以摩加迪休（Mogadishu，今索馬利亞境內）、尚吉巴（Zanzibar，今坦尚尼亞境內）至索法拉（Sofala，今莫三比克境內）的諸多斯瓦希利沿海地區城市為根據地，從內陸非洲人手中買進奴隸，再賣給印度人、阿拉伯人世界，最遠至馬打蘭。中世紀的蓄奴是建立在宗教的基礎上：伊斯蘭嚴格來講禁止以穆斯林為奴隸，反觀東非人、中非人大多信仰多神教，很適合抓來當奴隸。而這並不表示此時正打入非洲的阿拉伯人沒有種族歧視：他們的蓄奴指南顯示出，他們樂於以種族主義的刻板觀念看待奴隸。[35]根據當時一名叫布祖爾格（Buzurg）船長在波斯灣蒐集的故事，索法拉的非洲籍國王拿「吃人的贊吉」奴隸和阿曼商人做買賣（平均賣價為一人二十至三十第納爾），最後他自己反而被抓走，賣到阿曼，轉賣開羅，然後皈依伊斯蘭教，又回去奪回王位。多少非洲人淪為奴隸不得而知，但可能有數百萬、上千萬人。[36]

在非洲西北部的錫爾吉馬薩，這個馬赫迪的聖戰差點還沒開始就告吹。西元九一〇年，當地謝赫逮捕他，所幸他的部下攻入監獄救出他。接著，他和他的柏柏人部眾借助宗教狂熱浪潮壯大，揮舞法蒂瑪家族的白旗東征，拿下凱魯萬（Qairawan，今突尼西亞境內），創建新都馬赫迪耶（al-Mahdiya），然後前進埃及。不久他自封哈里發，他的艦隊在兒子蓋姆（al-Qaim）統領下拿下西西里，襲擊卡拉布里亞（Calabria），甚至熱那亞。蓋姆攻至亞歷山卓，可惜遭獨立國埃及擊退，其統治者是個才幹出眾的努比亞籍宦官。

米斯克的香水、賈瓦爾的魚、信仰猶太教的維齊爾：法蒂瑪王朝

人稱主子（Master）的阿布·米斯克·卡富爾（Abu al-Misk Kafur）先前在東非洲遭俘，淪為奴隸並被閹割，隨後賣給身為埃及總督（Ikhshid）的某個突厥語族將領。早先巴格達的哈里發控制不了自己的帝國時，埃及順勢成為自主國度，並由這名總督治理。他注意到，來自非洲內陸的野生動物送達時，其他奴隸都跑上前去看得目不轉睛，唯有卡富爾的目光始終未離開他的主子。他據說長得醜、畸形，但敏於體察他人的需要和感受，他腦筋好，而且精於鑑定香水好壞，因而被以兩種香水命名：黑麝香、白樟腦。臨終前，這名總督力勸兒子聘請卡富爾為維齊爾，最終卡富爾憑自身本事成為統治者：「主子」。

34 馬達加斯加為一獨特的非洲—玻里尼西亞社會，屬馬來人菁英的梅里納人（Merina）擊潰早先的定居者瓦贊巴人（Vazimba），獵捕大型動物（包括體型和大猩猩一樣的狐猴）終至滅絕，並進口非洲奴隸為他們工作。而梅里納人這獨特的種姓制度一直持續至十九世紀晚期。

35 信奉基督教的阿拉伯籍醫生巴格達的伊本·布特蘭（Ibn Butland of Baghdad）於一〇五〇年代寫下奴隸指南。他大談具種族主義性質的刻板觀念，但膚色並非蓄奴的意識形態依據。美國歷史學者漢娜·巴克爾（Hannah Barker）寫道，一如大多數中世人，他「不從二元角度」看待種族，「而是視之為人類多樣性的豐沛展現，表明上帝無窮無盡的旺盛創造力」。他口中最好的奴隸來自印度和阿富汗；來自敘利亞、馬格里布的奴隸較差；羅斯人和斯拉夫人強壯。「若有一個贊吉（東非）奴隸從天上落到地上，他所具有的特質會是節奏。」這個醫生力促人提防巴嘎威（Bagawi，今蘇丹／衣索比亞境內）一地的習俗，在那裡「他們對女性割陰，用剃刀把陰部上面的外皮全部割掉」。他的結論是：「亞美尼亞籍奴隸是最差的白人；贊吉奴隸是最差的黑人。」

36 可能有五分之一的奴隸死於苦不堪言的橫越沙漠途中，他們的白骨是沙漠裡的著名景象。從西元七〇〇年至明令廢除蓄奴，從東非賣出去的奴隸可能和賣到大西洋彼岸的奴隸一樣多。美國歷史學者拉爾夫·奧斯滕（Ralph A. Austen）估計，被賣掉的奴隸達一千一百七十五萬人，且這些估計數字是根據知識、經驗推測而來，因此或許可信。

卡富爾善於用兵且獎掖藝術，卻和詩人穆塔納比（al-Mutanabbi）失和（卡富爾未招攬他入朝為官時，受到穆塔納比譏笑）。[37]卡富爾保護基督徒和猶太人，包括他皈依伊斯蘭教的猶太籍司庫雅庫卜·伊本·基利斯（Yakub ibn Killis）。沒想到，伊本·基利斯在一次宮廷陰謀失算後，逃奔法蒂瑪王朝。哈里發穆伊茲（al-Muizz）底下人才濟濟且用人無民族、地域、宗教信仰之分，伊本·基利斯即廁身其中。穆伊茲命令武將斯拉夫人賈瓦爾（Jawar the Slav）征討所有抵抗勢力，兵威遠至大西洋岸。賈瓦爾是獲解放的奴隸，一頭金髮，先前曾在東歐當奴隸，被主人送給穆伊茲的父親。賈瓦爾派人送了一箱魚給穆伊茲，以表他的征戰成就。只要卡富爾在世，埃及就不會被攻下，只是他一死，埃及的防禦長城就垮掉。西元九六九年，賈瓦爾攻進埃及，他和穆伊茲[38]在埃及創建新城蓋希拉（al-Qahirah，「征服者」），此即開羅。

這時，只要再一步，埃及就可以一併肅清不信主的巴格達篡位者和君士坦丁堡的異教徒。賈瓦爾攻進敘利亞，但遭擊退。信奉猶太教的伊本·基利斯被穆伊茲的兒子阿濟茲（al-Aziz）重新任命為維齊爾。阿濟茲「身材高大，紅髮藍眼」，他的母親是穆伊茲最愛的奴隸歌手杜爾贊（Durzan），外號「高音歌手」（Tweeter）。阿濟茲與伊本·基利斯的伙伴關係幾乎如同家人（以雅庫卜之名稱呼伊本·基利斯）；兩人有過爭吵，伊本·基利斯遭罰錢、革職，但總是又恢復原職。伊本·基利斯富可敵國，有四千名男奴身分的衛士，後宮五千人，還蓋了稱之為艾資哈爾（al-Azhar）的清真寺兼大學（什葉派把法蒂瑪稱作札赫拉／al-Zahra——「發光者」）。

這個王朝威儀堂皇，打造出旨在讓人驚歎的王廷，並以華麗的衣著和壯觀的行進行列傳達大國氣勢。開羅最初只有一些府第和艾資哈爾清真寺暨大學，漸漸才成為都城，富斯塔特（Fustat）和亞歷山卓則靠地中海、印度洋之間貿易繁榮興旺。一連多個改宗的猶太人出任維齊爾，伊本·基利斯是其中第一人。埃及猶太人是個勢力龐大且人數眾多的群體，以「猶太人首領」（Rais al-Yahud）的家族為其領袖，並由哈里發任命，其家族既出任國王顧問，也當御醫。富斯塔特一地信奉猶太教的商人家族貿易觸角橫跨亞歐非三洲，範圍從埃及至塞維爾，從錫吉爾馬薩至撒馬爾罕至君士坦丁堡，從馬赫迪耶至基輔、印度以及中國。在富斯塔特的本艾茲拉猶太教會堂（Ben Ezra Synagogue）的貯藏室（Genizah）[39]裡找到的約四十萬份文件，透露出位在近乎全球性市場中心的猶太教籍家族的商業網絡。猶太教籍商人和科普特基督教籍商人變得非常富有。

穆伊茲和伊本·基利斯對遜尼派阿拔斯王朝的反感更甚於對基督徒，於是發兵入侵敘利亞，拿下耶路撒冷和大馬士革，兩人來到東羅馬帝國邊界。但在此，伊本·基利斯遭遇凶猛驃悍的「屠殺保加利亞人者」巴西爾（Basil the Bulgar Slayer）。什葉派對遜尼派恨之入骨，於是在西元九八七年，這名維齊爾和羅馬皇帝巴西爾二世簽下停戰協定，好騰出手消滅巴格達。這座圓城落入什葉派之手，但為時不長。

伊本·基利斯病重時，阿濟茲禁不住高喊，「噢！雅庫卜！你一旦康復，我就要拿我的兒子獻祭。」西元九九一年，伊本·基利斯去世，阿濟茲把聖戰矛頭轉向君士坦丁堡的盟邦阿勒頗（Aleppo）。西元九九五年四月，巴西爾止住攻勢。西元九九六年，四十歲的阿濟茲在前線附近突然倒下，便召來十一歲的兒子哈基姆（al-Hakim）。這個男孩憶道，「我親吻了他，他把我摟進懷裡，激動說道：『我真為你感

37　穆塔納比這個純白人逃離埃及時，曾如此譏笑這個黑人宦官：「一個有著大屌且有錢的白人的感激之情瞬間消失；／從沒有卵蛋的黑人那兒，能指望得到什麼感謝？」

38　穆伊茲也發明了自來水筆或請人製作了這類筆，他曾告訴抄寫員：「我們想造出不用蘸墨水瓶就能書寫的筆，墨水就在那筆內……而且不會留下污跡，也完全不會有墨水外漏。」

39　這間貯藏室無意間成為檔案室，因為該地猶太人認為，以希伯來語寫下的上帝話語絕不可燒掉，只能埋掉，於是，便把這間貯藏室當成垃圾掩埋場。

到難過……我的寶貝兒子。去玩吧；我沒事。』」哈基姆正爬上西克莫無花果樹時，聽到他父親的大臣（wasita）、一個名叫巴爾賈萬（Barjawan）的宦官喊道，「下來，我的男孩。」

哈基姆憶道，「我下來時，他（巴爾賈萬）把飾有珠寶的頭巾戴在我頭上，在我面前親吻土地，說『向信士的指揮官致意』。眾人在我面前趴下親吻土地。」跟著父親的送葬行列前進時，堅信社會即將徹底改頭換面的狂熱氣氛正濃，哈基姆所承繼的權力之大、地位之崇高，足以令敏感的男孩沖昏頭而不知天高地厚。

開羅的卡利古拉、掌權夫人、弄瞎保加利亞人者

哈基姆長得好看、身材魁梧、一頭金髮，藍眼睛裡綴著點點金斑，係信仰基督教的妃子所生。這個少年哈里發在開羅的妓院學習、探險時，很有品味、講究外表和穿著的巴爾賈萬——擁有一千條俗麗長褲和寬腰帶——恢復了帝國內秩序。他們出兵敘利亞，但在西元九九九年，皇帝巴西爾親自帶兵激烈反擊，兵鋒遠至巴勒貝克（Baalbek），導致開羅陷入險境。在動蕩的末世氣氛中，突厥族、柏柏族士兵在街上起衝突，先知穆罕默德麥地那之行四百週年的逼近和以巴西爾為代表的基督教勢力的重振，加劇這股動蕩氣氛。所幸巴西爾的注意力被喬治亞引了過去。哈基姆和巴西爾談定停戰，巴西爾終於有餘裕全力北伐。新的保加利亞帝國皇帝薩姆伊爾（Samuel），已趁巴西爾打阿拉伯人之際重新建立起一個從黑海綿延至亞得里亞海的王國。時值西元一〇〇〇年，巴西爾攻進保加利亞，凶殘的十四年就此展開。這段歲月以一〇一四年巴西爾打贏克雷迪翁（Kleidion）之役告終，這位皇帝在當地俘虜了一萬五千人，將其中每一百人中的九十九人弄瞎，讓唯一保住一眼者走在前頭，帶領其餘九十九人返鄉——這一景象著實令薩姆伊爾驚恐

不已，導致他死於中風。此一暴行千真萬確，沒理由懷疑。巴西爾已廢掉這個保加利亞人國家，將他的帝國重建為歐亞強權。這個身形高大、令人不寒而慄的「屠殺保加利亞人者」，在位四十九年——東西羅馬帝國在位最久的皇帝——死於六十六歲，臨死時還打算收復義大利，隨時準備出征。

巴西爾把重心放在巴爾幹半島，促使十四歲哈里發哈基姆得以全力鞏固自己的權力，全心追求救贖。他晉升巴爾賈萬為維齊爾，未想這個宦官竟把他當下屬下達命令，而且他聽聞巴爾賈萬將他取了個綽號「蜥蜴」。哈基姆要另一個宦官把巴爾賈萬刺死，聲稱他背叛，藉此平息擔憂不已的眾人。只是巴爾賈萬之死引發開羅城裡柏柏族和突厥族士兵又起小衝突，與此同時，巴格達的哈里發譏笑哈基姆是半基督徒，譏笑法蒂瑪王朝是與穆罕默德沒有親緣關係的半猶太人。

哈基姆反覆無常，創建了「知識屋」（Dar al-Ilm）——類似馬蒙的「智慧宮」——而且經常去上課，而除了教授伊斯瑪儀派神學，知識屋也教授天文學和哲學。可惜巴爾賈萬一死，哈基姆似乎就認定，包容異己觸怒了真主。西元一〇〇四年，他注意到有錢的基督徒商隊啟程前往耶路撒冷，即開始處決基督徒，把教堂改為清真寺。得知每年復活節在耶路撒冷聖墓教堂裡有瘋狂的基督教「聖火」儀式，他便禁止過聖誕節、主顯節、復活節，也禁止飲酒。然後，他下令猶太人和基督徒要在衣著上區別自身和他人的身分不同，於是猶太人要戴木質牛軛（在澡堂裡要戴牛鈴），基督徒要戴十字形飾物。他命令猶太人和基督徒改宗，不然受死；許多人假裝改宗。

接著，西元一〇〇九年，哈基姆下令將君士坦丁一世所建的耶路撒冷耶穌墓教堂的石牆「一塊接著一塊」拆除，此舉令基督教世界驚恐不已，於是關注起這座「聖城」。在羅馬，教宗塞爾吉烏斯四世（因長得好看或因貪婪而有綽號「豬嘴」），和他的主子約翰・克雷森提烏斯（John Crescentius）提議遠征解救耶路撒冷。雖然未因此有具體行動，卻是改變世界的一場運動首次靈光乍現。

西元一〇二七年，教宗若望十九世、馬蘿齊婭的後代，[40]為新的日耳曼人國王康拉德二世（Conrad II）加冕為羅馬皇帝，丹麥暨英格蘭的國王卡努特（Canute）出席了加冕儀式。維京人已不再只從事貿易和襲擊：在基輔、諾曼第和今日英格蘭、冰島和美洲，他們也移民至這些地方，並打造出帝國。

「藍牙」拿下英格蘭：「考慮不周者」、「硬漢」、「八字鬍」、「兔腳」

西元一〇一三年，卡努特的父親「八字鬍」斯偉恩（Sweyn Forkbeard）展開對繁榮的英格蘭加強襲擊，這時「偉人」阿爾弗烈德一世的家族已幾乎統一英格蘭全境。阿爾弗烈德的孫子埃塞爾斯坦（Aethelstan）已拿下約克和諾森布里亞。西元九二七年，他接受阿爾巴（Alba）、史特拉斯克萊德、戴霍伊巴思（Deheubarth）三王國之蘇格蘭人、威爾斯人君主的歸順，自封為「全不列顛之王」、巴西琉斯（basileus）以及最高統治者（imperator）——是為英格蘭人當家作主之始。[41]

埃塞爾斯坦需要錢來打發入境襲擊的丹麥人，需要錢造船好擊退他們，因此他和他的家族是歐洲境內最早對農業有效率收稅的人之一。但眼看丹麥人大舉回來，國王「考慮不周者」埃塞爾雷德（Aethelred the Unready）[42]不得不付「丹麥金」給新的襲擊者「藍牙」（Bluetooth）家族：這是更早百年時軍事強人老戈爾姆（Old Gorm）所創建的家族，老戈爾姆統治丹麥境內的耶靈（Jelling），後來他的兒子藍牙哈羅德（Harold Bluetooth）擴大疆域（而藍牙之名大概源於把牙齒染色的多神教時尚）。[43]藍牙以耶靈石碑（Jelling Stones）上的盧恩銘文宣告皈依基督教，但為控制日德蘭半島（Jutland）和挪威南部，卻也奮鬥了三十多年。西元九八六年，他兒子「八字鬍」史韋恩罷黜藍牙，奪下丹麥、挪威，開始襲擊英國。

遭八字鬍達四年之久的襲襲後，西元一〇〇二年的聖布萊斯日（St Brice's Day），埃塞爾雷德下令，且猶如一道王室特許令般，「凡是在此島上冒出來的丹麥人，就如同小麥田裡冒出的雜草，一律以最應當的撲殺方式予以消滅」。盎格魯—撒克遜人揮舞長刀砍殺一日，殺掉丹麥人，在牛津某教堂燒死許多人，後人已在此教堂處挖出三十四具遇害的焦黑骨骸，其中包括嫁給在埃塞爾雷德王廷裡任官的某個丹麥籍領主的八字鬍姊妹根希爾德（Gunhilde）。八字鬍打算報仇，卻有人和他爭搶英格蘭這塊肥肉：丹麥軍事強人索爾凱爾（Thorkel）靠己力襲擊，並在收到一大筆貢金後加入埃塞爾雷德陣營。

西元一〇一三年，八字鬍大舉入侵，打敗埃塞爾雷德，埃塞爾雷德帶著兒子愛德華逃到諾曼第。在諾曼第，他得到羅洛的後裔公爵羅貝爾（Duke Robert）庇護。然而，這番成就全繫於八字鬍一人。他突然去世，一切即土崩瓦解。他較年輕的兒子、二十歲的卡努特，「特別高且壯，最美的美男子，唯獨尖細且非常內鉤的鼻子不討人喜歡」，他控制住挪威，隨後將斯堪的那維亞人和親戚波蘭公爵波列斯瓦夫（Bolesław）——波蘭首位皮雅斯特王朝的國王、勇敢者波列斯瓦夫（Bolesław the Brave），他原為異

---

40 約翰．克雷森提烏斯是最後一個掌權的克雷森提烏斯家族成員，但馬蘿齊婭家族的另一系——圖斯庫魯姆的伯爵（counts of Tusculum）——則控制教宗之位直至西元一〇四九年。這個家族也未就此消失在歷史舞台：未來幾百年在羅馬呼風喚雨的科隆納家族（House of Colonna）便是圖斯庫魯姆伯爵之後。

41 不過，盎格魯—撒克遜人已是英格蘭人、維京人的混血。DNA顯示，維京人初來時可能只為了殺人、姦淫，但最終定居了下來，和凱爾特人、盎格魯—撒克遜人通婚。

42 當時的人們習以長相、作為，而非以出身，替人取外號，用以彰顯此人與眾不同之處。埃塞爾雷德的外號是個（很不好笑的）笑話。他的名字 Aethelred 本意為「考慮周全」，Unready 則意為「考慮不周」，因此他是外號「考慮不周者」的「考慮周全者」。

43 西元一九九七年，美國加州一著迷於維京人歷史的電腦工程師，選擇「藍牙」作為短距離通訊方式的名稱，藉此向該國王一統斯堪的那維亞諸民族的功業致意。

教徒的父親梅什科（Mieszko）已讓波蘭人改宗為基督教——所出借的波蘭人組成聯軍出擊，在肯特郡的桑維奇（Sandwich）登陸。英格蘭遭他重創。英格蘭籍軍事強人戈德溫（Godwin）加入卡努特陣營，成為他的得力打手，獲封西撒克斯伯爵。卡努特同意和埃塞爾雷德的兒子——西撒克斯的「硬漢」愛德蒙（Edmund Ironside）——瓜分英格蘭，直至愛德蒙去世為止，而丹麥人肯定出手以加快這一天到來：硬漢在廁所裡大便時——始終是易遭毒手的時刻——遭人殺害。

西元一〇一七年，卡努特加冕為英格蘭王，迎娶埃塞爾雷德的遺孀，諾曼第公爵之女艾瑪（Emma）。艾瑪的哥哥操弄敵對勢力互鬥以從中得利，保護她為埃塞爾雷德所生的兒子。卡努特殺掉落入他手中的其中一個兒子，並和艾瑪生下兒子哈爾薩克努特（Harthacnut）。卡努特身為「全英格蘭和丹麥、挪威人和部分瑞典人之王」，他自信滿滿，前去羅馬參加皇帝登基典禮和歐洲高峰會。他在羅馬誇稱「我和皇帝本人、教宗大人講了話」。[44]但一如八字鬍，卡努特於西元一〇三五年的猝死導致局勢大亂：哈爾薩克努特人在斯堪的那維亞，於是他的妾埃爾芙吉芙（Aelfgifu）為他生的兒子「兔腳」哈羅德（Harold Harefoot）便奪取英格蘭。埃塞爾雷德的兒子「埃思林」（Aethling，「繼承人」）阿爾弗烈德回來時，西撒克斯的戈德溫將他弄瞎，接著剝掉他士兵的頭皮「兔腳死於精靈射出的箭時（自然死亡的漂亮說法），哈爾薩克努特聲稱英格蘭為他所有，[45]但被迫承認他的同父異母兄弟愛德華為埃思林。簡直是致命的失策。

阿爾弗烈德家族之所以得以回來，是得到諾曼第公爵理夏爾三世（Richard III）的支持。在諾曼第，羅洛的維京人這時已是十足的基督徒，已徹底法蘭克化。而維京人依舊襲擊他人土地和四處闖蕩冒險。這時，他們來到一塊已和亞歐非分離了上萬年的大陸：美洲。

美洲人：芙雷迪絲和羽蛇

西元九六〇年左右，索爾瓦爾德·阿斯瓦爾德松（Thorvald Asvaldsson）因殺人遭逐出挪威，送去維京人在極北邊的新殖民地冰島定居。這個島只在西元八七〇年代左右有個來自法羅群島（Faroes）的維京人納多德（Naddod）來此定居，後來成為殺人者和異議人士的避難所。DNA檢測顯示，許多移居於此者來自愛爾蘭或不列顛群島，係為逃避擄人為奴的襲擊行動而過來。一萬名冰島人創建了「我們法律管轄之地」，該地受阿爾辛（althing，「大會」）控制，阿爾辛則由經選舉產生、任期三年的說法人主持。

索爾瓦爾德是納多德的後輩遠親，帶著和他一樣會殺人的家人一起過來：他兒子艾里克（Eric）此前在挪威殺了人，不久又在冰島殺了數人。十世紀後期，紅色艾里克（Eric the Red，若非因毛色，就是因

---

44 卡努特和歐洲諸領袖談妥自由貿易和自由遷徙，宣布他已確保「他們在去羅馬的路上得到較公正的法律對待和較安穩的和平，途中不會受制於那麼多的阻礙，不會受到不當的通行費騷擾」，這般說詞不禁讓人想起今日的英國脫歐談判。卡努特把寶座擺放在海灘上，上演了要海潮在統領天下的他面前止住，卻還是被潮水弄濕腳的故事，接著他說道「讓所有人看看國王的權力有多空洞」，由此可見其高貴的謙遜和對生態的敏感。後來有人改寫此故事，並以和原意完全相反的角度詮釋，即卡努特遭不聽令於他的海浪羞辱，正象徵國王的傲慢。

45 蘇格蘭擺脫了藍牙帝國掌控。西元一〇三一年，卡努特已入侵蘇格蘭，逼迫大王馬爾科姆二世（High King Malcolm II）和小王馬里的麥克·貝塔德（Mac Bethad of Moray）歸順。西元一〇三九年，蘇格蘭人國王唐納赫（Donnchad）、馬爾科姆二世之孫，冒然襲擊英格蘭，大敗而歸，引起大貴族馬里的領袖和伯爵（mormaer）麥克·貝塔德造反。麥克·貝塔德在戰場上殺了他，以國王以姿和他的王后格蘿赫（Gruoch）統治蘇格蘭十七年。格蘿赫的第一任丈夫慘遭燒死，殺夫仇人可能正是她後來的丈夫麥克·貝塔德。一〇五七年，唐納赫的兒子馬爾科姆三世在英格蘭的協助下入侵並殺害麥克·貝塔德。西元一六〇六年，莎士比亞首次公演便是以這些人物為主角的一齣戲。麥克·貝塔德成為馬克白（Macbeth）——不過莎士比亞未使用格蘿赫這個名字，從而錯失了讓此戲更加扣動人心弦的機會。

他動不動就殺人的作風，而有「紅色」這個綽號）不願回挪威，在冰島又被宣布為不法之徒，於是駕船西航，登陸他稱之為格陵蘭（Greenland，字面意思「綠地」）的地方。他如此取名，係因為「如果有個吸引人的名字，會更是容易把人吸引到此」，早早就展現了以漂亮名號打廣告的心思。他帶著十四艘船回到格陵蘭，拓建了兩處新拓居地，由一個大會管理。他的妻子修茲希爾德（Thjodhild）是基督徒，信仰之虔誠「令他非常惱火」。她興建了一座禮拜堂（其中小墓地裡的屍體可能是這家人的遺骸），但藉由不和他上床，懲罰他信奉多神。在如此偏遠的地方，這懲罰可是很重的。他後來或許改宗，因為兩人生了四個孩子。

他們的房子用摻了草根土的糞和石頭建成，牲畜就近生活以取暖，家用器物以馴鹿角、骨頭、木頭鑿刻而成。格陵蘭島上並非空無一人：因紐特族（Inuit）部落民，即維京人口中的斯克萊靈人（Skraellings），住在島上依於地面的小屋裡，用魚叉獵殺海象和海豹，甚至鯨魚，以單人獨木舟（kayak）為交通工具。艾里克和他的家人靠打獵為生，維京獵人很可能越過戴維斯海峽（Davis Strait）進入了北美洲，在今加拿大巴芬島上的金米魯特（Kimmirut）定居。後人已在該地找到磨刀石和鼠糞。鼠並非美洲的原生動物，因此可能是跟著維京人一起過去，而且維京人很快就知道更西邊有另一塊陸地。

挪威國王鼓勵艾里克的兒子，即信奉基督教的「幸運兒」雷夫（Leif the Lucky）讓格陵蘭維京人入教。這時，他加入前去美洲的考察隊。艾里克也想去，只可惜，從落馬一事可看出他年紀已太大，不適合如此遠行。這些航海者（包括雷夫的兄弟之一索爾瓦爾德）沿著加拿大海岸南行，先是停靠巴芬島，而後繼續航行至紐芬蘭島（馬克蘭／Markland），後人已在此找到可供百人左右居住的斯堪的那維亞人房舍，而且這些房舍也斷定建於此時——是為來到美洲定居的最早歐洲人。緊接著，這對兄弟繼續前行，在朗索梅多（L'Anse aux Meadows）創建第二個新拓居地，地質科學家以碳十四年代測定法確認該地木造器物的年代，證明西元一〇二一年此處有維京人。而這個地方是否就是他們所稱的文蘭（Vinland）——因他們在此發現藤蔓（vines）叢生而得此名——則不得而知。這些維京人發現三名睡在一艘船下方的陌生人，從而遇見了斯克萊靈人——屬比奧特克族（Boethuk）、米克馬克族（Mikmaq）的美洲原住民——殺了其中兩人。兩族人反擊，索爾瓦爾德因此中了一箭。

更多維京人來到朗索梅多，其中之一的波爾芬（Porfinn）愛上索爾瓦爾德的遺孀古德雷德（Gudred）。他們的小孩是在美洲出生的第一個歐裔拓殖民。雷夫的同父異母姊妹芙雷迪絲（Freydis）似乎掌權。她與另一群移民爭論後，出手攻擊他們，下令殺了這些男人，但她的打手不願殺女人，芙雷迪絲於是拿起斧頭，親手殺了五個女人——「很可怕的行徑」。她的打手受到斯克萊靈人攻擊時，她的上述行徑得到原諒：當時她用自己的劍猛拍自己的胸脯，藉此鼓舞眾人合力抗敵。朗索梅多似乎是前往另一某處的路途中間點——但那又是何處呢？

有些史學家主張，維京人還接觸了其他斯克萊靈人。在遙遠南邊的墨西哥境內，以一座百呎高的金字塔為中心，在奇琴伊薩（Chitchen Itza）建造起來的馬雅人城市，此時有居民四萬——比倫敦居民還多。在某座與戰爭有關且有兩百根圓柱的神廟裡，可見呈現金髮、淺色眼珠、白皮膚的俘虜遭殺害的繪畫。美國歷史學家瓦萊麗・韓森（Valerie Hansen）推測，「這時正好和古斯堪的那維亞人遠航同時」；「……維京人可能來過猶加敦半島」。若是如此，這場冒險則以慘敗收場，而且未留下其他痕跡。

馬雅人未與北美洲人直接貿易，卻有著貨物和觀念的間接流動：在密西西比河流域，玉米和豆類的栽種助長了長期彼此敵對的小鎮建更進一步的發展，其中最大的鎮是位在伊利諾州的卡霍基亞（Cahokia），人口似乎已從一萬人增長至西元一〇五〇年左右的四萬人，並靠玉米種植取得養分。至今仍可見到的一百座土墩，分布於最早的那座百呎高土墩和儀式用的一座大廣場周邊，這些土墩是土造金字塔的殘餘，上有儀式用的蒸汽浴室、藏骸所及神廟。卡霍基亞由一家族統治，該家族的大位可能採母系繼承。卡霍基亞的上層人士熱中一種稱之為強基（chunkey）的競技性消遣，過程中運用到石頭，而且和戰爭、神話有關聯。輸家有時被殺掉。上層人士的男女死後以裝飾了珠子的斗篷和貝殼陪葬，還有數百人殉葬。殉葬者遭砍頭，或遭肢解，或活埋。四個集體墓葬地裡可見五十個殉葬的年輕女人遺骸。[46]

維京人在美洲的殖民地未能持續。雷夫回到格陵蘭，他的兒子索爾凱爾承接他的首領之位；古德雷德前往耶路撒路朝拜，最後在冰島當修女，她在美洲生下的兒子則成為許多冰島人的先祖。他們的美洲冒險並未改變世界——拓殖者人數太少，從歐洲能得到的物品更有價值、更是豐富。但誠如新發現的一份米蘭文件所透露的，古斯堪的那維亞的水手把存在這塊大陸一事的知識代代傳了下去。[47]

丹麥籍國王哈爾薩克努特依舊統治英格蘭，並認可埃塞爾雷德之子「埃思林」愛德華為他的繼承人，愛德華因其高潔的虔誠而受到推崇，被封為「精修聖人」（Confessor）。但西元一〇四二年六月八日，哈爾薩克努特在倫敦參加婚禮，舉杯祝新娘時，「出現可怕抽搐，突然倒地」，可能是被高潔的愛德華毒死。愛德華得到西撒克斯的戈德溫——曾把王子弄瞎，曾集體剝掉多人的頭皮，曾助人當上國王，娶了卡努特之妹夫的姊妹——支持，協助他消滅了父親，殺了至少一個兄弟。而這時，他們用聯姻減輕這些罪行：愛德華娶了戈德溫的女兒伊迪絲（Edith），晉升戈德溫的兒子哈羅德為伯爵。戈德溫去世後，由一半盎格魯—撒克遜人、一半丹麥人血統的哈羅德繼位為該王國第一個完全掌有實權的統治者，是為西撒克斯伯爵。由於愛德華沒有孩子，那麼，會是由誰來承接英格蘭呢？

這個島位在歐洲邊緣，但卡努特的羅馬之行，顯示這個斯堪的那維亞人—不列顛人帝國此際正藉由地中海貿易路線和亞洲連上線。已有人在英格蘭境內找到兩枚來自再度富強的中國錢幣，流入時間為愛德華當政期間，在埃及，「發瘋的哈里發」（Mad Caliph）哈基姆更有過之，和新的中國皇帝有所聯繫。

而在開羅，這個「阿拉伯卡利古拉」（Arab Caligula）把矛頭對準自己的隨扈。有次，經過一家肉店時，他順手拿起切肉刀，殺了他的一個廷臣，腳步始終未停下。而後，他取消他的反猶太教徒、反基督徒敕令，對開羅人的生活施以嚴格刻板的規定。所有女人都得戴面罩，而且禁酒——由此可見，此時的開羅社會其規矩已何等鬆散。他把自己的多個妾砍頭，完全禁止唱歌跳舞，又禁止女人外出，甚至不准女人出外採買。無視他命令的女人遭殺害。女人抗議說必須出外採買時，哈基姆要她們請人把要買的物品全送到家——哈里發版的亞馬遜網站購物。接著又有其他奇怪的措施：他的瓦西塔（wasita，宰相）和將軍頻遭處死；貓狗遭撲殺；禁吃西洋菜、葡萄以及沒有鱗片的魚。

有些伊斯瑪儀派教徒有感於這個由伊瑪目統治的國家，其神聖性和這個年輕哈里發的狂放群眾魅力令人感動，他們深信哈基姆「在其內在體現了真主」，譽他為神。這個哈里發被此神化說法打動，眼下，他一臉吸毒後的恍惚神情漫走於開羅街頭。而國中權貴則是憂心忡忡。

哈基姆和姊姊悉特．穆爾克（Sitt al-Mulk）很親，悉特．穆爾克為稱號，意為「掌權夫人」。她天不怕地不怕，四十歲左右，和這位哈里發一樣金髮藍眼。不過，這時他漸漸懷疑姊姊陰謀不利於他，而他的某些懷疑的確屬實。悉特．穆爾克在自己的宮殿裡過著豪華生活，敢於將可能受害於弟弟的瘋狂行為者藏

46　卡霍基亞人和北部、南部有往來，北部的綠松石得自猶他，南部的玉和黑曜岩來自墨西哥。卡霍基亞人用銼刀為門牙造形，和馬雅人一樣吃巧克力，使用的是來自中美洲的可可。他們傳到南邊的技術之一是弓和箭。弓箭從北極圈民族往南傳，西元五〇〇年左右傳到美國西南部，再傳到墨西哥。在美國新墨西哥州的查科峽谷（Chaco Canyon），另有稱之為普埃布蘭人（Pueblans）的民族建造了村落，村中有房子（其中一座大宅有八百間房間）、地下貯藏室、廣場，以及用於神祕儀式的道路系統。他們也喝巧克力，以馴化的火雞為食，佩戴來自南邊的綠松石和金剛鸚鵡羽毛。

47　冰島依舊有人居住，英格蘭海員也曾到訪，反觀古斯堪的那維亞人在格陵蘭的拓居地卻苦於氣溫下降、因紐特人攻擊、挨餓而未能持續下去。出土的骨骸顯示他們營養不良，根據冰島的薩迦（saga，即傳說），「老人和孤立無援者被殺，丟下懸崖」。

在她宮裡。哈基姆指控她和將領、維齊爾「私通」，甚至處死一個可能是她情人的人。悉特．穆爾克意識到自己身陷險境，於是擬定計畫。

之後，哈基姆立他的一個堂兄弟為繼承人，而非自己年輕的兒子札希爾（al-Zahir），悉特．穆爾克為保護札希爾，便寫信告訴將領伊本．道斯（Ibn Daws），哈里發指控他和她有姦情。若不殺了哈里發，就等著被哈里發殺掉。

西元一〇二一年，三十六歲的哈基姆前往開羅城外靜思，就此失蹤。後來只找到沾了血的衣服，並未找到他的人。

然而，他的影響持續至今。[48]哈基姆在阿拉伯半島和紅海岸的口岸，定期與印度、中國貿易，他從這些海員口中得知中國情勢已有所改變。西元一〇〇八年，他派船長多米亞特（Domiyat）至中國，把禮物和信件送至新王朝宋朝皇帝真宗手中。宋朝開啟了中國歷史新頁，促使中國成為世上最有活力、最繁榮、最先進、科技最創新的帝國。好似發明了火藥、印刷術和指南針還不夠那樣，宋朝開國皇帝也可能發明了足球。

48 此一離奇消失事件徒增哈基姆在其從眾心中的神祕地位。他姊姊下令誅殺他的追隨者，其中某些人逃走：如今以色列、黎巴嫩、敘利亞境內兩百萬德魯茲教派信徒（Druze）仍尊崇他的神性。悉特．穆爾克淹滅自己留下的痕跡，處死伊本．道斯，以公主暨國王姑母的身分主掌法蒂瑪王朝，撤銷哈基姆所下達的各式禁令：從此可以再喝酒，再彈奏樂器，女人可以照自己所願穿著打扮，可以出外採買；猶太人和基督徒可重拾原有信仰，不用再穿著標舉其宗教信仰的衣服；基督徒又可過聖誕節、復活節。

第七幕

世界人口

兩億兩千六百萬人

宋朝、藤原、朱羅王朝

夢溪筆談：火藥、紙鈔、詩——宋朝的能人

宋真宗樂見與埃及和印度、馬來西亞境內其他傳統伙伴接觸，因為他的中國——人口已倍增至一億兩千萬——正漸漸成為世上文化水平最高的國家。反觀宋朝開國君主——真宗的伯父趙匡胤——卻是個粗野的騎馬弓箭手，個性極其驃悍，他曾不用馬鐙騎馬，被馬甩了下來，引起腦震蕩，卻還是起身追上，又躍上馬背。群雄混戰期間他登上最高位，於西元九六〇年稱帝，是為宋太祖。為打敗群雄，他作戰凶狠，但也始終善於創新戰術。在某次戰役，他使用爆炸性的「火箭」轟擊戰象；在另一場戰役，他的將軍當著較瘦的俘虜面前吃下肥胖的俘虜，而後釋放這些瘦俘虜，用以傳播宋人凶狠的形象。此法確實奏效。

他勤練武術，據說發明了太祖長拳，提倡名為蹴鞠的競技活動——足球——有幅畫作正是描繪他踢球的景像。但一旦掌權，這個識字不多的征服者便展現其能破又能立、具創造力的一面。他說服所有武將交出兵權，歸鄉終老，讓他們與宋家宗室聯姻以安他們的心，主張「任宰相當用讀書人」。他同時恢復科舉，創辦學院，欲避免隨意誅殺之事：「不得殺士大夫及上書言事人」。為了順利接班，他選立弟弟趙光義（太宗）接位，而非其子。宋太宗年號「太平興國」，的確實至名歸。

這時，宋太祖的姪子真宗以汴京（今開封）為都城統治中國。汴京位在汴河岸，人口百萬，係世上人口最多的城市。汴京裡密布店鋪、餐館、茶館、酒館、府第，充斥著商人、店主、看手相者、騙子、小販、通靈者、繪圖師。誠如英國歷史學者麥可·伍德（Michael Wood）所寫的，這是「世上第一個偉大

的餐館文化，食譜和用餐禮儀指南齊備」，寫給「歷史已如此悠久且吃得最好的民族」，食譜裡推薦了從鶉、鹿肉至獾、穿山甲等種種肉食。

宋太祖和其繼任者有百餘萬兵力可供差遣，積極鼓勵學習技藝，獎賞發明者，從而促成眾多呈上器物、技術之事。宋太祖的火箭，由火藥——中國人發明之物——推動，經管子射出。火藥是道士在煉製仙丹時無意中發現的副產品，歷史上則有諸多皇帝為了長生不老，被這種仙丹毒死。此時，他的工程師添加了硝石，製出威力更強大的火藥，後來宋朝工程師創造出以投石機投射的霹靂砲和某種肩射的早期火器。[1]

宋朝的常設海軍，可謂中國最早的海軍，說不定更是世上最早的海軍，會配備這些武器，並以磁化的指南針導航，宋朝的戰列艦和明輪船靠水密艙確保安全，而在西方，直到十九世紀才使用這種隔艙。宋朝的貨物經大運河網運送，宋人改善了大運河，使用了攔河閘，以便船隻可從開封一路航行至南方口岸杭州；與此同時，驛遞系統改善了通信。有錢貴族和商人住在精美府第，用紙鈔購買男學者和女詩人所寫的書。這些文人的著作使用活字印在紙上，讀者是人數眾多的識字書迷。宋朝的絲織品和瓷器在官營工廠裡製造；宋朝的鑄造廠產鐵量極大——每年十萬噸，冶爐用煤愈來愈多——英國要到十八世紀才趕得上這產量。宋朝的科學家解剖屍體以查明死因；天文學象繪製天象圖；宋朝大臣創立公共診所、福利救濟體系、窮人墓地、農民救助。宋朝讓世人見識到藉由集中管理其龐大市場和鼓勵創造發明，統治者便得以促成經濟繁榮和技術進步——這兩個措施再再提升了外貿。賺錢和自由受到鼓勵，只要不挑戰宋朝權力即可。不過，等級區別嚴格，不可逾越：男人按照各自在朝中的等級穿著裝飾華麗的袍服。而其中的風險在於創造

1 西元一〇四四年印成的技術指南《武經總要》詳細記載了製作不同炸彈所需的火藥配方。

發明打造了宋朝奇蹟，然無所遁逃的政治控制最終將扼殺創造發明。

一連數位有能的君主任用國內一部分最有文化修養的政治家治國，使得宋朝奇蹟得以有機會出現。哈基姆、卡努特在世時，中國的真正統治者是劉后。她最初是沒了父母的舞女，嫁給貧困的銀匠，後來被丈夫賣給趙恆，即日後的宋真宗。她和第二任丈夫未生子，但她收養了某妃子的兒子，且視如己出。西元一〇二二年，她五十二歲，宋真宗在這一年去世，隨後，她便行事如同皇帝，代她所收養的兒子仁宗掌政。她粗俗且凶狠，但決策果斷明智，反觀在位甚久的仁宗則很有文化素養且過度謙抑：他說，他從未用死字罵人，怎敢濫用死刑？只是，他竟做出一致命的決定。宋朝只統治今日中國四分之一的土地；北方由統治蒙古和滿洲的游牧民族王國遼國支配。為避免戰爭連年不斷，他和遼國談和，據此同意每年輸送數量龐大的貢品給遼國。而這一「歲幣」最終自內部摧毀宋朝，同時自外部促使過著游牧生活的致命敵人更為強大。

宋朝諸多具有高文化素養的政治家中，沈括是最特異不凡者之一。這位博學多才的廷臣在仁宗兒子英宗的朝廷中為官，當上司天監主管、知制誥，出使遼國，還曾統領宋軍攻打党項人。[2]在這期間，他拿磁性羅盤做實驗並摸索出真北的概念，研究行星軌道，設計了一件水鐘，研究氣候變遷和使用海洋化石研究地質史，改良乾船塢和運河攔河閘的設計，分析藥理，改良鑄鐵技術，解剖遭處決的土匪其屍體以研究喉嚨，構思針孔照相機。可惜他官場生涯不順，因為兵敗於党項人之手而遭貶。他最終退居鄉間莊園夢溪，於此寫下他的作品集《夢溪筆談》——享受與他的「九賓友」為伍之樂。[3]

當時傑出之士輩出，沈括只是其一。在大運河南端，曾被著名詩人蘇軾短暫治理過的臨安（杭州），是世上首屈一指的貨物集散地，其運河、餐館、街道上可見眾多波斯人、猶太人及印度人，從臨安發出的船隻，載著絲、絲絨、瓷器、鐵和劍，經埃及、波斯灣運至西亞、歐洲，往東運至日本，往南運至蘇門答臘和印度。

西元一〇三三年，宋朝貿易伙伴拉真陀羅・朱羅（Rajendra Chola）派出的代表團來到杭州。拉真陀羅是泰米爾帝國的轉輪王（chakravartin，意為「世界之王」），已征服北抵孟加拉的印度東部沿海地區，以及馬爾地夫、斯里蘭卡。他提倡印度教，建造了宏偉的布里哈迪什瓦拉（Brihadishvara）神廟和他的都城甘蓋孔達朱羅城（Gangaikonda Cholapuram），創建了強大的印度海軍，並以納伽帕提納姆（Nagapattinam）為基地，據說擁有五百艘巨船，其中有些船可搭載水兵千人，誇稱具備最先進的中國技術——分隔成數艙的船體、羅盤、噴火器。他也支持艾因努魯瓦爾（Ainnurruvar）行會——「來自四國千方的五百巨頭」——和其他具海盜性質的泰米爾人貿易行會。這些行會的船隊是歐洲武裝貿易公司的先驅。拉真陀羅兩次遣使赴華，反映了他對印度對華貿易必須透過蘇門答臘島上室利佛逝（Srivijaya）這個較接近杭州的航海王國一事深感不滿。

室利佛逝是受印度文化影響的國度，稱霸海上，由羅闍統治，羅闍派商人至廣闊的曼陀羅（mandala）——神聖中心——勢力範圍裡的各地，把香料、樟腦（來自婆羅洲）、丁香、檀木及巴西木賣給中國朝廷，換取絲、瓷器和中國朝廷對羅闍之國王身分的冊封。室利佛逝的人民向中國人納貢，卻是以梵語思考。這個重商聯盟與另一個印度化強權夏連特拉（Sailendra）家族關係密切，後者統治馬打蘭王國，在爪哇建造宏偉神廟，勢力範圍遠至菲律賓和泰國。後來該家族中信仰佛教、濕婆教的分支分裂互鬥，而印度

2 党項人原居藏緬邊界，此時已遷至中國西北部。

3 中國文人的九賓友是美酒、詩、琴、書、棋、禪、茶、煉丹、與至交好友交談。沈括埋首於科學性的探究，觀察到有些現象無法輕易予以界定：「人但知人境中事耳，人境之外，事有何限？欲以區區世智情識，窮測至理，不其難哉！」

勢力範圍裡的這個分裂對政治帶來了影響：馬打蘭和室利佛逝分道揚鑣。不過，兩方作為貿易帝國，可謂繁榮興旺：在室利佛逝海域找到的一艘沉船，載了據估計七萬件陶瓷器，由此可見此地區對華、對伊拉克貿易的規模之大。富饒引來敵人，室利佛逝聯盟制裁以阿拉伯、印度和中國船隊為襲擊對象的海盜，而要賣給朱羅王朝軍隊的阿拉伯馬匹價格亦隨之上漲。

西元一〇二五年，東南亞最強大的國王[4]蘇利耶跋摩（Suryavarman）請求拉真陀羅協助對付信仰佛教的室利佛逝，從而給了拉真陀羅動武藉口。蘇利耶跋摩是高棉帝國的統治者，信仰印度教裡的濕婆教。拉真陀羅率領艦隊出航，洗劫了室利佛逝的都城，擒獲他們的國王。在室利佛逝，對華貿易大多遭他的泰米爾人貿易公司接收，這些公司自豪於「三世界（阿拉伯人、印度人、中國人）的商人」之類的公司名稱。此外，宋朝影響力也往東擴及日本，而在日本，有個女作家正著手書寫史上第一部長篇小說。

西元一〇一〇年，獨攬大權的五十五歲攝政藤原道長在日本天皇皇宮中對紫式部調情，這名三十歲左右的寡婦在日記裡寫道，「人再怎麼風流或熱情，只要坦率，不讓他人難堪，就不會有人在意」。

兩位女作家——紫式部和女詩人李清照

紫式部在日記寫下上述文字的幾天後，藤原道長——紫式部始終以「大人」稱之——來會見他的女兒彰子皇后，注意到彰子正在讀紫式部的小說《源氏物語》的某章。紫式部即透過源氏的故事，鋪陳出史上第一部長篇小說。這些為人傳閱的章節，係其中一部分以散文體寫成的故事，以紫式部所開創的新手法，透過虛構的人物探索人的經驗。紫式部寫道，攝政先是「發表了尋常的看法」——意指帶調情意味的仰慕——「然後在盛著數顆梅子的一張紙上」，潦草寫下這首和歌：

枝上青梅酸，誘人折枝繁。
才女若青梅，酸色有人攀。

他當著他女兒的面，向女兒的文學導師說了這個「酸色有人攀」的雙關語，紫式部聽了後回道，「我很震驚。」但紫式部有本事以戲謔口吻回擊，在她的某首和歌中指出，「青梅無人折。怎知味若何，未見來攀者，誰人譽酸色。」一得知每個作家都認為，自己的情人會讀其作品後，這名攝政潛入她的房間，偷了新寫好的一章——而且追求她追個不停：「有天夜裡我睡覺時，傳來敲門聲。我嚇得直到天亮都不敢出聲」。這究竟是色老頭的性騷擾，還是具群眾魅力的實權統治者讓人心裡竊喜的垂青，著實難以斷定。

她從未承認自己是藤原道長的情人，但如此發展不無可能。身為女官、小說家、詩人的紫式部，[5]在

4　西元七八〇年代，夏連特拉王朝國王因陀羅（Indra）統治東南亞大陸地區的諸多地方和印度尼西亞。因陀羅將馬打蘭和室利佛逝兩王國都納入其統治，本身信仰佛教，爪哇島上宏大的婆羅浮屠神廟可能就是他命人籌建的。有個柬埔寨籍王子可能擔任因陀羅的將領，最初說不定是人質或俘虜。這個王子於西元七八一年左右稱王，統治柬埔寨德薩（Kambujadesa，柬埔寨），時值哈倫主宰西亞和查理曼正從事征服歐洲的大業。他若非是因陀羅所扶立為王，就是逃出因陀羅掌控後自立為王。西元八〇二年，自稱闍耶跋摩二世（Jayavarman II）的他，在某聖山上自封為轉輪王。他是虔誠的濕婆派教徒，擺脫信佛的夏連特拉王朝掌控，但仿效該王朝對神君（devaraja）的崇拜，打造對以濕婆自居的他的崇拜。他先後定都哈里哈拉耶（Hariharalaya）、摩亨德拉帕瓦塔（Mahendraparvata），為一統柬埔寨諸公國連連用兵，從而靠武力打造出高棉帝國，版圖接抵「中國、（越南境內）占婆和生產豆蔻、芒果之地（泰國？）」高棉人以數座設計愈來愈細膩且愈來愈宏大的城市為中樞統治帝國，會在接下來五百年稱雄該地區。這些「轉輪王」已開始在吳哥建造王宮和神廟：這時，蘇利耶跋摩一世在大吳哥（Angkor Thom）宮殿裡建造了三級式金字塔「天宮」（Phimeanakas）。

5　在當時的日本，女人的名字未得到留存。紫式部並非本名，其中的紫係根據她小說中的人物之名而來，她的本名可能是藤原香子，滕原道長日記曾提及這個女侍。

心儀於她的藤原道長統治日本三十年期間，不知不覺置身平安京（京都）宮廷中心。她也是藤原氏一員，為藤原道長的遠親，對這個親戚特別照顧她一事心存感激。而她筆下的文字，如今仍受世人捧讀。

紫式部晚婚，婚姻美滿，育有一女，不過丈夫死於瘟疫，她也未再嫁。自年幼起，她的聰慧和學問一直令她父親歎服，她父親曾感嘆道，「可惜她非男兒身！」

藤原道長聽聞她才華過人，聘她為女侍，要她與他的女兒彰子皇后談文論藝。約兩百年前的西元七九四年，桓武天皇以平安京為都城，進一步強化日本這個充滿自信之國的國力。佛教從朝鮮半島傳入，已和日本的神祇體系——後來稱作神道——融合。日本深受中國影響，但此時已發展出自信昂揚的日本國風文化。

西元七九二年藤原氏某個女兒成為第一位受封皇后的非皇族人時，藤原氏已是勢力最大的氏族。西元八五〇年，藤原良房促成外甥文德接掌皇位。那之後，藤原家身為年幼皇帝的「攝政」和成年皇帝的「關白」（輔政大臣），執掌朝政。他們享有的最高地位，係建立在雄厚財力和不斷透過聯姻打入皇族一事上。他們常從皇族中挑選年幼者為天皇。藤原道長的父親把三個女兒都嫁給天皇。藤原道長本人也把自家女兒彰子送入一条天皇的後宮。後宮通常只有一后，多個妃嬪，而一条天皇已有一后定子，且已和她生下一個兒子。但藤原道長要求也立彰子為中宮（身分等同皇后）——他也如願以償。

要了解他們的世界，最佳途徑是透過受藤原道長提攜的紫式部所完成的著作。那是由男性主宰、等級分明、以平安京裡的皇城（「大內裏」）為中心的世界，平安京採棋盤狀規畫，類似唐朝都城長安。皇城裡的生活被皇宮和朝堂院（藤原道長掌理的朝廷）一分為二。他的女兒彰子皇后，和她的女侍、較低階的嬪妃一起住在後宮，後宮中女人或許有一千人。

男人不只有一個妻子，女人則只能有一個丈夫。在《源氏物語》中，丈夫住在大宅院裡，諸多妻子則住在宅院周邊，但各妻自住一屋的情況更為常見。女人塗白臉龐，抹紅臉頰，畫眉，往頭髮撒香水，把牙齒塗黑，穿著多層式和服，和服材質為絲、花緞、錦緞，衣料的染色、款式因場合而異。女人可分得父母的財產，而且如紫式部所述，即使幽會上床，女人也享有頗高的自由：「這些女侍想必都曾為高階廷臣接近過，如果有人不小心，事情就會人盡皆知，但她們採取預防措施，似乎讓她們私通之事保密到家」。得知紫式部和另一個女孩共住一室時，藤原道長問道，「妳在那個女孩不知情的情況下款待他人時，那會是什麼景象呢？」（心裡冀望著自己受她款待。）「真是索然無味的言詞」，紫式部記載道。

贊助紫式部創作的彰子皇后於二十一歲懷孕時，藤原道長把她遷入他的府第「土御門殿」，在紫式部陪伴下，她在這座宅邸待產，靠讀佛經《法華經》澄心靜慮。混亂的分娩過程是每個女人的夢魘。在熱得讓人喘不過氣的樓上廊台上，彰子躺在高台上，廊台四周以簾子隔絕；廷臣往裡猛瞧；有人撒米以驅邪；藤原道長高聲下達命令；僧侶和法師相互較勁推擠，「高聲念咒，以把壞東西轉走」。有個宮司「被邪靈丟到地上，身體陣陣抽搐」。紫式部以詼諧口吻寫道，「可以想像天上每個佛都飛下來幫忙。」這個可憐的皇后分娩時「非常痛苦」。生小孩很危險——彰子的對手皇后剛死於分娩不久——而且小孩死亡率很高。

然後，突然間，嬰兒出生了。紫式部寫道，「我們高興得不得了」，察看得知是個男嬰，他們「欣喜若狂」。藤原道長將女兒嫁給天皇的策略收到成果。西元一〇一七年，另一個皇子出生後，他歌頌自身權力的穩固：「此世即吾世，如月滿無缺。」

藤原道長可能曾要紫式部寫日記歌頌皇子的誕生。許多女人寫日記；人人寫詩，男人用漢文寫，女人用日文寫，紫式部記載道，在這個高雅、識字的世界裡，「敏感是特殊才能」。

紫式部將她宏大的小說《源氏物語》分成數章，宮裡人就像在讀連載小說。小說的核心是源氏這個皇子（可能以藤原道長為本寫成）和他與女人的關係，而那不只是男歡女愛的關係，還是家人間的關係。他漁色於較年輕女人之間時，他的第二任妻子紫夫人——紫藤——給了他真正的友誼。她寫道，「從較年輕女人那兒回來後，源氏總以為紫夫人會顯得有些厭倦……他已和她一起生活這麼久……但這些年輕的女人未能讓他感受到任何驚喜，反倒紫夫人一再令他驚歎，她身上煥發的幸福神采，今年甚於去年。」

紫式部形容自己是個憂鬱的「老頑固」，在筆下自言「沒人喜歡她」，「他們都說她做作、笨拙、難接近、挑剔、太喜歡她的物語、高傲……但你見到她時，她出奇溫順」。難怪其他女孩嫉妒。紫式部歿年不詳，但在西元一〇一九年，贊助她創作的藤原道長退隱佛寺，把攝政職交給他兒子，安排好由他的孫子繼任天皇，確保藤原氏得以再掌權兩代。而藤原氏開始失勢時，宋朝皇帝正面臨一場浩劫，當時另一名傑出作家描述了這場浩劫，而且此人也是女人。

李清照西元一〇八四年生於山東，資質聰慧，父親是師從於詩人蘇軾的士大夫：她年輕時開始寫「婉約」之詩。十七歲嫁給人脈甚佳的金石家、文學鑑賞家、骨董鑑賞家趙明誠，與丈夫一同蒐集書和古物，合寫文章，上館子吃飯，下棋，在山東過著京城之外文人雅士的典型生活。

由於父母供得起較豐厚的嫁妝，宋朝女人地位提升，劉皇后的治國表現或許也產生了推波助瀾的作用。女人能擁有、繼產財產，而且這時因教育程度甚高，女人出版詩作，往往擔下調教兒子之責。沈括由他的母親教授兵法，這在其他任何地方，千百年來都是不可思議之事。[6]

李清照生逢宋朝繁華盛世——曾說她和丈夫日子過得幸福美滿——但她生不出孩子，轉而把心力用在創作上。她寫道，「專即精，精即無所不妙。」而她的婚姻歷程，則反映了宋朝的發展軌跡。她丈夫迷上一個妾，和這個妾生了孩子。兩人的婚姻自此變質：

寒窗敗几無書史，公路可憐合至此。
青州從事孔方君，終日紛紛喜生事。
作詩謝絕聊閉門，燕寢凝香有佳思。
靜中我乃得至交，烏有先生子虛子。

接著，外族入侵。

宋徽宗忽視邊防，疏於治軍，更是坦承他承繼了偉大昌盛的帝國，但自己卻是個擔不起皇帝之位的平庸之人。經過二十年的征伐，西元一一二五年，來自滿洲的女真半游牧民族滅掉遼國，繼之而為華北統治者，宣告建立金國，發兵入侵宋國。不久即發生不可思議之事：金人利用從俘虜身上學得的宋朝軍事科技圍攻都城開封。西元一一二七年，金人攻破開封，集攏宮中的公主、妃嬪和娼優，輪姦女人，然後逼迫徽宗、一萬四千名廷臣和女人冒雪踏上往北的死亡跋涉。皇后遭強暴，流產，然後被逼為金軍統帥唱歌助興。她寫詩道，「昔居天上兮，珠宮玉闕，今居草莽兮，青衫淚濕。屈身辱志兮，恨難雪，歸泉下兮愁絕。」但她不願聽命唱歌，反正再慘也就如此。皇后自盡；諸公主被以十盎司黃金的價格賣掉。

金人進攻時，詩人李清照和她丈夫裝了十五車的骨董和書籍南奔。而未帶走的收藏品全遭金人燒掉。他們跟著成群難民艱苦逃難時，她丈夫趙明誠告訴她，「必不得已，先去輜重，次衣被，次書冊卷軸，次古器，獨所謂宗器者，可自負抱，與身俱存亡，勿忘也。」沒想到，他最終死於痢疾，死時正在寫詩，手

6 即便如此，事事仍以男人的支配地位為核心；男人有三妻四妾。誠如李清照的經歷所表明的，要當個獨立自主的女人很辛苦——而且這樣的自主地位並沒有持續下去，因為後來的女人不如李清照幸運，足不能出戶，行動也被旨在凸顯女性嬌美的一項新習俗——纏足——痛苦約束住。

上仍握著毛筆。

宋徽宗也死了；宋朝眼看就要滅亡，但他的一個兒子逃到南方。宋高宗重新確立天命。他已失去中國大半疆土，所幸渡過長江，在新都城臨安（杭州）賡續宋朝國祚，許多開封詩人和博學之人這時也南渡落腳於此。女詩人李清照也是其中之一。她四十八歲時改嫁，可惜遇人不淑。她的新丈夫不老實，意在騙婚，兩人的婚姻只維持了百日。遭新丈夫家暴的李清照自嘆曰：「忍以桑榆之晚節，配茲駔儈之下才。」最終她打贏離婚官司（不是因為他家暴，而是因為他欺騙）。終於擺脫他之後，她以不屑口吻寫到當時無能的政治人物：

佛貍定見卯年死，
貴賤紛紛尚流徙。
滿眼驊騮雜騄耳，
時危安得真致此。
老矣誰能志千里？
但願相將過淮水。

宋朝發展出以槳驅動的新戰艦，隨之打敗金人。這種戰艦使用最新的炸彈投射機和經過特殊訓練的海軍陸戰隊。滿載奢侈品的巨大三角帆船自廣州等南方口岸航行至埃及、伊拉克，而在伊拉克，一個猝起的突厥新貴家族就要接收哈里發之位。

塞爾柱人、科穆內諾斯家族、歐特維爾家族

「狂暴之獅」阿爾斯蘭和永不顯老的佐伊

塞爾柱土耳其人的某個廷臣寫道，「上帝以獅的形狀創造了他們，有闊臉塌鼻、強壯肌肉、巨大拳頭」。一個名叫塞爾柱的突厥語族軍事領袖，年輕時為信仰猶太教的可薩汗國可汗打仗。他幾個兒子的名字——以色列、優素福、穆薩（Musa）——意味著這個家族可能已皈依猶太教，但在西元九九〇年代，塞爾柱改宗伊斯蘭教，把聖戰當成他的使命，在好戰兒子的協助下，在河中地區（Transoxiana）組建部落聯盟，「他們登上大山，策馬迎險而上，襲擊並深入未知之地」。塞爾柱和兒子只是瓜分阿拉伯人帝國的諸多突厥語族戰士氏族之一。[7]

7　在東邊，有個名為馬赫穆德（Mahmud）的軍事強人建立起一新王國，以今阿富汗境內的加茲尼為都城。他開疆拓土，版圖從波斯至巴基斯坦，並且一再襲擊北印度。加茲尼王朝打仗如突厥人，卻也熱情接納高雅的波斯文化。馬赫穆德贊助名叫費爾多西（Ferdowsi）的波斯籍詩人，此人是呼羅珊某地主的兒子，以三十年歲月書寫《列王紀》（*Shahnameh*），為講述神和英雄事蹟的史詩，以身材魁梧的王子魯斯塔姆（Rustam）為主角，稱揚波斯人，貶抑阿拉伯人，把伊斯蘭教傳入前的波斯文化和信奉伊斯蘭教的波斯文化熔於一爐。馬赫穆德承諾費爾多西，每寫出一聯對句，就賞以一枚金幣，但遲遲未兌現承諾，這位詩人的出殯隊伍離去時，賞金才送來。哈里發仍是名義上的最高統治者，而他授予加茲尼王朝一個具有世俗權力的新頭銜：蘇丹（sultan），意為「權力」。

西元一〇〇九年，塞爾柱離世後，他的孫子圖格里勒（Tugril）打敗加茲尼（Ghazni）王朝的蘇丹，而後繼續挺進以奪下眾所覬覦的大目標。西元一〇五五年，他的部隊疾驅進入巴格達，從什葉派手裡救出哈里發蓋姆。正當蘇丹圖格里勒攻打法蒂瑪王朝和東羅馬帝國，並以武力建立帝國時，一如多數突厥語族軍事領袖，他渴慕深受波斯文化影響的巴格達文化。他的姪子阿爾普·阿爾斯蘭（Alp Arslan）——「英勇之獅」——是當時最了不起的實權統治者，控制從巴基斯坦至土耳其之間的土地。他提拔波斯人阿布·阿里·哈桑（Abu Ali Hasan）為維齊爾，封他為尼札姆·穆爾克（Nizam al-Mulk，「王國的綱紀」）。這位維齊爾以清真寺、圖書館及天文台美化了塞爾柱王朝都城伊斯法罕（今伊朗境內）和木鹿（今土庫曼境內）。

塞爾柱人攻打東羅馬帝國的邊境地區時，佐伊（Zoë）承繼了伯父「屠殺保加利亞人者」巴西爾的輝煌事業。她去到義大利，嫁給某日耳曼籍皇帝，那個皇帝卻在她抵達前過世，以致她悵然而歸。此後，她和她的兩個姊妹在君士坦丁堡「大宮」的女眷區（qynaeceum）度過餘生。巴西爾不讓未婚的皇家閨秀嫁給可能威脅他大位的貴族。「生於紫產室的皇女」泰奧多拉（Theodora Porphyrogenita）以信仰虔城而著稱，「生於紫產室的皇女」佐伊（Zoë Porphyrogenita）則以一頭金髮的美麗外貌和她的情人而聞名。

君士坦丁八世去世那天，把他五十歲的女兒佐伊嫁給六十多歲的貴族羅曼努斯·阿爾吉羅斯（Romanos Argyros），羅曼努斯立即當上皇帝。歷史學家米海爾·普塞洛斯（Michael Psellos）在《編年史》（*Chronographia*）裡寫道，「她身體健全，十足健康」。佐伊的眾多心思都在化妝品上，並在住所裡設置一間製藥作坊（myrepseion）。[8]而她的努力沒白費：聖索非亞清真寺裡有她的鑲嵌畫肖像，創作於她六十多歲時，畫面呈現出一名美麗的女子。為了懷孕，她求教於醫生和江湖郎中，只是她不久便開始敵視她丈夫。太監尤安內斯（Joannes the Eunuch）把佐伊介紹給他的弟弟米海爾（Michael）。尤安內斯是帕夫拉戈尼亞（Paphlagonia）的農民之子，原任巴西爾二世的祕書，如今已是宦官主理人，米海爾則原是錢幣兌換商，患有癲癇，竟也迷住了這位皇后。

西元一〇三四年四月，佐伊五十六歲，米海爾二十五歲，兩人將羅曼努斯勒死在浴室，隔天兩人結婚。米海爾四世對佐伊激情不再，逐漸擔心起她將不利於他。米海爾無法視事時，佐伊和太監尤安內斯升他的姪子為「凱撒」，是為「捻船縫工人」米海爾（Michael the Caulker）。尤安內斯後來成為修士，並且退休，表面上只出任君士坦丁堡最大的孤兒院院長（orphanotrophos）。沒想到，這個大權在握的「太監」此時成了過街老鼠，遭他的姪子放逐。捻船縫工人還把自己的堂兄弟全閹了，並在西元一〇四二年開始對付佐伊。他指控她犯下叛逆罪，逼她出家為修女，然後將她囚禁在她離不了的島上。

不過，巴西爾家族仍備受愛戴。在戰車競賽場上，米海爾遭人用水果猛砸，接著被為了佐伊的遭遇而同仇敵愾的君士坦丁堡女人圍困在皇宮裡。六十四歲的佐伊重掌大權，捻船縫工人遭弄瞎、閹割。佐伊和她過著類似修女生活的妹妹泰奧多拉登上皇位。兩個月後，佐伊嫁給（老情人）君士坦丁・莫諾馬霍斯（Constantine Monomachos）。君士坦丁當上皇帝後，把他的情婦也帶了進來，和佐伊過起三人生活。東羅馬人唯恐他們所摯愛的這對老姊妹有危險，佐伊和泰奧多拉同時出現在戰車競賽場，他們這才安心。而就在佐伊打算收復義大利時，五個使劍的諾曼人兄弟改變了一切。

8 當時女性追求金髮和灰白臉龐：用沒藥、石灰、番紅花及山達樹脂、毒胡蘿蔔（thapsia）染髮；用白堊、鉛粉塗臉。她所用的成分自埃及、印度輸入。

鐵臂威廉、狡猾的羅貝爾、剛勇好戰的西凱爾蓋塔

西元一〇三五年，鐵臂威廉（William Iron-Arm）——歐特維爾（Hauteville）家五兄弟的老大——來到南義大利，以支持倫巴底人貴族對付佐伊的軍隊。西西里依舊是穆斯林的天下，那不勒斯和阿普利亞（Apulia）則屬於佐伊，而羅馬則由馬蘿齊婭家族出身的教宗本篤九世（Benedict IX）治理。本篤是圖斯庫魯姆的阿爾貝里克的兒子，二十歲當選教宗，據後來某教宗的說法，因「強姦、謀殺和其他惡劣得說不出口的凶暴、雞姦行徑」而臭名遠播。「他的教宗生涯如此卑鄙、如此無恥、如此可惡，教我一想到就全身發顫」。但具改革意識的教士達米安（Damian），在其書名取得非常貼切的《蛾摩拉書》（*Book of Gomorrah*）中，痛斥一批神職人員買賣聖職、貪贓枉法、蓄妾、雞姦、戀童癖及互相手淫等，而本篤的行徑正是這類人的典型。西元一〇四五年，神職人員造反，邀日耳曼皇帝海因利希三世（Heinrich III）前來將他們從馬蘿齊婭家族的淫婦統治中救出。海因利希拿下羅馬，徹底消滅馬蘿齊婭家族。但眼見如此動蕩多變的局勢，有個能力出眾的家族——自命不凡、金髮白膚又高大——按捺不住乘機壯大的念頭。

坦克雷德・德・歐特維爾（Tancred de Hauteville）為諾曼人小貴族，祖先是名叫希阿爾特（Hiallt）的維京人。坦克雷德有十二個兒子，因此這些兒子大多得出外闖蕩自謀生活。

長子威廉和次子德羅戈（Drogo）來到義大利，曾為各方勢力打仗。西元一〇三六年，西西里的某個阿拉伯籍埃米爾求助於東羅馬皇后佐伊，佐伊於是招兵買馬，組建一支軍隊，其成員包括由挪威王子哈羅德・哈爾德拉達（Harold Hardrada）和歐特維爾家兄弟統領的維京籍傭兵。佐伊的西西里遠征以大敗收場；專橫的東羅馬人不尊重歐特維爾家兄弟，後者從此痛恨君士坦丁堡。兩兄弟接著琵琶別抱，改為海因利希的軍隊效力，打敗佐伊的軍隊，奪下阿普利亞。時為皇帝的海因利希承認鐵臂威廉為阿普利亞伯爵。

西元一〇四二年，兩個弟弟韓福瑞（Humphrey）、羅貝爾（Robert）前來投奔他們。羅貝爾被稱作季斯卡（Guiscard），意為「狡猾者」，其外貌在安娜・科姆尼尼（Anna Komnene）——東羅馬皇帝的女兒，當時最優秀的（女）歷史學家——筆下得到最仔細的描述：「他身材非常高大，比最高的人還高，臉色紅潤，髮色淡黃，肩膀寬厚，眼睛幾乎迸出火花，從頭到腳徹頭徹尾地整齊又得體」。羅貝爾隻身到來，窮到請不起僕人，而他的哥哥鐵臂不久後去世，伯爵德羅戈竟以搪塞態度對待羅貝爾。羅貝爾使計奪取城堡，因此而有「季斯卡」的外號。他詐死，鑽進棺材，被他一臉肅穆的戰士抬進城堡裡——接著他一腳踢掉棺蓋，手持劍跳出棺。

西元一〇五三年，歐特維爾家族的崛起遭遇一挑戰，而且，是出人意料的挑戰。新教宗萊奧九世是日耳曼籍神職人員，受到海因利希支持。他重振教宗權威，禁止買賣聖職，下令神職人員獨身不娶——神職人員獨身不娶是天主教會所獨有的觀念。他害怕歐特維爾家「那群壞蛋」，率軍南下欲消滅他們，結果反倒被「狡猾的羅貝爾」及其兄弟韓福瑞擊敗並遭俘。由於這段經歷，羅馬教宗相信有必要和君士坦丁堡走得更近。而在君士坦丁堡，佐伊已死，她的鰥夫莫諾馬霍斯這時主政。沒想到，萊奧的代表團來到君士坦丁堡後，反倒使雙方關係更疏遠。他們就雙方在教義上的差異，咄咄質問希臘人。[9]此一舉動源於西歐日益高漲的自信（因為西歐愈來愈富裕且人口增加），以及心中對君士坦丁堡的強烈嫉妒。君士坦丁堡是神聖「獨裁者」（Autokrator）的首府，充斥著惡毒的陰謀和令人難以理解的希臘語。教宗使者強行闖入聖索非亞大教堂，開除君士坦丁堡最高級主教的教籍，從而製造出至今遲遲未癒合的分裂，至今仍未消弭的神

---

9 這些差異有一些顯得微不足道，有一些則頗重要。東方教徒拒斥西方的改革——神職人員獨身不娶，以及《信經》裡聖靈不只來自聖父，也來自聖子（filioque）這個新措辭。西方教徒則不接受東羅馬皇帝的稱號「與使徒同等者」（Equal of the Apostles）。

學分歧。

直到承認歐特維爾家兄弟擁有領土，萊奧這才獲釋。韓福瑞去世後，羅貝爾成為伯爵，而且這時又有八弟羅傑（Roger）加入他們行列。羅傑是「最美的年輕人，身材高大，體形優美，口才好，行事冷靜，討人喜歡，性情開朗，作戰勇猛」。狡猾的羅貝爾已有一子博埃蒙（Bohemund），而眼看一個王族即將在自己手上建立起來，他便把第一任妻子貶為妾，另娶倫巴底人公主為妻。這個名為西凱爾蓋塔（Sichelgaita）的公主，有著淡黃色頭髮和亞馬遜女戰士般的趾高氣昂，和他相匹配。西凱爾蓋塔以斧頭為武器，勇於上戰場廝殺。安娜．科姆尼尼寫道，「這個女人一身盔甲，令人看了害怕」。

與君士坦丁堡分裂，迫使教宗尼古拉十二世只能求助於歐特維爾家兄弟，委請他們打聖戰，好從阿拉伯人手裡奪下西西里。西元一〇六〇年，他們登上此島。

維京人的後裔正在南北各地改變歐洲。一〇六六年，諾曼人在西西里島依舊處於與敵手僵持的局面，但在北歐不然。是年，「私生子」威廉（William the Bastard），即諾曼第公爵、維京人羅洛的後代，揮兵入侵英格蘭。

威廉是公爵羅貝爾的私生子，他的母親來自一個替屍體作防腐處理的家庭。威廉七歲時承繼公爵之位，在凶狠的環境裡長大——他的一名侍衛在他的臥房裡當著他的面被人殺害——而且他從小就得打擊貴族、家人以及抗擊法蘭西王亨利一世的入侵。當時亨利僅統治巴黎周邊的法蘭西島地區（Île-de-France），覬覦諾曼第。在對待英格蘭上，威廉承繼了進取政策。英格蘭的阿爾弗烈德、卡努特兩家族都和威廉的家族通婚。西元一〇五一年，「精修聖人」愛德華——阿爾弗烈德王朝的末代君王——答應將英格蘭王位交給他的姑表姪子威廉。而當西撒克斯伯爵暨戈德溫之子哈羅德於諾曼第遇船難漂流上岸之際，威廉乘機逼他宣誓效忠，這才送他返鄉。哈羅德沒有權利繼承英格蘭王位，不過他的妹妹嫁給國王愛德華。

愛德華一死，哈羅德迅即在大海對岸的敵人募集軍隊時自立為英格蘭王。

威廉出動艦隊入侵英格蘭，但有人和他爭奪英格蘭王位，此人即哈羅德・哈爾德拉達——哈爾德拉達意為「強硬統治者」。他年幼時被國王卡努特搶走其王國，逃出國後，效力於基輔的「智者」雅羅斯拉夫（Yaroslav the Wise），而後投身於君士坦丁堡的瓦良格衛隊（Varangian Guard），與歐特維爾家兄弟一同作戰，直到在西元一〇四六年奪回挪威。如今，他帶著一萬兵力以及和王兄持不同意見的英王哈羅德之弟托斯提格（Tostig）一同入侵英格蘭。哈爾德拉達於今日英格蘭泰恩塞德（Tyneside）登陸，在英王哈羅德北征時打敗北部諸伯爵。如果這時非得在這場較量中支持某一方，多會屬意哈爾德拉達——沒想到，幸運的一擊或一箭使得一切改觀。哈羅德在斯坦福橋（Stamford Bridge）殺掉哈爾德拉達——就在威廉於黑斯廷斯（Hastings）上岸之時。哈羅德率領疲累的軍隊南下抵禦。在黑斯廷斯，一箭擊中他眼睛。兩場小戰役出人意表的收場，把英格蘭導向諾曼第，而非斯堪的納維亞。私生子威廉成為「征服者」。[10]

西元一〇七一年，威廉消滅不服統治的英格蘭人時，阿拉伯人在西西里的首府巴勒摩（Palermo）終於落入西西里伯爵羅傑・德・歐特維爾之手。羅傑未屠殺島上的阿拉伯人、猶太人，反倒欣然接納他們的文化，並以阿拉伯語為官方語言。與此同時，狡猾的羅貝爾向東羅馬帝國開戰，拿下帝國在義大利的最後

10 這發展不僅關乎英格蘭和諾曼第。這些君主都是東方複雜世界舞台的一角。哈爾德拉達娶了基輔的雅羅斯拉夫之女埃莉西芙（Elisiv）。英格蘭戰敗後，許多出亡的盎格魯—撒克遜人前去君士坦丁堡討生活，獲授予名為「新英格蘭」的殖民地，該地大概位於克里米亞半島。哈羅德和他的妻子「天鵝頸」伊迪絲（Edith Swanneck）有四個兒子，四人都為趕走威廉而帶兵入侵英格蘭，結果三人死於這次行動。他們的女兒姬塔（Gytha）嫁給基輔大公弗拉基米爾・莫諾馬赫（Vladimir Monomakh），他們的兒子，即哈羅德的孫子，尤里・多爾戈魯基（Yuri Dolgoruky）則創建莫斯科，係直至恐怖伊凡為止所有沙皇的祖先。

一個前哨基地巴里（Bari）。然後，東方的一場慘敗助長了他拿下君士坦丁堡這塊大肥肉的念頭。

棕櫚樹裡的陰莖：詩人—公主和「自負獅」

正當威廉肅清英格蘭境內抵抗勢力、羅傑圍攻巴勒摩時，皇帝羅曼努斯四世（Romanos IV）正出征欲攻打阿爾普·阿爾斯蘭，而這位塞爾柱人蘇丹則正挺進今日的小亞細亞，是為該地區轉變為土耳其心臟地帶之過程的開端。但阿爾斯蘭的首要征討對象是法蒂瑪王朝哈里發，於是他延展先前與羅曼努斯所訂條約的期限，隨後南征，進入敘利亞。這個皇帝對塞爾柱人的襲擊相當惱火，便帶著一支雜亂無章的軍隊出征，其中成員包括瓦良格人、佩切涅格人（Pechenegs）及盎格魯—撒克遜人。阿爾斯蘭揮兵往北，沒想到，他提出的寬厚停戰條件，竟遭羅曼努斯不假思索的拒絕。西元一〇七一年八月二十六日，在曼齊刻爾特（Manzikert），羅曼努斯由於不當分割軍隊以及和麾下將領之間的宿怨，以致遭大敗。[11]阿爾斯蘭要他俯身，把靴子放在這個皇帝脖子上，但接著扶他起身，問道「如果我成了俘虜，被帶到你面前，你會怎麼做？」

「或許會殺了你，」羅曼努斯答道，「或者讓你在君士坦丁堡遊街示眾。」

「我的懲罰更重許多，」阿爾斯蘭說，「我會原諒你，放你走。」

如果說這場戰役規模小且並非特別慘烈，「羅馬帝國的命運則已降到最低谷」。回到君士坦丁堡後，羅曼努斯遭人以拙劣手法弄瞎，死於感染。

阿爾斯蘭東征以消滅一名造反者，他生擒造反者，而就在判他死刑之際，沒料到對方撲向他。這個蘇丹自傲於箭術，冷靜揮手示意侍衛勿出手，他舉起弩，下一刻竟滑跤，刺客一刀刺中他。「哎，我身邊圍繞著頂尖的戰士，有他們日夜守衛……然而此刻，我痛苦的躺在這裡，」他告訴武將，「切記這個教訓：千萬別讓自負壓過明智判斷。」四十二歲的阿爾斯蘭葬在木鹿，就在他父親墓地旁，生前肯定口述了墳墓的碑文，要人寫下：「噢，那些路過此地，看到阿爾普．阿爾斯蘭與天齊高之偉大的人！他如今在黑土底下。」

他的兒子馬利克沙（Malikshah）此時才十五歲，由他老練的維齊爾尼札姆．穆爾克[12]輔佐他，竭力不讓阿爾斯蘭打下的江山分崩離析。有個堂兄弟在前羅馬帝國省分小亞細亞創建了魯姆（羅馬）蘇丹國，兩人聯手攻打君士坦丁堡，促使東羅馬人得以坐上談判桌。

在木鹿，尼札姆把馬利克沙介紹給博學的波斯人歐瑪爾．海亞姆（Omar Khayyam）認識。海亞姆擬出代數式，觀察星星，以詩描寫品酒的女孩和短暫的人生。他任職於塞爾柱人的天文台，這處天文台是塞爾柱人宮廷最耀眼的機構，當時木鹿本身成了「世界之母」，有居民五十萬，還有一座圖書館兼天文台，係中國以外世上最大的城市。

這位蘇丹很欣賞尼札姆，稱他「父親」，在他協助下穩定了他的遼闊帝國，思索了世間最高地位的弔詭之處：馬利克沙常說，「我能解決飢餓，但勿讓我受到豐盈的詛咒」。只是隨著他自信日增，他最終反感於尼札姆。尼札姆曾告誡他：「提醒蘇丹，我是他的伙伴。他忘了他父親去世時，我消滅了叛亂分子？一旦我闔上維齊爾的墨水台，這個蘇丹國將會傾覆。」不可或缺之人不久便遭冷落。尼札姆出手對付什葉

11 如今土耳其人仍每年慶祝曼齊刻爾特之役。當時的西歐人認識到東羅馬帝國國力日衰的後果不堪設想。曼齊刻爾特之役後的西元一〇七四年，教宗格列高利提議出兵支援君士坦丁堡——為二十五年後的十字軍遠征邁出第一步。

12 尼札姆為馬利克沙寫下治國指南，提出諸多甚有見地的建議，包括對家人帶來禍害的看法：「一個聽話的奴隸勝過三百個兒子，因為後者想要父親死，前者想要主子光榮」。

派的阿薩辛派（Assassins），[13]當時該教派剛在伊朗山區的阿拉穆特（Alamut）創立一小型神權統治國，已開始以恐怖主義手段對付遜尼派。尼札姆圍攻阿拉穆特，可惜未能拿下。阿薩辛派下令暗殺尼札姆，不過傳言他們是馬利克沙慫恿的。

西元一〇九二年十月，這個七十四歲的維齊爾在轎子裡遭刺殺，而一個月後，馬利克沙遭哈里發毒死，塞爾柱人分裂為數個貴族封地，東方的伊斯蘭世界因此和西方的伊斯蘭世界一樣脆弱。

西元一〇九一年，在哥多華，一名放蕩不羈的阿拉伯籍詩人暨公主去世，時值一股新的柏柏人入侵者從摩洛哥策馬進入該城之際。這個哈里發之女的故事，正說明了這個歐洲最富裕的王國——阿布杜．拉赫曼的哈里發國——如何遭入侵的非洲人攻下。

她叫瓦拉妲（Wallada），為哈里發之女。某個厲害的軍事強人已把持了哈里發朝政，並重創信仰基督教的北部，卻也掏空了這個哈里發國。西元一〇二五年，她的父親穆罕默德二世遭毒死，安達魯斯分裂成小國林立，各小國由好戰的小國君（taifa）統治。

瓦拉妲金髮藍眼，有著「飄逸頭髮和雪白肩膀」，在這時由貴族氏族統治的哥多華，過著伊斯蘭女子難得享有的生活。她的活動範圍不再被局限於奧瑪亞王朝後宮，而且富裕程度足以獨立生活，穿著盡顯她的美和身材的絲質衣服出現在公開場合，公開朗誦詩作，在作詩比賽中和男人比高下，為女詩人創辦了一所學校。她高調展現她的愛人們。宗教當局發牢騷時，她要人在她的連身裙上寫下詩作，違抗意味十足：「我讓愛人們親吻我的臉頰，讓渴望得我一吻的愛人如願以償」。西元一〇三一年左右，她愛上具貴族身分的維齊爾伊本．宰頓（Ibn Zaydun），對方自然以詩求婚：

你我之間（若你想望的話）可能存在著

不能丟失之物：一個未洩漏的祕密。

她喜愛肉體的歡愉，從中得到很大快樂——「夜色降臨時，等著我去找你；／因為我認為黑夜是最能保守祕密者」——但她苦於嫉妒心的折磨，尤以伊本・宰頓和她的某個黑奴上了床時為然：

你知道我是天上的明月，
而令我難過的是，你反倒選擇一幽暗的星球。

伊本・宰頓說，「妳逼我犯下這個罪行……妳是對的，但原諒我，罪人！」她回報以和她最有才華的女門生——女詩人穆赫賈・賓特・泰雅妮（Muhja bint al-Tayyani）——以及和一名男維齊爾共譜戀曲。伊本・宰頓惡言相向了起來，他寫信告訴瓦拉妲：「對我來說，妳什麼也不是，不過是我咬了一口、然後丟

13　西元一〇九〇年，法蒂瑪王朝哈里發政權的分裂衍生出阿薩辛派。一如什葉派本身，阿薩辛派肇始於統治家族內部的分裂。當時，哈里發無視長子尼札里（al-Nizari）自認理當接位，把王位傳給兒子穆斯塔利（al-Mustali）。西元一〇九五年，尼札里起而反叛，遭以活埋的方式殺害。尼札里的支持者以密契主義者暨學者哈桑・薩巴赫（Hassan al-Sabbah）為領袖，深信遭活埋的王子是被隱藏起來，日後將以馬赫迪的身分回來。這些支持者逃離埃及，奪下波斯北部山中的阿拉穆特堡，創立一個存世兩百年的公國。該公國的早期領導人自稱達伊（Dai）——傳教士——但後來自稱是尼札里之後，以神聖伊瑪目的身分統治子民。尼札里派（Nizaris）以狂熱行徑、暗殺（以及某些人所謂的毒品）彌補自身人數的寡少——由於使用毒品，他們有綽號「吸食毒品者」（Hashishim）之稱，從而有阿薩辛派（Assassins）之名。他們的殺手殺了成千上萬的遜尼派教徒，包括兩名阿拔斯王朝哈里發。後來，薩拉丁（Saladin）兩次遭他們攻擊，均逃過一劫；有支殺手隊喬裝為修士，暗殺了耶魯撒冷的一名十字軍國王；另一支殺手隊導致英格蘭王子負傷，王子保住性命，後來成為愛德華一世。

掉外皮、任老鼠啃食的甜食。」瓦拉妲揭露他與奴隸男孩亂搞之事，作為報復：

由於伊本．宰頓嗜愛褲中的棒子，
儘管他才華出眾，
如果他在棕櫚樹裡看到陰莖，
他會變成啄木鳥。[14]

伊本．宰頓被流放到塞維爾，懊悔於失去瓦拉妲：「我滿懷激情想起妳……我們在命運沉睡時度過的那些日子真是美好。我是說那時平靜無波，而我們竊得歡樂」。至於瓦拉妲，這位原型女性主義者，想當然耳，以自己的話語告別歷史：「我受尊敬，受最高的主尊敬，我頭抬得高高的走路，神情傲然」。

這個小穆斯林王國的奢靡逸樂生活為時不久。西元一〇九一年，瓦拉妲、奧瑪亞王朝的最後一人，死於九十一歲，而罩著藍頭罩的亞特拉斯山脈騎馬柏柏人帶著大象、駱駝進入哥多華，成為一個新歐—非帝國的主子。該帝國的疆域南抵非洲塞內加爾河，北至庇里牛斯山。

信仰伊斯蘭教、信仰基督教的國王間，兩方衝突看似聖戰，但宗教只是因素之一；貪婪、野心、家族的影響同樣重要。每場戰役的交戰雙方陣營裡，往往都有穆斯林、基督徒及猶太人，更別提柏柏人和諾曼人。撒繆爾．伊本．納格里拉（Samuel ibn Naghrillah）是猶太人，生下來就與哥多華的王宮上層人士為伍，後來逃避哥多華動亂，來到格拉納達（Granada）經營糖果店。在那裡，他受邀為當地國王寫信，後來成為國王的祕書，繼而當上維齊爾。他在他的府第阿爾罕布拉（Alhambra）裡召集群臣議事，統治格拉納達三十年，戰勝基督徒和穆斯林，為男孩女孩寫了情色詩，當然也擔任西班牙猶太人社群（Sephardim）

的領袖「納吉德」（haNagid）——意即王子。西元一〇五六年他去世後，他的年輕兒子約瑟夫接掌其位十年，直到這個信仰猶太教的維齊爾遭控計畫政變為止。由於此一指控，格拉納達人衝進阿爾罕布拉，將約瑟夫釘死在十字架——這不只是為了報復猶太人的專斷擅權，也是對叛逆罪的傳統刑罰。

這個猶太人領袖統治格拉納達王國時，有個卡斯提爾地區出身的騎士名叫羅德里戈・狄亞士（Rodrigo Díaz），正為卡斯提爾王國國王效力，該王國是西班牙北部最大的基督教王國。捲入宮廷陰謀而遭放逐後，他改投明主，為信仰伊斯蘭教的國王打仗。狄亞士每役皆勝，因此被西班牙人封了「冠軍」（El Campeador）的外號，被阿拉伯人封了「大人」（El Sayyid）的外號，後者在西班牙語裡便轉化為埃爾西德（El Cid）。西元一〇八五年，他的前主子——已將卡斯提爾、萊翁（León）兩王國合為一體的「勇者」阿方索六世（Alfonso VI el Bravo）——從穆斯林手中奪下托雷多。不過，他並未驅逐穆斯林子民，反倒自封為「兩教之王」，而他自己的愛情生活也反映了他兼容兩教的觀念：除了五個妻子，他還有信仰伊斯蘭教的妾。

伊斯蘭勢力崩潰，令愛寫詩的塞維爾國王穆塔米德（al-Mutamid）大為驚恐，於是求助於北非的新興勢力、一群原教旨主義的部落民。他這是在玩火。「我不想成為把安達魯斯送給異教徒的人，」他說，「我寧可在非洲趕駱駝，也不想在卡斯提爾當豬官。」

於是，一支非洲人軍隊準備入侵歐洲。

---

14 陰莖、棕櫚樹的比喻，典出一則阿拉伯人故事，故事中，聖母瑪利亞在搖棗椰樹時生下耶穌，因此在這些女詩人筆下催生出許多粗俗幽默的情節。在穆赫賈驚世駭俗的詩句中，她把瓦拉妲的離奇懷孕和聖母瑪利亞的懷孕相提並論：「瓦拉妲被另一個男人弄大肚子；保守祕密者透露了此事。在我們看來，她類似聖母瑪利亞，而這棵棕櫚樹則是勃起的陰莖」。

羅傑的屁、宰娜卜的法術、埃爾西德的劍

一個非常特別的四人組合——兩兄弟、一姪子和他們其中兩人的妻子——還未來到西班牙，便已徹底改變西非洲。在茅利塔尼亞的沙漠裡、瓦嘎杜王國的邊界，皈依伊斯蘭教的柏柏人阿卜杜拉・伊本・雅辛（Abdullah ibn Yasin），率領晚近皈依伊斯蘭教、自稱穆拉比特（al-Murabitin）的柏柏人部落發動聖戰。穆拉比特人穿戴遮住頭臉、只露出雙眼的藍色裹頭巾（tagelmust），這時在阿卜杜拉領導下，迅即攻下錫吉爾馬薩、奧達戈斯特（Awdaghost）這兩座重要的貿易鎮，然後揮師向北，打敗馬格里布籍國王。[15]阿卜杜拉戰死後，他的兄弟阿布・巴克爾（Abu Bakr）圍攻馬格里布人的首府阿格馬特（Aghmat），守城者是該城行政長官盧庫特（Luqut）。西元一〇五八年阿格馬特陷落後，阿布・巴克爾娶盧庫特的遺孀宰娜卜・納夫扎維耶（Zaynab an-Nafzawiyya）。宰娜卜是來自突尼西亞的柏柏籍商人的女兒，她美麗、聰慧，擁有大量黃金、豐富閱歷，而且有強大法力。她綽號「巫師」，直到阿布・巴克爾攻下該國大部土地才接受他的求婚。那時，她罩住他的眼睛，帶他到一個裝滿財寶的洞穴，這才拆掉他的眼罩，告訴他此後這全部是他的。那是傳說，事實上，她代表阿布・巴克爾和既有的上層人士談判。柏柏人，一如伊斯蘭教誕生前的阿拉伯人，有女性當家作主的傳統，包括抵抗阿拉伯人征服的那些女王。

阿布・巴克爾在南邊作戰時，任命姪子優素福・伊本・塔什芬（Yusuf ibn Tashfin）為他的共同統治者，把妻子宰娜卜賞給他，宰娜卜自此成為優素福的共同統治者。優素福漸漸攻下馬格里布地區大部，卻覺得首府阿格馬特悶得讓人喘不過氣，於是創建新都馬拉喀什（Marrakesh）——摩洛哥一名的由來。

西元一〇七六年，自稱「穆斯林統帥」（Amir al-Muslim）的阿布・巴克爾循著商隊路線往南攻入西非洲，並打倒迦納人的瓦嘎杜王國。阿布・巴克爾娶福魯族（Fulu）女孩為妻，生下一男孩——後來創建了

久洛夫（Jolof）王國——不久中箭身亡，射箭者是一名眼盲的索寧克人戰士（運氣的確很背）。優素福繼承這個從阿爾及利亞、摩洛哥綿延至馬利、塞內加爾的新帝國，此時接到了穆塔米德來自西班牙的求助。

國王阿方索警告優素福勿入侵。「等著瞧！」優素福回道。西元一〇八六年，約一萬五千人，包括六千名來自塞內加爾的突擊騎兵，乘筏渡海至直布羅陀，還帶了大象和駱駝過去。優素福的藍頭巾戰士打敗阿方索，阿方索勉力保住托雷多，請求教宗發動聖戰。優素福乘船回非洲時，埃爾西德助阿方索將信仰伊斯蘭教的諸盟邦重新納入掌控，然後攻打瓦倫西亞，且如願拿下，自立為君——終於成為獨立自主的統治者。只是優素福未就此罷手：西元一〇九〇年，他再度渡海而來，將諸多信仰伊斯蘭教的墮落小國君放逐或殺死。[16]

正當這些頭巾戰士圍攻瓦倫西亞之際，該地統治者埃爾西德去世，妻子希美娜（Jimena）撐了三年，直到阿方索救了她。她接著帶著「冠軍」的遺體進入布爾戈斯（Burgos）。優素福已靠武力在西班牙打出一全新伊斯蘭帝國。基督教世界陷入危機。

只有在西西里，伊斯蘭遭打敗，敗於歐特維爾家兄弟之手。西元一〇八一年，狡猾的羅貝爾察覺到君

15 al-Murabitin 一詞，在英語裡翻譯為 Almoravid。此名稱可能意為「里巴特的人」，里巴特（ribat）則指他們的要塞兼修道院。

16 詩人暨國王穆塔米德遭放逐至摩洛哥。哥多華落入這些入侵者之手時，他的兒媳婦宰妲公主（Princess Zaida）逃奔阿方索處，阿方索納她為妾，而後令她改宗基督教，並娶她為妻，是為王后伊莎貝拉（Isabella）。二〇一八年，有報派說英國女王伊莉莎白二世是先知穆罕默德之後，便是以宰妲為其祖先來佐證。宰妲有兩個女兒；其中之一的艾爾薇拉（Elvira）嫁給歐特維爾家族的西西里伯爵羅傑；另一女桑恰（Sancha）是經由劍橋伯爵理查、蘇格蘭女王瑪麗傳至喬治一世這個王族世系的祖先。這是從較無種族、信仰之分的時期打下的伊斯蘭、基督教間的連結。穆塔米德是阿拉伯人王朝伊拉克的拉赫姆王朝之後——拉赫姆王朝早於先知穆罕默德，但與他無親緣關係——而且穆塔米德是宰妲的岳父，非她的父親。沒有證據證明宰妲是穆罕默德之後，更遑論伊莉莎白二世了。

士坦丁堡勢弱，出兵攻打羅馬帝國（Basileia Romaion），派他二十七歲長子博埃蒙（Bohemond）率領先行部隊渡過亞得里亞海進入巴爾幹半島。博埃蒙是羅貝爾第一任妻子所生，體格比父親更魁梧，髮色更加淡黃，因而被人根據神話中巨人Buamundus Gigas之名取了Bohemond這個外號。羅貝爾和其公爵夫人西凱爾蓋塔率兵東征。在君士坦丁堡，福星高照、不知疲累為何物且又有才幹的貴族將軍阿列克西奧斯・科姆內諾斯（Alexios Komnenos）奪取皇位，眼下三面受敵——在巴爾幹半島是諾曼人，在烏克蘭是佩切涅格人和庫曼人（Cumans），在小亞細亞是塞爾柱人——但在其瓦良格衛隊（這時包含盎格魯—撒克遜籍斧頭兵）和君士坦丁堡附庸城市威尼斯的艦隊支持下，他進兵巴爾幹半島，藉此阻擋歐特維爾家族。

西凱爾蓋塔和丈夫、繼子一起策馬上前與敵廝殺。歐特維爾家的部隊即將潰散時，西凱爾蓋塔拿著矛，騎馬追了上去，她潰逃的士兵目睹這可怕的模樣，紛紛調頭，重新投入戰爭，且打贏了這一仗。但阿列克西奧斯在瘟疫助陣下擊潰歐特維爾家軍隊，羅貝爾被教宗召回。阿列克西奧斯轉頭擊退烏克蘭的佩切涅格人和庫曼人，然後將塞爾柱人趕回去——很了不起的成就，「羅馬帝國」因此得救。難怪他的女兒安娜很敬佩阿列克西奧斯，他讓她想起「一陣猛烈的旋風……他的黑色眉矛是彎的，他的眼神既駭人又親切……他寬闊的肩膀、結實的手臂、厚壯的胸膛，就是英雄的模樣」——而他將成為她的史書《阿列克西奧斯在位期間》（*The Alexiad*）的主人公。

事後，阿列克西奧斯賞給威尼斯在帝國內的特殊貿易權，而經由推選產生的威尼斯統治者則受封為「威尼斯公爵」（dux of Venice），藉以獎勵威尼斯的貢獻。威尼斯創建於西元四二一年，創建者是迫於蠻族進犯而逃離羅馬帝國的阿奎萊亞（Aquileia）、拉文納難民。威尼斯孤處於潟湖上，這時已從君士坦丁堡的殖民地發展成積極進取的航海國，由公爵（dux）統治，後來公爵成為這個最尊貴共和國（Serenissima Respublica）的總督（Doge），並擴張至達爾馬提亞境內，從事香料、奴隸貿易，然後開始以武力取得自己的殖民地。憑藉與東方的貿易而繁榮壯大的海洋國家不只威尼斯：熱那亞、比薩這兩個類似的基督教寡頭統治國，便是它的對手。

阿列克西奧斯又一次福星高照。西元一〇八五年，狡猾的羅貝爾死於瘟疫，得年六十九，由他的弟弟西西里的「大伯爵」羅傑接位。此際，熱那亞和比薩邀他出兵攻打信仰伊斯蘭教的突尼斯，展開早期的十字軍遠征。羅傑對於將西西里小麥賣給突尼西亞一事感興趣的程度，更甚於屠殺穆斯林。他的回應聽來很刺鼻：「羅傑舉起一腳，放了大大一個屁，邊說『這個意見較好』！」可惜歐特維爾家的屁不足以平息聖戰之風。新教宗即將以新的任務重新武裝基督教世界：十字軍遠征（Crusade）。

十字軍：巨人和皇帝的女兒

東羅馬皇帝阿列克西奧斯請新教宗烏爾班二世（Urban II）助他攻打塞爾柱人。所有教宗都得權衡歐特維爾家族和日耳曼人皇帝這兩股勢力的利與弊。日耳曼人皇帝反對推選烏爾班為教宗，已先行另立教宗互別苗頭。烏爾班本就熱中於重振羅馬教會、熱中於支持阿列克西奧斯，或許也很想把日耳曼貴族的侵略矛頭導向別處，他一得知突厥人又屠殺赴耶路撒冷朝聖的基督徒，即在克萊蒙（Clermont）召開會議。在西元一〇九五年十一月二十七日的會議上，他鼓勵與會的國君、神職人員和一般大眾「消滅（異教突厥人）那幫惡人」，「踏上前往聖墓之路；從那幫惡人手裡奪走該地，使那裡歸你們管……以免除你們的罪惡，並保證享有永不滅的天國榮耀」。

他的聽眾反覆高喊「Deus vult!」——「以神之名！」——這將成為歐洲各地處處可聞的軍事口號。博埃蒙·德·歐特維爾得悉此事時，正在圍攻阿馬爾菲（Amalfi），而後，這個巨人「受聖靈感召」，於是下令「將最值錢的斗篷立即割成多個十字章，圍城的騎士大多開始響應他的行動」。他的外甥，二十一歲的坦克雷德（Tancred）亦然。有人把他的聖戰熱情比擬為「先前沉睡之人喚發的活力」。

小國國君和農民無不踴躍響應這股狂熱，趕去領取十字章——以此承諾踏上旨在攻下耶路撒冷的「朝聖之旅」。crusade 一詞係後來才為人使用。參與人數驚人。第一波遠征，八萬名農民、國君及神職人員，在名為隱士彼得（Peter the Hermit）的赤腳傳道士領導下，浩浩蕩蕩穿過歐洲，奔向君士坦丁堡。他們抱著狂熱信徒那種十足模糊的認知，冀望到了君士坦丁堡後，總會有辦法去到耶路撒冷。小國國君召集騎士和軍人出發，領導者自然是諾曼人。「征服者」威廉的長子羅貝爾因身材矮小而被貶稱為「褲短者」（Curthose），已繼承諾曼第公爵之位（他的弟弟「紅色」威廉二世／William II the Rufus 則得到英格蘭），立即加入這場受到信仰、野心及冒險心一同催發，且被經濟、人口成長所釋出的能量激起的運動。沒必要選擇出於什麼動機：狂熱、掠奪、旅行及機會主義和宗教救贖、暴力冒險毫無違和。

儘管有羅傑放了那個大大的屁，現年四十歲的博埃蒙，塔蘭托（Taranto）的國君、「狡猾的羅貝爾」之子，有七名歐特維爾家族成員跟著他出征，包括他的外甥坦克雷德。坦克雷德的「力量被激起，大膽之心被啟動，眼界被打開」。一如成千上萬的其他人，「他的靈魂處在交叉路口，兩條路該走哪條？福音還是世界？」這時他能兼而有之。

這些朝聖者想必已對能否抵達耶路撒冷、殺掉「那幫可惡」的穆斯林心存懷疑，於是把矛頭指向他們周遭的異教徒：猶太人。參加十字軍遠征的小國國君之一布永的戈弗里（Godfrey of Bouillon）、下洛林的伯爵，有他的兩個兄弟同行。戈弗里宣布，他要「把那些帶有『猶太』之名的人徹底根除，以為那個受釘刑的人報仇」。西元一〇九六年五月，在特里爾（Trier）、美因茨（Mainz）、以及施派爾（Speyer），猶太人遭屠殺，是為反猶種族主義的第一次爆發。而這個針對猶太人的種族主義將成為歐洲文化裡的細菌。

「生活在亞得里亞海、直布羅陀之間的所有西方人，集體往亞洲遷徙，從歐洲一端走到另一端」，那時在君士坦丁堡等這些朝聖者到來的安娜．科姆尼尼如此回憶道。經過十年用兵平亂，阿列克西奧斯已使帝國安定下來。而安娜希望繼承他的位置。

阿列克西奧斯帶兵攻打歐特維爾家族時，已把朝政交給他的母親掌理，而且他最初打算將帝國交給他的長女安娜。安娜生於父親已是皇帝之時，而且是在父親也在場的情況下出生：「此事代表即使在子宮裡，我便注定享有父母對我的愛」。她幼時被許配給她父親早期的共治皇帝，後來差點嫁給塞爾柱蘇丹的兒子，長大後，她深信自己日後將理所當然成為統治者。後來她嫁給某貴族時，她和她母親認定他們兩夫妻將繼承皇位。沒想到，阿列克西奧斯封他的兒子尤安內斯（Joannes）為共治皇帝。安娜大失所望。

教宗的民粹主義戰爭令阿列克西奧斯驚恐不已：凡是羅馬皇帝所領導的戰爭，始終必然是神聖的戰爭，而與歐特維爾家族打交道的經驗，令他體認到佛郎機人（the Franks）——他對所有西方人的稱呼——是「控制不住激情、性格多變、行事無法預料、貪得無厭」的凶殘之人。

一身破爛、缺乏組織的佛郎機人朝聖者來到君士坦丁堡城外時，阿列克西奧斯填飽他們肚子，催促他們上路前去魯姆蘇丹國。然後，歐特維爾家的博埃蒙和小國君的軍隊抵達。阿列克西奧斯在「大宮」接見，卻未起身迎接，他自信身為羅馬皇帝，高他們一等。他連對宿敵博埃蒙都很友善，但這個巨人懷疑他的食物遭下毒。安娜稱他是個「改不了發假誓習性的人」，卻無法將目光從這個殘暴的金髮男子身上移開，說他「讓人看了為之驚豔……比例如此完美」。而且他不是光有外貌沒有腦子的金髮男子：「他足智多謀，詭計多端……消息靈通」。博埃蒙這番遠來，成功的話可以名利雙收，失敗的話處境也不會比當下糟，於是，他放手一搏，接受諸小國國君的勸說，發誓與阿列克西奧斯友好，意即要奉他為他們的共主。看在滿房間黃金的上，這番羞辱也就比較嚥得下。

與這些軍隊打交道時，這位皇帝「窮盡各種可能的辦法，動用物質和訴諸心理，催促他們趕快渡過海峽」，去到亞洲。一渡過海峽，雜亂無章的農民軍即遭遇魯姆蘇丹基利吉・阿爾斯蘭（Kilij Arslan，「劍獅」）的騎馬弓箭手，一萬七千人命喪他們刀箭下。倖存者少之又少。小國君的軍隊接著上場。劍獅在多里萊烏姆（Dorylaeum）遭遇十字軍，但他的騎馬弓箭手未能擊潰身披厚盔甲的騎士。[17] 西元一〇九七年十月，十字軍來到安條克，發現他們來得正是時候。「伊斯蘭屋」破敗不堪，由彼此長期爭鬥的突厥裔阿塔貝格（Atabeg）——貴族——統治，而法蒂瑪王朝哈里發則為了控制住自己的將領和開羅民眾而焦頭爛額；而且他們痛恨遜尼派甚於痛恨基督徒，與十字軍簽訂互不侵犯條約。

博埃蒙圍攻安條克，並有熱那亞船隻為他送來補給，送至最近的口岸聖西梅翁（St Simeon）。十字軍得以遠征，離不開先後以熱那亞[18]、比薩為首的義大利諸貿易城市的襄助——商機巨大，精明的義大利人未錯過。威尼斯以城市身分參加十字軍，特別為十字軍遠征建造了一支艦隊。

在安條克，十字軍戰士漸漸感到絕望，但博埃蒙和一名掌管安條克城某塔樓的亞美尼亞籍基督徒搭上線。該內應準備好時，博埃蒙以誰拿下安條克，安條克就歸其所有為條件，說服各國君出手。摩蘇爾的阿塔貝格率兵趕來營救此城時，博埃蒙的內應開城門；歐特維爾家族所部大舉湧入，殺掉每個穆斯林。但接著突厥人趕到。如今換成十字軍遭圍在城裡，不得不以馬肉、狗肉、鼠肉為食，餓到精神恍惚。有個朝聖者受異象啟示，得知耶穌被釘在十字架上時，刺進耶穌身側的「聖矛」埋在某教堂底下，便往教堂地板下挖，果然挖出聖矛。此事肯定提振了士氣：神職人員揮舞聖矛列隊行進時，博埃蒙率領快餓死的士兵出擊，擊潰突厥人，拿下安條克城，在此建立自己的公國。[19]

戈弗里等小國君率軍南下，終於來到耶路撒冷城外。美麗絕倫的岩石圓頂聖殿和阿克薩清真寺（al-Aqsa Mosque），矗立在原立著猶太聖殿的摩利亞山（Mount Moriah）山頂上，聖殿殘存的金黃色牆壁仍受到城裡的猶太人尊崇。不過，十字軍的目標是聖墓。耶路撒冷是三個均尊崇亞伯拉罕之宗教的聖地，是個築有防禦工事的小鎮，住了兩萬名穆斯林和猶太人，城牆由數千名埃及士兵守衛，其中包括努比亞騎兵。

人數已減至僅僅萬人的十字軍，頂著猶大荒野的酷熱圍攻此聖城時，再度為熱那亞人所救。熱那亞人乘船來到地中海畔的雅法（Jaffa），拆掉船後，把木頭帶去給圍城部隊建造射石機和攻城機。

西元一〇九九年七月十五日，雙方都以射石機和箭攻擊對方，攻城槌同時重擊城門，而三十八歲的戈弗里跟著攻城機上的第一批士兵攀上東北城牆上，其他士兵則從南側破牆而入。從城內打開城門後，剛經歷三千哩跋涉倖存下來的十字軍戰士逢人就殺，不分男女老少，不分穆斯林或猶太人。埃及將領和麾下士兵經由談判獲准逃走後，城內其他人盡遭殺害。走投無路的耶路撒冷人群集在哈拉姆・沙里夫（Haram al-Sharif，穆斯林對聖殿山的稱呼），爬上岩石圓頂聖殿的屋頂，祈求獲救。一貧如洗、雄心勃勃的坦克雷德・德・歐特維爾，至少比他的戰友有人性，他想經由談判讓他們同意藉由繳交贖金換取安全離開，

17 基利吉・阿爾斯蘭命喪戰場，但當時的戰場對手是與其爭雄的突厥人領主；西元二〇二〇年，在土耳其的錫爾萬（Silvan）發現他的墓。

18 熱那亞襲擊馬赫迪亞（Mahdia）、突尼西亞（先是一〇一六年，而後是一〇八七年，一〇八七年那次就是被羅傑一世以放屁拒絕的那次），以此為十字軍遠征揭開序幕。熱那亞是個共和國，被稱作「自豪之國」（La Superba），由執政官統治，執政官則由商賈聯盟選出。該聯盟以多利亞（Doria）、格里馬爾第（Grimaldi，今摩洛哥公國統治者）和恩布里亞科（Embriaco）三家族為首。熱那亞人買賣羊毛、來自薩丁尼亞的銀，但最重要的，買賣來自非洲和俄羅斯的黃金、奴隸（黑奴和白奴），在尼羅河和大西洋之間作貿易，建立諸多殖民地——最西為位於摩洛哥的休達（Ceuta），最東則是位於卡法（Kaffa，今克里米亞半島上的費奧多西亞／Feodosia）的奴隸市集。不過，熱那亞人把許多精力用於打擊他們所痛恨的對手，先是比薩，然後威尼斯。

19 這是十字軍所建立的第二個國家。布洛涅的鮑德溫（Baldwin of Boulogne），即仇視猶太人的布永的戈弗里的弟弟，已另行出擊，拿下埃德薩（Edessa，今土耳其東南部的烏爾法／Urfa），自立建國，是為第一個十字軍國家。

但「有些異教徒遭無情斬首，有些人中箭，從塔樓墜下，還有些人遭長時間折磨後被燒死」，有個十字軍戰士寫道。「街上和屋裡成堆的頭、手和腳」，「士兵和騎士來回跑，壓過屍體」，踩過那些頭手腳。嬰兒被人抓著甩向城牆砸破頭。猶太人被活活燒死在他們的會堂裡。坦克雷德督導士兵洗劫岩石圓頂和阿克薩清真寺的黃金、財寶。諸小國國君上馬前行，濺在馬身上的血已凝固，血污由下往上最高分布到馬勒處，國君的緊身上衣、臉、手都沾了血。他們在聖墓教堂禱告，流著淚讚美上帝。屍體丟入火堆焚化時，諸國國君和軍人趕忙去搶奪最好的房子。戈弗里被選為王，但堅稱耶穌是唯一的耶路撒冷王，於是決意自封為「聖墓擁護者」（Advocate of the Holy Sepulchre），把阿克薩清真寺改為國王居所，深信這座建築原是索羅門王的王宮。有些關係好的穆斯林、猶太人被留活口，交贖金後交給埃及人，但耶路撒冷人幾乎全遇害。

聖誕節時，耶路撒冷依舊散發著屍臭味，許多騎士返回歐洲，博埃蒙和戈弗里的弟弟鮑德溫則在這時抵達，進行他們的第一次朝聖。新任耶路撒冷最高級主教比薩的戴姆貝爾特（Daimbert of Pisa）封鮑德溫為埃德薩伯爵、博埃蒙為安條克公。[20]戈弗里死於西元一一〇〇年時，他的弟弟鮑德溫被選為耶路撒冷王，在此建立了一個法蘭西人王朝，而以安條克為根據地的博埃蒙則擴張其公國版圖，直到那年他被一突厥軍事強人擄獲，並勒索贖金，這才停止擴張。[21]他的外甥坦克雷德對於加利利公國國君的稱號很是得意，他擔任安條克公國攝政，直到博埃蒙回來為止。博埃蒙的安條克公國存世時間比耶路撒冷王國長了一倍多，後來該家族把今黎巴嫩境內的的黎波里也納入公國版圖——可說是歐特維爾家族的東方分支。

皇帝阿列克西奧斯對於「那個十足的惡棍」相當惱怒，想要買下被俘的博埃蒙，不過，博埃蒙反倒說服國王鮑德溫把他贖走。博埃蒙需要更多現金和騎士，於是乘船前往歐洲，一到歐洲，他享受起自己的新身分地位，迎娶法蘭西國王女兒康斯坦絲（Constance），康斯坦絲為他生下他急需的兒子。回到安條克後，博埃蒙帶兵攻打阿列克西奧斯，可惜落敗，西元一一〇八年不得不歸順這個皇帝。不久後去世。

西元一一一八年，阿列克西奧斯也已性命垂危，他決定把王位交給兒子尤安內斯——以膚色深而被稱作摩爾人，以身材合度而被稱作「美男子」。阿列克西奧斯的妻子仍然擁護她女兒安娜繼位。父親去世前一晚，尤安內斯搶先母親、姊姊一步，取走父皇的圖章戒指，奪下大宮。安娜想起兵，打算擊殺尤安內斯，而尤安內斯唯恐遭暗殺，並未參加父皇葬禮。這個美男子保住皇位，且不久便揭發安娜的另一個陰謀，安娜自此被監禁在女修道院裡。[22]尤安內斯和兒子瑪努埃爾（Manuel）都和自己的父親一樣幹練，竭盡所能消滅歐特維爾家族，而就在此時，歐特維爾一族正計畫拿下耶路撒冷。

西西里歐特維爾家族的治國方式打從一開始便別具一格，提拔阿拉伯人和希臘人為官。「大伯爵」羅傑，即狡猾的羅貝爾之弟和巨人博埃蒙的叔叔，死於西元一一〇一年，他的遺孀阿德萊德（Adelaide）先後代他兩個兒子西蒙（Simon）和羅傑二世統治，其中西蒙在位時間短暫。耶路撒冷的鮑德溫需要錢；阿德萊德想要耶路撒冷。鮑德溫的第一任妻子一直生不出孩子，他於是將她休了，娶三十七歲的阿德萊德，兩人私下談定，一旦生下兒子，就由這個兒子繼承耶路撒冷王國，萬一沒生出兒子，就由羅傑二世接掌。

20　由商界大王「錘頭」古利耶摩・恩布里亞科（Gugliemo 'Hammerhead' Embriaco）統領的熱那亞艦隊，不只是攻下耶路撒冷不可或缺的戰力，也是攻下凱撒里亞、阿卡（Acre，他們三分之一的收入來自此地）和今日黎巴嫩境內的黎波里、蒂爾、吉貝萊特（Gibelet，今畢布洛斯／Byblos）三地所不可或缺，吉貝萊特後來成為恩布里亞科家族的家族采邑。來得較晚的威尼斯人，與其對手比薩人起衝突，後來強攻入海法，該地以猶太教徒為主的居民慘遭屠殺。

21　十字軍武將並非全是男人：西元一一〇一年，有一支小型日耳曼人十字軍，其中部分士兵由奧地利侯爵夫人伊妲（Ida）統領。四十五歲左右時，她遭魯姆蘇丹國的塞爾柱人蘇丹「劍獅」伏擊，死在戰場。

22　她的弟弟成為最偉大的先皇時，安娜仍在世，且繼續活了數十年。她寫下史書以發洩她心中的憤懣：「我死過千次」，但「經歷種種不幸，我依然活著，去經歷更多不幸」。她的失是史學界的得。一如班昭是中國第一位女歷史學家，安娜是西方第一位女歷史學家。

在耶路撒冷，送錢來的阿德萊德賠了夫人又折兵，還被鮑德溫送回西西里，可謂顏面盡失。她兒子羅傑相當火大，聲稱耶路撒冷為他所有，還代他年輕的堂弟發言，聲稱安條克為這個堂弟所有。可惜受挫於安條克諸貴族從中作梗，他們讓安條克公國的女繼承人康斯坦絲（博埃蒙的孫女）嫁給法蘭西貴族普瓦捷的雷蒙（Raymond of Poitiers），以致羅傑未能如願。[23]

十字軍遠征激起伊斯蘭勢力同仇敵愾並協同抵抗。西元一一四四年，埃德薩落入摩蘇爾暨阿勒頗的阿塔貝格贊吉（Zengi）之手，從而引發第二次十字軍遠征。此次遠征的領導人是年輕且虔誠的法蘭西王路易七世和日耳曼王康拉德三世，路易七世的妻子阿基坦的愛蓮娜（Eleanor of Aquitaine）同行。十字軍軍師意識到，諸十字軍國家——「海外國」（Outremer）——要存活，非得拿下敘利亞或埃及不可。他們選定敘利亞。他們南下至安條克途中，作風如修士的路易被他強勢好鬥的妻子愛蓮娜戴了綠帽。這位阿基坦公國的女繼承人與她溫文有禮的叔叔雷蒙有染。與鮑德溫三世所率領的耶路撒冷人會合後，這三個國王搞砸了圍攻大馬士革這一役。而此一失利正合尤安內斯的繼承人皇帝馬努埃爾的盤算，自此馬努埃爾更有能耐逼迫歐特維爾家族奉他為共主。[24]

並非所有歐特維爾家族成員都不得不妥協。羅傑二世膚色黝黑，作風義大利，受母親的影響多於淡黃髮色的歐特維爾家族，或許在十字軍國未闖出名號，但在西西里和南義大利，他卻打造出歐洲最偉大的王國，進而引來自查理曼、奧托在位時一直習於主宰義大利的日耳曼人皇帝和恐懼諾曼人勢力的羅馬教宗大為眼紅。

羅傑二世欣然接受西西里多族群並存的本來樣貌，他創造出匯集諾曼、希臘、阿拉伯和猶太諸文化的獨特王廷。他娶卡斯提爾國王阿方索那具有一半阿拉伯人血統的女兒，藉助安條克的喬治（George of Antioch）治國。喬治是希臘籍海盜，原在突尼西亞為阿拉伯籍統治者效力，自豪於「諸埃米爾的埃米爾」

（amir amiratus）的稱號（海軍上將admiral一詞的由來）。喬治拿下的黎波里（一一四六年）和北非大片土地，接著拿下科孚島（Corfu），然後進攻君士坦丁堡，把箭射入大宮。皇帝馬努埃爾得到威尼斯盟友保衛，賜予他們君士坦丁堡裡一個專門貿易區以示感謝。但他要求威尼斯人進攻西西里時遭拒，一怒之下，他便賞給熱那亞人特殊身分。

在國內，羅傑找人建造了令人驚歎的國王禮拜堂（Palatine Chapel），此建築可見拜占庭式圓頂、鑲嵌畫和法蒂瑪王朝式的鐘乳石狀拱頂（muqarna），還有當今唯一的羅傑肖像畫，畫中他以神聖統治者的形象示人，並由阿拉伯籍的護衛隊、他最喜愛的阿拉伯籍、猶太籍學者護衛著他。西元一一三八年，地理學家穆罕默德·伊德里西（Muhammad al-Idrisi）製成世界地圖《羅傑之書》（*Tabula Rogeriana*）。這幅地圖將球體呈現在平面上，把地理資訊雕在銀盤上，納入哥倫布遠航之前所能得到的最佳地理知識。他

23　博埃蒙五十六歲去世時，安條克由他的兒子博埃蒙二世繼承，後者由他母親在歐洲撫養直至成年。西元一一二六年，他來到安條克建立自己的領地，與耶路撒冷的鮑德溫二世（鮑德溫一世的表兄弟）結盟，娶他的女兒艾莉絲（Alice），從而與諸多脆弱的十字軍國家中版圖最大的一國搭上線。然而，擔任十字軍君主是個風險事業。博埃蒙二世一如他父親的「強勢」，運氣卻不如父親好，攻打與其爭雄的佛郎機人和與其為敵的穆斯林，然後和岳父鮑德溫二世一同入侵敘利亞。四年後，他喪命於此——他的首級被送去給巴格達的哈里發——把安條克留給他尚在襁褓中的女兒康斯坦絲。普瓦捷的雷蒙是阿基坦公爵「行吟詩人」威廉九世（William IX the Troubadour）的兒子，威廉九世攻打西班牙境內穆斯林，從安達魯斯帶回騎士詩人和身為奴隸的舞者暨歌手。這些詩人和歌手協助催生出宮廷愛情（court love）之風，由歌手暨作詞者暨騎士——「行吟詩人」——以法語唱出這股風潮。威廉體現了宮廷愛情之風，全心全意愛他的美麗情婦，即有著驚人外號的利勒布夏爾的危險女人（Dangereuse de l'Isle Bouchard），後來嫁法王路易七世、英格蘭國王亨利二世的阿基坦的愛蓮娜（Eleanor of Aquitaine）便是她的孫女。

24　雷蒙戰死後，他的遺孀康斯坦絲擺脫政治婚姻的束縛，愛上一個行事不顧後果且身無分文的冒險者雷納爾·德·夏蒂永（Reynald de Châtillon）。她嫁給他，升他為虛位的安條克公國國君——而她那結巴的兒子博埃蒙三世則繼承王位。康斯坦絲必須承認馬努埃爾的皇帝之位，並把女兒瑪麗亞嫁給他，從而使歐特維爾家族和家族敵人科姆內諾斯王朝（Komnenoi）有了交會。

寫下《一個想要徹底認識世上諸國之人的消遣》（*The Avocation of a Man Desirous of Full Knowledge of the Different Countries of the World*）一書，並撰文描述中國。該書講述了阿拉伯籍水手航行至百慕達群島外的馬尾藻海（Sargossa Sea）的旅程。[25]但書中並未提到蒙古，而在一一二〇年代，羅傑打造西西里帝國時，有個蒙古人首領正用武力打造帝國。

25　羅傑二世西元一一五四年去時，他的第三任妻子有孕在身。她腹中女嬰，也叫康斯坦絲，生於羅傑死後。由於羅傑的兒子和男性親戚眾多，她在政治上看來不可能有舉足輕重的分量。

第八幕

世界人口
三億六千萬人

成吉思汗：四處征伐的家族

可汗的興亡

合不勒汗（Khabul Khan），孛兒只斤氏的首領，將長年以來生活在他們聖山不兒罕合勒敦山（Burkhan Khaldun）周邊的諸多游牧群體統合為一，如今這些游牧民則擁立他為神祕聯盟「哈馬格蒙古」（Khamag Mongol，中文名「蒙兀國」）——「全蒙古」——的可汗。[1]他的曾孫，在十足落魄的家族裡長大，終將緬懷他，為他的失勢報仇。

合不勒受益於中國境內諸王國相征伐的分裂局面——蘊含文化的宋朝位在南方，與位在北方由女真人領導的金朝相抗衡，西邊有支配著新疆的党項人西夏國，在中亞，則有西遼帝國。合不勒應召至金國中都（今北京）向女真皇帝獻貢時，表現得像是個最粗野的蠻人，他狼吞虎嚥，大口喝酒，絲毫不顧禮節，然後興奮的上前捋金太宗的鬍鬚。金朝大臣下令暗殺合不勒，沒想到他竟逃脫，後來擊敗女真人，獲金朝封為蒙兀國王。

當時有許多部落並存，彼此權力鬥爭不斷，他的蒙古部落只是這些部落之一。這些部落組成許多同盟，同盟成員分分合合不斷在變，有時諸多同盟統合成聯盟。這些分布在森林和乾草原之間的獵人、漁民和牧養氂牛、馬、綿羊、牛的牧民通常由貴族階層統治，而貴族階層由看重自身家系的把阿禿兒（baghatur，勇士）組成。衝突激烈，世仇滋生，時機到來時，即「在騰格里（主神）加持下展開報復，掏空他們的胸腔，切下一塊他們的肝，把男子殺光，強暴所有倖存的女人」——合不勒的曾孫成吉思汗是這麼說的。[1]

蒙古戰士戴附有耳套的毛皮帽，穿束腰外衣，冬天時再罩上毛皮衣禦寒，腳穿毛氈襪和靴子，頭戴蓋住下方頸部的革盔，身披塗了漆的革質胸鎧。夏天穿來自中國的絲織衣物。一名許久以後來過蒙古的西方人記載道，「男人將頭頂剃成一小塊方形空白，其餘的頭髮編成辮子，辮子垂於兩側，下及耳朵」。他們是「令人驚駭的男子，有著奇怪的臉相和習俗，身軀壯碩，大膽，強壯又帥氣，有著細小的黑眼睛、濃密黑髮、扁平額頭，鼻子很塌，兩頰因而顯得突出，臉上毫無毛髮」。

他們自稱「氈帳之民」，以蒙古包為家。蒙古包搭在龐大笨重的牛車上，和牛車擺放在一塊，就猶如一個有輪子的鎮。他們的騎馬人——「軍裝農民」——能以最高速一天奔馳六十哩，靠奶、旱獺肉乾或馬血為生，在馬上存活甚長時間，他們也把奶曬乾，摻水後製成有營養的飲料。每個人攜帶兩把複合弓、一把彎刀、一把斧頭、一支錘、一根長矛及套索。他們在狩獵中磨練作戰技能，追捕羚羊和貂，往往有隼助獵。旱獺是主食之一，用來取得鮮食，可曬乾供冬天食用，也是毛皮來源之一。不過這些動物，或更具體的說，寄生在牠們毛皮裡的跳蚤，將在世界歷史上扮演重要角色。這些美食都搭配大量馬奶酒（kumis）食用。[2]酒精是蒙古人的罩門：他們酒癮很大，成吉思汗有三個兒子死於酗酒。

他們的信仰駁雜，尊崇騰格里（「蒼天」），在聖山上和河泉裡膜拜，靠薩滿僧判定吉凶。但乾草原民族也敬奉其他神：西元一〇〇〇年左右，與蒙古人對立的部落克烈部便皈依聶斯脫利派基督教（景教）。[3]

1　合不勒並非此家族裡第一個創建王國的人：西元九〇〇年左右，他的曾祖父孛端察兒（Butunchar Munkhag）已統治蒙古人。

2　馬奶酒是以馬奶發酵製成的酒精飲料，從斯基泰人起，所有乾草原民族都喝這種飲料，並且當成神聖供品，由此可見馬的神聖地位。如今馬奶酒仍是哈薩克的國民飲料。

3　聶斯脫利（Nestorius）是拜占庭大主教，主張基督兼有人、神二性，西元四三一年遭罷黜、放逐，但他的觀念在東方流傳開來。

統治十五年後，合不勒死於西元一一四六年，由其子俺巴孩汗（Ambagai Khan）繼位。一一六一年，俺巴孩遭對立部落塔塔兒人擄獲，塔塔兒人將他交給女真人。俺巴孩死前派人傳話給他的兄弟忽圖剌（Kutula），要他「為我復仇」。忽圖剌「聲如雷鳴，手如熊掌，能如折斷箭般將人折成兩半」，「冬夜裸身睡於火旁」。可惜忽圖剌也遭擒，女真人讓這兩個可汗受盡可怕的木驢之刑。這個蒙古人汗國就此結束，存世時間不長。

鐵木真窮途潦倒

這個家族極為落魄，以致合不勒的孫子也速該已不再是可汗，而只是個把阿禿兒。他策馬奔馳在乾草原上時，遇見一輛氂牛拉的車，車裡坐著斡勒忽訥氏女孩訶額侖。訶額侖剛嫁給蔑兒乞部人，但也速該將她劫走，並納為妻，和她生了四個孩子。長子是鐵木真（「鐵匠」），生於一一六二年，就在家道中落後不久——「生時，右手握血塊如髀石」。[4]

鐵木真約九歲時，他父親為他挑了妻子孛兒帖，依照傳統把他留在岳父營地生活。也速該騎馬返家時，遇見宿敵塔塔兒人，接受他們款待，不料竟遭他們下毒。也速該要家族盟友之子蒙力克前去把鐵木真叫回來，以保衛仍急速衰落的家族，三天後也速該去世。

他們的牲畜被偷走，小孩就要餓死。他們說，「除影兒外無伴當（朋友）」。為了一條被搶的魚，鐵木真及其同父異母兄弟別克帖兒起爭執；然後，他和他的弟弟合撒兒聯手用箭殺了他。母親大怒，罵道，「你們這兩個壞事者，每如吃胞衣的狗般！」有個對手首領決定除掉鐵木真；他被擒，套上木枷，即將淪為奴隸，沒想到卻讓他逃跑，躲了起來。他和另一個雄心勃勃的男孩札木合結為安答（「義兄弟」），只是兩人都有老大性格，不願受人使喚，沒多久就有了爭吵。不久，家裡的馬被偷，鐵木真在名叫博爾朮的男孩助陣下，把馬搶了回來，博爾朮後來成為和他一起打天下的伙伴之一。之後他遇見另一戶人家，對方表示，希望他們的兒子者勒蔑跟隨鐵木真。

鐵木真有他不同於常人之處：「他眼裡有火，臉上有光」。他從未忘記任何朋友，但也從未忘記自身受到的侮慢，決心「報仇」一事常掛在嘴上。這時，他來到信仰基督教的克烈部可汗脫斡鄰勒的斡耳朵（ordu）——即宮帳，英語horde一詞的由來——脫斡鄰勒曾是他父親的安答。脫斡鄰勒收下鐵木真送上的一件黑貂皮大衣，任命鐵木真為他的孛兒只斤氏的首領。後來，蔑兒乞部擄走鐵木真妻子孛兒帖，以報復二十年前他父親搶走訶額侖。

鐵木真派博爾朮和者勒蔑前去跟蹤蔑兒乞部，他自己則退到不兒罕合勒敦山，在那裡，他憶道，「我性命賤如虱子時，我逃走了。只饒了我的命和一匹馬，我走過駝鹿的小徑，用柳條搭帳當家」。鐵木真向騰格里獻祭，「把腰帶掛在肩上，對著太陽跪了九次，將馬奶酒灑在地上祭奠，並禱告」。他告訴家人，「我受到保護」，深信自己為騰格里所饒恕並選中。不過，他的雄心壯志想必讓人覺得是痴心妄想。鐵木真似乎即將就此消失於人間。

4　講述成吉思汗和其家族生平事蹟的東方史料，主要是三位傑出史家的著作。最重要者是所謂的《蒙古祕史》，原書名不詳，成吉思汗死後不久，由他兒子窩闊台請人寫成，有些人認為，作者是成吉思汗的養子暨最高斷事官失吉忽禿忽。另兩位史家是效力於蒙古人的波斯籍財政長阿塔—馬利克·志費尼（Ata-Malek Juvani）、大維齊爾拉希德丁（Rashid al-Din）。志費尼的著作晚了《蒙古祕史》二十年，拉希德丁的著作則晚了一百年，不過使用了後來佚失的另一部官修家族史。兩人都曾擔任成吉思汗後代的朝中大臣，因而得以親身了解這個家族的諸多過去。

塔瑪拉，「救世主耶穌的提倡者」

西元一一五九年，在遙遠的西邊，皇帝馬努埃爾騎馬走過安條克街道，皇子雷納爾和耶路撒冷國王鮑德溫三世走在他後面。馬努埃爾談定幾樁婚事，以慶祝羅馬帝國的重振聲威——他自己娶安條克的瑪麗亞，他的姪女泰奧多拉嫁給博埃蒙三世，他的孫姪女嫁給耶路撒冷的阿莫里（Amaury）。一一六九年，馬努埃爾和國王阿莫里出兵埃及，可惜規畫不周，未能拿下富裕口岸達米埃塔（Damietta），招來致命後果。他們嚴重削弱了開羅政權，因而，哈里發阿迪德（al-Adid）死後，他的維齊爾、才華洋溢的庫德籍埃米爾薩拉丁（Saladin），終結法蒂瑪王朝的哈里發政權，一統埃及和敘利亞，成為單一的遜尼派蘇丹國。對國力日衰的耶路撒冷王國來說，這無疑是戰略夢魘，自此王國陷入遭包圍的處境。

基督教隱隱然即將面臨的大劫難也不只這樁。一一七二年，在西邊，有個新的柏柏人王朝已滅掉穆拉比特王朝，攻下北非，兵威直抵利比亞，接著渡海至歐洲，拿下西班牙大部。[5]

薩拉丁著實走運，因為「偉人」馬努埃爾高估了自己的能耐。一一七六年，這位五十八歲的皇帝遭魯姆蘇丹國的塞爾柱人蘇丹伏擊，此一挫敗暴露了十字軍國家的脆弱。耶路撒冷和諸多基督教國家因人力短缺而一蹶不振。來此的第一代佛郎機人，不只已和東方基督徒、亞美尼亞人通婚，也和阿拉伯人通婚；他們的混血下一代，被西方人譏笑為家禽（pulains），往往在多族群軍隊裡擔任「突厥子弟」（turcopole）騎兵。獨身不娶的特種部隊，強化了這些軍隊的戰力，而這類部隊的第一支是以岩石圓頂聖殿為基地、兼具軍事、修行性質的索羅門聖殿騎士團（Order of Solomon’s Temple，簡稱Templars）。但阿莫里去世後，十字軍國家的好運便用盡。[6]耶路撒冷的少年國王鮑德溫四世苦於痲瘋病，卻還是在一一七七年以僅僅五百名騎士和聖殿騎士團騎士打敗薩拉丁的軍隊。而他恐怖至極的死亡——藏在面具下的腐爛面容——正暗喻了這個政體本身的下場。

一一八七年，在海廷（Hattin），薩拉丁包圍、擊潰行事不顧後果、能力又不配當王的耶路撒冷國王呂西尼昂的居伊（Guy of Lusignan），斬首了前安條克公國國君雷納爾、兩百名聖殿騎士團精銳騎兵以及他最為瞧不起的所有混血「突厥子弟」騎兵。接著在十月二日，薩拉丁為伊斯蘭拿下耶路撒冷，但對城民寬宏大量，與八十八年前十字軍屠城相比，猶如天壤之別。

基督教世界為之震撼。在衣索比亞，國王蓋布雷・梅斯凱爾・拉利貝拉（Gebre Mesqel Lalibela）建造了岩窟教堂群，以打造出非洲耶路撒冷。在歐洲，三個重要國王——神聖羅馬帝國皇帝「紅鬍子」腓特烈（Frederick Barbarossa）、英格蘭和阿基坦國王獅心理查（Richard the Lionheart）、法蘭西的腓力・奧古

5　這一次，具群眾魅力的傳道士暨戰士為伊本・圖梅爾特（Ibn Tumert）。他痛斥穆拉比特王朝的墮落，提倡密契主義。這種密契主義結合了提倡回歸《可蘭經》的嚴格原教旨主義。他的部眾自稱穆瓦希德（al-Muwahhidun，「認主獨一之人」），西方稱之為阿爾莫哈德王朝（Almohads）。一一二一年，圖梅爾特自封馬赫迪。一一四七年，他的繼位者阿布杜・穆阿敏（Abd al-Muamin）自封哈里發，拿下馬拉喀什，隨之征服馬格里布，接著在一一七二年渡海至西班牙，以塞維爾為根據地，凶殘、迫害猶太人和基督徒。猶太大哲學家摩西・邁莫尼德斯（Moses Maimonides）逃離他們的壓迫，來到開羅，成為薩拉丁和他幾個兒子的醫生兼顧問。這些柏柏籍哈里發熱中建造宣禮塔：阿布杜・穆阿敏一一六三年去世後，第二任哈里發阿布・雅庫卜・優素福（Abu Yakub Yusuf）建造了吉拉爾達塔（Gilarda Tower），作為他在塞維爾清真寺的宣禮塔，還建造了後來成為阿爾卡薩爾宮（Alcazar）的宮殿。第三任哈里發曼蘇爾（al-Mansur）於一一九五年屠殺了一支卡斯提爾軍隊，在拉巴特（Rabat）建造哈桑塔（Hassan Tower）。這時，完全沒理由認為西班牙會再度完全屬於基督教世界。

6　頭五位君主是能力出眾的狠角色：鮑德溫一世、二世是才幹過人且不知疲累為何物的戰士暨國王，女王梅莉森德（Queen Melisende），係鮑德溫二世和其亞美尼亞籍王后莫菲婭（Morphia）所生，權力之大絲毫不遜於他們二人——儘管她有賴丈夫富爾克（Fulk）統領軍隊。正是她建造了我們今日在耶路撒冷所見到的聖墓教堂和市場。她的兒子鮑德溫三世將她罷黜，卻繼承了家族天賦，他的肥胖弟弟阿莫里亦然。

斯特（Philippe Auguste）——起兵。十字軍敗北引發反猶性質的攻擊：在約克，所有猶太人於國王啟程東征時遭活活燒死。紅鬍子死於途中，溺水而亡。[7]另外兩位擔綱主角的國王起口角，但在阿卡，他們與薩拉丁打成僵持的局面：阿卡未被薩拉丁攻陷，成為只剩部分領土的耶路撒冷王國的都城、該王國的主要口岸；薩拉丁統有從埃及至伊拉克之地；耶路撒冷依舊掌握在伊斯蘭教徒手中，直至一九一七年方才易主。

馬努埃爾的失勢和耶路撒冷的陷落，令一位不凡的女王受益，即喬治亞的塔瑪拉（Tamara）。南高加索是兩帝國間的天然緩衝地：但在那裡，喬治亞和亞美尼亞（後者是最早以基督教為國教的國家）這兩個古老王國，夾在阿拉伯同盟和羅馬同盟之間，立場游移，時而倒向其中一方，忽而又倒向另一方。[8]

一一七八年，十八歲的塔瑪拉獲加冕，與她焦頭爛額的父王喬治三世（Giorgi III）共同掌理國政。喬治把他的另一個女兒魯蘇丹（Rusudan）嫁給科姆內諾斯王朝的皇子。在拉丁西方，掌權的女人大多迅即遭大貴族罷黜，但受到君士坦丁堡女皇執政的傳統影響，塔瑪拉至少有個榜樣可效法。父王死後，塔瑪拉於二十四歲當上女王，以巧妙細心的手腕安撫了掌有實權、桀傲不馴且反感於女人掌權的豪強，可惜一一八五年她被迫嫁給弗拉基米爾—蘇茲達爾（Vladimir-Suzdal）大公國的大公尤里（Yuri）。尤里是俄羅斯人，留里克之後。而基輔羅斯的輝煌早已遠去。留里克王朝竭力統治最強大的數個公國時，王朝內鬥不休。尤里算走運，成為喬治亞國王，但塔瑪拉是諸王之王。她極厭惡愚蠢的尤里，尤里「喝醉時就露出他的斯基泰人習性；十足淫逸墮落，甚至欣然接受雞姦行為」。一一八七年，她指控他從事荒唐離譜的性行為，索性休了他，把他放逐到君士坦丁堡。

擺脫神職人員、貴族的男性宰制後，她——竟不尋常的出於愛意——嫁給她迷人且聰穎的堂表親大衛・索斯蘭（David Soslan）。索斯蘭是奧塞提亞（Ossetia）國君，兩人自小便相識。面對伊斯蘭勢力再起，她與薩拉丁結盟，然後派丈夫大衛去攻打土耳其東部、伊朗西部的突厥籍統治者。受到某塞爾柱人國君挑戰時，她告訴對方，「你倚恃黃金和許多戰士，我倚恃上帝之力」。她的錢幣鑄以阿拉伯語和喬治亞語，上頭只有「彌賽亞的擁護者」這幾個字。[9]

正當她的奧塞提亞國君為「太陽大衛所侍奉的女神」打了勝仗時，塔瑪拉統治了從黑海至裏海的帝國。與此同時，塔瑪拉的妹妹魯蘇丹嫁入科姆內諾斯皇族，或許是世間最不幸的婚姻。

7　紅鬍子之死催生出有個沉睡皇帝將在末日之際再度起身的傳說，他帶有神話性質的威望給了日後的德國統治者阿道夫・希特勒靈感，希特勒把入侵俄羅斯的軍事行動取名巴巴羅薩行動（Operation Barbarossa）以表敬意。理查承繼了他父親諾曼第公爵暨安茹伯爵亨利二世和母親阿基坦公爵夫人愛蓮娜的龐大遺產：英格蘭全境和法蘭西西半部。腓力迫害猶太人，先是趕走他們，後又允許他們回來，後來，大幅擴增法蘭西版圖，因而贏得奧古斯都的別號。得益於理查兒子約翰令人嘆為觀止且凶殘的無能，腓力縮小了英格蘭人在法蘭西所持有的領土。但英格蘭人仍持有加斯科涅（Gascony）達三百年。

8　西元八〇六年，「食肉動物」阿修特（Ashot the Carnivorous，嗜愛吃肉，即使大齋節時亦然）被哈倫・拉希德立為亞美尼亞公國國君，創建巴格拉季昂（Bagration）王朝，並在高加索稱雄千年，直至一八一〇年為止。八八五年，「偉人」阿修特（Ashot the Great）獲哈里發和羅馬皇帝認可為亞美尼亞第一任國王，三年後，同一家族的另一人，即阿達爾納塞四世（Adarnase IV），獲皇帝「屠殺保加利亞人者」巴西爾冊立為塔歐（Tao）國王，國土位在今喬治亞西南部。一一二一年，國王「建造者」大衛四世（David IV the Builder）趁伊斯蘭勢力應付十字軍遠征而無暇他顧之時，拿下第比利斯，一統疆域更為廣大的喬治亞，並對塞爾柱人發動聖戰。大衛作戰極其凶猛，曾在某戰役之後，拿下腰帶時，血竟從腰帶湧出。大衛融合波斯文化、突厥文化和法蘭克行吟詩人文化於一爐，娶了一名基督徒女子和一名突厥族女子，把一女兒嫁給塞爾柱人，另一女兒嫁給科姆內諾斯皇族，出門時帶著劍和藏書，閱讀《可蘭經》、波斯語詩，而且一如《聖經》中與他同名的大衛王，也寫讚美詩。

9　這個女王的財政大臣修塔・魯斯塔韋利（Shota Rustaveli）也是詩人，書寫喬治亞史詩《豹皮騎士》（*Knight in the Panther Skin*）。在這首史詩中，魯斯塔韋利以美麗的公主和其追求者這兩個角色向塔瑪拉和大衛致敬。魯斯塔韋利頌揚這位諸王之王和其夫君之間難得一見的伙伴關係：「她從東至西，每次征戰所及，處處令人不寒而慄：／背叛者，她消滅；／忠心者，她讓他們高興」。一如耶路撒冷的梅莉森德，這份伙伴關係顯示，在十字軍時代，即使嫁給戰士，女人仍能當家作主——對擔心自己一旦嫁人就只能讓出權力的英女王伊莉莎白一世來說，這是很值得借鑑的先例。

東羅馬帝國就要解體，而真正的改變會來自東方。實力日益壯大的蒙古人首領鐵木真，面臨令他難以忍受的未來。他哀嘆道，「我的妻子遭強暴」。而且她懷孕了。

鐵木真東山再起

鐵木真得知孛兒帖已被當成戰利品送給蔑兒乞部某世子，便懇請他的義父脫斡鄰勒和他的義兄弟札木合幫忙救人，而後在他們襄助下趁夜攻擊蔑兒乞部。蔑兒乞人事先得人示警小心伏擊，倉皇逃進乾草原。據成吉思汗的家族史，這次救人透露出鐵木真難得一見的一面。「眾人擄掠姦淫時，鐵木真策馬疾馳，穿過逃跑的蔑兒乞人群，嘴裡喊著：『孛兒帖！孛兒帖！』她認出他的聲音，下車跑向他，抓住他的轡繩。那時有月光；他認出孛兒帖夫人，兩人相擁」。

然而，她卻已有八個月身孕。鐵木真未拋棄她，她生下朮赤，鐵木真待之如子。但他們又生了三個兒子——察合台、窩闊台、拖雷——和五個女兒。拖雷五歲時，有個塔塔兒人想要從家族營地擄走他，未想姊姊阿勒塔倫出手相救。阿勒塔倫攔住擄匪，直到侍衛前來殺了他。侍衛得到讚賞，鐵木真則把阿勒塔倫升為把阿禿兒。

鐵木真異於常人的性格漸漸得到肯定——他「高大、活力充沛、結實，貓一般的眼睛專注有神」。他一頭黑髮，體格強健，很難得的懂得傾聽，還有超級充沛的活力和堅不可摧的自信，加上神聖使命的加持，這可是卓越的領導統御所不可或缺。他有識人之明，又能讓人忠心追隨。合不勒家族的三個族兄弟宣布，「蒼天已命令鐵木真為我們的可汗」，承諾會帶給族人「美麗的處女、宏偉的大帳、有著上好臀部的騸馬」，鐵木真則回報以表揚早期追隨他打天下者，並告訴他們，「在我除了影子之外、一個同伙也沒有的當時，你們是我的影子。我會提拔你們」。追隨者開始稱他成吉思汗（凶猛的可汗）。

華北金國皇帝要他們攻打正襲擾中國邊境的凶惡塔塔兒人時，脫斡鄰勒和成吉思汗出兵殺了塔塔兒部首領——終於為成吉思汗的父親報仇。金國皇帝封脫斡鄰勒為王汗，任命成吉思汗為邊關守將：兩人仍奉金國為主。成吉思汗承諾對脫斡鄰勒忠貞不二：「我如隼飛上山，為你抓藍腳鶴」。

成吉思汗殺死眾多塔塔兒人，納兩個女孩為妾，擄獲一個名叫失吉的男孩。這個男孩家境優於一般人，戴著金質鼻環，繫著絲質腰帶，而且識字。他把失吉交給母親訶額侖撫養，後來他成為成吉思汗的最高斷事官。隨著諸部落選札木合為古兒汗（大汗），以領導他們對抗脫斡鄰勒和成吉思汗，乾草原隨之走上可能只有兩雄爭霸的局面，兩雄即是成吉思汗和札木合這對童年朋友。一二〇一年，札木合和其部落同盟攻打有年老的脫斡鄰勒當靠山的鐵木真。十三翼之戰打得難分難解，士兵幾乎是互相撐著睡覺。成吉思汗的馬中箭，然後他遭毒箭射中頸部。者勒蔑救了他，幫他吸出毒素，接著悄悄溜到戰場另一端，從敵營偷來豆腐和水供成吉思汗食用。拂曉時成吉思汗復原——「我的眼睛再度看到亮光」，表彰者勒蔑「救我性命三次」。

打贏此役後，發箭射中他的坐騎的弓箭手被帶到他跟前，坦承箭是他射的。成吉思汗痛悔失去愛馬，但體諒他職責所在，並原諒了他，賜他名字「哲別」（「箭頭」），還說，「我要把他當我的箭來用」。哲別不久後會成為他麾下猛將之一。

這時，老可汗脫斡鄰勒和年輕的成吉思汗的關係已惡化：成吉思汗提議讓他兒子朮赤娶脫斡鄰勒女兒時，王汗拒絕，或許是因為朮赤非成吉思汗的親生子。

一二〇三年，脫斡鄰勒與札木合結盟：兩人同意「擒住鐵木真，殺了他」，便對他展開獵殺。成吉思汗於千鈞一髮之際逃脫，但注意到他兒子窩闊台不知去向。這男孩被人帶回來時，頸部可見箭傷，人掛在馬鞍袋上，成吉思汗禁不住哭了起來。成吉思汗遁入外貝加爾（西伯利亞），復原後復出。在合蘭真沙陀之戰，他打敗病弱的脫斡鄰勒，脫斡鄰勒逃走，後遭砍頭。

被征服的部落送來女孩給他和他的兒子：女孩被當成戰利品，強暴是蒙古人用以代表征服的凶狠儀式。而面對男人的殘酷，有些女人表現出堅不服從的氣概，有些女人則爬上高位，成為世上最有權勢的女人——並向世人講述自己的事蹟。

滅掉塔塔兒部之後，成吉思汗把該部首領的女兒也速干納為妾。兩人翻雲覆雨之際，她建議道，「如果這能讓可汗高興，可汗便會照顧我，把我當人看待，視為值得保有的人。可是我的姊姊，名叫也遂，她比我優秀；她真的配得上統治者。」成吉思汗擄來她姊姊，兩人都成為高階妻子。他愛上也速干，日後出征就帶著她。他打敗蔑兒乞部時，擄獲另一個女孩忽蘭，他底下某將領將她據為己有——危險的無禮之舉。成吉思汗訊問該將領時，忽蘭直言反問成吉思汗，敢不敢檢查她是否是處女、和她做愛。他還把蔑兒乞可汗的妻子脫列哥那賞給窩闊台。

脫斡鄰勒的兩個克烈部姪女被送到成吉思汗處時，成吉思汗把其中一個留給自己，另一個唆魯禾帖尼則賞給他的么子拖雷。她將是兩個君王的母親，而且將是歐亞大陸最有權勢的女人，時間長達三十年。

最後，成吉思汗捉拿原為義兄弟、後來變成死敵的札木合，札木合懇求一死，說道，「太陽跟著我的名字一起升起，如今跟著我的名字一起落下。」成吉思汗寬宏大量，讓他享有不流血處死的君主待遇：札木合被打斷背脊。

一如曾祖父合不勒，成吉思汗是「氈帳民」的統治者——他的名字響徹於蠻人所居的塞外，然在塞內，不可能有人聽過他。

君士坦丁堡這座「諸城之后」的陷落，似乎更為重要：科姆內諾斯王朝已出了三位雄才大略的皇帝，卻也帶來了史上最惡毒的花花公子，王朝自此走上腐敗之途。

誘惑者和報仇者：安德羅尼科斯的牙和威尼斯總督的眼

安德羅尼科斯（Andronikos）——皇帝阿列克西奧斯的孫子和馬努埃爾的堂兄——是個喜歡自吹自擂、能力差、配不上皇帝之位的蠢人。他登上皇位一事，看來本是個讓人大呼不可能的笑話——然而，不可避免的事態發展，致使此事變成即將成真。他野心太大，他勾引女人之舉是源於男人的好色，他的繼位則貽害甚大。他娶了喬治亞國王喬治三世的妹妹（塔瑪拉的姑姑），而後先是勾引自己的堂姊妹歐多姬亞·科姆尼尼（Eudokia Komnene），遭她憤怒的兄弟追捕後，他趕緊逃跑，落腳於安條克，隨之勾搭上東羅馬皇后瑪麗亞的妹妹歐特維爾家公主腓莉帕（Philippa）。接著，他再度逃跑，逃到耶路撒冷。安德羅尼科斯（如今五十六歲，在中世紀已是老人）竟勾引王后泰奧多拉·科姆尼尼，她是鮑德溫三世的漂亮遺孀，比安德羅尼科斯小了三十歲。這兩人私奔，投靠努爾丁（Nur al-Din），努爾丁是摩蘇爾的阿塔貝格（atabeg，「總督」），領導伊斯蘭聖戰攻打十字軍。

就在安德羅尼科斯已成為國際笑話、退居京城以外之地時，難得一見的種種事態除去他的諸多對手，使他除了當皇帝，別無他路可走：「偉人」馬努埃爾死於熱病，他的遺孀安條克的瑪麗亞、不得人心的歐特維爾家族成員，成為攝政，輔佐年幼的皇帝阿列克西奧斯二世，而且一波恐外浪潮致使義大利人因其享有的貿易特權而成為過街老鼠。一一八三年，安德羅尼科斯乘著這股恐外浪潮，向君士坦丁堡進軍，屠殺比薩人和熱那亞人。然後他把瑪麗亞溺死，把十四歲的阿列克西奧斯勒死，接著娶這個男孩的未婚妻法蘭西的阿涅絲（Agnes）。她十二歲，他六十五歲——沒想到，他竟驕傲展現他泛著光澤的頭髮和一顆未掉的牙齒。隨著陰謀四起，安德羅尼科斯殺掉與他作對者，但兩個宿敵發兵入侵——塞爾柱人從東邊來，歐特維爾家族從西邊來。在威尼斯，安德羅尼科斯的掠奪激起眾怒。經商的恩里科・丹多洛（Enrico Dandolo）、威尼斯籍最高級主教的姪子，二十年前（可能是在君士坦丁堡）頭部遭擊後就失明，這時率領艦隊前來攻打東羅馬帝國，可惜艦隊受瘟疫打擊，無功而返。不過，眾叛親離的安德羅尼科斯不得不和丹多洛談判，釋放威尼斯籍俘虜，把他們在君士坦丁堡的居住區還給他們。

一一八五年，由貴族伊薩克・安蓋洛斯（Isaac Angelos）領導的人民叛亂推翻安德羅尼科斯，把他折磨了三天。他被倒吊在戰車競賽場後，雙眼被挖出，陰莖遭割掉，牙齒遭拔掉，臉受火燒。這個抗拒權威且自戀的殘酷孔雀，用他的外表，不只迷惑了眾多女人，還迷惑了君士坦丁堡人民，而上述折磨正是為了毀了他蠱惑人的外表。

而後他挨刀子刺，割掉四肢。不久，他的一個兒子被殺；另一個兒子、喬治亞的塔瑪拉的姻親兄弟則被弄瞎，送到第比利斯。

一一九二年，威尼斯選出新總督丹多洛，丹多洛接見了法蘭西十字軍派來的代表團。這支代表團欲借錢，以為他們攻打埃及的聖戰籌措經費，[10]但借不到錢，丹多洛隨之接掌此軍事行動，投身十字軍遠征，並宣稱他雖然「老弱，但沒人像我那樣懂治理並指導你們，我會投身於此並死於任何人所從事過的最偉大事業」。他帶領著一萬兩千名威尼斯人和法蘭西人，乘船渡過亞得里亞海至威尼斯屬克羅埃西亞，攻打造反的城市札拉（Zara）。東羅馬帝國皇子阿列克西奧斯四世・安蓋洛斯（Alexios IV Angelos）來到札拉，投入他的陣營，請他協助推翻他身為君士坦丁堡皇帝的伯父。丹多洛得到大多數十字軍戰士的熱忱支持，乘船至博斯普魯斯海峽，原以為君士坦丁堡的城民會歡迎阿列克西奧斯，結果並沒有。惱火之餘，他下令強攻君士坦丁堡。從朱紅色戰艦的甲板上聽到戰鬥聲後，他立即下令所搭乘的船隻上岸，同時以昂然不屈之姿站在船首——此景象激勵了他的士兵，可能也激勵了君士坦丁堡人，因為他們轉而推翻他們的皇帝，歡迎阿列克西奧斯入主。阿列克西奧斯付了一部分該給丹多洛的黃金——對威尼斯來說不夠，但對他自己的子民來說太多：他遭暗殺。

一二〇四年四月十二日，狂怒的丹多洛強攻君士坦丁堡，把商船繫在一起，作為攻城機的操作平台，威尼斯、法蘭西士兵則爬上城牆。他們有辦法爬上城牆，完全因為士氣渙散的君士坦丁堡守衛薄弱。只是一攻入城裡，這些被軟弱、背信棄義、熱愛崇拜偶像的希臘人強烈厭惡的拉丁人洗劫此城，強姦修女，殺害小孩，褻瀆聖索非亞教堂的銀質聖像屏幃，並在教堂立一個老妓女為帝。這個威尼斯總督派人劫走羅馬帝國共治四帝（tetrarchs）斑岩雕像、立在戰車競賽場起跑線上方的青銅馬雕（如今它們仍立在威尼斯的聖馬可大教堂內，且有複製品立在教堂外）。根據已拿下的東羅馬帝國領土，丹多洛打造了名為羅馬尼亞（Romania）的新帝國。有人建請此時已九十七歲的丹多洛登上皇位，但他拒絕，反倒挑了一個法蘭西人為帝，而丹多洛也為威尼斯爭取到原東羅馬帝國八分之三的領土。接下「羅馬尼亞專制君主」（Despot of Romania）和「羅馬帝國八分之三領土的領主」這兩個響亮的稱號後，他隨即離世——唯一葬在聖索非亞教堂之人。君士坦丁堡經此重創未再復原；威尼斯奪走克里特島、賽普勒斯島以及希臘南部，作為其商業帝國一部分。然而，丹多洛的輝煌功績反而導致威尼斯和熱那亞兵戎相向，這位總督的獨子戰死於此戰爭。

10 薩拉丁和他的弟弟薩法丁（Safadin）統治埃及、敘利亞、葉門、以色列和黎巴嫩兩地的大半地區、伊拉克的一半地區，也已攻下了麥加，並在麥加扶立先知穆罕默德的後裔——哈希姆家族（Hashemites）的卡塔達（Qatada）——為埃米爾。這位埃米爾控制了來自穆斯林朝覲麥加的收入。卡塔達使用努比亞籍奴隸組成的軍隊，在薩拉丁的繼位者和巴格達哈里發之間左右逢源，控制了麥加、麥地那兩聖城，創建了哈希姆家族。這個家族統治麥加直至一九二〇年代，期間只有幾次短暫中斷，而且培育出漢志（Hejaz）、敘利亞、約旦、耶路撒冷及伊拉克諸國國王。如今仍統治約旦。一二二一年，疾病纏身的卡塔達遭兒子哈桑勒死。

喬治亞女王塔瑪拉以恐慌之情看著這一切：她被弄瞎眼睛的姻親兄弟馬努埃爾・科姆內諾斯（Manuel Komnenos）和他的兒子阿列克西奧斯一起住在第比利斯。這時，塔瑪拉派喬治亞軍隊去拿下特拉布宗（Trebizond），阿列克西奧斯在那裡稱帝，創建特拉布宗帝國（Trapezuntine Empire），是為喬治亞的附庸國。[11]至於塔瑪拉，她摯愛的國王大衛去世，她苦於某種「女人病」，可能是子宮癌，為此，她立他們的兒子「光輝者」喬治四世（Giorgi IV the Resplendent）為共同統治者。得知十字軍遠征再起後，有（假）消息傳來，某個信仰基督教的國王「祭司王約翰」（Prester John）正從東方過來，喬治因而受到鼓舞，投身十字軍以拯救耶路撒冷。不過，這個消息也不盡然虛假：東方的確出現一位新王，而且他正趕了過來。

成吉思汗——我的黃金人生——和黑死病

西元一二〇六年，鐵木真召開忽里勒台大會——以人到場，而非以投票方式，確立乾草原領袖的大會——以慶祝他當上可汗。鐵木真有御用薩滿僧名叫闊闊出，自鐵木真年輕時就一直跟著他。大會上，闊闊出向蒼天徵詢意見後，傳達上天要封鐵木真為成吉思汗的旨意，鐵木真正式成為「所有氈帳落部」（克烈部、乃蠻部、蔑兒乞部、塔塔兒部）的可汗，統領由諸多受其信賴的統兵官組成的新貴族階層，這些統兵官則在他的九犛牛尾白旗下同心作戰。成吉思汗在大會上稱讚他的武將，講述自己過去的事蹟，封哲別、忽必來和者勒蔑、速不台兩兄弟為「四犬」。

會上有人誦讀他的法典《大札撒》（Yasa），訴訟將由他的養子失吉裁斷，由他兒子察合台執行裁斷結果。成吉思汗不識字，但雇了一名畏兀兒族書吏當他的掌璽官，以畏兀兒文處理文書。軍隊和各省間的信息傳遞，將由騎馬驛遞機構（Yam）負責。這是一個得到神加持之王朝的大事業，這個王朝這時稱作「黃金家族」：將來只有黃金家族會統治世界，只有黃金家族會在忽里勒台大會選任可汗，黃金家族的血絕不可灑出。成吉思汗的四個女兒獲授予頗大的權力；她們全嫁給掌有實權者，憑自身能力獲賜予王國供她們治理。長女阿剌海（Alakhai）統治汪古部，後來統治華北大部，她父王征戰所用的馬主要由她供應，被稱作「監國公主」。

他權勢最盛時，他的薩滿僧闊闊出指控成吉思汗的弟弟合撒兒犯叛逆罪：「神靈已向我透露，鐵木真會先當家作主，接著是合撒兒。除非除掉合撒兒，否則你會有危險。」闊闊出有著神聖不可侵犯的地位——他父親蒙力克是這位大汗最年長的顧問，娶了大汗的母親訶額侖，因此闊闊出是成吉思汗的繼兄弟。成吉思汗逮捕合撒兒，但他母親駕著一頭白駱駝，連夜趕車過來，請她的大汗兒子改變心意。她露出雙乳，哭道，「這是餵過你們兩個的乳房！」他妻子孛兒帖也向成吉思汗示警道，闊闊出可能危及他們的兒子。成吉思汗釋放合撒兒，命其弟鐵木格折斷闊闊出背脊，將他殺害。成吉思汗說，「他不再受上天喜愛」，並警告闊闊出的家人，「你們開始以為可以和我平起平坐。」他另找人當薩滿僧。「上天已命令我掌管所有人，」成吉思汗說，「蒼天的保護和提拔，已使我得以消滅敵人，取得如此崇高的尊貴地位。」

成吉思汗的過人才幹，加上得益於豐收和穩定氣候、乾草原上人、馬繁衍甚多以及中國土地上三國鼎立，促使他決意出兵中國。為此，他出動八萬騎馬弓箭手，這些戰士把勝利、冒險、劫掠視為忠貞的基本獎賞和神聖領導的明證。宋、西夏、女真三王國則是獎賞。

---

11 特拉布宗的皇帝承認從拉丁人手裡奪回君士坦丁堡的希臘籍皇帝後，自稱「整個東方世界的皇帝和獨裁者」（Emperor and Autocrat of all the East），靠著與威尼斯、熱那亞以及信仰伊斯蘭教的統治者之間的貿易而存活了下來，並將尊貴的特拉布宗皇女許配給這些伊斯蘭統治者。這個王國存續至一四六一年。

一二〇九年，成吉思汗打敗位於中國西北部、信仰佛教的党項人帝國西夏，[12]但未能拿下有城牆防護的西夏都城，於是接受西夏皇帝歸順。接著，他把兵鋒指向女真人的金帝國，金帝國統有中國東北部，下轄人口四千萬。金國使者要他接下金國新皇帝登基詔書，他嘲笑道，「我謂中皇帝是天上人做，此等庸懦亦為之耶，何以拜為！」他說征討金國是為了報他的先祖忽圖剌、俺巴孩遭殺害之仇。率兵來到中都（北京）城牆外，他發覺缺了攻城機，於是襲掠南邊而還。一二一四年，成吉思汗再度陳兵於中都北邊，但這次苦於病理不明的大流行病。金朝皇帝言和，送一女兒嫁給成吉思汗，還有五百名童男女，三千匹馬、一萬疋絹——不過，金朝已呈瓦解之勢。成吉思汗聘請漢人工程師建造宋人發明的攻城機、射擊式火焰炸彈、火箭，雇前遼朝宗室之後耶律楚材為軍師。一二一五年，他拿下中都，大肆洗劫，殺害數千人，屍體成堆腐爛。然後，成吉思汗帶兵轉西，把征服這個破敗帝國的任務交給他的大將木華黎和他的兩萬三千左右蒙古兵。

一二一八年，成吉思汗轉東，吞併西遼（哈薩克）汗國，擄獲以纖細著稱的西遼皇后古兒別速。她嘲笑蒙古人身上有臭味，有人將此冒犯之語報告成吉思汗。他詰問她，卻又惑於她的美貌，留她過了一夜。她成為他的妻子，在后妃中排第三。

成吉思汗對這些偏遠地方用兵之舉，將影響整個歐亞大陸，致使演變成黑死病的新病原體有了大展身手的廣闊天地。全球氣候和人類飲食上微小卻令人費解的改變，足以導致一直存在且蟄伏千百年的疾病突然爆發。在西元前三〇〇〇年的瑞典古墓中發現此鼠疫一事，意味著它可能源於歐洲，許久以後才在東方出現。腺鼠疫有很長時間原是地方性動物病疫，藉由旱獺毛皮裡、駱駝和老鼠身上的跳蚤傳播，而只要有人類留下日常生活的腐爛廢棄物，該地的老鼠就大肆繁衍。旱獺是蒙古人賴以為生的主要動物之一，因為蒙古人穿戴旱獺毛皮、皮革，也吃牠們的肉。要過一百年，腺鼠疫才在西方爆發，不過新研究顯示，更早許久便已存在。

在天山山坡某處，發生了病原體在人與動物間的致命轉移——有個蒙古人吃了受感染的旱獺肉，或被來自旱獺身上的跳蚤叮咬。這隻跳蚤感染了病原體鼠疫桿菌（*Yersinia pestis*），靠吸人血填飽肚子，或往人皮膚上的擦傷處排洩，細菌由此進入血液裡。人一旦感染，就經由咳嗽將病疫直接傳給別人，或經由始終與他們共處一地、身上滿布跳蚤的老鼠間接傳給他人。腺鼠疫爆發一事鮮少見諸記載。游牧民若受此瘟疫襲擊，大可拔營至別處。反觀城市，卻無法移動。蒙古軍無意間將此病原體帶進中國，然後往西傳。

成吉思汗和諸子：男人最快意的事為何？

四處征戰的成吉思汗來到花剌子模邊界，此處是新成立的伊斯蘭王國，國土涵蓋今烏茲別克、東伊朗及阿富汗，由自大粗魯的國王摩訶末靠武力打下，摩訶末已從目擊者口中聽聞蒙古軍如何劫掠中都。這個國王深信，憑藉自己的成就，自己比起粗俗的蒙古人更是優越。然而，這個靠武力打下天下的人即將要被攻克了，猶如鱷魚被同為掠食者的美洲豹捕食。成吉思汗派蒙古使者和四百名左右的穆斯林商前去花剌子模，沒想到，花剌子模人竟處死他們，把首級送回去給成吉思汗。

「有仇必報；有恩必還。」成吉思汗打算入侵這個新舞台。他寵愛的妻子也遂示警道，「你大樹般的身子倒下時，你要把你的人民交給誰掌管？四個兒子裡的哪一個？」

12　成吉思汗把戰法濃縮為三種機動作為：「進如山桃皮叢，擺如海子樣陣，攻如鑿穿而戰」，即行軍時部隊要以緊密隊形前進，擺陣時部隊要如大湖般遍布廣大區域，攻敵時要集中騎兵，以摧枯拉朽之勢鑿穿敵陣。

成吉思汗思忖道，「她儘管是個女人，說的還是很有道理。」四個兒子都已靠統兵作戰揚名立萬，但都有缺點：朮赤性格不受控制；察合台一絲不苟但嚴厲；拖雷是最優秀的將領；窩闊台，最得大汗寵愛，塊頭大，總是帶著笑容，又願意調和與他人的分歧。四人都嗜酒如命。而察合台仇視朮赤。

「我們得受這個蔑兒乞雜種管嗎？」察合台喊道。

「父親從未說我不一樣，你為何這麼說？」朮赤回道。兩人扭打在一起，所幸被人拉開。

「窩闊台仁慈，」成吉思汗的將領建議道，「就選窩闊台吧。」

「朮赤你怎麼說？老實說！」成吉思汗吼道。

「就窩闊台。」朮赤同意道。

「窩闊台，你說！」成吉思汗說。

「我能說什麼，這我做不來？」窩闊台回道，展現了必要卻也符合其一貫性格的謙遜，「我將竭盡所能。」諸王子同意立他為繼承人。

「那就好。」成吉思汗說。

一二一九年，成吉思汗入侵花剌子模，派哲別和速不台為前鋒，皇子朮赤[13]帶一支縱隊跟在後面，他本人則和皇子拖雷帶其餘士兵前往布哈拉（今烏茲別克境內），一處深受波斯文化影響的文化城市，有三十萬居民、一座著名圖書館。成吉思汗把清真大寺當馬廄用──「鄉間沒有草料；把我的馬餵飽！」接著，他告訴布哈拉的上層人士：「你們犯了重罪。證據在哪？我就是上天派來的懲罰。」然後，護城城堡遭攻破，人民淪為奴隸，圖書館付之一炬，接著他轉而攻打撒馬兒罕，他的其他兒子在此與他會合。成吉思汗派他們去拿下花剌子模都城玉龍傑赤（Gurganj，今土庫曼烏爾根奇／Urgench）。該城陷落時，五萬名蒙古士兵接到命令，每個人得殺掉二十四個玉龍傑赤居民，也就是總共要殺掉一百二十萬人。這可能是史上最多人喪命的屠殺。

花剌子模國王逃掉，箭頭哲別和速不台緊追不捨，最後，摩訶末孤身死於裏海一島上。他的幾個較有才幹的兒子並未認命：他們尋求和印度的德里蘇丹結盟，共同對付成吉思汗，可惜最終仍被滅。

成吉思汗掃蕩阿富汗、北伊朗境內殘餘的敵人，殺光巴爾赫（Balkh）、赫拉特（Herat）的居民。拖雷拿下富麗皇堂的前塞爾柱人都城木鹿。[14]成吉思汗坐在木鹿城裡的金色寶座上，下令燒掉尼札姆．穆爾克的圖書館。接著，他宣布，「這些人抵抗我們」，便把數十萬男女小孩分為數群，隨之像殺綿羊般殺掉其中大多數人。阿拉伯籍歷史學家阿希爾（al-Athir）曾和其中的倖存者訪談過，他寫道，「成吉思汗下令計算死亡人數，有屍體七十萬具左右」——實屬誇大之詞，但還是史上對平民施暴最凶殘的其中一天。那些淪為奴隸而得以保住性命的人，被趕至蒙古人前頭當人肉盾牌——已在中國用過的作法。圍攻尼沙布爾（Nishapur，今伊朗境內）期間，娶了成吉思汗女兒扯扯亦堅的脫忽察兒中箭身亡。該城陷落時，由他的遺孀掌管。她主導殺害城中所有人，把男女小孩的人頭依性別堆成人頭塔。設計出這些可怕人頭塔者，或許是成吉思汗的女兒，而人頭塔也成為說明蒙古人凶殘的建物代表。而成吉思汗最寵的孫子抹土干則喪命於圍攻巴米揚期間。晚餐時，成吉思汗把此事告知抹土干父親察合台，並禁止為他的亡故而悲痛，隨後下令摧毀巴米揚：不會有劫掠，只有燒和殺。連狗、貓都不放過。這些城市就此未再復原。

13　成吉思汗的長子朮赤是訶額侖遭蔑兒乞人強暴後所生，同樣被視為黃金家族的皇子，獲賜廣闊封地，但未被納入接位人選。他可能和成吉思汗失和，不過，這個兒子是第一個離世的，他的領地由他能力出眾的兒子拔都繼承。

14　有個原本住在木鹿的突厥烏古斯（Turkish Oghuz）氏族自蒙古人手中脫逃，並在塞爾柱人的魯姆蘇丹國尋求避難之所，獲賜予土地。他們的首領名叫奧斯曼（Osman），即統治一歐亞帝國直至一九一八年的奧斯曼家族（Osmanlik，又稱鄂圖曼家族／Ottoman family）的創建者。

一二二〇年，成吉思汗五十八歲，但尚未失去征服所帶來的快感。有次，與其麾下大將宴飲時，他問：「男人最快意的事為何？」諸將所答不一——喝酒、打獵、盡情吃喝——最後成吉思汗說，「男人最快意的事是消滅造反者和打敗敵人，摧毀他，把他的東西全據為己有，搶走和他結婚的女人，讓她們哭泣，騎他的上好駿馬，和他的美麗妻子、女兒私通，完全占有她們。」這裡所謂的「占有」是徹底的占有：游牧民認為，他們的征服是全盤的征服——財物、城市、牲畜、人，自此全是他們的，要分給別人或殺掉，全憑他們的意思。作為戰爭手段的性侵犯，被視為征服權利和生活樂趣的來源。DNA證據顯示，有數百萬人是當時一位足跡遍及亞洲各地者的後代。此人很可能就是成吉思汗，經過數百年子孫繁衍，他簡直就是亞洲之父。

有人將受敬重的中土道士邱處機推薦給成吉思汗，在阿富汗征戰時，成吉思汗將他召來一見：「真人遠來，有何長生之藥以資朕乎？」

真人曰：「有衞生之道，而無長生之藥。」並勸成吉思汗節制女色、狩獵、打仗及狂飲。

成吉思汗告訴他的廷臣，「天俾神仙　朕言此，汝輩各銘諸心」，但「我蒙古人，騎射少所習，未能遽已」。在他數道命令下，道教在中國各地受扶持，佛教則失勢。

成吉思汗未因功成名就而失去初心，一如所有獨裁者，他喜歡談自己：「天厭中原，驕幸太極之性；朕居朔漠北野，未生嗜欲之情……每一衣一食，俱在與牛豎馬圉共弊同饗。朕視民如赤子，養士若弟兄……每每征伐必會身先士卒……七年之中成就大業，六合之內俱為一統。」

成吉思汗主持御前會議時，透過快馬驛傳系統與在外征戰的那顏（noyan，元帥）哲別和獨眼把阿禿兒速不台聯繫。兩人奉他之命，已展開史上最巨力萬鈞的襲擊。他們帶領兩萬兵力出征，展開四千五百哩的冒險之行，穿過伊朗，策馬長驅直入喬治亞。一二二一年二月，他們消滅塔瑪拉之子的騎士。「光輝者」喬治傷重不治，由其妹魯蘇丹接位。魯蘇丹和母親塔瑪拉一樣美麗，但不如母親精明、好運。她是第一個和蒙古人交手的歐洲人，寫道，「野蠻民族韃靼人已入侵我國。他們長得窮凶惡極，貪婪如狼。」

箭頭哲別和速不台往北馳騁進入俄羅斯、烏克蘭，打敗了一個乾草原民族同盟，眼下，他們面對的，是由留里克家族統治的俄羅斯人。蒙古人兵力居於劣勢：外號「大膽者」的加利奇公姆斯季斯拉夫・姆斯季斯拉維奇（Prince Mstislav Mstislavich the Daring of Galich）和基輔大公、切爾尼戈夫公（Prince of Chernigov）、斯摩稜斯克公（Prince of Smolensk）等統領三萬俄羅斯人，在亞速海附近的卡爾卡河（Kalka River）邊遭遇蒙古軍。蒙古人擊潰俄羅斯人。基輔大公姆斯季斯拉夫・羅馬諾維奇（Mstislav Romanovich）投降——條件是不流血（言下之意即不傷或不殺他們）。哲別和速不台答應此條件，卻是一記陰招。蒙古將領在木造平台上開慶功宴，未想平台漸漸下壓，在不流血的情況下將這些俄羅斯公國國君壓死。

留里克王朝尚保有他們的最大一支軍隊，即弗拉基米爾・蘇茲達爾大公尤里的軍隊。哲別、速不台應成吉思汗之命班師回朝之際，歐洲人也都了解蒙古人有多厲害了。

若說成吉思汗是東方的可汗，西方的可汗便是歐特維爾家族裡最卓越不凡的一員。人稱「震驚世人者」（Stupor Mundi）的皇帝腓特烈二世已準備好捍衛基督教世界。

高棉人、霍亨斯陶芬家族、波羅家族

吳哥的闍耶跋摩和世界奇觀

腓特烈家世之顯赫，大概會讓眾多同為孩童的人嘆為觀止。他是西西里的羅傑二世和紅鬍子腓特烈的孫子，具有一半歐特維爾家族、一半斯陶芬家族的血統，後者是斯瓦比亞（Swabia）的日耳曼語族統治者、查理曼之後。腓特烈本人，在其家系裡、在其性格上，都是獨一無二。他母親康斯坦絲，聰穎、有韌性，那一頭金紅色頭髮實屬羅傑二世的女兒（但出生於羅傑二世死後），原本被關在歐特維爾家族於巴勒摩的宮廷裡，無法與外界接觸，直到她作為西西里繼承人的身分確定無誤，處境才有所改變。於是，一一八六年，她的姪子「好人」威廉（William the Good）與神聖羅馬帝國皇帝談成和約，並把三十歲的康斯坦絲嫁給紅鬍子腓特烈的兒子海因利希，為此和約圓滿作結。她姪子早逝，她和她時為日耳曼人皇帝海因利希六世的丈夫隨之得為爭奪西西里王國而戰鬥。

接著傳來不可思議的消息：康斯坦絲以四十歲之齡懷孕。兩人健康的兒子以他祖父、外祖父的姓氏取名為腓特烈．羅傑，將在成吉思汗叱吒風雲那五十年間，在歐洲舞台上大展身手。丈夫去世後，女王／皇后康斯坦絲全心為她的襁褓兒子保護西西里，把他交給教宗保護。他三歲時加冕為西西里國王，受教於諸位伊斯蘭教籍、猶太教籍及希臘籍的私人教師，由撒拉森族侍衛保護人身安全，且受益於西西里人不拘禮節的作風，得以在街上和朋友們玩樂。

他母親去世後，已被推選為神聖羅馬皇帝和義大利國王的紅髮綠眼腓特烈業已長大成人，會講流利的六種語言，包括阿拉伯語。他自視為整個基督教世界的皇帝，風頭甚健、才華洋溢、愛探明未知事物，擁有統治、保衛其所繼承之複雜領地所需的果決明斷能力。他寫了一部獵鷹訓練指南，創立那不勒斯大學，只是對於天主教的虔誠作風惱怒不已，喜歡捉弄教宗、神職人員，拿基督開起近乎淫穢的笑話，他妻妾成群，寫情詩給眾多情婦。他也喜歡和阿拉伯籍、猶太籍天文學家、英格蘭籍巫師辯論，在義大利本土創立一座阿拉伯人城鎮，把西西里島上造反的穆斯林安置於此。

腓特烈對蒙古人的襲擊深感驚恐，但蒙古人竟離奇消失，促使他有機會全心投注在十字軍遠征。教宗英諾森三世在西班牙[15]和東方十字軍國家號召基督徒投身十字軍後，命令腓特烈參與十字軍遠征。因為此遠征，腓特烈無法全心投入稱雄義大利的大業。腓特烈準備透過征戰和聯姻拿下耶路撒冷：他聘用日耳曼人軍事修會條頓騎士團（Teutonic Knights）助陣（回報他曾協助他們的另一場聖戰——攻打立陶宛、普魯士的多神教徒）；娶耶路撒冷名義上的女王、十三歲的尤蘭德（Yolande）為妻，從而使他得以自稱為耶路撒冷國王，而其實耶路撒冷由薩拉丁的孫子統治，基督徒僅統治阿卡和一處狹長的沿海地區。耶路撒冷女王兩年後生子時死亡，但腓特烈對於前往東方十字軍國家一事一味搪塞，教宗格列高利九世因此怒稱他為「反基督的先驅」，並將他開除教籍。一二二八年，他和他的條頓騎士團終於上船前往阿卡時，蒙古人再

15　一二一二年，英諾森鼓勵三位信基督教的統治者——分別是卡斯提爾的阿方索八世、納瓦拉的桑丘七世（Sancho VII）、亞拉岡的佩德羅二世——攜手共同擊退安達魯斯的柏柏籍統治者。在拉斯納瓦斯德托洛薩（Las Navas de Tolosa），基督教軍隊擊潰這些柏柏籍統治者，困住哈里發納綏爾（al-Nasir）。納綏爾逃命，沒想到，竟掉入溝裡。他被用船送回馬拉喀什，傷重不治。柏柏人的勝利光環遭打破：優素福二世逗弄寵物牛時，被牛角牴死——就哈里發來說，死得不光彩。數座伊斯蘭城市落入阿方索之手，阿方索誇稱他在烏韋達（Ubeda）殺了男女老少穆斯林共六萬人，是比一〇九九年發生在耶路撒冷的屠城還要惡劣的罪行。他的孫子費南多三世（Fernando III）掃蕩哥多華、塞維爾境內的殘餘敵人。在他離世的當下，伊斯蘭教徒在西班牙建立的王國只剩格拉納達。

度西征。

在東方征戰七年後，成吉思汗返鄉，而他的野心依舊無邊無際。印度未拿下，宋朝中國亦然。在逃的花剌子模國君藏身於旁遮普，成吉思汗派人查探過該地區後，向北印度的最高統治者——突厥族奴隸出身的伊勒圖特米什（Iltutmish）——提出警告，而伊勒圖特米什審時度勢，順應了蒙古人的要求。自一一九二年一名信仰伊斯蘭教的阿富汗籍軍事強人入侵北印度，打敗信仰印度教的拉傑普特人（Rajputs），建立以德里為都城的蘇丹國起，伊斯蘭教一直支配北印度。那之後直至一八五七年，穆斯林國王為印度最高統治者，且至一九四七年為止，印度一直受外籍征服者支配。

伊勒圖特米什和他的突厥子民被巴格達哈里發承認為蘇丹後，便劫掠「崇拜偶像」的印度教神廟和佛塔。宗教在得到俗世掌權者支持時總會欣欣向榮：伊斯蘭得到蘇丹擁護；已因為印度教密教盛行而在印度式微的佛教，則自此在印度一蹶不振。信仰印度教的朱羅（Chola）家族已支配南印度和東南亞，而在此家族最後一個偉大皇帝遭遇慘敗時，他們的印度影響力在印度文化圈的最輝煌燦爛之地賡續未絕。這時，有個信仰佛教、衝勁十足的君主正在打造橫跨東南亞、以華麗的吳哥為都城的高棉人帝國。與成吉思汗同時代的闍耶跋摩七世（Jayavarman VII）打敗越南南部信印度教的占婆王國，擴張吳哥王朝的勢力遠及緬甸、馬來亞及中國雲南。

一一一三年，生氣勃勃的戰士神暨國王蘇利耶跋摩二世（Suryavarman II），殺掉自己家族多人，而後受到盟友印度朱羅王朝皇帝的協助，並遣使安撫中國皇帝，進而大敗群雄，藉此奪下吳哥王朝王位。這個與十字軍國王同時代的人眼光宏遠，決意把吳哥打造為彰顯其偉大不凡的永恆豐碑，為此，增建了多個令人驚歎的紀念性建築，並以供奉毗濕奴的五層、多院式神廟吳哥窟為壓軸大作。[16]他死後，占婆人溯湄公河而上襲擊吳哥王朝，劫掠吳哥城。身為年輕王子的闍耶跋摩七世反擊，他在位三十七年間，建立了從海岸綿延至海岸的帝國。他信仰佛教，改造既有的吳哥印度教神廟，把吳哥打造成世上最大、最美的城市之一，吳哥城裡御用的神聖院區占地將近五百畝。大吳哥有人口百餘萬，涵蓋郊區、湖泊、村落，面積超過四百平方哩，靠由運河和蓄水池（baray）所組成的複雜水力系統，維持稻田、棕櫚樹園提供灌溉用水。在許多方面卓有建樹的闍耶跋摩於一二一八年去世，享年九十五，由兒子因陀羅跋摩二世（Indravarman II）繼承大位。因陀羅跋摩將父親的諸多神廟改為祀奉濕婆。

印度文化在吳哥蓬勃發展且伊勒圖特米什正在北印度提倡伊斯蘭教時，成吉思汗正快馬返鄉。

成吉思汗和腓特烈：臨終時的攤牌

成吉思汗帶著兩個孫子——十五歲的蒙哥和十歲的忽必烈——回到蒙古。他和他們一起獵捕羚羊，舉行了抹動物油脂和血的成年儀式。拖雷的這兩個兒子日後都將成為大汗。成吉思汗擔心，「我們走了之後，我們的族人會穿金衣、吃美食、騎駿馬、親吻最漂亮的女人，而忘了這些都要歸功於我們。」

他仍有許多事得做。不拿下西夏，不可能征服中國全境，而此前西夏不願派兵助成吉思汗攻打花剌子模。成吉思汗告訴廷臣，「我們邊用餐邊談要如何讓他們死、如何消滅他們。最後下場正是如此，他們要消失。」成吉思汗摧毀了他們的城市，卻同時保留了一些罕見的手抄本和特殊的藥物，有時會限制其屠殺作為。

16 據某些人的估算，吳哥窟是世界史上最大的宗教建築，肯定是歷來所建造的最大印度教神廟。吳哥窟圍著數個內院而建，有五座寶塔（以彰顯神話中須彌山的五座山峰），如今仍令人望之驚歎，飾有一千多個裸胸舞女、小妖精和瑜伽行者、獅子和象，其雕帶呈現蘇利耶跋摩本人和戰象、朝中的婆羅門和抬轎、舉陽傘的廷臣。

「你會再為這些人而哭?」窩闊台這麼調侃父親。有個將領勸成吉思汗將漢人殺光，把中國變成牧地，但他的漢化契丹籍顧問耶律楚材說明了留住漢人可能帶來的稅收之利。成吉思汗思忖道，「可以馬上得天下，不可以馬上治天下。」不管他是否真說過此話，他這時要官員擬定稅制。

西夏皇帝前來歸順途中，成吉思汗騎馬外出不慎落馬，當天夜裡便覺身體不適。哈屯也遂（哈屯／khatun，可汗之妻，即皇后）說，「諸皇子和將領，你們商量商量；晚夜可汗身體發熱。」諸將提議打道回府。

成吉思汗回道，「党項人會說我們膽怯」，隨之下達了具體命令：西夏領土歸哈屯也遂；他死後葬在聖山不兒罕合勒敦山旁。「不要讓人知道我死。別哭泣或哀痛，而党項人統治者和人民離開此城時，格殺勿論！」

一二二七年八月，成吉思汗垂死而不為外界所知之際，西夏皇帝來到黃金斡耳朵，並獻上貢禮——巨大金佛、童男女、駱駝和馬，都各以神聖的數目九為一組——但他接著被擒住、勒死，隨從一律遭殺害。獲告知此事後，成吉思汗說，「我們已報了仇，他們消失了。」這下他能安心死去，留下一個龐大帝國，那是亞歷山大帝國的四倍大，羅馬帝國的兩倍大，但比起不久後黃金家族所打下的帝國，還只有一半的規模。遺體北送，祕密葬在聖山上一個始終未被人找到的地點，馬和奴隸陪葬。然後，以拖雷為首的黃金家族皇子、成吉思汗的女兒、將領群聚於忽里勒台大會上。會中，察合台遵照父親生前的遺志，提議立窩闊台為大汗。窩闊台向兄弟徵詢意見，決定繼續征服天下的大業，親自統領滅金之役——否則，「人民將問我憑何本事繼承父親之位」。一二三一年，在拖雷陪同下，窩闊台拿下金國都城開封，沒想到，竟因為肝硬化病倒，起因是酗酒。拖雷也嗜酒成癮，喝馬奶酒喝到有時當眾哭了起來，把政事交給妻子唆魯禾帖尼別吉處理。窩闊台康復；拖雷死於酗酒，便把他的華北封地交給唆魯禾帖尼治理。窩闊台尊敬她，先是請她嫁給他，然後建議嫁給他無用的兒子貴由。只是她禮貌拒絕，並說養好她的四個兒子是她的第一要務。她說得沒錯：她和他們是黃金家族未來所繫。結果，她成了窩闊台的顧問。「沒有哪個纏頭巾者（男人）能把這些事處理得這麼漂亮，」波斯籍史家志費尼寫道，「窩闊台做任何事，不管關乎帝國還是軍隊，都向她請教，並根據她的建議調整、安排。」

常喝到醉的窩闊台在哈剌和林（Karakorum，今蒙古境內）創建了較常設性的都城，並要人寫下家族史。他有時赦免死刑犯，但也在斡亦剌惕的統治者——他的姊妹扯扯亦堅——死後，下令強暴這個被蒙古人征服的部族裡的數千個女孩。他的酒癮嚴重到無法控制，察合台不得不逼他允許有個「監督者」限制他喝酒的杯數，而他則用較大的酒杯狂飲，藉此規避監督者的約束。

隨著窩闊台身體漸差，他的妻子哈屯脫列哥那攬下愈來愈多政務，並指定穆斯林籍官員（突厥人和波斯人）負責向漢地居民收稅。一二三六年，窩闊台派元帥速不台統領十五萬大軍西征歐洲，他的兩個姪子拔都（朮赤兒子）和蒙哥（拖雷兒子）和他自己的兒子貴由一同出征，任速不台調遣。

「世界奇觀」腓特烈二世未作好準備，蒙古人若真打到門前，他將措手不及。成吉思汗去世後不久，他來到巴勒斯坦，於此和薩拉丁的姪子蘇丹卡米勒（al-Kamil）談成和平計畫。薩拉丁的繼承人先前已拆掉耶路撒冷城牆，以免該城為家族對手或十字軍所用。這時，腓特烈和卡米勒同意由各宗教控制各自的聖所，穆斯林控制聖殿山上的「尊貴聖所」（Haram al-Sharif），基督徒控制聖墓。在耶路撒冷，志得意滿的腓特烈戴著代表此聖城國王身分的王冠，同時也寫情詩給他的「敘利亞籍」情婦：她是佛朗機人，還是阿拉伯人呢？這時他已漸漸禿頭且已近視。有個阿拉伯籍作家在耶路撒冷看到他，竟開玩笑道，「這個皇帝頂著紅髮，頭禿，而且近視。他若是奴隸，在市場上要不到兩百迪拉姆的價錢。」然而腓特烈深具遠見的妥協態度，令鐵桿十字軍戰士深惡痛絕。回到阿卡後，屠夫拿動物內臟丟他。

他趕回國對付他的敵人，先是對付派兵欲奪取西西里的教宗格列高利，[17]接著是吵鬧不受管的日耳曼諸小國國君。這些國君被他專橫的兒子羅馬人國王海因利希所慫恿而作亂。腓特烈打了很久的戰爭才奪回他的領土。[18]義大利陷入分裂，支持腓特烈者和支持教宗者相抗衡，每個城市裡都有兩陣營的派系。吉伯林派（Ghibellines）支持皇帝腓特烈，歸爾甫派（Guelphs）支持教宗，兩派衝突持續了一世紀。在日耳曼，腓特烈廢掉海因利希的儲君之位並將他囚禁——海因利希在獄中死於麻瘋——並讓變心的日耳曼籍支持者再度忠於他。其中之一是他的教子，即積極進取的年輕騎士魯道夫（Rudolf）。魯道夫在瑞士擁有一稱之為哈布斯堡（Habsburg，「鷹山」）的城堡，此時正以該城堡為中心擴張地盤。魯道夫善於琵琶別抱來贏得特許權，憑此左右逢源的手法，正是在此時，為日後征服一處新大陸並統治歐洲大片地區直至一九一八年為止的哈布斯堡家族打下了基礎。

他自稱哈布斯堡伯爵，魯道夫帶領自己的部眾參與以多神教徒為打擊對象的北方十字軍遠征，藉此讓世人見識到他顯赫的戰功。在北方，腓特烈從一二三七年起便支持其盟友——條頓騎士團大團長赫曼·馮·薩爾察（Hermann von Salza）——對付多神教信仰的立陶宛人、普魯士人、桑比亞人（Sambians）及塞米伽利亞人（Semigalians）。這些民族此時仍統治今日德國、波蘭、白俄羅斯、波羅的海三小國這些國家的諸多地方。投身此次遠征，不只可乘機殺掉異教徒，還可乘機開疆拓土。

就在腓特烈即將贏得這些戰爭時，獨眼蒙古元帥速不台在成吉思汗的孫子拔都汗的伴同下，闖進歐洲。一二三七年，他們渡過伏爾加河，旋即襲捲今日俄羅斯、烏克蘭及白俄羅斯所在之地。一二三九年，他們拿下弗拉基米爾，殺了公國國君尤里二世——卓越的留里克王朝君主——在教堂將他的妻子燒死。一二四〇年，蒙哥摧毀基輔。蒙軍燒掉盧布林（Lublin）和克拉科夫（Krakow）後，四月九日，在萊格尼察（Legnica）大敗波蘭人、波希米亞人以及薩克森人，殺了波蘭籍公爵，而他的妻則憑藉他一腳上的六根趾頭，才認出他赤條條的無頭屍身。由拔都、速不台統領的另一支軍隊攻入匈牙利。拔都告訴匈牙利的貝拉四世（Bela IV），「你們住在房子裡，有固定的城鎮和要塞，那麼你們要怎麼躲過我？」有個會說匈牙利語的英格蘭人自拔都身邊來見貝拉，要貝拉歸順，貝拉不從。

萊格尼察之役隔天，速不台和拔都在莫希（Mohi）和貝拉交手，殺了六萬五千士兵：他們可能動用了從中國帶過來的火藥和石腦油炸彈——若真是如此，這就是火藥在歐洲境內第一次展現威力。只是拔都因無能而遭堂哥貴由（大汗窩闊台之子）批評。貴由要求後撤，速不台不從，繼續挺進，拿下多瑙河畔的佩斯（Pest）之後，將之付之一炬。他們的分遣隊往西攻入奧地利，當地人擒獲八名他們的人，其中之一正是向貝拉招降的那名英格蘭人。[19]

拔都汗跨過邊界進入腓特烈帝國。如今，成吉思汗的這個較年長孫子已三十五歲，而且威脅到歐洲的王公貴族。他告訴腓特烈，「我是來篡奪你的王位的」，並勸他退位，去哈剌和林訓練獵鷹。深諳獵鷹優

17　格列高利九世設立了「教宗異端審問所」（Papal Inquisition），以防地方統治者或群氓在未受教宗監督下雇用據認為異端分子的人士。他燒掉猶太教《塔木德經》抄本，下令將所有猶太人視為在審判日之前始終處於受奴役狀態的人。

18　腓特烈的第三任妻子是伊莎貝拉，即已故英格蘭王約翰的女兒。他與她的弟弟亨利三世結盟共同對付法蘭西，基於此同盟要求，一二三五年腓特烈娶了她。這個皇帝常在外一連數年打仗，把伊莎貝拉留在宮裡。而獨守空閨的伊莎貝拉有時有孕在身，始終由非洲籍宦官護衛。她與亨利三世通信時，腓特烈繼續享受他和西西里籍情婦畢安卡·蘭齊亞（Bianca Lancia）的婚外情，兩人生下不只一個孩子，更遑論他那數個阿拉伯妾。這位英格蘭籍的日耳曼皇后兼西西里、耶路撒冷的王后，一如他的第二任妻子死於分娩時，得年僅二十五。後來，腓特烈在畢安卡臨終時娶了她。在此期間，日耳曼籍君主被推選為日耳曼的國王，但只有獲教宗加冕後，才享有日耳曼民族之神聖羅馬帝國皇帝或凱撒的稱號。他們的繼承人則被封為羅馬人的國王。

19　他可能名叫羅伯特，因此這個英格蘭人或許就是一二一五年造反、逼迫英王約翰接受《大憲章》，並讓貴族享有特權的的那些貴族的牧師。在歐陸服務時，他被拔都汗擒獲，自此為拔都效力二十年——他曲折離奇的人生經歷正說明了歷史發展之出人意表。

劣的腓特烈大笑道，他目前的工作做得很稱職。即使蒙古人兵臨城下，歐洲還是無法團結：皇帝和教宗都宣布發動十字軍遠征，不過彼此勢同水火。

拔都和速不台準備拿下歐洲時，傳來驚人消息：窩闊台已於一二四一年十二月去世，死前未指定其子貴由為繼承人。為選出新大汗，身為宗王者必須回去哈剌和林參加忽里勒台大會——而在哈剌和林，接下來十年當家作主的，都是女人。

當女人統治世界：唆魯禾帖尼和拉齊婭

窩闊台去世後，他的遺孀哈屯脫列哥那治理帝國。新汗選出前，由遺孀當家。但長支宗王拔都汗——人稱「阿哥」（Agha）——擔心個人安危，不願前往哈剌和林，而脫列哥那的權勢又未強到足以把她的長子貴由扶上大汗之位。於是，她透過一個讓人怎麼也想不到的人治理帝國。此人是波斯籍的女戰俘，名叫法蒂瑪。她成為脫列哥那的「親信心腹，掌握不為人知的祕密」，管理百官，「可自行下達命令」，為自己贏得「哈屯」這個具有譏刺意味的綽號。脫列哥那的對手唆魯禾帖尼陰謀不利於她時，脫列哥那徹底信任法蒂瑪，反而不信任窩闊台的官員，將石頭強塞進喉嚨處死一名官員。她也不放心成吉思汗的女兒，於是誣陷他的么女——畏兀兒人的統治者伊拉勒蒂（Ilalti）——毒死兄長窩闊台，藉此殺了她。

在哈剌和林，脫列哥那接見了魯姆蘇丹國的塞爾柱人、喬治亞的巴格拉季昂家族成員、俄羅斯的留里克王朝公國國君，以及前來爭取蒙古人支持的西方使者。時年六十幾，勇敢的神職人員柏郎嘉賓（Giovanni da Pian del Carpine）以教宗英諾森四世的使節身分來到哈剌和林。有些小國國君受到盛宴款待並提拔，另有些小國國君受到盛宴款待，卻慘遭殺害。

脫列哥那並非唯一掌有實權的女人。在德里，蘇丹伊勒圖特米什寵信長女拉齊婭：他說，「我的兒子無能，因此我已決定由女兒主政」。沒想到在他死後，他的諸多埃米爾立即擁立他的兒子魯克努丁・斐魯茲（Ruknuddin Firuz）為蘇丹，一個好享樂的紈綺子弟在一票宦官陪同下醉醺醺地騎著大象，把象夫提拔到他們根本不配的職位，而他母親沙圖爾汗（Shahturkhan）則掌理朝政，為了報宿怨，把伊勒圖特米什的另一個兒子弄瞎、殺害。她看出繼女拉齊婭是隱患，便下令暗殺她。但在星期五禮拜時，拉齊婭訴諸人民，煽動他們衝進王宮。人民真衝進王宮後，她逮捕、殺掉沙圖爾汗和斐魯茲，憑其自身的合法性成為蘇丹。支持她的那些埃米爾原以為她會是傀儡；最初她尊重伊斯蘭的禮法，從簾後觀看會議進行，出入由女侍衛保護安全，沒想到，她漸漸公開執政，拿掉面紗，剪掉頭髮，一身帥氣的男人裝扮——胸鎧、劍、靴——騎著自己的象走在德里街頭。

她的首席顧問是個來自阿比西尼亞的哈巴什人（Habashi），名叫賈瑪魯丁・雅庫特（Jamaluddin Yaqut），他原為奴隸，後來升上將領。她任命雅庫特為掌馬官，因而觸怒了她麾下的突厥族將領。她下馬時，廷臣注意到雅庫特把雙手伸進她腋下，這無疑是令人震驚的親密之舉：兩人顯然是情侶。一個女人和一個非洲籍男子在一起，加上她的性別、他的種族身分，再再令他們無法接受。

拉齊婭晉升雅庫特為總司令（amir al-amira）。兩人的政敵陰謀對付他們，不但暗殺了他，還逮捕拉齊婭，把另一個同父異母兄弟扶上王位。眾人看出這位新王行事不受管束時，負責看守拉齊婭的軍事強人阿爾圖尼亞（Altunia）愛上她，並表示願娶她，條件是她要和他締結伙伴關係。她接受條件，可惜兩人遭擊潰，而他被殺。她喬裝為男人，在一處農舍避難，沒想到在她睡著時，收容她的屋主注意到她外套底下的珠寶，於是殺了她，埋在菜園裡。他想要脫手珠寶時被逮個正著，隨後才透露他的祕密。而她的圓頂墓——德里的突厥人門（Turkman Gate）——曾有很長一段時間期是朝聖地。

在哈剌和林，脫列哥那掌政五年，直到一二四六年拔都汗同意遣使選立平庸的貴由為大汗為止。貴由把大部分政事交給母親決定，本身「精明，非常嚴肅，幾乎從未在人前大笑或尋歡作樂」，決意在個性隨和的窩闊台去世後執行成吉思汗立下的規矩。如今，他對母親掌權一事非常反感，痛惡替她打雜的法蒂瑪，終於派侍衛去逮她。脫列哥那不願交出她，貴由和他的哈屯斡兀立・海迷失公開審問、刑求法蒂瑪，以火燒死一絲不掛的法蒂瑪，接著將她身上的洞全縫死，再丟進河裡。

十八個月後，貴由西征，為了攻打伊拉克、消滅拔都，但很可能遭拔都毒死。他的遺孀以攝政身分接掌朝政，和法蘭西使者安德・龍如美（André de Longjumeau）談判，她告訴使者，「和平是好事」，但「得先和我們和平相處，你們才會有和平！」否則的話，「我們會消滅你們」。只是，她疏遠唆魯禾帖尼之舉，反而使她的敵人團結起來，造成致命的傷害。

據史家拉希德丁的說法，拖雷的遺孀唆魯禾帖尼「極聰穎能幹……世上最聰穎的女人」。這個信奉基督教的女人生在王室，願意接納新事物，不只蓋了數座教堂，還蓋了一所伊斯蘭經學院。他用心養育她的四個能幹兒子，教導他們學習重要語言——忽必烈學會漢語。這時，她派她精明的兒子蒙哥去見人在俄羅斯的「阿哥」。拔都熱情歡迎他，當年入侵匈牙利的那支勝利隊伍因此重新合體。拔都在遠離哈剌和林之處召開忽里勒台大會，邀成吉思汗、窩闊台兩人的遺孀和唆魯禾帖尼本人與會，唆魯禾帖尼以高明手腕促成立大汗的協議。一二五一年七月，有人提議立拔都為大汗，拔都拒絕，反倒提議立四十三歲的蒙哥為大汗。蒙哥兩次禮貌拒絕立他為大汗之議，第三次終於接受。隨後，他們向哈剌和林進軍。蒙哥痛惡斡兀立・海迷失——「比婊子還讓人瞧不起」——以當年她折磨法蒂瑪的方式折磨她，即剝光她衣服，縫閉她身上的孔洞，裝進大布袋中溺死。唆魯禾帖尼和蒙哥整肅宗室裡的異己，結束哈屯當權的時代：蒙哥下令，此後不得再有女人掌權，否則「走著瞧」——亦即一死。整肅最烈時，唆魯禾帖尼病倒，且深信她因為殺人，遭她的基督教上帝懲罰，自此至離世，她竭力阻止殺人。

成吉思汗得到騰格里支持的征服世界的使命，此時遠未完成。

亞歷山大・涅夫斯基和蒙哥汗：收復先前攻下的世界

在匈牙利、波蘭征戰過的蒙哥，具有以武力在歐亞打天下並治理天下所需的英明果決——命人在諸多領土上調查人口財產以利徵稅，範圍從朝鮮半島至烏克蘭。在帝國中心哈剌和林，他在簡陋的宮殿裡召集群臣議事，宮殿掛著金布，以燒著苦艾根和牛糞的火盆供暖。他會「坐在小床上，身穿華麗皮長袍，皮長袍如海豹皮發亮」，同時炫耀他的矛隼。

歐洲諸國君仍耿耿於懷於失去耶路撒冷，仍念念不忘虛幻的中亞基督教捍衛者祭司王約翰，於是遣使至哈剌和林：法蘭西王路易九世的佛蘭芒籍使者魯不魯乞（Willem van Ruysbroeck）來到哈剌和林，欲說服蒙哥皈依基督教，或至少談成蒙古人和十字軍結盟共同對付伊斯蘭一事。

蒙哥的父母親都是基督徒，蒙哥有時陪母親去禮拜堂，禮拜期間則斜躺在金色床上。「我們蒙古人相信一個上帝，」他告訴魯不魯乞，「一如上帝給了我的手諸多不同的手指，他也給了人不同的路子。」但談到神聖權力時，他和他祖父一樣嚴厲：「如果你們聽到長生天的敕令卻視而不見，派兵對抗我們，我們會很清楚自己可以怎麼因應。」而世人即將見識他話中的意思。

蒙哥與阿哥拔都合力統治帝國，拔都的汗國稱為金帳，以伏爾加河畔的薩萊（Sarai）為都城，疆域涵蓋歐洲俄羅斯和烏克蘭兩地的大半。拔都「和善親切，性情敦厚」，但「作戰時殘酷」。他透過留里克家族之手治理汗國。他的封臣裡最能幹的，是二十五歲的亞歷山大，他是弗拉基米爾大公的兒子，深知順主子之意的好處。他父親雅羅斯拉夫二世在哈剌和林被哈屯脫列哥那毒死，那之後亞歷山大去到哈剌和林，向殺父仇人下跪，獲授予基輔。這會兒，拔都掌權，亞歷山大常去薩萊拜見阿哥和他兒子撒里答，表達順服之意。亞歷山大身材魁梧，為人精明，聲如洪鐘，撒里答大為欣賞，兩人因此結為義兄弟。他需要蒙古人：諾夫哥羅德這個重商共和國[20]受到來自西方的攻擊。新興強權、信仰多神教的立陶宛公爵國（duchy of Lithuania）正朝波蘭、白俄羅斯及烏克蘭境內開疆拓土。瑞典威脅到諾夫哥羅德，諾夫哥羅德於是請亞歷山大前來助防。一二四〇年，他在涅瓦河（Neva River）畔擊敗瑞典人——後來因此有涅夫斯基（Nevsky）的稱號。接著，他遭遇條頓騎士團等日耳曼族十字軍。這些十字軍拿下普魯士、利沃尼亞（Livonia）、塞米伽利亞，而後把矛頭指向東正教俄羅斯人。一二四二年，亞歷山大的騎兵衝過結冰的佩普斯湖（Lake Peipus），打敗利沃尼亞帶劍騎士團（Livonia Brothers of the Sword）。

一二五二年，亞歷山大受到他反叛的兄弟威脅，爭取到拔都支持，打敗自家兄弟，被任命為弗拉基米爾的最高統治者，他則替蒙古人控制人民，為金帳汗收稅，以此作為回報。一二五八年，諾夫哥羅德等俄羅斯城市造反時，亞歷山大挖出造反者的眼睛，割掉鼻子，在蒙古人陪同下騎馬入諾夫哥羅德城：他作為俄羅斯愛國英雄的身分因此有待商榷。出於不明原因，金帳汗不滿於他。一二六三年，才四十三歲的涅夫斯基在薩萊被捕時離世，大概是遭毒死的。他的兄弟、兒子爭奪接班權，將近兩百年順服於金帳汗國的時代就此開始。

亞歷山大年紀最小、最弱的兒子丹尼爾（Daniel）只能分到最微薄一處家產——莫斯科[21]——但日後的沙皇和俄羅斯便傳承自他和莫斯科公國歷代大公。

隨著拔都牢牢拿下俄羅斯，蒙哥命令幾個弟弟繼續打天下——要忽必烈拿下南宋，要旭烈兀平定波斯，然後征服伊拉克、以色列、埃及。統領漠南漢地事務的忽必烈已出兵攻打南宋。正面強攻南宋太危險，於是蒙哥命令他征服南宋南邊的獨立王國大理，好從背後進攻南宋。忽必烈準備多路進攻南宋時，蒙哥得知有一隊阿薩辛派的刺客正前來殺他的途中，於是命令旭烈兀消滅他們，而後消滅巴格達哈里發政權：「把成吉思汗的律法通行於從阿姆河（Amu Darya，中亞境內）至埃及之地。歸順者善待之；抵抗者誅殺之。」

旭烈兀和薩迪：討一頭大象歡心、屠殺一座城市

旭烈兀帶著十萬兵力（每人配發兩名奴隸、五匹馬、三十隻綿羊）、一支漢族攻城工兵隊、很想消滅哈里發政權的新盟友——來自安條克、喬治亞、亞美尼亞信仰基督教的小國君和騎士——西征。這支漢族工兵隊帶著一千架射石機，可能還帶了配備霹靂砲的火藥投彈手。一票病原體跟著這群人一起出征。旭烈兀大軍自帶糧食——有老鼠一路護送的大量穀物和肉乾（包括旱獺肉乾）。新研究顯示，黑死病正是在這時從東方傳過來，比先前所公認的日期早了一百年。

20　諾夫哥羅德——由留里克家族或其他來自斯堪的那維亞的商人暨襲擊者所創建——已發展成寡頭統治共和國，和威尼斯、熱那亞無異。此共和國轄有從波羅的海至烏拉山的土地，確切的體制不詳，不過，會舉行稱之為韋切（Veche）的大會。韋切大會選出頭銜為波薩德尼克（posadnik）的領導人，波薩德尼克和權貴委員會、大主教一同治國，共和國陷入險境時，往往由大主教自留里克家族中選出一人領導國家。事實表明，在中世紀的俄羅斯，存在著獨裁統治以外的政治傳統。

21　一一五六年，外號「長臂」（Long-Arm）的尤里．多爾戈魯基（Yuri Dolgoruky）大公，在俯臨莫斯科河的一座小山上興建了據點。他母親是西撒克斯的姬塔（Gytha），國王哈羅德的女兒。他不只一次當上基輔大公，而後又當上弗拉基米爾—蘇茲達爾大公。正是蒙古人入侵之舉，最終使莫斯科這個要塞成為留里克家族最重要的公國和日後俄羅斯帝國的支柱。

旭烈兀汗征服河中地區（Transoxiana），接著來到阿薩辛派在阿拉穆特的老巢，並進行圍攻。一二五六年十一月，阿薩辛派伊瑪目魯肯丁（Rukn ad-Din）投降。阿塔—馬利克·志費尼（Ata-Malik Juvaini）是旭烈兀的波斯籍助手之一，他的父親曾先後效力於花剌子模國王和成吉思汗。．志費尼主張燒掉該地圖書館，但博學的波斯籍學者納綏爾丁·圖西（Nasir al-Din al-Tusi）進一步解釋道，阿薩辛派神學不靠書籍傳承。旭烈兀便放過該圖書館。至於魯肯丁，則被用地毯裹住，再被馬蹄踩成爛泥。旭烈兀最終下令暗殺一萬兩千名阿薩辛派教徒。[22]

一二五八年一月二十二日，旭烈兀包圍巴格達，包圍前他曾警告哈里發，「蒙騰格里恩典，花剌子模、塞爾柱、戴拉姆（Daylam，即阿薩辛派）的王朝已蒙羞，而巴格達的城門從未擋住他們，那麼，怎有辦法擋住如此強大的我們？我一旦帶領義憤之師到巴格達……我會讓你從天上最高處墜地。我將不留一個活口。」

四十五歲的阿拔斯王朝哈里發穆斯塔西姆（al-Mustasim）反唇相譏（三十八歲的旭烈兀），「年輕人，你初出茅蘆，陶醉於十日的成功，深信自己是世界的統治者，卻不知道從東方至馬格里布的阿拉信徒都聽命於我的王廷？」旭烈兀隨即命令武將、信仰基督教的怯的不花往巴格達城投射石塊、炸彈、石腦油，巴格達迅即火光衝天。蒙軍進一步摧毀河堤，水淹鄉間。巴格達陷落時，旭烈兀的基督徒妻子脫古思，同時也是他母親唆魯禾帖尼的堂姊妹，說服他饒了基督徒，而他的盟友喬治亞人更是樂於殺掉穆斯林。

一二五八年二月十日，哈里發來到旭烈兀的斡耳朵投降。旭烈兀把巴格達的居民全趕出城，在城外將他們一一殺害——據某些史料，有八十萬人遇害；旭烈兀本人誇稱殺了二十萬人——蒙古人劫掠巴格達，「猶如餓隼攻擊一群飛翔的鴿子，或凶狠的狼攻擊綿羊，肆無忌憚，滿臉無所謂，用小刀割破任何飾有珠寶的金質墊子和床，把蒙面女孩從閨房拖出，拖過街頭，成為他們的玩物」，燒掉清真寺和醫院，砸碎阿拔斯王朝陵墓，所幸馬蒙（al-Mamun）的藏書有許多被愛書英雄納綏爾丁・圖西救了下來。旭烈兀在「八角宮」（Octagon Plalace）受到群臣圍繞，並在此舉辦了慶功宴，宴上，他威脅頹喪的哈里發：「你是主，我們是客，你有什麼全拿出來。」穆斯塔西姆打開他的藏寶箱。旭烈兀命令道，「你把財寶藏在哪裡，直接告訴我的僕人。」穆斯塔西姆說出藏在一觀賞池裡的黃金，隨後，他和他兒子被用地毯捲裹住，被馬踩死。[23]奪人性命的不只旭烈兀。有種起因不明的大流行病襲擊他在巴格達的營地，在人命如草芥的亂世，此病鮮少見諸記載，但在他圍攻他地時，也爆發了此病。

旭烈兀把重建巴格達的任務交給他的波斯藉手下志費尼，自己則帶兵進入敘利亞，會晤他的歐特維爾家族盟友——二十一歲的安條克公國國君「美男子」博埃蒙六世（Bohemond VI le Beau），以及他的岳父奇里乞亞亞美尼亞（Cilician Armenia）王國的國王海屯（Hethum）。亞美尼亞人所建立的這個王國是個基督教小王國，國王海屯加入旭烈兀陣營，助他拿下阿勒頗和霍姆斯。旭烈兀受佛郎機籍的友人慫恿，懲罰了一個把一名基督徒釘死在十字架的突厥族軍事強人：把此人身體一分為二，再逼他吃下自己的身體。

22　不過，阿薩辛派仍控制敘利亞、黎巴嫩境內城堡。一二七一年，他們欲暗殺投身十字軍而來到阿卡的英格蘭王子愛德華：日後登基為愛德華一世的他逃過一劫，得以在有生之年重擊蘇格蘭人。阿薩辛派最後幾座城堡遭滅之後，尼札里派再度分裂，其中一支延續這個神聖宗脈。十九世紀，他們的伊瑪目被波斯國王任命為庫姆（Qom）省長，國王授予他阿伽汗（Aga Khan）的稱號，然後他遷居英屬印度，受英國人恩庇，大展鴻圖。二十一世紀，阿伽汗仍是一千五百萬尼札里派教徒的伊瑪目。

23　這位末代哈里發的某個堂表親逃到開羅，且被扶立為虛位哈里發。開羅的馬穆魯克蘇丹維繫住阿拔斯王朝的這個世系，直至一五一七年鄂圖曼人將此家族的最後一位君主帶到伊斯坦堡。輝煌了將近千年的這個世系自此淡出歷史。

遭旭烈兀大軍蹂躪的慘狀，今人難以領略，但有個親眼目擊者，即波斯籍詩人薩迪（Saadi），向阿拉伯籍士兵講述了與這位可汗交手的情景，並記載於他的代表作《果園》（*Bustan*）裡：「箭如雨下，四處出現（來犯蒙古人所釋出的）死亡風暴」，蒙古人猶如「一群花豹，強壯如象。這些戰士頭上罩著鐵盔，馬蹄亦然」。[24]

一二六〇年三月，蒙古大將怯的不花騎馬進入大馬士革，美男子博埃蒙、國王海屯隨行。海屯在該城的清真大寺（原聖約翰大教堂）欣然做了彌撒。旭烈兀的騎兵拿下納布盧斯（Nablus）、進抵迦薩時，十字軍欲將耶路撒冷基督教化的夢想看起來必然會實現，蒙古人征服埃及則似乎無法避免。

可惜我不是塵埃：奴隸王和歐特維爾家族的最後一人

旭烈兀要埃及投降，未料一二五九年八月十一日，在遙遠的東方正陪同忽必烈攻打南宋的蒙哥死於痢疾。旭烈兀回師伊朗，留下怯的不花率的軍隊繼續西征。佛朗機人和蒙古人起了衝突，蒙古人支持東正教徒或景教徒，而非天主教徒，就在此時，埃及人斬首了旭烈兀派去的使者。怯的不花吞不下這番輕侮。埃及人於是出兵阻止他進犯。

埃及的新統治者是驃悍的軍人，為奴隸——馬穆魯克（Mamluk）——出身。他們是俄羅斯人和突厥人、喬治亞人和切爾克斯人（Circassians），藍眼金髮，在奴隸市場行情特別好，因而被人從他們的村子擄走或買走，帶到熱那亞人在克里米亞半島的奴隸市場出售，接著由薩拉丁及其家族買走。他們改信伊斯蘭教，受軍事訓練，然後獲解放，成為驃悍的武將，憑著狂熱的伊斯蘭信仰和同舟一命的精神齊心奮鬥，主宰、又消滅薩拉丁王朝。

一場新的十字軍遠征，則加速他們的崛起。一二四九年，法蘭西王路易九世率軍登陸，差一步便可征服群龍無首的埃及，所幸靠著一名金髮突厥籍馬穆魯克出手，這才挫敗路易的野心。此人身材極為魁梧，一眼藍，另一眼全白，名叫拜巴爾斯（Baibars）。拜巴爾斯向兵力分散的蒙古人進擊時，由諸多馬穆魯克埃米爾組成的軍事執政團謀殺了年輕的埃及蘇丹，罷黜薩拉丁家族。[25]在納布盧斯附近的艾因賈魯特（Ain Jalut，意為「哥利亞之泉」），拜巴爾斯麾下的一萬五千名馬穆魯克人，騎著比蒙古人座騎還高大的戰馬，伏擊怯的不花的軍隊，怯的不花所部戰至最後一人，全軍覆沒。「我注定要死在這裡，」這位大將說，「會有士兵去到可汗那兒，告訴他怯的不花不願撤退。祝可汗順心如意！」他的戰馬最終被撂倒，他被押到馬穆魯克人跟前。

馬穆魯克人譏笑道，「你推翻了這麼多王朝，看看你現在的樣子！」

「別陶醉於一時的成功，」征服了伊朗、伊拉克卻出乎意料敗於前奴隸之手的怯的不花回道。「我的死訊傳到可汗那兒時，埃及會被蒙古鐵蹄踩碎。」劍往他揮過來時，他說了生前最後一句話：「我是可汗的

---

24 成吉思汗拿下波斯時，薩迪成為蘇非派朝聖者——蘇非主義是伊斯蘭教的密契主義教派。薩迪在巴格達和開羅求學，去過麥加和耶路撒冷，後來被十字軍俘虜，在阿卡當了七年奴隸，之後才被埃及人贖走。四處遊走五十年後，薩迪返鄉，寫下他的代表作。戰爭激發他對人類的熱愛：「所有人都是同胞，／因為所有人都源自同一本體」，他在〈亞當之子〉（Bani Adam）裡如此寫道。「如果你對他人的不幸無動於衷，／你就不配叫作人」。但他的警句言語犀利：「如果沒空間招待大象，就別和養象人結交」。關於戰爭，他建議道：「拔劍與敵廝殺之前，務必／小心清出通往和平之路」。他直到九十多歲才離世。

25 取代這位蘇丹的人是他的遺孀夏賈爾·杜爾（Shajar al-Durr），奴隸出身的她，此際以蘇丹身分統治埃及，一如德里的拉齊婭——女人以「穆斯林之女王」（Malikat al-Muslimin）的身分憑自身實力統治國家，係伊斯蘭歷史上少見之事。而她的統治受到質疑時，她不得不嫁給一名馬穆魯克將領。後來，她趁他洗澡時謀殺了他，此舉卻也觸怒了侍衛，導致她被剝光衣物，身上只剩一條飾有鑽石的披巾，然後被人用他宮奴的鞋子活活打死：死於鞋跟之下。

奴隸，不像你是殺了自己主子的人。」

拜巴爾斯自封蘇丹——自稱「黑豹」，在此地區各處留下標記。他嗜殺且以殺人為樂，加上精力特別充沛，征戰十七年，把蒙古人擋在境外，沿尼羅河南下對付努比亞人的馬庫里亞王國，然後攻打所有基督徒，拿下凱撒里亞和雅法，接著於一二六八年強攻歐特維爾家族的根據地安條克城，並順利攻下。他致信美男子博埃蒙，並寫道，他若在安條克，「將看到你的騎士匍匐在馬蹄下，你的房子被劫掠者破門而入，你的財富被拿去以公擔為單位秤量，你的女人被以一次四人的方式出售，以一第納爾的價錢被人買走，而且那用的是你的錢！」一二七七年，拜巴爾斯企圖毒死某敵人，沒想到恍神拿錯玻璃杯，喝下了毒酒，因此喪命——對於謀殺賓客謀殺到膩的人來說，這是職業風險。久經沙場的埃米爾蓋拉溫（Qalawun）繼位後，和他兒子、孫子一同征服了以色列和敘利亞，[26]就在蒙古人忙於在中國用兵之時。

蒙哥去世時，正在圍攻梧州的忽必烈趕緊北上至他的夏宮上都，自立為大汗，全然不理會么弟阿里不哥提出異議。忽必烈捨哈剌和林，另建一新的冬季都城。此城漢語稱大都，蒙語則是汗八里（「汗城」之意；後來的北京），由阿拉伯籍建築師亦黑迭兒丁（Iktiyar al-Din）設計。大都唯一保存至今的建築白塔，係尼泊爾人阿尼哥主持修建。因此大都這座精心建造的中國城市，實乃一名阿拉伯人和一名尼泊爾人為一蒙古人所建。

信奉佛教的忽必烈，受他的寵妻察必鼓勵，[27]容忍一切不順眼的事物。他說，「我感興趣的不是一座橋的石材，而是支撐該橋的橋拱。」他保護佛教，會說漢語，熱中於宣揚他的天命並向漢地居民收稅，招攬漢人人才成立金蓮川幕府——由漢人顧問組成的智庫。

他仍保有蒙古人的習性，經常躺在皇宮旁的蒙古包裡，或帶領一萬四千名獵人、兩千隻獵犬和獵犬訓練員、一萬隻獵鷹、受過訓練的西伯利亞虎和非洲獵豹、鷳和數千名士兵等出外打獵。這些士兵幫忙將數百隻動物團困住，供肥胖、痛風纏身的大汗從高高的象轎上射殺，象轎搭並排繫在一起的四頭大象上。

一二六四年，忽必烈會接見尼科洛・波羅和馬斐奧・波羅這兩個年輕的威尼斯商人。兩人專門從事君士坦丁堡貿易，專精珠寶買賣，最大客戶將是忽必烈。

忽必烈和波羅家兄弟

一二五九年，波羅家兩兄弟把尼科洛的孕妻留在威尼斯，兩人來到君士坦丁堡。自丹多洛攻占君士坦丁堡，該城一直受威尼斯支配，但這樣的情況不會維持太久。他們離開君士坦丁堡時，此城即將易手。[28]

波羅家兄弟買進珠寶，然後渡過黑海，直接前去金帳汗別兒哥（拔都之弟）的都城薩萊，且「自願將他們的珠寶全部送給」他。波羅家兄弟始終眼光放得很遠，只找最重要的人談：別兒哥「指示給他們兩倍珠寶價值的錢」。他們想必很討人喜歡，因為不管到哪裡，一再受到頭髮花白的可汗歡迎。別兒哥甚至任命他們負責替他擺平事情。

26　一二六八年失去安條克後，博埃蒙六世保有由他的姊妹露奇亞所繼承的黎巴嫩口岸的黎波里。蘇丹蓋拉溫於一二八九年拿下這處口岸。的黎波里伯爵夫人露奇亞、歐特維爾家族最後一人，可能死在廢墟中。

27　忽必烈有四個妻子，各妻有幹耳朵數以百計，此外，他的寵妃是「非常漂亮的白膚女人」，來自阿富汗。他的妃嬪全由老練的蒙古女人調教。

28　這座「大城」被希臘籍小國君米海爾八世・帕萊奧洛戈斯（Michael VIII Palaiologos）奪回，其家族將在接下來兩百年統治重續國祚的東羅馬帝國。為慶祝收回此城，東羅馬人燒掉威尼斯人的船，弄瞎威尼斯籍商人，提升熱那亞籍商人的地位，讓後者在君士坦丁堡有自己的居住區伽拉塔（Galata）。熱那亞籍商人在伽拉塔建造了稱之為「基督塔」（Tower of Christ）的瞭望塔，如今仍屹立在原地。

一二五二年，別兒哥皈依伊斯蘭教——黃金家族裡的第一人——他對堂兄弟旭烈兀在巴格達的殺戮深為反感：「他一定會為殺掉哈里發付出代價」。黃金家族自相殘殺了起來。旭烈兀殺了他家族三人——「遭蒙古劍殺害的蒙古人」。家族成員在高加索地區起衝突；但即使在可汗和可汗交相伐時，自朝鮮半島綿延至諾夫哥羅德，都在蒙古勢力範圍內，時間前後長達兩百年，而且這個勢力範圍的影響力之大、分布之廣，和過去兩百年英語圈的勢力不相上下。一二六二年，別兒哥與旭烈兀的最大敵人拜巴爾斯結盟，心裡依然思忖著，「若我們團結一心，我們將征服全世界。」

如果曾存在蒙古人治下的和平，那和平也如波羅兄弟所發覺的不夠全面。「道路不靖，兩兄弟回不了」威尼斯，他們被困在布哈拉三年，在那裡學會蒙語，而後一名前去晉見忽必烈的旭烈兀使者深受兩人吸引——旭烈兀說，他對歐洲和基督教很感興趣。畢竟他的母親是基督徒。於是，波羅家兩兄弟加入這支前去中國的商隊。

馬利的凱塔家族和奧地利的哈布斯堡家族

貪婪的魯道夫和「百萬馬可」

一二七一年左右，忽必烈在大都接見了波羅兄弟，和善地向他們詢問了兩位基督徒皇帝的事，而後命令他們帶信給教宗克雷芒四世（Clement IV），信中要求派一百名學者來教導蒙古人，還索要耶路撒冷聖墓教堂的油燈裡的油。波羅兄弟驚歎於忽必烈的八座皇宮、「亮如水晶的綠色、孔雀藍色（皇宮）屋頂」、可容六千人入座的宴會廳。

波羅兄弟有了皇帝頒發的「符牌」（即通行證）後，[29]啟程回威尼斯，沒想到，一回到威尼斯，尼科洛才得知妻子已去世，留下一個十五歲兒子，名叫馬可——馬可如是說。波羅兄弟覺得歐洲太亂——克雷芒去世，腓特烈的繼承人陸續遭殺害，[30]吉伯林派和歸爾甫派為稱雄義大利，雙方激烈交戰。卻有個家族日益壯大：哈布斯堡家族。

---

29 符牌為一呎長、三吋寬的金黃色牌子，上有文字：「上天眷命，皇帝聖旨，如不欽奉虔敬，治罪」。

30 腓特烈二世與耶路撒冷女王所生的兒子康拉德，在父親生前就被推選為羅馬人的國王，後來也繼承了西西里，但一二五四年死於瘧疾。他的同父異母弟曼弗雷迪（Manfredi），是腓特烈最寵愛的妻子畢安卡（Bianca）的兒子，他對於教宗烏爾班四世將西西里賜予挑戰者安茹的夏爾（Charles of Anjou）一事深感震驚且氣憤。夏爾是法蘭西王的弟弟，一二六六年殺了曼弗雷迪，接著斬首了康拉德十六歲的兒子、「美如押沙龍」的康拉丁（Conradin）。曼弗雷迪的女兒康斯坦絲（Constance）則嫁給亞拉岡國王佩德羅三世，並奪回西西里。至於夏爾，他保有那不勒斯。他的家族透過聯姻成為中歐王族成員後，他的後代一度統治匈牙利、克羅埃西亞、波士尼亞、波蘭及羅馬尼亞。

因諸侯未能達成共識，日耳曼皇帝遲遲推選不出來，而哈布斯堡的魯道夫——身為腓特烈的教子和斯陶芬家族公主的孫子——卻是很想坐上大位。他高大、趾高氣昂、貪婪、凶狠、鷹鉤鼻，用他自己的話來形容則是個「永不滿足的戰士」，他燒掉隱修院，夷平村莊，吊死盜匪，殺害波羅的海地區的多神教徒。一二七三年，時年五十五歲的他被推選為日耳曼的國王。[31] 一上任，他即偽善的宣布，「今天我不再追究我所蒙受過的種種委屈，承諾全心全意捍衛和平，一如先前我全心全意當個好戰的戰士。」

與他爭奪皇位的人是風頭甚健的捷克籍波希米亞國王，「黃金王」奧托卡（Ottokar the Golden）。他憑藉國內銀礦，成為歐洲最有錢的君主，擁有最金碧輝煌的宮廷[32]。奧托卡和魯道夫彼此甚熟，先前一起投身十字軍攻打立陶宛的多神教徒：柯尼斯堡（Königsberg，「國王的城市」，今加里寧格勒）係為向奧托卡致敬而創建。不過，兩人也互看不順眼。合法的奧地利公爵去世時，這位多金的捷克籍國王娶了比他大三十歲的奧地利公爵的姊姊瑪格麗特，奪取維也納，並聲稱自己有權坐上皇位，還嘲笑魯道夫・哈布斯堡的陰沉「灰斗篷」。

日耳曼皇帝魯道夫把女兒嫁給五位小國君，藉此把他們拉攏到自己陣營：聯姻，而非戰爭，造就了哈布斯堡家族。然後，他把奧地利賜給自己，攻打奧托卡。奧托卡一身金黃，燦爛耀眼，匍匐在魯道夫面前。魯道夫刻意低低坐在凳子上。「他嘲笑我的灰斗篷，」他憤憤嘟噥道，「現在就讓他來嘲笑。」報復心切且很想將奧地利據為己有的奧托卡食言，魯道夫隨之在維也納附近的迪恩克魯特（Dürnkrut）擊敗他。黃金王全身被剝得精光，生殖器被割下，塞進他嘴裡。魯道夫挖出他的內臟，把沒了內臟和手腳的他在維也納示眾，封他的兒子「獨眼」阿爾貝特（Albert 'One-eyed'）為奧地利公爵。[33]

魯道夫去世時，諸選帝侯害怕哈布斯堡家族勢力，推選另一個小國君為日耳曼國王。獨眼巧施妙計讓自己被推選為日耳曼國王，並割了對手的喉嚨。早先，阿爾貝特中毒，而醫生為了治療，便將他倒吊，未想吊得太久，導致他一眼眼窩空掉，而他「讓人很不舒服的外貌」因此更是慘不忍睹。醫生沒治好病反倒壞事的本事太強，因而直到十八世紀中期為止，有機會用到昂貴藥物的貴族，比起農民，反倒更有可能活不久。獨眼最終毀於自己的貪得無厭，不願和苦惱於「無地」約翰（John NoLand）這個綽號的姪子共享父親所繼承的家產。無地不接受獨眼帶著鄙視意味的恭維，和他的心腹一起伏擊這個國王，用狼牙棒在他的頭骨上砸出一道口子。哈布斯堡家族的報復向來狠毒：阿爾貝特的兒女奧地利公爵萊奧波德（Leopold）和匈牙利王后阿格涅絲（Agnes），兩人坐在台上，目睹約翰那六十九個無辜的扈從被逐一砍頭，沒了頭的身體成排擺放。血噴出時，據說阿格涅絲嘆道，「我被五月露水弄濕身子。」

哈布斯堡家族這時是奧地利的王族——而波羅一家則在回去向忽必烈汗覆命的路上，且這次多了尼科洛的少年兒子馬可。這些威尼斯人途經十字軍首府阿卡，在那裡，他們好運降臨：有個友人選上教宗，他們於是帶著教宗的信和神聖的耶路撒冷油前往中國——儘管他們似乎忘了百名學者這回事。

這趟東行可謂意興風發，途中馬可著迷於党項女孩在性方面的放蕩不羈，馬可覺得她們「美麗、活潑、隨時都願意幫忙」。[34]他們來到大都後，向忽必烈跪拜，同時把馬可介紹給大汗：尼科洛說，「陛下，

31　有權推選日耳曼國王的日耳曼諸侯稱作選帝侯。而日耳曼國王則在查理曼的古都亞琛登基。

32　奧托卡是至此時為止，捷克普熱米斯洛夫奇（Přemyslovci）家族最傑出的成員，該家族最初是以布拉格為中心的斯拉夫族領袖，後來創建波希米亞王國。

33　不過，普熱米斯洛夫奇家族並未就此終結：他的兒子瓦茨拉夫二世（Wenceslas II）成為波蘭王國和波西米亞王國的國王，並為兒子取得匈牙利，統治一中歐帝國，可惜在他死後，帝國也隨之分崩離析。

34　馬可盛讚卡穆爾鎮（Kamul，今新疆哈密），「如有外地人來到某人的家中，屋主會極為開心的接納他」，要「女兒、姊妹、他人滿足這個外地人的所有想望」，甚至自己識趣地離開住處，讓「外地人和他的妻子在一起，做他想做的事，和她同床共枕，繼續享受盛情的歡愉。因此，每個男人都被自己妻子戴了綠帽，卻一點也不以為恥……所有女人都膚色甚白、熱情開朗、非常淫蕩，極其享受這個風俗」。

我兒子，你的人，冒著極大危險帶來的世上最珍貴的東西。」忽必烈很欣賞這個瀟灑的義大利少年，喜歡他所講述的生動故事和他「高貴的外貌」。誠如馬可所吹噓的，「這個高貴的年輕人彷彿有著神一般的悟性，而非人的悟性」。蒙古籍廷臣掩飾不住他們對這個極講究裝扮之人的「深深苦惱」。他自負做作，因此後來有「百萬馬可」（Marco Million）的外號。

身為教宗使節，波羅一家人欲使忽必烈皈依天主教，但他的異教信仰堅不可撼。[35]不過，馬可對於忽必烈開朗快活且尊貴的特質，感到很高興。馬可的父親和叔叔忙於做買賣時，忽必烈派馬可出使國外，儘管他誇大了自身的重要性。而唯一確定的是，沒有任何西方人和忽必烈走得這麼親近。馬可．波羅說，他曾被派去擔任地方行政長官；更可能的情況是他在為忽必烈效力的十七年期間有過許多功績，包括擔任收稅官。若說這位大汗對於波羅一家的事蹟和珠寶感到好奇，毋寧說他這時最想做的，正是平定南宋。馬可說，他的父親和叔叔針對如何研發火炮以攻破南宋城牆一事提供了意見。蒙古人早已把使用火藥的中國武器帶到歐洲，然說起傳播最速的技術，順應當下需求最快開發出的，莫過於殺人技術。歐洲人已改良中國的設計。忽必烈可能也已在製造史上最早的鐵炮，[36]平定南宋是史上第一場全面的火藥戰爭。

忽必烈派將領伯顏（外號「百眼」）和阿朮（速不台之孫）率領蒙漢大軍前去拿下南宋心臟地帶的大城。阿朮攻勢受阻後，忽必烈請他在伊拉克的堂兄弟送來阿拉伯籍工程師建造投石機。這些投石機仿自佛朗機人的設計，並結合了中國人的霹靂炮。南宋不甘示弱，以炮火反擊。戰事進行緩慢卻也猛烈，雙方在陸上、在圍城戰中、在河邊交手。一二七五年，百眼屠城，殺光常州全部居民共二十五萬人；隔年，長沙全城居民自殺；經過五十年戰爭，南宋都城臨安（今杭州）總算投降。這是史上頭一遭，入侵的游牧民族征服全中國，而且自唐朝滅亡以來，中國全境首度一統。身為黃金家族所有汗國的大汗[37]暨中國元朝的創建者，這時忽必烈統治幅員最遼闊、人口最多的帝國，從古至今最大的帝國。他自視為「世界皇帝」，只消拿下亞洲最後幾個獨立強權，此稱號就實至名歸。

忽必烈發兵侵日

「我祖宗受天明命，奄有區夏，遐方異域，畏威懷德者，不可悉數」，忽必烈發國書告訴日本幕府將軍，文中語帶威嚇，「聖人以四海為家，不相通好豈一家之理哉，以至用兵夫孰所好」。吐蕃[38]和高麗都已歸順，忽必烈因此想把隔著五十哩大海的日本也收服。這時，日本仍由世襲的幕府將軍坐鎮京都統治，天皇並無實權。幕府將軍不願歸順蒙古人。

一二七四年，忽必烈出動一百五十艘船征日，元軍於博多登陸，而令元軍大吃一驚的，竟是遭兵力甚小的日軍擊退。不過，這只是多方用兵的忽必烈的其中一場戰爭而已。在南邊，他把矛頭指向印度文化圈

---

35 忽必烈不只包容撒拉森人、猶太人和崇拜偶像者（佛教徒）的節日，也會慶祝這些節日。有人問為何這麼做時，忽必烈回道，「世上有四個先知。基督徒有耶穌，撒拉森人有穆罕默德，猶太人有摩西，崇拜偶像者有佛陀，佛陀是其中最早者。這四人我都崇敬以待。」波羅一家請他受洗時，他欣然回道，他的薩滿僧、占星家、術士比基督徒強了許多：「我的貴族和其他信者會反問，『你見過耶穌行了什麼神蹟？』」

36 宋朝製造鐵製炮彈、火箭、火槍，但一二五七年，有個視察過兵工廠的官員斷定，「一旦胡人來犯，他們的軍火完全不足以因應。這實在是太令人膽寒的漠視之舉啊！」真正存在的最早鐵炮，來自忽必烈在上都的夏宮，據斷定造於一二九八年。

37 忽必烈封其弟旭烈兀為波斯—伊拉克的伊兒汗：一二六五年旭烈兀去世時，他寵愛的奴隸跟著殉葬。金帳汗國（俄羅斯）仍是拔都家族的汗國，這時業已信仰伊斯蘭教。

38 忽必烈邀年輕的吐蕃喇嘛八思巴前來參加他舉辦的宗教辯論，也請他根據藏語字母創造新文字。八思巴助他將吐蕃納入帝國，被封為「國師」。

裡的王國，派遣馬可・波羅出使緬甸、越南。他的兒子脫歡入侵安南，接著進犯占婆（分別是今越南北部、南部），但遭越南人以游擊戰擊潰，受此羞辱後，他自覺遭父皇摒棄：蒙古人不吃敗仗。更內陸的吳哥避掉歸順的命運，但以林立紅色寶塔的蒲甘為都城的緬甸和清邁、素可泰這兩個泰人王國盡皆被迫投降。拿下東南亞後，忽必烈的艦隊將三萬士兵送上爪哇島，在爪哇籍盟友羅登・韋查耶（Raden Wijaya）的助力下，消滅印度化的貿易帝國信訶沙里（Singhasari），接著羅登・韋查耶出賣元朝，趕走蒙古人。[39]

首次征日失利，忽必烈耿耿於懷。一二八一年，六十五歲的忽必烈以驚人的速度組建兩支艦隊，出動四萬五千名蒙古人和十二萬名漢人─高麗人，加上數千匹馬，配備火焰炸彈，前往征討日本。艦隊未能如計畫會合。但一八二一年八月，忽必烈的南艦隊登陸九州，當地日本貴族使用小型火船破壞身形龐然的蒙古船，在被稱之為「神風」的颱風適時到來的助攻下，擊敗入侵者。後世的沉船研究人員發現許多失事沉沒的蒙古船，其中一艘長兩百三十呎，有防水隔艙和巨大船錨，而拙劣的工藝說明了元軍征日為何失敗。人員損失急劇，或許是歷來海戰死亡最慘重的一天。

約莫七十五歲、身形肥胖的忽必烈身體日漸走下坡，猛吃長生不老藥和飲食，他的繼承人則在這時死於家族病——酗酒——連年老的「百眼」和他坐在一起回憶兩人當年的豐功偉業時，都無法讓他心情好些。波羅一家仍在宮廷裡，來中國已二十五年，富裕了不少，只是忽必烈不讓他們返鄉——與性情多變的獨裁者結為朋友經常碰到的困擾。他們懇求讓他們離開。

「你們為何想死在路上？」忽必烈問，「告訴我。如果需要黃金，我會再給你們。」

尼科洛下跪說道，「我老家有個老婆，根據我們的基督教信仰，我不能棄她於不顧。」

「絕不准你們離開。」他們擔心，這輩子恐怕再也見不到威尼斯。

波羅一家逃走和伊兒汗的歷史學家

一二九一年，忽必烈把黃金家族的年輕公主闊闊真（「藍如青天」）送走，嫁給他的姪孫、波斯的伊兒汗阿魯渾。闊闊真需要一名經驗老到的旅行家隨行護衛，她的侍從便建議三十八歲的百萬馬可。經過感人的告別，忽必烈命令波羅一家陪她去波斯，並寫了一封信致基督教世界所有國王。告別時，他們收到珠寶，並應允「有朝一日」再回來。這個新娘子十七歲，「非常漂亮，和藹可親」，戴著鑲有珠寶的頭飾「博赫塔」（bochta），踏上海上旅程。十五艘船浩浩蕩蕩出發，六百名廷臣隨行。這趟航行如踏入鬼門關，只有十八人生還，其他人全喪命——或許是死於瘟疫——生還者，包括闊闊真、波羅一家、他們的蒙古籍奴隸彼得，則在荷姆茲上岸。

旭烈兀的孫子阿魯渾正與教宗談判帶領十字軍攻打埃及馬穆魯克人一事，就在雙方談定之際，阿魯渾開始身體不適。阿魯渾派一名熱那亞籍的使者西去，向英格蘭王愛德華一世和法蘭西王腓力表達願送上耶路撒冷之意，以取得佛郎機人襄助。[40]可惜他們出手時已太遲。阿卡已落入馬穆魯克人之手，當時情景猶

39　羅登・韋查耶創建了信仰印度教的王國滿者伯夷（Majapahit），在他的傑出女兒姬塔加（Gitaraja）治下，王國疆域更廣。身為拉娜・特里布瓦娜（Rana Tribhuwana）——往往被刻畫為職司美麗、愛、勇氣的女神帕爾瓦蒂（Parvatia）——在她擔任國王的兄弟於一三二八年遭謀殺後，她有時統領自己的兵馬開疆拓土，建立一個從婆羅洲至菲律賓、泰國南部，橫跨印尼的帝國，並在四十歲左右去世。而這個帝國控制中國與印度洋間的香料貿易長達三百年。

40　十字軍失利加劇歐洲境內的反猶迫害。猶太人被禁止擁有土地或加入貿易企業，被迫穿特殊衣服，常投入基督徒所據認不該從事的放款業。國王向他們借錢，於是保護他們，但民間因經濟衰退或瘟疫而情勢緊繃時，他們一再遭受攻擊。一一四四年，英格蘭諾里奇（Norwich）有個男孩遇害，猶太人被控為製作逾越節無酵餅而殺害基督教人家的小孩，引發所謂的「血祭誹謗」（blood libel）。血祭誹謗呈現為多種形態——但多以猶太人陰謀傷害非猶太人為特點——其餘波至二十一世紀未歇。血祭誹謗四處擴散：一一七一年，擴散至法蘭西的布盧瓦（Blois），該地三十三名猶太人（其中十七個女人）遭活活燒死。在英格蘭這個

如世界末日。

阿魯渾已是嗜食長生不老藥的酒鬼，就在即將迎娶闊闊真時，竟服長生藥過量。伊兒汗國的可汗大多年紀輕輕就死於酗酒和藥物，因此每有可汗死亡，都有人遭指控下毒。波羅一家遭拘留。闊闊真不想讓馬可離開，所幸阿魯渾的兒子伊兒汗合贊後來娶她。而她也早逝——若非遭毒死，就是死於瘟疫。

合贊身材相當矮小，長相「比他軍中最醜的騎兵還醜」，行事鬼祟、狡猾、有文化素養，會說阿拉伯語、波斯語、印地語、藏語、佛朗機語以及漢語，本身是蒙古史權威，帶兵作戰凶猛，是凶殘陰謀的大師級人物。他在基督教、佛教、騰格里教並存的環境裡長大，為使王朝和人民不致脫節，他皈依伊斯蘭教，以致他不久後便開始迫害佛教徒、基督徒和猶太人，但他繼續謀求與基督教強權聯手攻打馬穆魯克人。一三〇〇年，他的騎兵和亞美尼亞盟友拿下大馬士革和以色列，兵鋒穿過無城牆防護的耶路撒冷，來到迦薩。伊兒汗國最傑出的一人是合贊的維齊爾拉希德丁（Rashid el-Din），他是合贊的醫生，兼有波斯人、猶太人血統，他的父親是阿魯渾的藥劑師。拉希德丁皈依伊斯蘭教後，擔任維齊爾將近二十年。合贊任命他書寫《集史》（*Universal History*），內容集結了這位伊兒汗本人以及今已佚失的著作《黃金書》（*The Golden Book*）中諸多黃金家族的故事。合贊死於伊兒汗國最鼎盛時，他的弟弟完者都留任拉希德丁為維齊爾。完者都保不住合贊打下的天下，但有著和合贊一樣的文化寬容和文化野心，著手打建新的神聖都城蘇丹尼葉（Soltaniyeh）。[41]沒想到，一三一六年，完者都便死於酗酒，拉希德丁跟著遭殃，他被控毒死完者都。他的敵人拿著他的首級遊街，邊叫囂道，「這就是這個猶太人的頭！」；「真主詛咒他！」

波羅一家在伊兒汗國都城大不里士（Tabriz）待了九個月後總算逃走。當他們接近威尼斯時，聽聞他們的恩庇者忽必烈已死。波羅一家以他們的經歷、他們的蒙古籍奴隸彼得、他們的中國發明物——紙鈔、眼鏡、讓他們得以買下宅第的錢財——風靡威尼斯人。某次晚餐時，他們穿著破爛的蒙古毛皮大衣，又突然割開襯裡，從中洩出隱藏的珠寶。

獅王孫賈塔：馬利的皇帝和島嶼城市的墨西卡人

熱那亞、威尼斯雙方爭奪從黑海至大西洋沿岸獲利甚大的香料、奴隸貿易時，馬可捲入這兩個共和國的殘酷對抗中。這兩個以海洋活動為根基的城市，也買賣來自英格蘭的羊毛，這些羊毛往往由內陸城市佛羅倫斯處理並製成成品。佛羅倫斯發行金幣弗羅林（florin），並且首開先河使用匯票和股份公司，在這兩

逐漸衰敗的國家，亨利三世面對頻頻發生的貴族叛亂，竭力於保住王權，國王和造反者都向有錢的銀行家牛津的大衛（David of Oxford）借錢。大衛死後，他的遺孀溫徹斯特的莉科麗西亞（Licoricia of Winchester）——英格蘭最有錢的非貴族人士——把錢借給這兩方，為西敏寺的建造提供了部分經費。但她於一二七七年遇害，說明身為顯赫猶太人的風險。一二九〇年，亨利的兒子愛德華一世將猶太人趕出英格蘭。但在一二六四年，波蘭公爵「貞潔的」博列斯瓦夫（Bolesław the Chaste）——以他和妻子間的無性契約而為人所知——同意施行卡利什法（Statute of Kalisz）。該法給予猶太人自由貿易、自由膜拜的權利，禁止血祭誹謗，立法禁止基督徒的陰謀論和告發：「明確禁止指控猶太人喝基督徒血之事」，「但如果有猶太人被控殺害基督教籍小孩，必須得到三名基督徒、三名猶太人的證詞證實」。波蘭自此將成為猶太人的避難所達數百年。

41　完者都建造的清真寺建築群和墳墓今仍屹立，有著令人驚歎的青綠色雙層骨架圓頂。雖然教科書多認定「文藝復興」是義大利的現象，但這件波斯—蒙古建築傑作很可能啟發了百年後布魯內列斯基（Brunelleschi）的佛羅倫斯主教座堂。伊兒汗和君士坦丁堡的帕萊奧洛戈斯王朝皇帝結盟。為對付突厥族埃米爾的劫掠，無計可施的東羅馬皇帝安德羅尼科斯二世把女兒伊琳娜（Eirene）送去伊兒汗國；她先後嫁給合贊和完者都。這些突厥族埃米爾以鄂圖曼這個好戰家族為首，在伊兒汗國和東羅馬帝國之間襲掠。這些來自東羅馬皇室的希臘籍妻子始終被稱作戴斯皮娜哈屯（Despina Khatun）——despina 一詞來自希臘語 despoina，despoina 則是 despotes（專制君主）這個稱號的陰性詞，通常是皇帝的女婿的稱號。這個時期，雙方通婚很常見：安德羅尼科斯把另一個女兒戴斯皮娜哈屯——瑪麗亞——嫁給金帳汗。

個因素推動下，佛羅倫斯作為皮革製造、紡織品加工處理、銀行業三項產業的重鎮，欣欣向榮地發展了起來。

熱那亞和威尼斯都靠買賣奴隸致富。陷入困境的東羅馬皇帝米海爾八世·帕萊奧洛戈斯，授予這兩個城市和馬穆魯克人從事黑海奴隸買賣的權利。熱那亞人的轉口港卡法（Kaffa）是熱那亞在克里米亞半島上的領土伽札里亞（Gazaria）首府，一二八一年起先後由一名熱那亞籍執政官、特設政府機關治理，係歐洲境內最大的奴隸市場。威尼斯人則使用蒙古人在克里米亞半島的口岸塔納（Tana）。義大利人買進的奴隸以女性為主，用來提供服務（個人方面和性服務）；誠如後面會提到的，梅迪奇家族（Medici）兼有白人、黑人女奴。哪個族群會淪為奴隸，取決於特定時候正在進行的戰爭：蒙古人的征戰產生不計其數的奴隸，因為每個蒙古士兵都必須擁有兩名奴隸作為其裝備的一部分。淪為奴隸的突厥人、俄羅斯人、切爾克斯人及喬治亞人紛紛湧入歐洲和埃及。對男奴需求最殷者是埃及的突擊隊員：蘇丹蓋拉溫，本身便是奴隸出身，他承諾以高於市場行情的價錢向義大利籍商人買奴隸，他家中的馬穆魯克人多達一萬兩千人。後來的蘇丹則擁有兩萬五千名馬穆魯克人，但他們最終獲得解放，並晉升到將軍之位，甚至當上君主。

熱那亞人比威尼斯人更敢於冒險，用金塊買進亞洲貨，金塊則產自西非洲，在熱那亞、加泰隆尼亞水兵開始冒險沿摩洛哥海岸南下時流入他們手中。一二九一年，熱那亞維瓦爾第家族（Vivaldis）兩兄弟企圖找到「經由大洋」前往印度的航路，於是沿著摩洛哥海岸往南航行，而後航離海岸，進入不明海域，就此人間蒸發。後來，另一名熱那亞人蘭切洛托·馬洛切洛（Lancelotto Malocello）揚帆出海尋找維瓦爾第兄弟。在此期間，威尼斯人全心經營他們的地中海帝國和埃及貿易。

促使這一切貿易得以活絡的黃金，此時掌握在一強大的非洲人王朝手裡。就在馬可·波羅返鄉時，有個名叫薩庫拉（Sakura）的神祕非洲籍統治者自撒哈拉沙漠出現，在前去麥加朝覲途中來到開羅。薩庫拉是一富裕新國度的曼薩（mansa，即皇帝），憑藉武力征討和黃金買賣在瓦嘎杜的廢墟中建立起來。

　該國的創建者孫賈塔・凱塔（Sundiata Keita）[42]是曼丁凱人（Mandinke）國王（farma）納雷・馬甘・科納泰（Naré Maghann Konaté）的棄兒。納雷曾見異象，異象中人告知他會娶一個醜女，而醜女將生下一個偉大國王。結果，這個醜女、他的小老婆索戈隆（Sogolon）生下跛子孫賈塔；大老婆薩蘇瑪・貝雷泰（Sassouma Bereté）和王儲丹卡蘭（Dankaran）一再嘲笑這對母子。孫賈塔七歲才會走路。納雷去世時，丹卡蘭命人殺掉孫賈塔。這對母子逃奔索索人（Sosso）國王蘇冒羅・坎泰（Soumaoro Kanté）的王廷，鼓吹他趕走壞心腸的丹卡羅，卻沒想到，索索人反倒占領該王國。曼丁凱人長老邀孫賈塔返國。一二三五年左右，他起兵在基里納（Kirina）打敗索索人，然後，由權貴、巫師及伊斯蘭教聖徒（marabout）組成的格巴拉（Gbara）大會推選他為曼薩，他則以承認一口耳相傳的法典[43]為回報。大會也一致同意此後自凱塔家族挑選曼薩——該家族自此統治王國直至一六一〇年。

　孫賈塔——人稱「獅王」——以新都尼亞尼（Niani，今馬利境內）為根據地，疆域擴及大西洋畔的塞內加爾和甘比亞，沿尼日河擴及奈及利亞北部，拉攏降服的國君。這個曼薩控制了巴馬卡（Bamaka）、布爾（Bure）兩礦場所產黃金的供應，這些黃金由阿坎人（Akan）開採，係這個王國財富的最重要來源。

42　後人對馬利歷史的認識，有一部分係透過阿拉伯籍學者——伊本・白圖泰（Ibn Battuta）、伊本・赫勒敦（Ibn Khaldun）、卡提爾（al-Kathir，即世界史《起始和結束》〔*The Beginning and the End*〕作者）、埃及人烏瑪里（al-Umari，十二年後來過開羅）以及薩迪（al-Sadi，廷巴克圖的學者）——的觀察心得，一部分則透過說唱部落史、家族史的西非歌舞藝人（griot）的傳統故事《孫賈塔史詩》（*Epic of Sundiata*）、殖民時代晚期法籍人類學家對這些故事的研究、凱塔家族在廷巴克圖的建築。

43　即《庫魯坎福伽》（*Kouroukan Fouga*）法典，其內容對待女人的法條，反映了曼丁凱人的母權制社會傳統：「絕不觸怒女人，我們的母親」；「政事始終徵詢女性意見」；「直到身為丈夫者想辦法解決問題，否則，絕對不可以毆打他的妻子」。如果男人性無能或無力保護妻子，或者夫妻其中一人精神失常，可以離婚。

但誠如獅王的後代穆薩（Musa）所說的，他們不擁有這些礦場，而是透過貿易或納貢取得黃金：「我們如果征服他們，將礦場據為己有，就會完全無法產出黃金」。而黃金至為重要。事實上，孫賈塔的稱號包括「萬伽拉礦場的領主」（Lord of the Mines of Wangara）。

柏柏籍、阿拉伯籍商人已把伊斯蘭帶到撒哈拉沙漠南邊。孫賈塔自稱先祖是獲解放的阿比西尼亞籍奴隸比拉勒（Bilal），即先知穆罕默德的第一個穆安津（muezzin，即清真寺的宣禮員），但他也被說成曼丁凱族巫師。為這個帝國提供動力者，除了黃金，還有紡織品和奴隸，而奴隸通常是在孫賈塔無窮無盡的征戰中擄獲的多神教徒，充當工人、僕人和妾。[44]

一二五五年左右，孫賈塔不知為何溺死在桑卡拉尼河（Sankarani River）——溺死處如今仍稱孫賈塔敦（Sundiatadun，「孫賈塔的深潭」）——而他又名耶雷林孔（Yérélinkon）的兒子烏利（Uli），繼續開疆拓土，成為第一位赴麥加朝覲的凱塔家族曼薩。但凱塔家兩兄弟爭奪皇位時，曾是奴隸的將領薩庫拉奪取政權，重建王國，並前往麥加，卻在返國途中遇害，凱塔家族隨之復辟。

想一探大西洋之究竟者不只熱那亞人：孫賈塔之孫曼薩阿布巴克爾二世（Abubakr II）死後，由穆薩接位，而據穆薩所述，阿布巴克爾「不相信找不到大西洋最遠的邊界，而且很想完成這個願意，於是在三百艘船上配備了人員、黃金、水以及可撐上數年的食物」，並派他們出航。結果只有一艘船返回，於是這位曼薩「備好兩千艘船——一千艘供他和他的手下用，一千艘用來放水和食物」——然後在大西洋岸揚帆出航，「留我代他掌理國政」。船隊的規模流於誇大，但非洲籍國王渴望探險之心為何就該不如熱那亞人：這個曼薩是否航向美洲了呢？

美國西南部動蕩不安。就在此時前後，可怕災禍降臨卡霍基亞（Cahokia）和其他密西西比河流域的王國。乾旱、疾病或戰爭蹂躪這些聚居地，這些地方隨後遭棄。集體墓穴裡，埋著遭肢解、乃至遭同類相食的遺體，間接表明了曾發生凶狠的清洗和竄逃式遷徙。就在這亂局中，以我們可能永遠不得而知的方式，發生了北美洲民族分布的重組和人民的南遷，這些南遷者將在日後創建墨西卡帝國。卡霍基亞人受迫於其他部族的遷徙，而上述災禍的倖存者很可能和這些部族一起遷徙；有些卡霍基亞人可能繼續栽種玉米，但大部分人既靠狩獵採集為生，也靠種植玉米、豆類為生。密西西比河流域諸國的國王失勢後，這些部族可能以大會為治理機關，受尊敬的長老在大會上和包括女人在內的全族人員討論該做的決定，選定作戰或特殊狩獵活動的領袖。但他們的世界並不平靖。部族與部族不斷交相征伐；沒有哪個部族獨大；接下來兩百年，北美洲遼闊大地上的諸族群間，權力格局不斷在變動。

而某些前進中的部族，如自加利福尼亞往東遷、說著烏托—納瓦特爾（Uto-Nahuatl）語或烏托—阿茲特克語的民族，有可能壓迫到卡霍基亞或可能趁此亂局壯大。其中有些部族在北部待了下來——後來成為科曼切人（Comanche）和修修尼（Shoshone）人——而其他眾多部族，在數百年歲月裡，被墨西哥谷地（Valley of Mexico）的富裕城市和肥沃土地吸引，漸漸南遷。他們都來自一個半神話性質的土地，亦即他們所謂的阿斯特蘭（Aztlan）——阿茲特克（Aztec）一詞的由來。一三〇〇年左右，最窮且最晚到的部族之一是墨西卡人（Mexica），他們受到當地社會排斥，繼續被驅趕到最沒人要的地方。

墨西卡人來到一個有著強大城市特斯科科（Texcoco）和阿斯卡波察爾科（Azcapotzalco）的地方，那裡的人以玉米和豆類為食，烹製玉米粉蒸肉和玉米粉薄餅，喝普爾凱酒（pulque）。普爾凱以龍舌蘭釀成，酒精濃度比龍舌蘭酒低了許多，屬發酵酒，非蒸餾酒。女人織棉織物；男人務農、打仗——他們既未

---

44 關於奴隸，《庫魯坎福伽》中規定，「勿虐待奴隸。我們是奴隸的主人，但不是奴隸所攜帶之袋子的主人。應讓他們每星期休息一天，在合理的時候結束他們的工作日。」

使用金屬，也未使用輪子，但小孩的玩具有輪子；他們把番薯屬植物的汁和橡膠摻在一塊（西方直到十九世紀才發現此工法），以製造比賽用球。由於缺乏金屬，他們以黑曜岩（天然火成玻璃）為材料打製武器。[45]

墨西卡人不只受到既有城市啟發，也受到一神祕城市的驚人廢墟啟發。他們稱該城市為特奧蒂瓦坎（Teotihuacan，「諸神的家」）和圖拉（Tula，「蘆葦地」）。一三二五年，墨西卡人的最高神祇殺掉姪子科皮爾（Copil），把心臟丟入特斯科科湖，要墨西卡人找到有一鷹吃一蛇的地方，並在該處建造他們的城市，藉此，最高神祇替他們選定了一個多沼澤的島建城。他們在島上建造了特諾奇蒂特蘭（Tenochtitlan），因為其他人都不想要這個多沼澤的地方，不過一如威尼斯，一旦解決了排水，此地將成為靠一條堤道和大陸相連，易守難攻、幾乎堅不可破的城市。

最初，墨西卡人為附近的城邦阿斯卡波察爾科打仗賣命，這個城市是泰帕內克人（Tepanecs）的首府，泰帕內克人來自美國北部，與墨西卡人同為納瓦特爾語族，由祖先為托爾特克人（Toltec）國王的家族統治，不過，墨西卡人和許多當地城市有往來。在這時期前後，他們決定選出一個君主——特拉托阿尼（tlatoani），意為「說話人」——安排他們的領袖阿卡馬皮奇特利（Acamapichtli）娶泰帕內克人的一位公主。這個新的「說話人」由權貴委員會從此家族選出後，赤裸站在他們的守護神前面，然後率軍出征，以擄獲俘虜供祭祀之用，接著舉行登基大典，大典裡有盛大慶祝活動、跳舞、人祭。他的兒子維齊利維特爾（Huitzilihuitl，「蜂鳥羽毛」）擴大城區和疆土，並透過與墨西哥谷地外的王國公主聯姻，締結同盟。他支持得勝的泰帕內克人，後者允許墨西卡人自行和附近的特斯科科建立關係。「說話人」形式上只是貴族寡頭統治集團裡與其他成員平起平坐的集團領袖，嚴格來講，是擁有所有土地，他再把土地分給他的貴族，即有奴隸服務的上層人士。統治者去世時，他的奴隸跟著殉葬。墨西卡人穩穩立足於他們的島嶼城市，但仍需要一名開疆拓土者為他們打造帝國。

世界首富——人在開羅的穆薩

阿布巴克爾，馬利的曼薩，也許未抵達美洲。[46]他的姪子穆薩說，「那之後我們未再見到他，於是我成了實至名歸的國王。」二十五歲的穆薩為孫賈塔的姪孫，這時已當上曼薩，可能暗殺了他的叔叔；只是不管發生了什麼，他開始擴大疆域，征服了「二十四個鎮」。身為虔誠穆斯林，他不得把同為穆斯林的人貶為奴隸。於是，這個曼薩「對與其為鄰的蘇丹一地多神教徒發動永遠的聖戰」，因而擄獲許多人，並立即把他們貶為奴隸。有跡象顯示，穆薩可能殺了自己母親，或許正是此意外促使他去麥加朝覲：他問律師，要怎麼做才能獲得阿拉原諒。穆薩打算以盛大排場途經最大的伊斯蘭城市開羅，再赴麥加朝覲，他帶著兩萬名廷臣（有些資料說六萬名）、眾多士兵、一萬四千名女奴和五百名男奴啟程。廷巴克圖的薩迪寫道，「每個奴隸手上拿著一根用五百米什卡爾（mithqal）的黃金（二・一二五公斤黃金）打造的棍子」。駱駝馱著「一百馱黃金」。北非局勢混亂，而馬穆魯克蘇丹、蓋拉溫之子納綏爾・穆罕默德（al-Nasir

45　墨西卡人沒有馴化的馱畜；完全靠挑夫運輸。他們最值錢的物品是玉，接著是金或銀。他們在大型市場上買賣貨物和奴隸，也在市場裡理髮、吃東西、交換金銀，以可可豆和棉花為貨幣（一顆新鮮的酪梨要價三顆豆，一隻火雞要價一百顆豆）。人因為戰爭、負債、受罰而淪為奴隸，但奴隸身分不世襲。奴隸工作的內容和奴僕一樣，倒楣的就被抓去獻祭，幸運的則獲解放。

46　大多數史家認為，非洲人不可能跨過大西洋，因為欠缺造船技術。但他們當然可能以失事擱淺在非洲海岸的熱那亞船隻為本來仿造。有個西班牙籍托缽修士在一五八八年訪談了猶加敦半島的馬雅人，他得知「古時候有七十名莫洛人（Moros，即黑人）乘著一艘想必經歷過大暴風雨的船來到此海岸」，為首者是個「謝克」（xeque）——謝赫（sheikh）：他說，這些人全被殺。

Muhammad）正值其威望巔峰，他統治埃及、以色列、敘利亞、麥加及麥地那，但就連開羅人都對穆薩的豪華排場瞠目結舌——急欲從他手中取走盡可能多的黃金。接近開羅時，穆薩派人將五萬第納爾的黃金送給納綏爾當禮物，然後納綏爾在他位於薩拉丁護城城堡（Saladin's Citadel）的宮中接待他。這個曼薩置身城堡時，「拒絕親吻土地」。

「我只向真主跪拜。」穆薩說，納綏爾聽了後「原諒他」，兩人以平等身分坐在一塊——一個是最偉大的蘇丹，另一個是最偉大的曼薩，而前者是奴隸之子，後者則是國王後裔。

穆薩在開羅待了一年，他「和他的隨從買了各種東西，而且也覺得他們的錢用不完」。沒想到，埃及人有計畫的騙走馬利人的黃金。穆薩花掉的黃金之多，導致金市崩盤。與埃及的傑出人士晤談時，他詳述了他的前任曼薩出洋離奇死亡一事和他家族令人咋舌的財富來源。完成朝覲後，穆薩靠借錢才得以在返程時維繫住他的豪華排場。他的奴隸大多死於途中，於是他買了突厥籍、斯拉夫籍、衣索比亞籍奴隸共一萬兩千人替補，把他們帶回西非。

回國後，穆薩併吞了傑內（Jenne）、伽奧（Gao）、廷巴克圖這些古老的貿易城。在廷巴克圖，他用來自安達魯斯的新建築師薩哈利（al-Sahali）建造了桑科雷經學院（Sankoré madrasa）和以土為建材的金格勒貝爾清真寺（Djinguereber Mosque），以及這位曼薩的皇宮——前兩座建築今仍屹立。穆薩和其後的曼薩在一覆有圓頂的亭閣裡臨朝聽政，亭閣周邊有三百名弓箭手和長矛騎兵守衛，以號角和鼓宣告曼薩蒞臨。有個來自摩洛哥的朝覲者以其銳利眼光觀察了上述一切。此人是伊本・白圖泰，他前去麥加朝覲，和穆薩差不多同一時候經過開羅；接著，他踏上一段不可思議的旅程，並在旅程中見了金帳汗，並為精神變態的德里蘇丹效力，[47]在蒙古人治下的中國遇見摩洛哥籍友人。他幾次碰到搶劫、慘事、暗殺，都在千鈞一髮之際化險為夷，然後他協助統治馬爾地夫，在那裡娶妻。在亞、非洲各地，他親眼目睹淪為奴隸的人，也享受到蓄奴的好處——收養和拋棄奴隸、妻子、情人，並以深情口吻寫下她們的特質。[48]

他前去凱塔王朝治下的馬利，驚歎於曼薩的威儀堂皇，但也看不慣馬利人對女人的行動管制甚鬆，動不動就想告誡他們留意其弊害：女人坐著自由閒聊，活動範圍不限於閨房或未遮臉，她們的女奴和女兒「赤身裸體出現在她們面前，露出陰部」。

回鄉後，非斯（Fez）的國王命他寫下回憶錄。《獻給打算一睹城市奇觀和體驗旅行奇事者》（*A Gift to Those Who Contemplate the Wonders of Cities and the Marvels of Travelling*），或許可說是史上最出色的遊記，講述了他行走十一萬七千哩的所見所聞。馬可・波羅只走了一萬兩千哩，但他即將寫下當時另一部出色的遊記。

「百萬馬可」從未打過仗，但威尼斯和熱那亞這時正交戰。馬可為自己的槳帆並用大木船配備了必要的裝備，加入安德雷亞・丹多洛（Andrea Dandolo）所統領的威尼斯艦隊。丹多洛是威尼斯總督之子，而且是那位攻下君士坦丁堡的盲眼威尼斯總督的後代。但一二九八年九月，丹多洛的艦隊在達爾馬提亞外海遭擊潰；威尼斯損失了九十五艘船裡的八十三艘和五千多名水兵（其中許多人是划槳的奴隸），丹多洛在

---

47 這位德里獨裁者名叫穆罕默德・賓・圖格魯克（Muhammad bin Tughluq），一三二五年從他突厥籍父親伊本・圖格魯克（Ibn Tughluq）手中接下強大的北印度蘇丹國，往南開疆拓土，迫害印度教徒。他下令遷出德里，把都城移到德干高原的代沃吉里（Devagiri），不從者一律處死。伊本・白圖泰來到印度時，這個蘇丹任命他為卡迪（qadi，伊斯蘭法官），但這個旅行家注意到數個遭處決者垂掛在街頭上。穆罕默德的古怪行徑最終導致其將領在北部造反，而一對信印度教的兄弟——哈里哈里（Harihari）和布卡雷（Bukka Ray）——則在南部建立新王國毗闍耶那伽羅（Vijayanagara）。伊本・白圖泰有幸得以活著離開。

48 關於印度的馬赫拉塔人（Mahratta）女孩，伊本・白圖泰斷定，「她們性交時所予人的快感和對撩欲動作的認識，為其他女人所不能及。」那不只追求性愛，還追求愉悅：針對他在馬爾地夫的某個妻子，他寫道，「她是最好的女孩之一，用情極深，因此我娶她後，她常把香水塗在我身上，用香薰香我的衣服，而且總是一臉笑意。」

被押去囚禁途中，用頭猛撞船桅而亡，馬可則被俘。囚禁在熱那亞時，馬可很快就向獄卒和獄友講述起他的旅行事蹟，讓他們聽得入迷。其中一個獄友魯斯提凱洛（Rustichello）是寫亞瑟式騎士故事的作家，決定將馬可流於誇大卻引人入勝的旅遊見聞寫下來。《遊記》問世後大為暢銷，人人捧讀，讓那些從未離鄉的人得以認識中國、印度、波斯。馬可獲釋後終於結婚，但他已成了富裕、心胸狹隘且好打官司的寡頭統治集團一員。在街上，小孩對著他喊道，「馬可，再來一個謊言！」不過，他一直在口袋裡放著一本他的《遊記》，以便讀給人聽。一三二四年臨終前，他遺囑的內容——解放他的蒙古籍奴隸彼得、把闊闊真的頭飾和忽必烈給的符牌留給他女兒——再再透露出他始終懷念上都。

馬可．波羅和伊本．白圖泰締造了凡人難以企及的冒險偉業。雖然多數人的活動範圍不出所居村鎮，但遠行至異鄉或與異鄉有往來之事變多，而這大多得歸功於黃金家族所打造的蒙古勢力範圍。黃金家族的軍隊和人脈已使東西方的聯通比以往任何時候都密切。只是，這樣的情形有利有弊：隨著鼠疫突變為靠空氣傳播、傳染性更強許多，鼠疫會更快爆發。

一三四七年，腫脹腐爛的士兵屍體逐漸被大量丟入遭圍困的卡法城裡，砸在熱那亞籍奴隸貿易商身上。

生靈塗炭：黑死病盛行時的四位作家

統治俄羅斯的金帳汗札尼別下令以投石機將死於瘟疫的屍體射入卡法城裡，以逼城中守軍更快投降。常有人認為，鼠疫正是在此時從蒙古帝國轉移到西歐，但較可能的情況是病原體早已越過城牆，進入城裡。

就在鼠疫已往西傳時，鼠疫同時往東傳，而且就從中亞開始：吉爾吉斯伊塞克湖（Issyk-Kul）附近的景教徒墓碑中曾提到一三三八至三九年的鼠疫。忽必烈的庸碌後代爭奪權位時，天災——洪災和饑荒——加上一波農民叛亂，把此病傳遍中國，以致元朝元氣大傷。中國一億兩千萬人口可能少了一半。鼠疫也循著蒙古人的貿易路線往西傳至伊兒汗。此時的伊兒汗由年輕的不賽因（Abu Said）統治，伊本・白圖泰形容他是「真主所創造的最美麗生物」。但這位伊兒汗與堂兄弟金帳汗月即別兵戎相向，一三三五年，月即別入侵高加索。三十歲的不賽因連忙率兵出征擊退月即別，沒想到，他和他的六個兒子都死於鼠疫。他們的暴斃導致伊兒汗解體，是為第二個受鼠疫摧殘的黃金家族王國。

就在兩汗國衝突期間，病原體被帶到第三個汗國。月即別已把疆域擴及歐洲境內，進攻了色雷斯，迫使東羅馬皇帝安德羅尼科斯三世把一個女兒送給他當妻子。在俄羅斯，他殺害至少四名留里克家族成員，把莫斯科的尤里提拔為蒙古人最倚重的打手，由他替蒙古人對付不聽話者，並把自己的妹妹嫁給他。莫斯科變得極富有，尤里的兒子因而有「錢袋伊凡」（Ivan Moneybags）的綽號。[49]在克里米亞半島，月即別准許了卡法為熱那亞所有，塔納為威尼斯所有，然他死後的一三四三年，熱那亞人殺害一名穆斯林，迫使他的兒子札尼別出兵圍攻卡法。一三四六年，札尼別帶著他的部隊——包括他的莫斯科盟友——返國時，營地爆發鼠疫；金帳汗國人口最終將有四分之一因此喪命——而不管他是否把受感染的屍體射入卡法城裡，熱那亞人依舊感染了鼠疫。

札尼別接著拔營，他的士兵因此把此病傳遍俄羅斯和斯堪的納維亞。一艘從克里米亞半島航往亞歷山

49　金帳汗不只用莫斯科人維持俄羅斯秩序、向俄羅斯收稅，還用他們擊退北方的新興強權——信仰多神教的立陶宛公爵。歐洲最後一個多神教信仰的重要君主阿爾吉爾達斯（Algirdas）一三七七年去世時，他的遺體和為其殉葬的人、馬一起火化。

卓的熱那亞奴隸船，疫情嚴重到船靠岸時三百名乘客只有四十五人存活，而這些人後來也都死掉。一三四七年十月，十二艘熱那亞船載著一批令人毛骨聳然的貨物停靠西西里的墨西拿（Messina）：身上有許多黑色腫塊的已死和垂死之人。這些腫塊充滿血，大如雞蛋，而且滲出膿水。誠如先前已提過的，先是旱獺（騎馬游牧民的佳肴）身上的跳蚤，而後是藏在惡臭軍營、碼頭小巷、船艙裡的老鼠身上的跳蚤，都是奪命效率奇高的傳病媒介。歐洲已被一場嚴重饑荒摧殘得元氣大傷：營養不良削弱了人的抗病力。要弄清楚此瘟疫——黑死病——的傳播路徑，最好的辦法是透過當時四位最有文化素養之人的作品。這四位作家，所在地各異，面對這個難以承受且十足不可思議的瘟疫，他們做了作家的份內工作：寫作。

在馬穆魯克蘇丹統治的阿勒頗，著有地理著作《奇怪事物的獨特之處》（*The Uniqueness of Strange Things*）的世界歷史學家瓦爾迪（al-Wardi），是最早認識到一場全球大流行病的怪異之處的人之一。他說，「此瘟疫始於幽暗之地」。即使遭遇恐怖事物，瓦爾迪筆下仍不失陰沉的詼諧：

> 啊，被它找上門之人將遭殃！
> 它在中國的城牆內找到中國佬——
> 面對它的進逼，他們只能坐以待斃。
> 它大搖大擺走進中國，打亂了印度，
> 在信德把人拆散。
> 它殺了金帳汗國，刺穿河中地區，撕裂波斯。
> 克里米亞蜷縮，又垮掉。

而此時，它更是逼近：「它在開羅殺人……使亞歷山卓一切停擺，攻擊迦薩，困住西頓和貝魯特；把箭射入大馬士革。在那裡，瘟疫如獅子端坐在寶座上，主宰眾生，每天殺掉千人或更多人。」最後它終於來到阿勒頗。

與此同時，在非洲馬格里布地區的沿海地區，某王國的都城突尼斯中，十七歲的伊本・赫勒敦和其兄弟雅哈（Yaha）正師從著名學者攻讀哲學、數學及歷史。他們的家族原是安達魯斯地區的貴族，後來逃離西班牙，落腳於突尼斯。但這時，鼠疫襲擊此城。

在地中海對岸的義大利，佛羅倫斯詩人佩脫拉克（Petrarch）——本名Francesco Petracco，他以拉丁語表述為Petrarca——正處於名聲最顯赫時。佩脫拉克所置身的義大利熱愛詩歌，卻苦於戰禍，日耳曼皇帝和法蘭西國王在此兵戎相向，法蘭西王甚至在阿維尼翁（Avignon）自行成立教廷。佛羅倫斯的政治以險惡為常態：佩脫拉克的父親從政，遭逐出佛羅倫斯，另一個佛羅倫斯人但丁（Dante Alighieri）亦然。但丁一三二〇年代完成的史詩《神曲》（*Commedia*）對佩脫拉克影響甚大。佩脫拉克小時候接受神職人員、公證人方面的訓練，後來在阿維尼翁擔任樞機主教的祕書，但他在古希臘羅馬世界裡尋求啟迪，研讀西塞羅的書信，一心只想成為詩人。他還做了一件極其獨特的事，在日後將成為歐洲文明一部分：與大自然融為一體，只為享受登山之樂而登山。

他的史詩大作，以大西庇阿為主題的《阿非利加》（*Africa*），讓他年紀輕輕就闖出名號。一三二七年，他時年二十三歲，在教堂看到一有夫之婦，他的人生自此改觀。他寫道，「我不斷和一樁教我無法自拔又純粹的愛情、我唯一的愛情搏鬥」。而這段愛情的啟發，促使他寫出讓他聲名大噪的情詩集《歌本》（*Songbook*）。

身為神職人員，他不得娶妻或戀愛，即便如此，他仍和一情婦生下一子一女。一三四一年，憑藉詩作，他在羅馬贏得戴上詩人桂冠的殊榮。此際，他人在維洛納（Verona），來到個人事業巔峰，就在此時，他目睹「奪命長柄大鐮刀」降臨。他那個身為加爾都西會修士（Carthusian）的弟弟，親眼看到他三十四個同修喪命。佩脫拉克哀痛道，「噢，我的兄弟！」而更慘的還在後頭。他失去兩個最摯愛的人——他兒子和給他創作靈感的神祕女郎：

蘿拉，以她的美德著稱於世，長年來在我的歌中受到歌頌，我年輕時初見她……沒想到在一三四八年，她離開了人世，那時我人在維洛納，全然不知道我已失去她……她貞潔、迷人的身體已於同日入土：她的靈魂，如我所相信的，回到天上，即它來的地方。懷著對此事的悲痛記憶，在我未來將經常看到的地方，我寫下這幾行字，讓人感受到某種殘酷的溫柔……

在阿勒頗，瓦爾迪看到為防範黑死病而病急亂投醫的情況：「噢，真希望你能看到阿勒頗的貴族研讀醫書的情景。他們遵照醫書的療法，吃脫水、酸性食物。在令男人困擾的腹股溝淋巴結炎傷處，竟抹上亞美尼亞黏土來醫治」。但鼠疫還是上身了。在維洛納，佩脫拉克看著他心愛的人一個個死去——「我們的好友如今人在哪裡，他們受喜愛的臉龐、他們撫慰人心的話語、他們溫和、討人喜歡的陪伴，都在哪裡？」——與此同時，他和一個較年輕的新書迷互通書信。那人叫薄伽丘（Giovannia Boccaccio），佩脫拉克在佛羅倫斯的同鄉，薄伽丘的父親為從事銀行業的巴爾迪家族（Bardis）效力，但他不喜歡銀行業。他被父親派去名聲不好的那不勒斯宮廷，在宮廷裡愛上一個賦予他創作靈感的女人。他叫她「小火焰」（Fiammetta），也正是她啟發了他的早期詩作。[50]薄伽丘嘗試走法律這一行，結果也對這一行非常反感。他懷著文學創作的憧憬，很想見佩脫拉克一面。

三個月裡死了十萬佛羅倫斯人，薄伽丘逃到鄉間。他親眼見到「一開始某些腫塊，不管是位在腹股溝還是位在腋下，都慢慢長成普通蘋果大小，其他腫塊則長成雞蛋大小，有些腫塊較多，有些較少，而庶民把這些腫塊稱作鼠疫癤子」。[51]沒人知道它如何擴散，但他們認為是透過「臭氣」擴散。他們的懷疑不盡然錯，因為腺鼠疫突變為肺鼠疫後，透過呼吸、毛皮及食物傳播。瓦爾迪寫道，「有人說空氣敗壞是凶手，我說對腐敗的喜愛是凶手。」並嘲笑「他們用樟腦、花、檀木讓家中變香，戴紅寶石戒指，吃洋蔥、醋和沙丁魚」。薄伽丘指出，「光是觸碰衣服好像就會讓觸碰者染上此病」。許多人相信，這瘟疫是神所降下：「主啊，它在照你的指令行事，」瓦爾迪說，「把我們從疫病中解救出來……請求主原諒我們的壞靈魂……」

而後，鼠疫殺了以詼諧筆法記錄它的瓦爾迪。在突尼斯，伊本．赫勒敦看著自己的父母和他的許多老

---

50 「小火焰」本名瑪麗亞．達奎諾（Maria d'Aquino），是那不勒斯國王羅貝托（Robert）的私生女。佩脫拉克曾以教宗使節的身分去過那不勒斯。他和薄伽丘都曾描寫過這個行事駭人的宮廷，羅貝托死後，王位由年輕的孫女喬安娜（Joanna）繼承。那不勒斯原受法蘭西籍的安茹家族國君統治，其後代「偉人」路易斯一世（Louis the Great）此時統治東歐諸多地方和匈牙利，後來把波蘭也納入治下。路易斯的弟弟安德魯娶喬安娜，從而把那不勒斯收回這家族手裡。喬安娜和她的眾多廷臣堅決不從安茹家族。一三四五年，喬安娜默許殺害才十七歲的丈夫。安德魯被勒到半死，再用繩子纏住他的陰莖，尖叫著被丟出窗。小火焰據說也參與了這次陰謀。一三四七年，路易斯一世揮兵入侵，奪下那不勒斯，但迫於鼠疫頻頻爆發，他離開義大利。喬安娜復位，而她的愛人——後來娶了她的塔蘭托的路易斯（Louis of Taranto）——獨攬大權，直到一三六二年死於鼠疫為止。她的姻親同輩杜拉措的查理（Charles of Durazzo）將她趕下台，命人將她勒死，再以小火焰參與殺害安德魯為由，將她斬首。薄伽丘比小火焰早死，幸而未看到她的悲慘下場。

51 鼠疫桿菌走到淋巴結（俗名淋巴腺），使淋巴結腫大，形成腹股溝淋巴結炎（bubo）——bubonic plague（腺鼠疫）之名由此而來——而在其他器官隨後遭感染時，淋巴結腫塊便滲出血和膿。體內出血使皮囊裡充塞黑掉的血：黑死病之名由此而來。鼠疫患者發燒、吐血、痛苦不堪，往往上床時好好的，隔天早上便逐漸死去。

師死於黑死病；他和他的兄弟保住性命，目睹「城市和建築淪為廢墟，道路消失，大宅空無一人，王朝和部族變弱。人們居住的世界整個變了樣」。

無能為力、恐懼、厭惡、懷疑的心態四處蔓延。在德意志和奧地利，身為境內外人的猶太人，被控在井裡下毒，遭活活燒死。鞭笞派教徒（flagellants）走過一鎮又一鎮，鞭笞自己以示悔罪。薄伽丘寫道，「恐懼和毫無根據的想法」蔓延，而「無知男女自稱醫生」。沒有哪個療法管用；把淋巴結腫塊刺破，只導致病原體擴散；燃燒的香料遮掩了腐爛的惡臭；放血、拔火罐、把半死的鴿子擺在淋巴結腫塊上等，沒救過任何人。

黎明時屍體被丟到屋外，又被拋上堆了屍體的車子：「死人和死羊一樣沒價值」。掘墓人致富而且傲慢起來，掌管「屍體堆疊如船艙裡的一捆捆貨物」的萬人塚。多數居民逃到鄉間，冀望較乾淨的空氣和較寬敞的空間可以減輕黑死病的威力，只是村中到處死人和屍體躺在路邊的說法，證明了鄉間也難逃一劫。晚近的研究顯示，死亡率高低取決於人口密度，而非老鼠密度。此外，雞、牛、豬也是帶原者。「有些人住在小聚落裡」；另有些人「大吃大喝，去了一個又一個酒館，滿足一切口腹之欲」。貴族女人把身體亮給僕人看，和他們上床。然後不知為何，第一波黑死病消退。

一三五〇年十月，佛羅倫斯委任薄伽丘歡迎佩脫拉克這位著名鄉人返鄉。佩脫拉克回來後住在薄伽丘家裡。佩脫拉克比薄伽丘大九歲，但兩人結為朋友。薄伽丘稱他「大師」，兩人一起看著黑死病捲土重來：「我們已為一三四八年哀悼過，而如今，我們意識到那只是哀悼的開始，這股不尋常的邪惡力量，歷來聞所未聞，自那之後一直未罷手，隨時向各方出擊，猶如本事最高強的戰士左右開弓。於是，橫掃全世界數次後，無一處倖免於其毒手，它已向某些地區出手了兩次、三次、四次……」

死亡率驚人——英格蘭六百萬人死了一半；威尼斯人口死了七成五；埃及部分地方死了九成八——最

終奪走歐亞大陸和北非三分之一至一半的性命。七千五百萬歐洲人，死了兩千五百萬人。這個病毒也傳到西非、中非，後人已在這兩個地區找到遭棄的村落。放眼世界，總死亡人數在七千五百萬至兩億之間。而疫情未就此結束：大流行病一再捲土重來，接下來數百年，鼠疫一再降臨。

在拉古薩（Ragusa，今杜布羅夫尼克／Dubrovnik），主政的威尼斯人終於下令，凡是靠港的船隻，水手都得待在自家船上三十天（trentino），後來提高到四十天（quarantino）——而且，這個措施奏效。[52]但對多數人來說，卻已太遲。黑死病這個最強勁的超級歷史推手使一切改觀。

---

52 而令人難以理解的是，黑死病顯然未對波蘭造成影響，即便這個國家的周圍地區都遭逢不幸。諸多研究指出，波蘭人口並沒有明顯減少。巧合的是，當時有可能是最傑出的波蘭國王卡齊米日三世（Casimir III the Great）治理期間，據說，他之所以得以拯救人民，在於禁止人們進入波蘭境內。卡齊米日三世是瓦迪斯瓦夫一世（Władysław I）——有才幹卻是身材矮小，人稱「肘高矮子」（the Elbow-High），因為他身高只到一個人的手肘高度——的兒子，這位皮雅斯特公爵擴張了原本只是一小處遺產的領地，並獲加冕為國王，卡齊米日優秀，編纂波蘭法律，保護農民，在瓦維爾（Wawel）興建哥德式城堡，還設立波蘭第一所大學以及新市鎮卡齊米日（Kazimierz），這些都位在克拉科夫（Krakow）（他同時於此主持十二高峰會，與會者包括日耳曼皇帝），此外，還有其他三十座城鎮和鷹巢小徑（The Trail of the Eagles' Nests）沿路的城堡。他的領土擴張至烏克蘭境內，贏得利沃夫（Lviv），並為自己加冕為羅斯的國王（King of Rus）。一三三四年，他准許「貞潔的」博列斯瓦夫對波蘭猶太人的特權令，歡迎猶太人移民，禁止綁架並改變猶太孩童的宗教信仰——由此，促使波蘭吸引了遭整個歐洲王國驅逐的猶太人。波蘭的阿什肯納茲（Ashkenazi）也因此一直承受著過於龐大的人口。卡齊米日最寵愛的情婦，是一名美麗的猶太籍裁縫師那神話般的女兒，名叫埃斯特卡（Esterka）。身為唯一有大帝之稱的波蘭國王，他唯一的憾事是在四段婚姻中，也只生下一個女兒。他是皮雅斯特王朝最後一個國王，把波蘭留給他的姪子路易大帝（Louis the Great）——納吉·拉約什（Nagy Lajos，匈牙利語）——他也是匈牙利和克羅埃西亞國王，為法蘭西卡佩王朝一分支的後代，先是統治西西里，而後是那不勒斯，而他的父親受到請求，成為匈牙利國王，促使路易大帝的盛世有了穩固的基礎——更留下了自立陶宛、韃靼（Tartary）到波士尼亞（Bosnia）和我們先前所見的那不勒斯等一系列戰役。

第九幕

世界人口

三億五千萬人

帖木兒家族、明朝、貝南國王

鄂圖曼人來到歐洲：兩座城堡和一場婚禮

伊本·赫勒敦寫道，這些眼光銳利的觀察者無不啞然於這個已「把文明的諸多美好吞沒並抹除文明」的恐怖之物。佩脫拉克問道，「後世子孫怎會相信，曾有一段時間……幾乎整個地球都一直無人居住？房子空無人住，城市人去樓空，鄉村無人聞問，可怕且無所不在的孤寂籠罩整個世界？……噢，日後幸福的人啊，未經歷過這些苦難的你們，或許會把我們的證詞歸為虛構。」

黑死病不只讓人前所未有的意識到上帝具有更大支配力，也讓人肯定人——上帝最了不起的造物——本身的價值。佩脫拉克回顧光輝燦爛的古希臘羅馬文化，把那之後至他所處時代之間的千百年歲月稱作「黑暗時代」。他的所作所為預示一個新光明時代——歌頌學問和美（包括人體之美）的文藝復興時代——就要到來。佩脫拉克向上帝禱告，但也在他後來的著作裡把人放在世界的中心。薄伽丘也歌頌人在面對天災人禍時所展現的活潑巧思，想像七個女人、三個年輕男子逃離黑死病，棲身在佛羅倫斯城外的鄉間別墅，在十日裡於別墅中講了一百則關於愛、性、荒謬的故事——揭露「人間喜劇」（human comedy）的《十日談》（也正是薄伽丘替但丁的代表作添上Divine一詞，而成為Divine Comedy《神曲》）。

伊本·赫勒敦寫道，黑死病改變了社會和權力，「猶如原本的創造物重現，世界重生」。薄伽丘在「倖存女人較放蕩的品行裡」，注意到倖存者的歡欣雀躍。女人變得更為獨立，更追求愉悅，薄伽丘則以關於一百零六名女人之生平的第一部傳記性作品，頌揚此一特質，其中許多女人是虛構：此即《名媛》

（*De mulieribus claris*）一書。富人居住空間較寬敞，較易搬遷，死亡率較低，鼠疫仍削弱了富人的掌控能力，造成人力短缺，從而提高普通人的地位。義大利和法蘭德斯、英格蘭和法蘭西的羊毛加工作坊缺工。工資上漲和貧富差距縮小，導致消費力升高，人均投資翻倍，進而促使紡織品等消費品產量提高。要養活的人變少，飲食品質隨之提升。女人工資，原本只有男人一半，這時同工同酬。工人組織行會。普通人自信心勝於以往，使他們敢於發動一波農民叛亂。勞力短缺使人必須找到新的動力來源——運用水力驅動水力磨坊機和熔爐——至於新的無酬工人，則從一全新的來源取得：非洲奴隸。對絲、糖、香料及奴隸的需求，促使被新的集體精神團結在一起的歐洲男子乘船出海，以消滅位於東方和歐洲境內的對手，進而滿足這些需求。競爭使得火器、火炮、火藥、槳帆並用大木船得到更大程度的改良。黑死病的弔詭之處，不只在於提升對人的尊重，還貶低人的重要性；不只重創歐洲，還是歐洲崛起的推手之一。

大流行病當然也改變了家庭；自六世紀末教宗格列高利一世在位起，羅馬教會一直努力推銷反對親人通婚的政策。如今黑死病助了一臂之力。年輕工人，包括女人，工作時間變長，存下更多錢，而後在二十歲左右結婚，因而財力足以自有房子。自己的房子成了小型生產單位，一家人在自家織布出售。至於相對顯赫的人家，土地所有權更是全歸於嫡長子。小家庭這種家庭形式在歐洲特別盛行。

沒有人認為國王、女王會解決此危機。在近代，大流行病賦予了政府便宜行事的權力，但黑死病初起時，「它在王朝老態畢現時擊垮了王朝，削弱他們的管轄權。」伊本．赫勒敦語如此寫道。從莫斯科大公謝苗（Semyon）至亞洲諸可汗，多位統治者亡於黑死病之手。

法蘭西國王已奪走英格蘭王在法國境內所承繼的大半領地，法國境內人口死了一半，秩序瓦解。孤處海上的英格蘭較為安定：愛德華三世——少數或許配得上「偉大」（Great）這個稱號的英格蘭王之一——十七歲時便親自帶領一群友人乘夜發動政變，從他母親和母親愛人手裡奪得大權。眼下，大有資格當上法蘭西國王的他，正為奪取法蘭西王位進行一場成功卻也昂貴的戰役。就在黑死病來襲前不久，他在克雷西（Crécy）打敗法軍，然後拿下加萊（Calais），儼然要在一票歐洲盟友協助下吃下法蘭西全境。

一三四八年鼠疫來襲之際，他正送他十四歲女兒公主瓊（Joan）嫁給卡斯提爾王子佩德羅（「復仇者」阿方索九世之子）。沒料到她在波爾多上岸時，黑死病奪走她和她多數隨從的性命。她的遺體仍躺在城堡裡時，鼠疫則傳遍這個口岸城市，奪走許多人性命，市長不得不燒掉城堡，她的遺體也跟著付之一炬。愛德華寫信告訴阿方索，「我不得不極其悲苦告訴你，黑死病（抓住老少，不饒過任何人，使得窮人和富人平起平坐）已將我們最寶貝的女兒從我們身邊奪走，思之令人哀痛。」[1]黑死病奪走英格蘭三分之一人命，從而推高工資，以致愛德華想要限制工資。所幸英格蘭恢復甚快，因此，一三五六年時他又再度出兵六千攻打法蘭西。在普瓦捷，他兒子「黑王子」（Black Prince）擊潰法軍，擒獲法王，法王最終死於遭英格蘭人囚禁期間。

佩脫拉克的兒子死於黑死病，但他本人擔任外交官十年後，帶著女兒退居帕多瓦（Padua）。他和同樣擔任外交官的薄伽丘依舊交情甚深，書信往來頻繁。佩脫拉克去世時，留下五十弗羅林金幣給薄伽丘，供他「買下一件保暖的冬季晨衣」。伊本·赫勒敦為諸位國王效力，王國範圍自格拉納達至開羅所在都有，沒想到黑死病經驗啟發他寫下傳世大作：一部世界史。在他不凡的職業生涯裡，他親眼目睹了王朝衰亡和黑死病如何為兩名新步入世界爭雄舞台的突厥人開闢了大展身手的空間。

兩座城堡和一場婚禮標誌著歐洲迎來一個新強權。這場婚禮舉行的時間，落在一三四六年黑死病即將襲擊君士坦丁堡之際，新娘子是十六歲的泰奧多拉，她的父親是爭取東羅馬皇位的尤阿內斯六世·坎塔庫吉諾斯（Joannes VI Kantakouzenos），新郎則是六十五歲突厥族貝伊（bey）——戰隊領袖——奧爾汗（Orhan）。奧爾汗的家族日後將主宰東南歐和西亞直至一九一八年。

奧爾汗是軍事強人埃爾圖魯爾（Ertu rul）的後代，埃爾圖魯爾曾獲塞爾柱人授予位在今土耳其西北部的土地。埃爾圖魯爾的兒子奧斯曼（Osman，或Othman，姓氏名鄂圖曼／Ottoman由此而來）乘君士坦丁堡陷入內戰，在博斯普魯斯海峽附近創建一公國；君士坦丁堡也因黑死病襲擊而一蹶不振，不過，鄂圖曼人受影響較輕。一三二九年，奧斯曼的兒子奧爾汗——一個不知疲累為何物且當家作主將近四十年的軍事強人——打敗安德羅尼科斯三世，併吞尼凱亞（Nicaea）和尼科美底亞（Nicomedia），迫使東羅馬皇帝隨同僅是突厥族貝伊的他出征。他支持尤阿內斯六世當東羅馬皇帝，尤阿內斯則回報以將女兒嫁給他。

接著在一三五四年，鄂圖曼人在歐洲首度登場。黑死病未能阻止熱那亞、威尼斯這兩個貪得無厭的義大利城市再次兵戎相向，雙方在君士坦丁堡開戰。奧爾汗支持熱那亞人，並渡海進入歐洲，占領已被一場來得正好的地震震碎城牆的要塞加利波利（Gallipoli）。

而這只是開端。奧爾汗指派希臘籍妾為他生的兒子穆拉德（Murad）執掌歐洲境內事務。不久，穆拉德拿下保加利亞，進攻瓦拉幾亞（Wallachia，今羅馬尼亞境內），入侵阿爾巴尼亞、波士尼亞及塞爾維亞。東羅馬皇帝尤阿內斯五世請求離他最近且信仰基督教的塞爾維亞國王、匈牙利國王助他對付鄂圖曼

---

1 愛德華企圖透過聯姻打入卡斯提爾家族，此婚姻是該政策的一環。但可能有人會認為，好在黑死病如此凶狠，瓊才得以躲開她丈夫「殘酷者」佩得羅（Pedro the Cruel）。佩德羅曾要人——據認是兩名猶太籍刺客——謀殺他的第一任妻子布朗什·德·波旁（Blanche de Bourbon），而後在結婚兩個晚上後拋棄了他的第二任妻子。愛德華三世並未放棄和卡斯提爾交好的政策，於是安排自己的兒子岡特（今根特／Ghent）的約翰（John of Gaunt）娶佩德羅的女兒。為贏得卡斯提爾王位，約翰打了一場漫長的戰役，未能如願。佩德羅以對境內猶太人和對其猶太籍財政長官撒繆爾·哈列維（Samuel Ha-Levi）極盡縱容而臭名遠播，但最終還是把他的猶太籍大臣折磨至死，而且儘管有英格蘭人支持，他還是有本事使整個卡斯提爾人民與其為敵。他的同父異母私生兄長，外號「殺弟者」（the Brother Killer）的特拉斯塔馬拉的恩里克（Enrique of Trastámara）奪走他的王位。恩里克用他的睪丸匕首（因其護手盤處的兩個睪丸造形而得名）親手殺了他，並創建新王朝。

人。一三七一年，穆拉德在馬里查河（Maritsa River）畔擊潰塞爾維亞人。鄂圖曼人拿下巴爾幹半島上許多東正教信仰的地方，即便只統治亞洲一小塊領土——不過，此情況大大左右了這個新生國家的未來發展。穆拉德從這些信仰基督教的斯拉夫人之中招募步兵，每年以購買或擄掠的方式得到一定數量的基督徒男孩，充當廷臣和土耳其禁衛軍（Jeni Ceri ／Janissary corps，字面意思「新軍」）士兵。這些男孩最小八歲，最大十二歲，這一招募兵丁的制度則稱為德夫希爾梅（devshirme）。騎兵的來源依舊是從安納托利亞的諸貝伊統治地徵召來的突厥人。這些奴隸總數達數百萬人，甚至上千萬人。他同時從自斯拉夫人村落或希臘人島嶼搶來的女孩中物色妻妾，大多經蒙古籍可汗和義大利籍奴隸販子之手買進。鄂圖曼人是來自土庫曼的突厥人，但由於穆拉德的上述制度，鄂圖曼人多是斯拉夫籍妾所生，維齊爾也多是斯拉夫人。穆拉德自封蘇丹，任命首位大維齊爾治理這個鄂圖曼人國家，征服巴爾幹半島，渾然不察有股凶悍的勢力自東邊崛起。這股勢力將挑戰鄂圖曼人，致使從中國至敘利亞的這片廣大世界膽寒。

此人精於行使令人嘆為觀止的暴力，又精於鑑賞精美藝術，收藏作家和女奴、城市和王國，既建造人頭塔，又建造美麗絕倫的宣禮塔。這個無情的掠奪者從印度引進棋戲，而且發揮其一貫作風，發展出自己的下棋規則，本身跛腳且肢體受殘，但還不到失去行動能力的地步。

人頭塔：帖木兒和詩人哈菲茲

帖木兒是突厥化蒙古人部落巴魯剌思部（Barlas）的統帥之子，生於渴石（Kesh，撒馬爾罕附近的沙里薩布茲／Shahrisabz）。一三五〇年代，少年帖木兒襲擊鄰村時，遭一牧羊人以箭擊穿他一腿、一手。自此他失去兩根手指，手臂受損，留下走路一瘸一拐的後遺症，但這些傷勢既未妨礙他騎馬或射箭，也未減損他驚人的自信。四十歲時，他身材高大，頭也大，一頭淡紅髮，胸膛厚實，憑藉讓人心悅誠服的群眾魅力，平定混亂對立的黃金家族諸汗國，打造出涵蓋蒙古人、突厥人及波斯人的同盟，且在不久後稱雄西亞。與他同時代的人稱他跛子帖木兒（Timur the Lame），Tamerlane 一名由此而來。

只有成吉思汗的黃金家族成員有資格成為可汗，因此帖木兒自封為河中地區的埃米爾，並以撒馬爾罕為都城，同時扶立一傀儡汗，娶該汗的遺孀薩萊・穆爾克・哈努姆（Saray Mulk Khanum）。她時年三十歲左右，「美麗絕倫」，係成吉思汗的直系後裔，帖木兒因此得以採用古列堅（gürkan）——駙馬——這個稱號。他不斷征戰以開疆拓土，沒有皇帝之名，卻是不折不扣的皇帝。他有四十三個寵妾，唯獨薩萊是他的軍師，他在外征戰時，薩萊身為他所有妻子之長，代他在撒馬爾罕掌理國政。他生了許多兒子，可惜只有四人長大成人，他最寵愛的兒子是賈汗季（Jahangir），於是安排他娶了黃金家族的女繼承人——金帳汗札尼別的孫女罕匝答（Khanzada）。一三七四年，帖木兒征討她父親，她父親派美麗的女兒帶領一隊捧著禮物的人前去見這位征服者。帖木兒立即言和，把罕匝答嫁給賈汗季，卻沒想到，賈汗季兩年後就病死。剛強的帖木兒非常傷心，在他預想的死後長眠之地——家鄉渴石——建造了大墓安葬這個年輕兒子（該墓如今仍在）。「此後不管什麼事物都讓他心情低落，他的臉頰幾乎恆常地流著淚」。他提拔兒子和家人執掌這個版圖日增的帝國，但特別關注賈汗季的遺孀罕匝答和他們的兒子。

帖木兒既承襲了乾草原民族的凶猛，也承襲了波斯城市文化的高雅，他呈現的外在形象既是藝術行家，又是殺人魔。他欣賞波斯語詩文，歡迎波斯籍詩人哈菲茲（Hafiz）。哈菲茲以練達、戲謔的口吻描述愛、性、酒和密契主義，為一女孩寫下一首著名的加札爾（ghazal，表達愛和渴望的詩）：

> 如果設拉子的那個美人會讓我意亂情迷，

為了她臉頰上的黑痣，
我將送上撒馬爾罕、布哈拉兩城。

帖木兒隨之調侃他：「我已用劍征服了世上大部分地方，以美化撒馬爾罕和布哈拉，而你要拿它們來換一個來自設拉子的姑娘？」

哈菲茲回道，「噢，世界之主，誠如你所看到的，正是因為如此的慷慨，我才淪落到如今的窮樣。」帖木兒大笑，並獎賞了他。哈菲茲對政治人物和武將的真正看法則是：

大流士，亞歷山大，他們的大聲喧囂
用一兩行詩便足以簡單概括。[2]

帖木兒的蒙古人、突厥人、波斯人及烏茲別克人同盟，靠連戰皆捷和無窮無盡的掠奪維繫。無窮無盡的掠奪使其底下那些貪得無厭的埃米爾不致有貳心，並能從中得到獎賞。但要維繫住他的權力，只有一個辦法，即無休無止的戰爭。他的野心助長他不斷征戰，而且他的野心大到連他的武將都感到疲乏，致使他們——一如亞歷山大的武將——懇求他暫時停下腳步，以便好好享受征戰所得。帖木兒憑著堅不可摧的鬥志打了二十年的仗，洗劫了從布爾薩（Bursa）到巴格達到大馬士革到德里的諸多城市，且經常被迫一再收復造反的呼羅珊，聲稱黃金家族王朝、塞爾柱王朝的土地全都歸他所有，恐怖手段和蒙古人不相上下，為宣揚其凶狠勇猛，得意洋洋堆出人頭塔。在伊朗的薩卜澤瓦爾（Sabzewar），他把兩千名活生生的俘虜一個疊一個地堆起，抹上灰泥，造出數座活人塔。在伊斯法罕，他的人頭塔，據他本人吹噓，由七萬顆人頭堆疊而成。多少人死在他手上不得而知，但有人估計他殺了一千七百萬人——當時世界人口的百分之五。

一三八〇年代初期，他欣然接受野心勃勃的金帳汗脫脫迷失（Toqtamish）與其結盟。以莫斯科的德米特里・頓斯科伊（Dmitri Donskoi）為首的俄羅斯諸公國大公剛擊敗金帳汗國，但兩年後，脫脫迷失恢復金帳汗國的支配地位，燒毀莫斯科，屠殺掉一半的莫斯科城民。[3]隨後，脫脫迷失挑戰帖木兒本人。

一三八五年起，雙方展開一場長達十年的戰役，帖木兒打了一連串勝仗，逐步擊潰脫脫迷失——其中一仗被他「視為平生最偉大勝利」——往北急進，穿過俄羅斯，兵鋒指向莫斯科：無頭、無手、無腳的屍

---

2 來自設拉子的伊朗籍大詩人有兩位，先是「大師」薩迪，再來就是哈菲茲。愛上一女孩之後，哈菲茲這才開始寫詩，渴望得到她的垂青，直到有次見異象，他不再狂熱追求男歡女愛，轉為蘇菲行者對真主的熱情追索。他的筆名哈菲茲意為「誦讀可蘭經者」，但他那些與愛和真主之間的關係的美妙詩句，流露出神祕氣息，且傳達了對感官享受的喜好：

啊，愚蠢的心！今日的歡樂。
雖然遭拋棄，明天將為
你所拋掉的黃金作擔保。

他如此迎接老年的到來：

找個安靜的酒館；不受人汙衊
唯有酒杯和書作伴，
這樣的日子愈來愈近……

在伊朗，他的《詩集》（*Diwan*）的讀者群和《可蘭經》一樣普遍。歷來人們碰上危機時，慣常隨意翻開此書，以找到解決辦法。

3 一三八〇年九月，德米特里在頓河畔的庫利科沃（Kulikovo）拿下勝仗，是為留里克家族大公首次打敗蒙古軍。他因此得名頓斯科伊，後來此役成為打破金帳汗國所向無敵之稱號的著名戰役。不過，那是後見之明。莫斯科仍是蒙古人的附庸國，直到一五〇二年才擺脫此地位。

體訴說著他兵鋒所及之處。在克里米亞半島，他將卡法、塔納兩地的熱那亞人、威尼斯人擄為奴隸。

帖木兒率兵穿越俄羅斯時，鄂圖曼蘇丹穆拉德和其兒子「霹靂」巴耶濟德（'Thunderbolt' Bayezid）則率領三萬鄂圖曼士兵進入科索沃，並遭遇一萬五千名塞爾維亞人。一三八九年六月十五日，在普里什蒂納（Pristina）附近的黑鳥原（Field of Blackbirds），六十三歲的穆拉德統領中軍，他的兩個兒子雅庫布（Yakub）和「霹靂」則統領左、右軍，頂住基督徒重騎兵的一次衝鋒。中軍則位在「一圈用鍊條拴住的駱駝」之中。由塞爾維亞公拉札爾（Lazar）率領的十二名塞爾維亞騎士企圖殺過敵陣衝向蘇丹。其中一名騎士——米洛什·奧比利奇（Miloš Obelić）——投降，卻沒想到，他匍匐在穆拉德面前時，突然用預藏的匕首刺進蘇丹肚子。拉札爾當下被擒後，立即斬首。父王屍身未寒，二十九歲的霹靂即邀弟弟雅庫布進入恐怖的蘇丹大帳，叫人將他勒死——乾草原民族處死國王時，從不讓其流血，因此此舉從反面角度來看，標舉了雅庫布的國王身分。這是鄂圖曼人的第一樁殘殺手足事件，一可怕傳統的開端。霹靂娶拉札爾的女兒奧莉維拉（Olivera）為妻，打敗匈牙利國王欲攔住他而發起的十字軍，[4]接著，霹靂認為，該是時候拿下君士坦丁堡。他圍攻這個已大為沒落的「大城」，在博斯普魯斯海峽的亞洲一側建造居澤爾傑堡（Güzelce Hisar，今仍屹立）。穩住西邊後，霹靂揮師轉東，遇上躊躇滿志的帖木兒。這時帖木兒統治黃金家族在中亞、波斯、伊拉克、阿富汗以及喬治亞的所有汗國，並已為黃金家族添了一處新領土：印度。

帖木兒拿下德里：霹靂身陷牢籠

一三九八年十二月十七日，帖木兒逼近大城德里，德里蘇丹派出身披盔甲的龐大象軍迎戰。帖木兒的騎兵一聞到這些厚皮動物就慌亂了起來，但帖木兒把乾草和木頭裝到他的駱駝上，點燃乾草，然後把牠們趕向印度人防線。駱駝被火嚇到發狂，痛苦尖叫，衝向象群，大象受驚，反奔入印度軍隊裡。這位印度蘇丹與帖木兒同是穆斯林——其北印度王國經過祖父發瘋般的蹂躪後已國力大衰[5]——只不過，帖木兒聲稱，這是場聖戰，因為這些印度統治者姑息印度教徒的偶像崇拜。德里蘇丹逃走，數萬人被俘，帖木兒將他們集體處決。帖木兒拿下德里後，饒過人民，但洗劫該城太過火，反而導致印度人造反。他的士兵隨之如脫韁野馬般殺了數千人。帖木兒在德里登基，檢閱了一百二十頭齊步前進的大象，同時屠殺印度教徒，毀掉他們的神廟。

帖木兒回到他的都城撒馬爾罕，帶回了印度藝術家來美化該城，也帶回了大象好強化軍隊戰力，他心知該是時候敲定繼位人選。他立長孫穆罕默德．沙（Muhammad Shah），即賈汗季和罕匝答的兒子為儲君。這個年輕人活力充沛又能幹，身上流著成吉思汗和帖木兒的血。只是帖木兒有個家庭問題要解決，製造問題者正是他的么子米蘭沙（Miranshah）。米蘭沙娶了賈汗季的遺孀罕匝答，他還是個肥胖且會打老婆的酒鬼，口無遮攔的說他的父王已老，該讓兒子接掌王位。罕匝答去找她公公主持公道，把被米蘭沙毆打後沾血的短上衣拿給他看，更是揭發了米蘭沙的謀反傾向。已為賈汗季之死哭過的帖木兒，這會兒又哭了。米蘭沙把繩子繞頸，乞求寬恕，他如願得到原諒，卻也從此被打入冷宮。罕匝答則成為帖木兒家一員。

帖木兒始終無法好好休息一段時間。霹靂正往東開疆拓土，自封魯姆的蘇丹，而帖木兒認為，這稱

4　此役後，被俘的基督徒，包括身為騎士扈從的十四歲巴伐利亞人約翰．希爾特貝格爾（Johann Schiltberger），盡皆順從的跪在霹靂面前等候殺頭。一顆顆人頭落地時，霹靂饒了這男孩一命，將他納為奴隸——一個不凡人生的開端。

5　這位蘇丹，名叫納綏魯丁．馬赫穆德．沙．圖格魯克（Nasir-ud-Din Mahmud Shah Tughluq），係伊本．白圖泰所拜會過的穆罕默德．賓．圖格魯克（Muhammad bin Tughluq）的孫子。

號理應屬於他。帖木兒告訴霹靂，「你只是一隻螞蟻」；「別想和大象打架，因為牠們會把你踩碎。你這樣的小諸侯怎麼鬥得過我們？不過，你自吹自擂的胡扯也沒什麼好訝異的：突厥人淨是講些莫名其妙的話。」

霹靂已和埃及的馬穆魯克人結盟，於是他回道，「我們會把你一路趕到大不里士」。帖木兒麾下將領疲累不堪，請求停下休息，提醒他同時對兩個強大的王國開戰很不智，但這個一輩子東征西討的人，雖已六十多歲，全然不理會他們的示警。一四〇一年，他弭平造反的巴格達，命令每個軍人送兩顆人頭給人頭塔的建造者，隨後他揮兵進向霹靂。但馬穆魯克蘇丹正威脅其側翼，他因此轉進敘利亞。

馬穆魯克蘇丹是個十四歲男孩，在他長久受苦的私人導師、七十歲的著名歷史學家伊本·赫勒敦的陪同下北征。[6]帖木兒輕鬆擊敗這個少年蘇丹，蘇丹逃回開羅，留伊本·赫勒敦與對方談判大馬士革降敗之事。

這位老歷史學家被放進簍子，隨後自大馬士革城牆降落，並喚進帖木兒的氣派大帳。「我看到他用手肘支著身體斜躺，有人端上一盤盤食物，」伊本·赫勒敦憶道，「我彎身致意，他抬起頭，伸出手給我親吻，而我照做。」接著，帖木兒問起他的生平，這位歷史學家講述了他的冒險事蹟。「那不夠，」帖木兒說，「我要你把馬格里布地區的情況寫下來，而且要詳細到讓我覺得有如親眼目睹。」

「三十年來我一直想見你。」這位歷史學家說。

「為何？」

「你是天下的最高君主。沒人比得上你——凱撒、霍斯勞、亞歷山大、尼布甲尼撒都比不上你……蘇丹帖木兒天下無敵。」

帖木兒謙遜地聳了聳肩，「我？我只是皇帝的副手。君主在那裡！」他邊說邊指著他的繼子，一個笨拙的黃金家族幼君。談定大馬士革投降一事並邀請這位歷史學家入朝為他效力之後，帖木兒討論起巴比倫歷史，直到有個埃米爾附耳低聲說，他的部隊已準備好強攻仍在頑強抵抗的大馬士革護城城堡，他這才停止討論。

這位征服者「被人抬離，因為膝蓋不好，然後上馬，坐得挺直，策馬奔向大馬士革，音樂奏起，流露著志得意滿」。然後，在伊本・赫勒敦的陪同下，帖木兒以投石機和石腦油噴火器攻打護城城堡。城堡陷落之際，帖木兒下令洗劫該城，然後屠殺、燒死三萬人，照例將他們的頭封在人頭塔裡。伊本・赫勒敦與這位兇殘的征服者閒聊歷史和人生，意態親切和善，心知言談要小心，以免性命不保。

「你想要什麼，」帖木兒於大馬士革火光衝天時如此說道。「我都會如你願。」

「流亡生活已使我健忘，」善於安撫兇殘君主的伊本・赫勒敦說，「或許你可以告訴我，我想要什麼。」

「留在我身邊。」帖木兒說。

「你已對我這麼寬宏大量，還有什麼可慷慨贈我的？你對我恩遇有加……」

帖木兒懂他的意思，「你想回開羅？」

6　自黑死病爆發以來，伊本・赫勒敦可說是命運多舛：他當過非斯、突尼斯及格拉納達三國的維齊爾，捲入宮廷陰謀而遭囚禁，又遭搶匪攻擊、打劫，之後來到開羅，為馬穆魯克人的王廷效力。他理解歷史的重要和歷史所帶來的危險：他的兄弟雅赫亞也是歷史學家，和他對立的歷史學家於是指使人暗殺他（具警世意味的一則故事，說明了文人相互較勁的危險！）所幸他已完成他的世界史著作。他著迷於王朝興衰，主張家族的掌權最初強化了不可或缺的阿薩比耶（asabiyya，「社會凝聚力」），使社會更加團結，但「王朝的命脈通常不超過三代」，因為失去了阿薩比耶。他對奴隸制的分析，透露了阿拉伯人的種族觀：「黑人是唯一接受奴隸制的人，因為他們是較低等人，接近動物階段」。

「我一心只想為你效力，如果我回開羅對你有幫助，我這就去。如果沒幫助，我就不想去。」

帖木兒說，「我會滿足你的願望」，並送伊本・赫勒敦回開羅。下一刻，帖木兒便把矛頭轉向鄂圖曼人。這時，霹靂中止對君士坦丁堡的圍城。在安卡拉，帖木兒擁兵十五萬和三十二頭大象，與霹靂的十萬人對峙，帖木兒的象夫配備噴火器。[7]霹靂被包圍，他的馬中箭，然後他被帖木兒的孫子穆罕默德・沙（賈汗季和罕匝答之子）擒住，他身負重傷，而後斷氣。君士坦丁堡歸順帖木兒，帖木兒進向愛琴海，攻破士麥那（Smyrna，今伊茲密爾／Izmir）。帖木兒曾善待霹靂，但他卻試圖逃跑，之後便被關在牢車裡，三個月後死去（他的巴伐利亞籍年輕奴隸席爾特貝格爾則成為帖木兒的財產）。

鄂圖曼人的高光時刻想必已走到盡頭。

世界皇帝：帖木兒在撒馬爾罕

帖木兒睥睨天下。在撒馬爾罕，他思索著接下來要征服之地，同時督導印度籍、阿拉伯籍建築師及藝術家，接見了遠從西班牙過來的使者。[8]

奉卡斯提爾國王之命出使撒馬爾罕的克拉維霍（Clavijo），親眼目睹頭髮花白的帖木兒在天堂般的庭園裡為眾人所圍繞，他曾描述道，「撒馬爾罕是世上最美妙的城市」。帖木兒斜倚在繡了圖案的台上、華蓋之下，身穿樸素的絲質外衣，白帽上鑲嵌著珠寶，「年紀很大，身體非常虛弱，幾乎睜不開眼睛」。這個征戰一生的人住在深紅色圓頂帳裡，他的妻子則住在宮殿裡。帖木兒「心情很好，喝了很多酒，要所有賓客也開懷暢飲」，與此同時殺了羔羊（和罪犯）。他每天早上巡視工地，「一天大半時間待在那裡」。

他最重要的訪客來自中國。一四〇三年，中國使者宣布新皇登基，要他獻貢。帖木兒將他們抓了起來。中國新皇帝太放肆，竟要把黃金家族趕出中國。帖木兒自封為家族的繼承人，宣布對中國發起聖戰。

帖木兒將中國視為威脅有其道理。當時的中國皇帝正在籌備一樁震古鑠今的大事業——派遣龐大艦隊遠至波斯宣揚中國國威，直入帖木兒的地盤。這個新王朝的創建者是歷來出身最卑微的開朝始祖，唯一乞丐出身的皇帝。

乞丐皇帝：凌遲而死、誅九族

他死盯著人的眼睛、尖且突出的下巴、凸起的額頭、坑坑巴巴布滿麻子的臉、強壯的身材、高於常人的身子，這些特徵都未使朱元璋——日後的洪武皇帝——一輩子出不了頭，反而在預示救世主即將降臨的末世徵兆和散發密契主義信息的叛亂頻發的不可思議時代，他驚人的醜貌為這個凶狠無比且眼界高遠的人預示了不凡的未來。若在其他時代，他可能只是個村官，但在有著非常機會的時代，非常之人可謂如魚得水。

忽必烈創建的元朝逐漸衰退，被瘟疫削弱了國力，朱元璋此時生於一個四處流浪的家庭（和帖木兒出生日相差不遠），而且窮到他父母不得不把他的手足賣掉。他十六歲時，他的父母和最後一個兄弟死於瘟

7 兩軍兵力的龐大，使得英法戰爭相形見絀。在普瓦捷和阿讓庫爾（Agincourt）兩役，「黑王子」和亨利五世的英格蘭籍士兵為六千人左右。

8 在雷吉斯坦（Registan）這座大廣場，帖木兒正在建造有三個圓頂的比比哈努姆清真寺（Bibi Khanum Mosque），以紀念他的皇后哈努姆薩萊，同時也建造宮殿，並為他寵愛的孫子穆罕默德·沙建造樸素而優美、上覆綠松石圓頂的古爾埃米爾陵（Gur Amir）。建造這座清真寺的過程或許太匆促；部分建築在一次地震後倒塌，但仍有部分建築屹立至今。

疫。沒人出得了錢將他們下葬，也沒人養得了他，他因此被送到佛寺，寺中和尚派他出去行乞。宣揚「彌勒佛降生，明王出世」的紅巾軍叛亂，導致中國四分五裂，出家不久、四處化緣的朱元璋，則在這時投靠元末群雄之一的郭子興，並獲得提拔，娶了郭子興的女兒。

一三五六年，有著自己軍隊的朱元璋渡過長江，拿下南京，並以南京為都城。他開始招募傑出文人為顧問，學習歷史和禮儀，以漢高祖為榜樣。接著，他一路打遍中國各地，發動大規模戰爭，動用火炮和火藥。一三六三年，他動用由巨大樓船組成的艦隊和三十萬左右的兵力，在鄱陽湖上打敗敵軍陳友諒──二十萬兵力。這些樓船比西方人所想像得到的任何船艦都要大，而此役則仍是史上最大規模的水戰。約六萬敵軍水兵被殲滅。

一三六八年，這位乞丐出身的皇帝在詔書中坦承，「朕惟中國之君……朕本淮右庶民」，並說明天命已如何從忽必烈家族轉到他手上，「荷上天眷顧、祖宗之靈，遂乘逐鹿之秋，緻英賢于左右……今文武大臣、百司眾庶，合辭勸進，尊朕為皇帝，以主黔黎」。就在帖木兒成為公認的中亞統治者時，朱元璋創建新朝明朝，自封洪武帝。

洪武帝以南京為都城，而他的成就和外貌一樣不凡。拿下大都（北京）後，他恢復帝權和以儒家典籍為考試內容的科舉制，起訴貪官，將生剝他們的皮。只是他愈來愈多疑、嗜殺，突然攻詰起在他崛起之際曾對他提出忠告的友人，並派錦衣衛查緝不法，而且錦衣衛有自己的行刑室。他施行誅九族的連坐法，意即有一人犯了特定重罪，此人的九族都要伏法，形同諸殺其親人。一人飛黃騰達，其氏族也跟著爬上高枝；一人失勢，其氏族跟著落魄；族中女人則淪落為奴或遭處死。處決主犯時，採用千刀萬剮（即凌遲）、肢解、大卸四塊之刑，並以服用鴉片減輕受刑人的痛苦。廷臣和大臣在洪武君面前遭杖打，有時遭殺害。一三八〇年，他處決了宰相胡惟庸和其家族一萬五千人（他自己算出的人數）；有個大臣，連同其族人，共計三萬人遇害。有道閃電打中他的皇宮，他畏於上天的神祕示警，才終止這類恐怖行徑。

他在他自訂的刑法《御製大誥》中坦承無數人被殺，為自己整肅異己之舉辯解，且親掌朝政。隨著告發紛至，他更是陷入殺人狂熱，他反思道，他若寬厚，人民便說他糊塗，若嚴厲，人民便叫他暴君。有時，他覺得殺再多人都是徒勞：「帝國平靖，民心敗壞，官員腐敗。縱使早上處決了十人，那天夜裡又會有百人在作奸犯科。」

他的諸子被分封到各地當藩王，各個是心驚膽顫。有次他緊急召見某個兒子和媳婦，結果兩夫妻雙雙自殺。另一個兒子服用道教的長生不老藥過量而身亡。他立長孫朱允炆為太子，制定長嗣繼承制，以免重蹈覆轍元朝皇位繼承的亂象，沒想到，此舉令他那能幹又凶狠的四子朱棣（燕王）大失所望，他原以為自己將繼承皇位。

朱棣受命鎮守北疆這個最不平靖的軍事區，而攻打成吉思汗家族和蒙古人的戰事仍持續。他的父皇在南邊的雲南征戰，並擄獲多名俘虜，其中之一便是淪為孤兒的穆斯林鄭和。鄭和受宮刑，被送去服侍燕王朱棣。

一三九八年，帖木兒在西方進兵時，凶殘的老頭洪武帝終於去世，三十八名妃子跟著陪葬。他二十歲孫子、個性溫和且聰穎的朱允炆成為建文帝，登基後廢除祖父的殘酷敕令。他削弱尾大不掉的各地藩王（他諸位叔叔）的勢力，而其中勢力最強者——三十八歲的朱棣——不從。

朱棣眼光遠大、高調張揚、個性傲慢、作戰凶猛，暴虐殘忍一如其父，但他也通曉儒家典籍，對建文帝來說是個危險的敵人。建文帝還未來得及出手對付他，他已率兵南征。一四〇二年七月，他衝進南京。皇宮著火時，建文帝不見人影，但後來他焦黑的遺體和他的皇后、長子的遺體被人在灰燼中被找到並且示眾（他一個倖存的兒子被關了五十四年）。儘管有傳奇故事說這個和藹的年輕皇帝已逃走，但事態如此發展，朱棣因而得以繼位，是為永樂帝。

他姪子的支持者繼續抵抗，為解決掉他們，他將數千人肢解，不只動用他父親所設的錦衣衛，還設立東廠這個由宦官組成的祕密警察機構。他姪子的私人教師方孝孺被判誅九族時，方孝孺喊道，「便（誅）十族奈我何！」永樂帝於是順了他的意。方孝孺被腰斬，八百七十二名親人等著被肢解，他則用自己的血寫下篡位者一詞。

永樂帝認為，中國是天下共主，宣稱其父承膺天命，為天下主。只是有個人擋在他的路上：帖木兒。

「依華風」：三寶太監和帖木兒之墓

一四〇三年登基後，永樂帝立即命令三十三歲的鄭和建造龐大艦隊，向印度洋這個為中國水手所熟悉的地區展現國力。鄭和是內官監太監，官至四品——宦官所能擁有的最高品位，穿紅袍而非藍袍。永樂帝和鄭和的談話未見諸記載，但明朝與帖木兒即將爆發的衝突，想必是促此成舉的因素之一。鄭和的遠航計畫不是為了探索或貿易或開疆拓土——永樂帝說，「四海至廣，非一人所能獨治。」打造這支龐大艦隊，意在震服海外統治者，承認中國為天下共主，向中國進貢，但如有必要，該艦隊也能動武消滅海盜，摧毀不從者。

由於帖木兒發動聖戰，鄭和的選擇就讓人覺得諷刺：他是賽典赤．贍思丁的六世孫，賽典赤則是先知穆罕默德的後裔，信仰伊斯蘭教，忽必烈在位時任雲南行省平章政事，任內使雲南境內許多人皈依伊斯蘭教。鄭和的父親、祖父都曾前往麥加朝聖，但他父親於明人入侵雲南時遇害，他則遭閹成為宦官。這個身形龐大笨重、身高六呎五吋的軍人——長臉頰和高額頭，鼻小，眼睛炯炯有神，聲如洪鐘——投入朱棣幕下，在內戰中建立戰功。

一四〇五年初期，艦隊建造期間，永樂帝收到帖木兒正率大軍逼近的消息。西班牙旅行家克拉維霍（Clavijo）記載道，帖木兒「身體已差」，「不再能久站，或不再能上馬，始終坐轎被人抬著走」。但至這時為止，帖木兒在戰場上都未嘗過敗績。明朝加緊邊防，鄭和的艦隊就要作好出航準備。未想就在為攻打明朝而率兵出征後不久，六十八歲左右的帖木兒去世，他的眾多兒孫隨即兵戎相向，最後，他的么子沙魯赫（Shahrukh）打敗群雄，繼任帖木兒之位。[9]沙魯赫以赫拉特（Herat，今阿富汗境內）為都城，和永樂帝言和，七月，永樂帝下令鄭和率艦隊出航，兩百五十五艘船浩浩蕩蕩出發，每艘船配備二十四門火炮，艦隊上共兩萬七千五百人。六十二艘九桅「寶船」身形巨大，長四百呎，寬一百七十呎。[10]

一四〇五年鄭和首次遠航，據《明太宗實錄》記載，明朝「遣中官鄭和等齎敕往諭西洋諸國，並賜諸國金織文綺彩絹」。鄭和航行至占城，占城承認中國的宗主地位，接著他航行至馬來亞、爪哇，再至斯里蘭卡、卡利卡特（Calicut，中國古籍稱古里，今印度境內）；這次遠航期間，他打敗一支海盜船隊，殺了五千名海盜。他在諸多停靠地留下碑文，文中祈求佛陀、阿拉、女海神天妃、印度教等神祇保祐，既傳達

9 帖木兒生前曾打算死後和賈汗季一起葬在家鄉渴石，最終卻長眠在撒馬爾罕境內有著天藍色圓頂的波斯式八面體古爾埃米爾陵，孫子穆罕默德·沙之墓陪伴在一旁。傳說，萬一帖木兒之墓受擾，世上會再出現一個更可怕的征服者。一九四一年六月十九日，蘇聯考古學家米海爾·蓋拉西莫夫（Mikhail Gerasimov）奉史達林之令打開這座墓地——辨識出帖木兒那骨折的腿部骨折，並利用顱骨重現他的臉部，我們因此得以看到他的長相。三天後，希特勒入侵俄羅斯。

10 如果記載屬實，這支艦隊的船艦數量和西班牙無敵艦隊或一八〇三年特拉法爾加海戰英、法、西三國艦隊的總和不相上下。而就船隻大小來說，美國歷史學家愛德華·德雷爾（Edward L. Dreyer）寫道，這些寶船是「世界史上最大的木船」，西方任何船隻和這些相比都如小巫見大巫，九十年後哥倫布的小船尤其比不上。在船隻數量和船隻大小方面，記載可能有所誇大。鄭和的遠航不是永樂帝的唯一遠征之舉：他也派另一個可靠的太監亦失哈乘船順黑龍江而下，在今日的西伯利亞境內設立權力機構。

中國的上國國威，也以詩文表達對海的尊敬：「涉滄溟十萬餘里。觀夫鯨波接天，浩浩無涯，或煙霧之溟蒙，或風浪之崔嵬，海洋之狀，變態無時。而我之雲帆高張，晝夜星馳。」

一四〇七年，鄭和回到南京，隨行還押著一個要帶回來斬首的海盜頭子，以及帶著來自東南亞和印度的進貢使者，接著，受命展開又兩次遠航。第三次遠航時，斯里蘭卡國王不服於他。鄭和攻打其都城，擒獲該王，將他廢掉，並扶立新王。位在呂宋、蘇祿（都在今菲律賓境內）、蘇門答臘、汶萊的國家，[11] 與明朝互遣使往訪，向永樂帝進貢。鄭和得意說道，「際天極地，罔不臣妾」。他在麻六甲所留的碑文，最清楚說明了他遠航的使命：麻六甲「王好善義思朝宗，願比內郡依華風」。一四一六年十二月十九日，永樂帝接見奉他為宗主的南亞諸國君主派來的十八名使者，以此慶祝鄭和歸來。而後，永樂帝命鄭和第五次遠航，並將這些使者送回國覆命，此次則抵達更遠的地方：阿拉伯半島和非洲。

永樂帝精力充沛，對蒙古人六次用兵，對越南一次用兵，恢復了大運河航運，建造新城北京。在北京，百萬工人在他占地一百八十畝的皇居——紫禁城——裡建造大宮殿，其中許多人是奴隸，不但付出勞力，還有許多人死於工地。儒家士大夫私下認為，這些遠航和宮殿太過狂妄自大，勞民傷財。永樂帝也變得嗜食道教金丹，其中的砷、鉛、汞正慢慢毒害他。

就在他宣布新都城落成啟用時，一樁令他顏面掃地的性醜聞讓他深受打擊。而這樁醜聞引發一個難堪的問題：世間最偉大的戰士皇帝會被一個沒睪丸的男人戴綠帽嗎？

殺妃

並非所有宦官都割掉睪丸和陰莖：宦官和妃子私通——人稱「菜戶」關係——有其可能，但依法不許。這些宮女屬皇帝所有。許多妃子對宦官產生依戀而且樂在其中，有些依戀甚至發展成低調的伴侶關係。但廷臣的一舉一動都受到東廠太監的監視。

永樂帝遷入紫禁城後的一四二一年，有個妃子因和某個宦官私通而自殺。被一個不男不女的人戴綠帽，永樂帝深以為辱，下令將兩千八百名宮女和她們的宦官凌遲，其中有些宮女只有十二歲大。這些宮女遭碎屍萬段。朝鮮籍年輕妃子崔美人，因在南京養病得以逃過一劫，於是她撰文記述此事，並流傳了下來。她回宮後發現她的世界已被清洗一空。她憶道，宮中愁雲慘霧，致使三大殿遭雷震。閃電擊中三殿，三殿是歷經多年的勞力付出才建成，一下子全燒光。這場大火令身體日衰的永樂帝心生警惕而有所收斂。

一四二四年，六十四歲的永樂帝派鄭和遠航，這次規模不大，接著永樂帝去了蒙古邊境，並在此因服用不死金丹過量而中風。

才三十歲的崔美人和十五名永樂帝的其他妃子以白絹遭縊死，而後和永樂帝一起下葬。他的孫子朱瞻基（宣德帝）繼位後，指派鄭和其他事務，並由他治理南京，封他為三寶太監——但還是允許他進行第七次（最後一次）遠航。後面幾次遠航連結起許多不同的世界——其中兩個差異最大的，係以北京為都城的明朝和東非洲的斯瓦希利籍蘇丹。

11　信印度教的香料帝國滿者伯夷正逐漸解體。在婆羅洲，三兄弟創建了從事香料貿易的城邦汶萊，並歡迎阿拉伯籍冒險家沙里夫．阿里（Sharif Ali）的到來。沙里夫是哈希姆家族一員，來自麥加，透過聯姻成為此家族一分子，後來繼承王位，打造出稱雄海上的帝國，且存續至今，成為盛產石油的君主國，如今仍由他所建立的王朝統治。新加坡的羅闍也皈依伊斯蘭教，創建了麻六甲蘇丹國，此時該國接掌香料貿易。而這就是歐洲人來到東方時所會遇到的世界。

豹王和私生子若昂

一四一九年一月，身為太監的艦隊司令鄭和，在得到荷姆茲（今伊朗境內）歸順後，於阿拉伯半島的亞丁靠岸。當地的蘇丹不願受開羅的馬穆魯克人宰制，於是歸順明朝，與鄭和交換禮物，然後這支中國艦隊繼續前進，航向非洲的馬林迪（Malindi），為皇帝蒐集了花豹、獅子、駱駝、犀牛及長頸鹿等動物。這些野獸送到北京後大為轟動，促成前往非洲的又一次遠航。

中國和非洲老早就有往來：中國籍、馬來籍、阿拉伯籍商人以瓷器和絲換取象牙、烏木和黃金；後人已在尚吉巴找到數千枚中國錢幣和許多瓷器。一四二一年十一月，鄭和展開第六次遠航，寶船艦隊於這次遠航期間去了阿居蘭（Ajuran）王國的兩個口岸巴拉瓦（Barawa）和摩加迪休（Mogadishu）。這個王國係索馬利人所創立，疆域遠至與衣索比亞接壤的歐加登（Ogaden）。[12]

鄭和的艦隊往南航行至基盧瓦（Kilwa）。基盧瓦由皈依伊斯蘭教的非洲人創建，這些非洲人捏造出身，自稱祖先是一名來自設拉子的波斯籍貴族。這些國君，如今和非洲人、阿拉伯人（可能是阿曼人）通婚，控制了從今肯亞的蒙巴薩綿延至今莫三比克的索法拉（Sofala）的濱海帝國，並在月島（今馬達加斯加島）有殖民地。基盧瓦的蘇丹不服鄭和，鄭和攻破該城，隨後往南航行至索法拉。這些斯瓦希利籍君主奉中國皇帝為宗主。蒐集到乳香、龍涎香、象牙以及更多動物（包括象和駝鳥）後，第七次遠航的鄭和可能死於返航途中。宣德帝和其官員不認同永樂帝的揮霍無度，把超級艦隊閒置在碼頭，燒掉鄭和的航海圖等資料，深信中國的上國地位不需靠與外界往來促成。此後直到二〇一三年一帶一路倡議問世，中國才又再次如此向全球展現國力，又再次大張旗鼓的來到非洲。

據中國人記載，斯瓦希利人除了買賣象牙、烏木、黃金，也買賣來自非洲內陸的「野人」奴隸。在今肯亞、坦尚尼亞所在之地，象和人四處遭獵捕，但運到索法拉供出口至印度洋彼岸的金、銅，來自內陸一王國：其都城辛巴威（Zimbabwe）[13]是座石城，撒哈拉沙漠以南最古老的城市，創建於九〇〇年左右，城裡可見高牆環繞的大院（Great Enclosure），建造約於十三世紀，院中有高塔。該國境內說班圖語系紹那語（Shona）的諸侯，以買賣黃金、牧牛、製陶為業。他們也擁有金質手工藝品和鷹雕，以及來自中國、波斯的瓷器。鄭和來到索法拉時，辛巴威王國已逐漸解體，統治者穆克瓦蒂（Mukwati）遭較年輕的諸侯尼亞欽巴·穆托塔（Nyatsimba Mutota）削弱勢力。穆托塔挑戰辛巴威在鹽、黃金買賣上的地位，脫離自立成為新王國穆塔帕（Mutapa）的姆威內（mwene，「國王」）。穆塔帕版圖涵蓋今坦尚尼亞、尚比亞、辛巴威，穆托塔的兒子尼揚海維·馬托佩（Nyanhewe Matope）繼任後，更是擴大版圖。這個姆威內住在南邊尚比西河畔的茲逢貢貝（Zvongombe），手持儀式用斧頭和金矛，透過人稱「國王妻子」的九名大臣治國，其中某幾名大臣是他的王后和姊妹，其他大臣則是男性顧問。但辛巴威沒落，後來遭棄。

東非、西非這兩個大不相同的世界，仰賴通至埃及、馬格里布地區的撒哈拉沙漠貿易路線而連結在

12　在衣索比亞，信仰基督教的皇帝耶夏克（Yeshaq，即以撒／Isaac）正在征討信奉伊斯蘭教、猶太教的軍事領袖。他的祖先耶庫諾·阿姆拉克（Yekuno Amlak）於一二七〇年奪下王位，自稱索羅門王和示巴女王之後，以及最後幾位阿克蘇姆國王之後（後一說看來較有可能）。索羅門王朝的顯赫，給了這個統治衣索比亞部分地區直至一九七四年為止的王朝所急需的聖經時代光環——此前，衣索比亞偶爾終結群雄割據局面，歸於一統。這些基督教信仰的皇帝——諸王之王（negus negust）——眼下驚覺自身遭遇到嚴重攻擊，而敵方則是由開羅馬穆魯克人支持的穆斯林籍統治者。在北部，猶太教信仰的王國統治西米恩山（Simien Mountains，非洲之角的最高山）和周邊地區。該國國王常以《聖經》人物基甸為名，因此被稱作基甸王朝（Gideonites）。基甸王朝不服皇帝耶夏克統治，耶夏克於和阿達爾（Adal）的蘇丹交手時喪命。

13　此王國的確切的國名不詳。辛巴威一詞僅意味著「石造建築」；此區域另有數座較小的辛巴威——其中之一倖存於班布西（Bambusi）。

一塊，只是兩世界間的交通往來受阻於其間的遼闊叢林和熱帶稀樹草原。而西非的政局，其複雜、變動和東非不相上下：一些強大王國和眾多較小的政治實體爭奪領土，爭奪阿坎（Akan）金礦區黃金的控制權，爭奪戰爭中擄獲的奴隸。黃金和奴隸經由阿拉伯籍商隊賣到撒哈拉沙漠的另一邊，從十一至十七世紀，大概賣掉六百萬奴隸。說班圖語的王國，一如歐洲人的王國，由天縱英明的戰士靠個人的群眾魅力、血腥征服、精明的聯姻創立，而其中許多王國為新王國。一三七五年左右，帖木兒和洪武帝打天下時，其中最大的王國剛果（Kongo）靠兩個王族聯姻而誕生：姆彭巴・卡西（Mpemba Kasi）的國王尼瑪阿恩濟瑪（Nima a Nzima）娶姆巴塔（Mbata）王國國王恩薩庫・勞（Nsaku Lau）的女兒或姊妹盧奎妮・盧安桑澤（Luqueni Luansanze）。兩人的兒子合併兩王國，統治直至一四一五年，期間征服了今日安哥拉和剛果共和國（布拉薩維爾）的諸多地方，建立都城姆班札（Mbanza），不久就有數萬居民。馬尼剛果（manikongo，「國王」）向來從這個家族中挑選出任，穿戴黃金和羽毛，坐在覆頂寶座上，臨朝聽政，臣民必須伏地才能晉見到他。任何人都不得看他吃東西。

在姆班札周邊，奴隸在農田裡幹活——「靠蒐集奴隸，剛果王擁有很大權力」。奴隸自古便是非洲社會的一部分，美國歷史學家約翰・桑頓（John Thornton）寫道，「奴隸到處可見，因為奴隸是獲非洲法律認可的唯一一種可帶來收入的私有財產」；事實上，奴隸是「中非洲主要的財富表現形式」。但這不是日後歐洲帝國的那種動產式奴隸制——擁有並買賣人和其孩子。剛果建立在以鍛鐵為專長的精湛工藝上。第一任國王據說設計了一款特殊的鍛鐵爐，而馬尼剛果買賣象牙、毛皮、布、陶器和奴隸，靠旨在掠人為奴的襲擊和擴張戰爭不斷填補奴隸。

在北邊，強而有力的歐巴（oba，「國王」），「偉人」艾烏瓦雷（Ewuare the Great）正在擴張伊比尼—貝南（Ibini-Benin，今奈及利亞境內）這個小型的約魯巴人（Joruba）王國。艾烏瓦雷是中世紀埃多人

（Edo）王國的歐吉索（Ogiso，「天空王」）伊戈多米戈多（Igodomigodo）之後，[14]本名奧袞（Ogun），是某個歐巴的兒子，曾遭兄弟趕出國。流亡期間，他習得自信心和巫術，習得的方法之一是拔掉獅爪上的一根刺，從而獲得獅子授予的法力。他暗殺掉兄弟，改名艾烏瓦雷（Ewuare，「爭戰結束」），隨後將王位繼承法簡化，降低烏瑪札（umaza，諸首領）在選立國王上的影響力，接著開始開疆拓土，美化伊比尼的王宮。艾烏瓦雷自稱「獅王」，以他本人和他的家族為所有活動的中心，把母后提升到特殊階位。他的貝南城成為撒哈拉沙漠以南非洲的最大城，不久，就被某個來訪的歐洲人形容成「比里斯本大；所有街道筆直且延伸到目力所及之處。房子甚大，尤以國王的住所為然。國王的住所裝飾富麗，有精美圓柱」。艾烏瓦雷請人製作寫實的雕塑和雕刻，這些藝術品以珊瑚、木頭、赤陶土及石頭、鐵、青銅（依此傳統，後來，便創造出所謂的貝寧青銅器〔Benin Bronzes〕）為材料，呈現出更早的歐巴或他本人和他化身的豹——更早的歐巴被當成神或當成擁有法力者來膜拜——他的工匠也製造柱子、祭壇、門及面具。這些全用於一整年的某些固定節日，旨在頌揚、恢復歐巴權力並肅清可能威脅王國之惡靈。[15]

14 這個家族同時創建了另一個王國奧尤（Oyo）。憑藉深厚的家族親情和持續至十九世紀才消的激烈對抗，奧尤王國和貝南關係密切。這時，奧尤是最大強權；貝南的擴張則持續更久。此家族所建立的王朝，名義上仍由該家族的分支統治，在今日共和制奈及利亞境內依舊權力甚大。

15 約魯巴人膜拜眾多的神和靈（orisha），但他們的宇宙論把藝術擺在生活的中心位置。他們相信，主神奧洛杜馬雷（Olodumare）——宇宙生命力阿斯（ase）的來源——命令奧巴塔拉神（Obatala）造出最早的約魯巴人。約魯巴人住在聖城伊列—伊斐（Ile-Ife），受歐歐尼（ooni，「國王」）統治，而歐歐尼則是神君之後。伊列—伊斐早在西元前四〇〇年時就有人定居，自西元七〇〇年左右，便作為西非的聖城而欣欣向榮。即使政治權力已轉移到奧尤、貝南兩王國手上，伊列—伊斐仍有過輝煌的藝術創作時代，來自其他王國的國王頭顱仍送到那裡埋葬。就在此時，伊列—伊斐的國王奧巴魯豐（Obalufon）正委請該地的藝術家製作以他為主角的雕塑。

這座城市有許多艾烏瓦雷征戰時所擄獲的奴隸，他們充當奴僕，充當勞工，充當用來換取黃金、象牙、銅的貨幣。自由民有別於奴隸之處，在於他們死後拿人獻祭。自由民以人祭和伴隨人祭的舞蹈儀式尊崇歐巴，安撫職司死亡的神君。歐巴去世時，他的侍衛被當成祭品，他的妻子自盡，全都和歐巴一起下葬。

已被奉上「偉人」尊號的艾烏瓦雷正要大展身手——渾然不知在非洲大陸的最北角，另一個家族正要踏足非洲。

一四一五年八月二十一日，中國人來到非洲東岸時，一支由兩百艘葡萄牙船組成的艦隊，載著由國王若昂（João）和其諸子統領的四萬五千士兵，入侵非洲西北部，在休達（今摩洛哥境內）登陸，展開一場次要的十字軍遠征。這場遠征將把伊比利半島的冒險家帶到愈來愈遠的地方，帶他們繞過非洲來到印度。[16]

葡萄牙是個很小的國家，受黑死病摧殘後，人口只有九十萬。它位處伊比利半島邊陲，為聯通地中海地區、大西洋地區和聯通歐洲、非洲的樞紐，地理位置正利於往北至英格蘭、往南沿著非洲沿岸進行貿易。

一一四〇年代，葡萄牙在一勃艮第籍冒險者家族統治下已是獨立王國，但與其更大對手卡斯提爾王國的關係既密切又心存疑忌，數百年來忽而兵戎相向，忽而聯姻交好。因此，兩國王族的親緣關係密切到若有卡斯提爾人接管葡萄牙或葡萄牙人接管卡斯提爾，都不是什麼奇怪的事，而英格蘭人爭取卡斯提爾王位，則導致伊比利半島一再受到來自倫敦的干預。半島上三位信仰基督教的王國——葡萄牙、卡斯提爾、亞拉岡——都在收復失土運動（Reconquista）中有非常英勇的表現。這場運動是對抗穆斯林的十字軍聖戰，逐漸剷除伊斯蘭教在西班牙的勢力後，最終在西班牙土地上只剩一信仰伊斯蘭教的王國格拉納達。強悍卻也貧窮的葡萄牙貴族（fidalgos）很想取得新疆土，而他們外號「私生子」（Bastard）的新國王若昂，則必須向國人證明他勝任國君之位。

若昂從未想過自己會當上國王，但在他那難以捉摸又好色的父王所統治的凶殘、不符禮法的王廷裡，他倒是一路順遂。[17]身為情婦所生的晚生兒子，私生子被晉升為阿維斯騎士團（Order of Aviz）這個十字軍聖戰修會的團長，比嫡室所生且接掌王位的同父異母哥哥斐迪南更得人心。斐迪南去世後，若由嫡室子女

---

16 一個星期前的八月十三日，二十七歲國王亨利五世所帶領的一支小型英格蘭軍已登陸法蘭西，以重啟征服法蘭西的大業。此大業由精力十足的愛德華三世成功開啟，後來卻敗於他精神失常的孫子理查二世。理查被他的堂弟蘭開斯特公爵亨利推翻並殺害，亨利登基，成為亨利四世。而亨利五世最不尋常之處，乃是他總是化險為夷，活了下來。他十六歲時和父親一同攻打某造反的貴族，結果臉部中箭，箭射入他眼睛下方，卡在頸後，但未觸及他腦部。這樣的箭傷通常會導致傷者死於感染，多數醫生碰到這種情況會乾脆把箭拉出來，撕裂頭顱內的肌肉。最初的一組醫生——後來被稱作「愚昧且饒舌的醫生」——搞砸了這件事，他們折斷箭。所幸，有了技術高超的御醫約翰·布雷德莫爾（John Bradmore），而他本身也是金工工匠和寶石匠。他用蜂蜜為傷口殺菌，用酒精清洗傷口，同時設計出一種工具，用一筒狀物夾住箭頭，自腦後將穿過頭顱的箭拔出。令人震驚的是，這一操作手法奏效，傷口未受感染；布雷德莫爾得到重賞。高大強壯的亨利想必留下鮮明的傷疤。接掌大位後，他將艦隊聚集在南安普敦，隨後迅速殺掉最好的朋友和另外兩個涉入某陰謀的貴族。在法蘭西，他拿下港口阿弗勒爾（Harfleur），後又在阿讓庫爾與兵力兩倍於己的法軍交手，殺掉大多數法蘭西俘虜，是為數起這類暴行的第一樁。亨利五世拿下數起勝利後，法蘭西王同意將女兒凱瑟琳（Catherine）嫁給亨利。亨利三十六歲死於痢疾，當時兩人唯的一兒子仍只是個嬰兒。亨利死後，凱瑟琳嫁給威爾斯籍管家歐文·都鐸（Owen Tudor），而都鐸王朝便是他們的後裔。

17 若昂的父親佩德羅性情古怪又淫亂，娶了卡斯提爾公主康絲坦薩（Constanza）。康絲坦薩帶了侍女伊涅絲·德·卡斯特羅（Inês de Castro）過來。佩德羅和妻子生了一個兒子，卻又愛上伊涅絲。康斯坦薩死後，他開始提拔伊涅絲的家人：在一次與敵對的朝臣攤牌時，當著她的孩子面前，伊涅絲慘遭斬首。而佩德羅當上國王後，便追捕起當初殺她的人，親手扯出他們的心臟以洩心頭之恨。據說他把伊涅絲從墓中挖出，替她戴上王冠、首飾，要朝臣向她致敬。他的確為她造墓，且與他的墓相對而立，墓上刻有「直到世界末日為止」這幾個字。

繼位——即斐迪南那嫁給卡斯提爾國王的女兒——葡萄牙將遭卡斯提爾吞併。結果，貴族支持若昂繼承，視其為得人心的葡萄牙籍人選。若昂挫敗了卡斯提爾奪取葡萄牙王國的意圖，保住葡萄牙的獨立國地位。他娶英格蘭公主腓莉帕（Philippa）為妻，兩人生下五個成就傲人的王子。此時此刻，這五人正盡興的展開殺害摩爾人的入侵非洲行動：戰爭是上帝的事功，係為報復摩洛哥人多次入侵西班牙。若昂的三子亨利，日後外國人將稱之為「航海家」，對此最是積極。

若昂時機拿捏得剛好。摩洛哥正處於無可救藥的分裂狀態，而且此一冒險之舉迎合了他那些定不下來的貴族的想望。

若昂在休達上岸，遭遇突襲的摩洛哥人緊急出城迎敵，卻已太遲。打了勝仗後，若昂的貴族衝過城門，闖進這座欣欣向榮的城市，王子亨利拚命進攻，一路砍殺摩洛哥戰士，反而遭切斷後路，所幸一名騎士為他犧牲，這位王子才獲救。亨利本人只受輕傷。若昂放任士兵大肆洗劫三天，士兵以雀躍不已的聖戰心情屠殺穆斯林，將有錢阿拉伯人折磨至死。他們不只劫掠阿拉伯籍商人，也劫掠來到摩洛哥的熱那亞籍商人。熱那亞人是非洲冒險事業的先鋒：先前就試圖拿下休達，並已助卡斯提爾拿下在大西洋地區的第一個征服成果：加納利群島（Canary Islands）。[18]若昂把清真寺改為教堂，封杜阿爾帖（Duarte）、佩德羅、亨利等三個王子為騎士。在葡萄牙時的生活是如此的簡陋刻苦，以致休達城裡的豪華房子讓他們的士兵們看得目瞪口呆。

這一切的發生，時值葡萄牙人已發展出新式海軍軍艦：他們的輕型船——先是巴爾卡（barca）、貝爾甘提納（bergantina），而後是卡拉維爾（caravela）——體積甚小，前後不到八十呎，堅固耐用且易操縱。亨利的水兵已逐漸掌握利用從海上返回（volta do mar）的航海技術。這種技術是利用大西洋的環流風和海流，使他們得以轉向航入更遠的未知水域，從而得以航至新海岸。輕快的卡拉維爾帆船是理想的遠洋航行工具；後來，葡萄牙人在這些船上裝置新武器——火炮（bombarda）——集火藥威力和輕快於一身，此船戰力驚人。「航海家」亨利不是探險家或科學家（沒有證據證明他創建了航海學校或科學院），但奉他父親之命執掌十字軍軍事修會「基督騎士團」（Order of Christ）之後，他認為上帝的事功、葡萄牙的偉大、剝奪非洲三者並無扞格之處。而創造出今日世界的那個過程，就此開始；後來，則出現了帝國，隨之有歐洲人外移異地——紐西蘭歷史學家詹姆斯．貝利赫（James Belich）說，「經由遷徙至遙遠異地，複製自身所來自的社會」——這時，葡萄牙人首開此遷徙之先河，西班牙人、英格蘭人、法蘭西人以及尼德蘭人陸續跟上。藉由殺戮和摧毀、建造和繁殖，最終在四塊遙遠大陸上創造出往往獨一無二的混合型社會，以及後來創造出的現代國家。[19]

---

18 自基督誕生前後，就有古安切人（Guanche）住在加納利群島。他們是柏柏籍加納利群島島民，與歐洲或非洲偶有接觸，仍處於石器時代的文化，沒有船或金屬。後人找到他們的木乃伊化祖先遺體，從而發現另一種替屍體防腐處理的高明作法：把屍體放在火堆上燻，再以羊皮裹住屍體，藉此讓腦和腸子保持完好。一三一二年，熱那亞籍銀行家暨冒險家蘭切洛托．馬洛切洛想要查明先前登上加納利群島的維瓦爾第家兄弟的遭遇；他把其中一座島取名為蘭薩羅帖（Lanzarote，即Lancelotto的西班牙語名），並在此新建一座要塞，可惜最終在古安切人造反時被逐出島。此時為一四〇二年，一名法蘭西籍十字軍戰士拓殖加納利群島，並自立為王——卻在遭遇原住民叛亂後，把群島割讓給卡斯提爾。島民不久便淪為奴隸，或慘遭殺害，同時，大批人死於疾病。

19 回到中歐，此時基督教世界則處於守備狀態，並由浮誇的「世界君主」——我們的文法冠軍、愛現的空想家西格蒙德（Sigismund）——領導，並發起反擊。西格蒙德因其髮色而有外號「薑黃狐狸」（Ginger Fox），為盧森堡家族的第三位皇帝，直到一三〇八年為止，其轄下都只是小王廷的規模。一三〇八年，哈布斯堡的「獨眼」阿爾貝特死後，特里爾大主教決意推舉他的兄弟盧森堡的伯爵亨利為皇帝。而後，亨利七世安排他的兒子約翰迎娶波西米亞的普熱米斯洛家族的最後一個女繼承人。而波西米亞國王約翰之所以獲得不朽之名號，在於一三四六年英法之間的克雷西會戰中，約翰支持他的法蘭西盟友，此時年老又耳聾的他，竟衝入最激烈的戰場中，並在一片黑暗的榮光中死去。懶散的「無所事事者」瓦茨拉夫三世（Wenceslas the Idle）幾乎摧毀了盧森堡家族，所幸他的兄弟西格蒙德——匈牙利和波西米亞國王——不但相當活躍，而且充滿想像力，他領導反鄂圖曼的若昂決定保住休達，以帝國主義航海為特點的新時代於焉展開。在這個新時代，阿維斯這個權大勢大的歐洲家族，憑藉他們的新船、火炮、以消滅穆斯林並經商營利為目標的勃勃雄心，一路打進非洲和亞洲。

十字軍，最終在一三九六年於尼科波利斯（Nicopolis）失利。一四一一年，西格蒙德獲選為皇帝，在布達所舉行的一場二十君主高峰會上（與會者包括金帳汗國的世子），他更是不遺餘力地提升自己的地位為「世界之光」（light of the world），只是，他默許以火刑處死捷克宗教改革者揚·胡斯（Jan Hus），進而在波西米亞引發胡斯戰爭，更遑論這個薑黃狐狸還是個粗暴、酗酒之人，有時甚至會全裸，態度極其傲慢。在一次會議上，他錯誤的拉丁文遭人舉正，沒想到，他竟荒唐回道：「我是羅馬人的國王，凌駕在文法之上。」（Ego sum rex Romanus et super grammaticam.）他創建龍騎士團（Order of Dragon）時，同時邀請瓦拉幾亞大公（Wallachian voivode）加入，瓦拉幾亞大公弗拉德二世（Vlad II）便以德古拉（Dracul，羅馬尼亞語「龍」之意）為名，而後，由他的兒子——「穿刺者」弗拉德（Vlad the Impaler）——承繼此名，是為Dracula（德古拉，今人所知吸血鬼）。然而，西格蒙德膝下無子，僅有一個女兒，後來嫁給他選定的繼承人哈布斯堡的阿爾伯特，一個凶殘的聖騎士、屠殺猶太人的人。阿爾伯特死於加冕為德意志國王之前，不過，他的崛起同時標誌著哈布斯堡王朝再起。

國家圖書館出版品預行編目（CIP）資料

權力的血脈：撼動全球走向的「家族」，一部交織萬年文明的新世界史／賽門・蒙提費歐里（Simon Sebag Montefiore）著；黃中憲譯. -- 一版. -- 臺北市：麥田出版：英屬蓋曼群島商家庭傳媒股份有限公司城邦分公司發行, 2025.08
　冊；　公分
譯自：The world : a family history of humanity.
ISBN 978-626-310-920-9（第1冊：平裝）. --
ISBN 978-626-310-921-6（第2冊：平裝）. --
ISBN 978-626-310-922-3（第3冊：平裝）. --
ISBN 978-626-310-923-0（全套：平裝）

1.CST: 世界史　2.CST: 文明史　3.CST: 家族史

713　114007509

權力的血脈I

撼動全球走向的「家族」，一部交織萬年文明的新世界史

The World: A Family History of Humanity

作者　賽門・蒙提費歐里（Simon Sebag Montefiore）
譯者　黃中憲
特約編輯　劉懷興　郭淳與
責任編輯　林虹汝
裝幀設計　許晉維
排版　李秀菊
印刷　漾格科技股份有限公司
國際版權　吳玲緯　楊靜
行銷　闕志勳　吳宇軒　余一霞
業務　李再星　李振東　陳美燕
總經理　巫維珍
編輯總監　劉麗真
事業群總經理　謝至平
發行人　何飛鵬
出版　麥田出版
台北市南港區昆陽街16號4樓
電話：886-2-25000888　傳真：886-2-2500-1951
發行　英屬蓋曼群島商家庭傳媒股份有限公司城邦分公司
台北市南港區昆陽街16號8樓
客服專線：02-25007718；25007719
24小時傳真專線：02-25001990；25001991
服務時間：週一至週五上午09:30-12:00；下午13:30-17:00
劃撥帳號：19863813　戶名：書虫股份有限公司
讀者服務信箱：service@readingclub.com.tw
城邦網址：http://www.cite.com.tw
香港發行所　城邦（香港）出版集團有限公司
香港九龍土瓜灣土瓜灣道86號順聯工業大廈6樓A室
電話：852-25086231　傳真：852-25789337
電子信箱：hkcite@biznetvigator.com
馬新發行所　城邦（馬新）出版集團
Cite（M）Sdn. Bhd.（458372U）
41, Jalan Radin Anum, Bandar Baru Seri Petaling,
57000 Kuala Lumpur, Malaysia.
電話：+6(03)-90563833　傳真：+6(03)-90576622
電子信箱：services@cite.my

一版一刷　2025年08月

第一冊　ISBN 978-626-310-920-9（紙本書）　ISBN 978-626-310-935-3（EPUB）
全套　ISBN 978-626-310-923-0（紙本書）　ISBN 978-626-310-938-4（EPUB）

本書定價為：台幣799、港幣266